EX-LIBRIS
Alfred Wilke

·K·

Auf alle Höhen wollte ich
    steigen,
Zu allen Tiefen mich
    niederneigen,
Das Nah und Ferne wollt ich
    erkünden,
Geheimste Wunder wollt ich
    ergründen,
Im eigen Streben ein
    Nie ergreifen
Das war mein Leben

    (W. Raabe)

Johannes Gillhoff
JÜRNJAKOB SWEHN

Johannes und Theodor Gillhoff
MÖNE MARKOW

JOHANNES GILLHOFF

Jürnjakob Swehn der Amerikafahrer

Hesse & Becker

© Hesse & Becker
im Weiss Verlag GmbH, Dreieich
1987
Umschlaggestaltung: Gudrun Kiender
Gesamtherstellung: May + Co, Darmstadt
Printed in Germany
ISBN 3-8036-3014-2
1. Auflage 1987

500.000 Td.

Auf der südwestmecklenburgischen Heide liegt ein stilles Bauerndorf, das seine wendische Hufeisenform von Westen öffnet. Seine dunklen Strohdächer senken sich tief hernieder; warm und weich umhüllen sie Menschenleid und -freud. Vor dem festgefügten Hufeisen hängt ein alter Strohkaten müde und halb versackt in seinen Pfosten und Riegeln. Für hochmütige Menschen ist da kein Raum, weil die Stubendecke zu niedrig ist. So sagt Jürnjakob Swehn, und er muß es wissen, denn er ist in dem alten Tagelöhnerkaten aufgewachsen. Aber nicht darin verblieben.

Das Streben nach eigen Hüsung und eigen Land trieb ihn fort wie so viele. In harter Arbeit wahrten sie doch den Zusammenhang mit der Heimat, und regelmäßig zu Weihnacht flogen ihre Briefe dem Lehrer ins Haus. Der las sie den Angehörigen vor, denn das Lesen der amerikanischen Briefe war auch eine Kunst. Die meisten kamen nicht hinaus über nüchterne Aufzählung der Wirtschaftsverträge, der Geschehnisse in der Familie und bei Verwandten oder Bekannten. Aber aus den unbeholfen gestellten Worten sprach rührendtreuer Sinn und aus den kargen Sätzen viel Herzensdank gegen den Mann, der der Jugend Lehrer und den Erwachsenen in allen Nöten des Leibes und der Seele ein treuer Berater war. Es gab kaum ein Sterbebett im Dorf, an das er nicht gerufen wurde. Des Schulamts im Dorf pflegten schon sein Vater und sein Großvater, und er führte es durch vierundfünfzig lange Jahre. Das schuf ein starkes Band zwischen Schulhaus und Dorf. Das ließ ihm auch die amerikanischen Briefe ins Haus fliegen.

So mußte er sie auch beantworten. „Ick mücht Sei woll bidden, minen Unkel in Amerika en Brief räwer tau schrieben." — „Wat sall ick em denn schrieben?" — „Ja, dat weiten Sei jo ebenso gaud as ick." — „Schön, denn kumm man Sünnabend abend wedder her; denn will ick di den Brief vörlesen." — Am Sonnabend fand sich dann, daß dem Brief nichts mehr zuzufügen war. — „Wat kost' dat nu?" — „Dat Wedderkamen!" — „Na, denn bedank ick mi ok." Das war stehend der Auftrag und seine Erledigung.

In den nüchternen, knappen Berichten der Amerikaner stand die Mühseligkeit des Tages doch zum Greifen zwischen den Zeilen. Zudem war der pfluggewohnten Farmerhand die Federführung sichtlich ein saures Stück Arbeit. Kam dann der Ruheabend, so war die Kraft zumeist verbraucht und das dürftige Restlein ging brieflich nur ins Breite. — Einer aber war da, der fand Gefallen am Buchstabenmalen, und das war Jürnjakob Swehn, der Tagelöhnersohn aus dem Katen vor dem Dorf. Er ging seinen Jugendweg, — er ging nach drüben und war einer unter vielen. Er kam

6

drüben vorwärts und blieb einer unter Tausenden. Seine Briefe waren nüchtern und knapp wie hundert andere. Aber als dann der Abend kam, da erwachte Jürnjakob Swehn. Da ward viel verhaltene, gesammelte Kraft offenbar. Wenn der lange amerikanische Winter Fenz (Zaun) und Farm mit Schnee verbaute, dann saß er und schrieb mit breit hingequetschter Feder Seite um Seite und Bogen um Bogen, bis der Acker wieder nach dem Pflug schrie. So kamen seine Briefe meist erst um Ostern ins Schulhaus auf dem Berge, und zwar als dicke Bündel. Seine Lebensberichte setzten ein, als sein Jakobstraum im Dünensand hinter Hornkaten sich längst erfüllt hatte, — als seine Farm, deutsch gerechnet, fünf Nullen hinter der positiven Ziffer wert war. Er hielt Schlagordnung in seinem Schreiben, als sein früherer Lehrer ihn aufforderte, alles hübsch der Reihe nach zu erzählen.

Für den Druck waren die Briefe trotz ihres hohen Reizes nicht ohne weiteres geeignet. Wiederholungen und Plattheiten mußten gestrichen, Teilstücke aus ihrem brieflichen Zusammenhang gelöst und anderswo eingestellt werden. Zahlreiche Unklarheiten und Widersprüche verdunkelten das Bild des Schreibers, in abgebrochenen Darstellungen und Lücken trat die bruchstückartige Entstehung der Briefe zu stark hervor. Mit vorsichtiger Hand versuchte ich Schatten zu tilgen, Lücken zu füllen, abgebrochene Lebens- und Wirtschaftsberichte fortzuführen. Die Ergänzungsstoffe lieferten Rückwanderer, die durch Bremen kamen, — daneben briefliche Mitteilungen von Auswanderern.

Die sorgfältige Schonung der Originalbriefe wies den Änderungen Maß, Ziel und Stil und der Durcharbeitung der Briefe damit ihre Aufgabe: klar und treu als Lebensbild hervortreten zu lassen Jürnjakob Swehn, den Mann und sein Werk.

J. Gillhoff.

Die Überfahrt

Lieber Freund und Lehrer! Mit Freuden ergreife ich die Feder, um dir zu schreiben, daß wir noch bei guter Gesundheit sind, was wir auch von dir hoffen. Nun soll ich dir erzählen aus der Zeit, da ich in dies Land kam und wie ich als Farmer gearbeitet habe und von Haus und Hof, von Acker und Vieh, von guten Freunden, getreuen Nachbarn und all' solchen Dingen, die in der vierten Bitte vorkommen. Es ist nicht leicht. Ich kann noch einen Sack Korn schmeißen von 200 Pfund, aber Buchstaben malen ist schwer für meine Pranken. Ich kann mit dem Pflug noch eine Furche ziehen, da kannst du mit dem Lineal nachmessen. Aber mit der Feder eine gerade Reihe langgehen, das ist nicht leicht für einen alten Mann. Denn siehe, ich fange an, Großvater zu werden.

Aber wissen tu ich das alles noch von Anfang an, und dichten kann ich das auch. Wenn auch viel Gras gewachsen ist über die alten Geschichten und viel Gras gemäht ist seit der Zeit und wenn da auch viel Wasser rübergelaufen ist, — sie gehören doch zu den Dingen, die auch viele Wasser nicht können auslöschen. Du hast uns in der Schule davon erzählt. Darum hab ich es mir aufmerksam in meinen Kopf genommen. Aber vom Kopf bis in die Feder, das ist ein weiter Weg zu gehen. Denn die Feder hat man ein Bein, und das ist bannig dünn und bricht immer bald ab. Dann gibt es einen Klecks. Die Federn taugen nichts. Aber versuchen will ich es, wo ich nun doch Zeit habe und mein Zweiter schon die Arbeit machen kann.

Wenn ich diesen Winter nicht fertig werde, dann setz ich mich im nächsten wieder achter den Blackpott. Kommst du an eine Stelle und kannst es nicht lesen, dann mußt du denken: Na, er hat viel zu arbeiten gehabt in seinem Leben, und einen ganzen Posten Buchstaben hat er wohl vergessen. Wenn du das gedacht hast, dann mußt du überhopsen. Ich hab das auch so gemacht, wenn ich mit dem Pflug an einen Stubben kam. Ja well.

Lieber Freund, ich kann dir mitteilen, daß ich das gern aufschreibe, und freue mich dabei. Das hat der Mensch gern, wenn er sich freuen kann. Wenn man alt wird, muß man wahrschauen, daß einem die Freude nicht an der Pforte vorbeiläuft. Da muß man die Tür fix aufklinken und sie mit freundlichen Wörtern einladen: Bleibe bei uns, denn es will Abend werden, und der Tag hat sich geneiget. Wenn man jung ist, hat man das nicht nötig. Da kommt sie einem von selbst über den Zaun gesprungen.

Die Reisekarte hatte Kaufmann Danckert in Ludwigslust mir besorgt. Sie kostete bis New York 29 Taler, und einen hab ich ihm runtergehandelt. Aber es war doch viel Geld, wo mein Vater der ärmste Tagelöhner im Dorfe war. Das meiste Geld hatte ich mir als Kleinknecht beim Bauern verdient. Drei Jahre lang bei Hannjürn Timmermann, das machte 27 Taler, denn 3 × 9 = 27. Siehe, ich habe das kleine Einmaleins mit herübergenommen; das gilt auch in Land Amerika. Und einen Rock extra.

Heute kriegt der Großknecht bei euch ja wohl seine 400 Mark, und für den Vater muß der Bauer noch 300 Ruten pflügen und eggen. Aber Geld haben sie darum doch nicht in der Bücks. Bei uns auf der Farm kriegt der Knecht hundert Dollars das Mond und ein Reitpferd durchzufüttern. Dafür heißt er auch Farmhand. Man bloß, es ist keiner zu haben, ob er nun Knecht oder Farmhand heißt, und Dirns erst recht nicht. — Fünf Taler hab ich mir noch zugeliehen vom alten Köhn und von Karl Busacker, und sie haben keinen Schein gefordert. So war das Geld zusammen und noch ein paar Schilling für den Notfall, daß die Amerikaner nicht sagen sollten: Seht, da kommt er an als wie ein Handwerksbursche und hat keinen roten Dreiling im Sack. —

Im Dorf ging ich rund und sagte Adschüs. Das ging fix. Dann kam Mutter an die Reihe. Das ging nicht fix. Sie sprach: Nu schick dich auch und schreib mal, woans es dir gehen tut und paß auch auf deine Hemden und Strümpfe und auf dein Geld, daß dir da nichts von wegkommt. Und vergiß auch das Beten nicht! — Dann mein Bruder. Ich sprach: Halt sie gut, wenn sie alt wird. Ich will dir auch Geld schicken, daß du ihr sonntags mal Fleisch kaufen kannst und zum Winter ein wollen Umschlagetuch. Er sprach: Da sorg dich man nicht um. Sorg du man erst für dich selbst, daß dir unterwegs kein Wasser in die Höltentüffel (Holzpantoffel) kommt.

Als das fertig war, schwenkte ich mir meinen Sack auf die Schulter und nahm meines Vaters eichen Gundagstock (Guten-Tag-, Spazierstock) in die Hand. Vater hatte seine letzte Reise schon hinter sich. Dazu brauchte er keinen Stützstock mehr. So faßte ich ihn bei der Krücke und ging nach Ludwigslust. Meine Mutter stand an der Katentür, hielt die Hände unter der Schürze und sah mir nach. Siehe, ich habe sie in 32 Jahren nicht mehr gesehen.

Hinter Hornkaten, in den Lieper Bergen, wo der Sand am dünnsten war, da stand ich still. Das war so die Angewohnheit an der Stelle. Da hatte der alte Hannjürn mit Pferd und Wagen auch immer stillgehalten, auf daß sie sich verpusteten. Er aber stand daneben und kuckte sich um, und dann sagte er so ganz langsam und ebendrächtig vor sich hin: Dies Land ist dem lieben Gott auch man mäßig geglückt. Wenn er das gesagt hatte, dann sagte er: Hüh! und fuhr weiter. Denn er war ein Mann, der wenig Wörter machte. Wenn du seinen Sohn siehst, dann grüß ihn von mir.

Da stand ich auch still und sah zurück und sprach zu mir: Jürnjakob Swehn, du bist den Weg schon mehr als fünfzigmal gegangen. Aber heute ist es anders als sonst. Wo dir das wohl gehen wird im fremden Lande. Da sind vor dir schon viele in ein fremdes Land gewandert, und ihre Spuren hat der Sand verweht. Und Jakob auch, als er nach Haran zog, wie du uns in der Schule gelehrt hast. Mich soll man bloß wundern, ob ich auch zwei Kuhherden vor dem Stock habe, wenn ich zurückkomme. Wenn's auch man bloß eine ist wie Karl Busacker seine zwölf Stück. Aber Jakob brauchte auch nicht über das große Wasser. — Als ich das gedacht hatte, sagte ich zu meinem Sack: Nun komm man wieder her! So ging ich weiter. Das war 1868. Ich war neunzehn Jahre alt, und am 20. Juli sollte ich von Hamburg gehen.

Mit meinem Sack auf dem Rücken ging ich in Hamburg ins Auswanderungshaus, weil die auch was verdienen wollten, und einen Krug voll Rum mußte ich auch vom Wirt kaufen. Er sagte, sonst tät ich auf der See sterben, und sterben wollte ich nicht, denn ich war neunzehn Jahre und wollte nach Amerika. — Die andern waren auch schon da, meist mit Frachtwagen. Die lagen voll von Kisten und Säcken, und obenauf die Menschen: über dreißig Familien und viele Einschichtige. Die meisten waren aus unserer Gegend. Dann noch Hochdeutsche und ein paar Ausländer. Im Auswanderungshaus war kein Platz mehr. So lagen wir im Gang auf Kisten und Säcken, und die Schlesier sangen ein Lied, wie Kolumbus die Kartoffel nach Deutschland brachte:

> Kolumbus war ein braver Mann,
> Der vor zweihundert Jahren kam
> Von Deutschland nach Amerika
> Und suchte die Kartoffel da.

Weiter weiß ich es nicht mehr. Ich glaube, es war nicht so ganz richtig. In unserm Lesebuch stand das anders. Sie kamen auch nicht zu Ende mit ihrem Kartoffelgesang. Denn siehe, der Aufseher kam und wollte sie rausschmeißen. Da waren sie still. Auf der See haben sie man bloß noch zu Anfang gesungen. Nachher saßen sie in ihren Ecken und dösten vor sich hin. Sie haben sich all' die Wochen so rübergedöst.

Zur Kaffeezeit ging ich mit meinem Sack und Krug auf den englischen Frachtdampfer. Abends elf Uhr kam der Polizist mit der Laterne. Ich zeigte ihm meinen Paß. — Du bist neunzehn Jahr; es ist gut. Der Krenzliner seinen Heimatschein: Es ist gut. Der Dömitzer Schneider seinen Geburtsschein: Es ist gut. Der Hebenkieker (Himmelgucker) aus unserm Dorf seinen Dienstschein: Es ist gut. Aber der Dienstschein war schon fünf Jahre alt. Als er rund war, sah er uns freundlich an und sprach: Es muß eben sein. Jeder gibt zwei Dollars! So gaben wir jeder zwei Dollars. — Weißt du, was ich glaube? Ich glaube, es war kein Polizist. Das Geld aber waren wir los.

Morgens zwei Uhr dampften wir die Elbe hinunter. Ich schlief oben, und die Ochsen brüllten unten. Kurz vor zwölf kamen wir auf die Nordsee. So was habe ich in meinem Leben nicht gesehen. Lieber Freund, ich kann dir mitteilen, daß die Nordsee viel Wasser in sich hat. Da ist genug für den Hornkatener Sand, und der Bockuper kann auch noch was abkriegen, dazu die Lüneburger Heide. Und dann ist das doch bloß, als wenn du einen Tropfen aus eurem großen Waschtuppen voll rausgenommen hast. Siehe, das ist alles noch von der Sündflut nachgeblieben. Nun sag mal bloß, was tut all das Wasser da man? Was könnte da für Roggen wachsen!

Die Nordsee war ruhig, aber man zu Anfang. Dann kriegte sie weiße Köpfe. Da wurde der Frachtdampfer unruhig. Da schmiß er sich auf die Seite. Da richtete er sich wieder auf. Da schmiß er sich auf die andere

14

Seite. Akkrat wie eine Kuh, die kalben will und kann nicht. Da war bei uns ein feiner Mann aus Hamburg. Denn er sprach immer hochdeutsch und hatte ein hübsches Ofenrohr auf, aber zuviel getrunken. Der hielt den Kopf über Bord. Ihm war nicht fein zumute. Er mußte spucken. Da lag der Hut im Wasser. Da schwamm er hin. Wir lachten, und er setzte eine Kips auf, wie Kollmorgen aus Grabow sie in seiner Bude auf dem Martinimarkt in Eldena zu verkaufen hatte. Ich glaube, sie kostete sechzehn Schilling. — Am Nachmittag wurde es stürmisch, und das Schiff legte sich doll auf die Seite. Ich rutschte aus und lag auf dem Rücken, daß mir die Flammen aus den Augen gingen. Da lachten sie alle über mir. Man nicht lange taten sie das. Dann mußten wir alle nach unten, und die Tür wurde geschlossen. Das Schiff rollte, die Ochsen brüllten, die Frauensleute heulten, und alle steckten die Köpfe in die Eimer. Die welchen (etliche) schrien auch zu Gott. Das war ganz so wie in Jonas seinem Schiff. Manchmal dachte ich auch an den Sand in den Lieper Bergen. Da steht man wenigstens fest drin, und da liegt man auch sicherer drin als im Wasser. Da kann man sich die Kartoffeln und den Roggen von unten ansehen. Das ist besser, als wenn einem so ein Schiff mit 85 Ochsen auf die Nase fällt. Nun wird die Welt wohl untergehen, dachte ich, und mit den beiden Kuhherden ist es nichts, und der alte Vater Köhn und Karl Busacker sind ihre fünf Taler auch los, und sie haben nicht mal einen Schein in ihrer Beilade.

Abends ging ich auf das Deck. Da hab ich die ganze Nacht gesessen, weil es unten vor Gestank nicht auszuhalten war. Oben war es schwarz wie ein Sack, aber die

Luft war gut zum Verholen. Da fühlte ich mich gut. Als ich mich verholt hatte, hab ich auch an deine Mutter gedacht. Die gab mir mal zu Weihnacht fünfzehn Walnüsse, weil wir selbst keine hatten, und du hast mir mal zum Herbst zwei Stiefel geschenkt, weil sie dir zu klein waren und mir passen taten. Die Stiefel haben gut gehalten.

Als der Tag vorüber war, da kam ein anderer, der war gerade so stürmisch. Der Hamburger mit der Kips kuckte wieder über Bord. Da ging die Kips auch hin. So setzte er einen Käppel mit Troddel auf. Der war blau und weiß gekringelt als wie Busackers Großvater seiner, und so kamen wir in Grimsby an. Der Zollmensch paßte schon auf. Er sprach: Was hast du in dem Krug? Ich sprach: Da hab ich Rum in, daß ich nicht auf der See sterbe. Er sprach: So mußt du einen Schilling Zoll bezahlen. — Ne, das tu ich nicht. — Das tust du doch: sonst kommst du hier nicht durch. Ich sprach: Hoho, das sollst du gleich sehen. Als ich das gesagt hatte, da goß ich ein paar Finger breit hinter die Binde, und die andern nahmen den Rest. Siehst du, sagte ich, nun mußt du uns doch durchlassen. Was man im Bauch hat, da gilt kein Zoll. Er schalt mächtig, aber wir lachten uns, und er mußte uns durchlassen.

Dann fuhren wir mit der Eisenbahn nach Liverpool. Jungedi, das ging, als ob wir noch vor der See sterben sollten. Der Hamburger mit dem Käppel steckte den Kopf zum Fenster raus. Da ging der Käppel auch hin. Siehst du, sagte ich, warum hast du den Käppel nicht eine Nummer größer genommen! Nun kommst du in bloßen Haaren in Liverpool an. Was die wohl sagen, wenn sie dich sehen. Der Dömitzer hatte Geld und fuhr mit dem Dampfschiff. Ich hatte kein Geld und mußte dableiben, denn ein Segelschiff ging man alle zwei Wochen. Aber ich habe in der Zeit viel gesehen und auch was gelernt und dritthalb Taler dazuverdient.

Endlich kam das Schiff, und als ich es besah, siehe, da war es alt und wackelig, und ich dachte: Wenn dieser verolmte (vermoderte) Kasten nach Amerika kommt, dann ist das Gottes Wille. Rum hilft hier auch nicht mehr. — Auf dem Schiff waren bei vierhundert Menschen, meist Irländer. Die Lebensmittel wurden gleich auf dem Deck verteilt: ein Pfund Zucker, ein Pfund Tee, den hatte ich schon bei euch gesehen, aber im Munde kannte ich ihn noch nicht. Weiter ein Pfund Reis, ein Pfund Kornmehl, ein Pfund Pökelfleisch, ein Pfund Kringel und Zwieback. Der war so hart, den mußten wir erst mit dem Hammer entzweischlagen. Welche haben es auch mit dem Stiefelhacken getan.

Die Irländer wußten von allem Bescheid und hatten sich kleine Beutel mitgebracht. Ich wußte von nichts Bescheid und hatte mir keinen Beutel mitgebracht. So hielt ich meinen Hut hin. Da schütteten sie alles hinein. Was nicht reinging, das fiel vorbei. So steckte ich die Taschen auch noch voll. Auch bekamen wir jeden Morgen ein Quart Wasser für den Durst. Wer sich andrängte, kriegte eine Tracht Prügel. Die Irländer wußten damit schon Bescheid und hielten still. Ich wußte damit nicht Bescheid und hielt nicht still. Ich rakte man bloß so 'n bißchen mit dem Arm durch die Luft. Da lag der Küchenknecht am Boden. Aber es ist mir schlecht bekommen. Das nächste Mal ging er an mir vorbei, und mein Hut blieb leer.

Die Küche war mitten auf dem Deck, an beiden

Seiten eine Tür. Da an der Tür mußten wir unsere Blechtöpfe mit Reis, Kornmehl, Tee oder Fleisch hinsetzen. Dann gingen wir rum und warteten an der andern Tür, bis sie wieder rauskamen. Wer in die Küche reinkuckte, bekam was mit dem Besenstiel. So lernten wir die richtige Hausordnung kennen. Lieber Freund, ich kann dir mitteilen, in der ersten Zeit lernten wir die Hausordnung oft kennen. Da hatten wir uns noch nicht an das Hungern gewöhnt.

In der Küche war nur ein eiserner Ofen: dreimal drei Fuß, dazu vierhundert Töpfe. Die sahen sich im ganzen ziemlich gleich. Das ist so die Gewohnheit bei den Blechtöpfen. Da wurde viel gestohlen, und mein Pfund Fleisch hab ich immer gleich roh aufgegessen, bloß daß ich erst die größten Würmer rauspulte. Denn im Magen konnte es mir keiner stehlen. Einmal hatte ich wieder zwei Tage gefastet, und dann kam der dritte Tag. Da wurde mir mein Topf wieder gestohlen. Da dachte ich: In zwei Tagen nichts mehr, und am dritten wieder gestohlen, — das ist nicht auszuhalten. Von der Ehrlichkeit wird hierzulande kein Mensch satt, und mit dem siebten Gebot verhungerst du noch vor New York. So nahm ich den ersten Topf, der herauskam, und aß den Reis auf. Den leeren Topf warf ich über Bord. So hatte ich das von den andern gesehen. Auch hab ich einmal einem polnischen Juden sein Schweinefleisch roh aufgegessen, denn ich dachte: Das ist gegen seinen Glauben. Aber Hunger hatte ich auch grade.

War mein Topf mal warm geworden, so fühlte ich mich glücklich. In siebzehn Tagen ist er man dreimal auf dem Ofen gewesen. Es hatte nicht gekocht, aber es roch doch nach der Küche und war warm. Die Reise

dauerte sieben Wochen und zwei Tage, und vom acht-
zehnten Tage an hatte ich Glück. Lieber Freund, ich
kann dir mitteilen, daß der oberste Koch einen
Küchengesellen hatte. Der wurde krank. Der Kapitän
war Doktor und Apotheker zugleich. Das mußte damals so sein. So fragte der Kapitän ihn: Was fehlt
dir? Er weiß es nicht. Der Kapitän sagt: Wo tut es dir
weh? Er weiß es nicht. Der Kapitän betrachtet ihn.
Er denkt nach. Er weiß es auch nicht. Er denkt döller
nach. Da weiß er es. Er sagt: Ich will dir Nr. 13 aus
dem Medizinkasten geben. Er geht hin. Nr. 13 ist alle.
Der Gesell stöhnt am ganzen Leibe. Der Kapitän hat
ein mitleidiges Herz an sich. Er denkt: Du mußt dem
Menschen doch helfen, denn er gehört zu deinen
Schiffsleuten. Nr. 13 ist alle. So mischt er Nr. 6 und
Nr. 7. Das gibt auch Nr. 13. So geschah es. Was geschah
weiter? Ich will es dir erzählen. Der Küchengesell
kriegte von Nr. 13 einen Durchfall, der reichte vom
Schiff bis nach New York. Aber der Kapitän war froh,
daß er an Nr. 13 nicht gestorben war, und der Gesell
brauchte nachher keine Arbeit mehr zu tun. Er
brauchte bloß am Leben zu bleiben. Das hat er denn
auch getan.

Es war da auf dem Schiff ein Franzosendoktor. Dem
sein Großvater war Leibarzt bei Napoleon gewesen.
Aber mit seinem Namen hieß er Weber. Er hatte einen
mächtigen, großen Kopf, einen kaffeebraunen Überzieher und ein Maul — na, dachte ich, wenn er sich
damit man nicht mal aus Versehen die Ohren abbeißt.
Er aß für drei. Er trank für sechs. Er log für zwölf.
Der sprach: Der Kapitän hat den Küchengesellen vergiftet. Ich sprach: Halt dein Maul, Franzosendoktor.

Du mitsamt deinem Großvater, ich wollt euch nicht an meinem Bett haben, wenn ich mal krank wäre und noch gern leben wollte. Der Kapitän ist ein braver Mann, und wenn du noch mal ein Wort von Vergiften sagst, dann nehme ich dich zwischen meine Klammern und fertige Beefsteak aus dir an. Da klappte er seinen Mund zusammen und ging davon.

Mit dem Durchfall des Küchengesellen fing mein Glück an. Ich ging zum obersten Koch und sprach: Siehe, dein Küchengesell ist krank geworden; so mußt du einen andern haben. Kann ich einspringen? Er kuckte mich an, als wollte er taxieren, wieviel Pfund ich hakenrein auf dem Desem[1]) wiege: Kannst du kochen? Ich antwortete und sprach: Kein Mensch kann vom Sperling verlangen, daß er Gänseeier legt. Aber was hier zu kochen ist, das hab ich meiner Mutter schon als Jung abgesehen. Er grifflachte sich (schmunzelte). Er sagte: Ich will's versuchen.

An dem Tage hab ich mich zum erstenmal nach der Abreise ordentlich sattgegessen. Und als ich satt war, legte ich den Löffel weg und wischte mir den Mund. Denn der Mensch soll nicht mehr essen, als er mit aller Gewalt runterkriegen kann. Auch trank ich so lange Wasser, als noch Platz da war. Die andern haben oft hart gedurstet. Er war ein kleiner, dicker Mann und fix in seinem Geschäft. Er sagte: Gehe hin! so ging ich. Er sagte: Komm her! so kam ich. Ich mußte mächtig springen. Vom Steuermann zum Koch. Vom Koch zum Steuermann. Der hatte die Schlüssel.

Einmal gab es einen richtigen Aufruhr und Empörung. Der kam aus dem Magen. Lieber Freund, ich

---

[1]) Kleine Schnellwaage mit Laufgewicht.

kann dir mitteilen, es gibt vieles auf der Welt, was aus dem Magen kommt. Drei Irländer schrien vor Hunger und wollten satt haben vom Koch. Der Koch schickte mich zum Steuermann. Der Steuermann rechnete. Als er fertig war, sagte er: Wir haben zuviel verbraucht. Für drei Tage kann ich nur halbe Rationen ausgeben. Ihr müßt eure Riemen ein paar Löcher enger ziehen. Die drei Mann gingen mit ihren halben Rationen und mit ihrem hungrigen Magen zum Kapitän. Halb Irland zog hinterher und lärmte. Der Kapitän sprach: Es ist genug Vorrat da. Gebt den Leuten zu essen, daß sie nicht hungern.

Das war ein gutes Wort. Darauf kochten wir eine Reissuppe, — der Löffel blieb darin stehen, so schön war sie. Jeder kriegte einen Pott voll, und die Irländischen ihren zweimal. Da haben sie nicht mehr geschrien. Da haben sie sich den Mund gewischt und uns freundlich angekuckt und genickköppt. Das war das Lob und Dank für den Reis. Ja well. So war es oft. Wir sahen uns aber auch vor mit Salz und daß die Suppe nicht anbrannte.

Als der oberste Koch sah, daß er mich brauchen konnte, da hat er mich auch über die Wassertonne gesetzt. Da mußten wir das Wasser rauspumpen, so groß war sie. Aber es waren etliche da, die haben Wasser gestohlen. Nimm mal bloß an: so knapp kann das Wasser werden mitten auf dem großen Meer. Ich aber kuckte manchmal weg, denn es war sehr heiß. Wenn sie ihre Tinn (Gefäß) halb voll hatten, dann kuckte ich wieder hin. Dann machte ich Lärm. Dann prügelte ich sie wieder raus. Das hatte ich dem Koch bald abgesehen. Aber das Wasser nahmen sie mit und dankten mir mit freundlichen Wörtern, denn es war sehr heiß. Aber waschen taten wir uns alle mit Salzwasser. Da kann man keine Seife brauchen. Das machte nichts, denn kein Mensch hatte da die Gewohnheit, daß er Seife brauchte.

Unsere Küche hielt ich rein, aber das Schiff war ein richtiger Schweinestall. Soviel Krätze, Wanzen und Läuse. Die Wanzen nahm ein alter Irländer auf sich; der hatte einen griesen (grauen) Bart und krumme Knie. Heinrich Möller machte eine Wette mit ihm. Er sprach: Ich will dir all meinen Priem geben, wenn du bis New York auf tausend Stück kommst. Der Irländer sprach: Ich will erst Überschlag machen. Am andern Morgen: Ich habe Überschlag gemacht; ich nehme die Wette an. Denn er priemte für sein Leben gern. So ging er jeden Abend auf die Jagd. Einmal kam eine Nacht, da wachte ich auf: Woweit bist du? — Das ist heute die achtunddreißigste, sagte er und schmetterte mit seinem Höltentüffel die achtunddreißigste tot. Morgens schrieb er mit seinem Bleistift an die Planken, was er gejagt hatte. Mogeln konnte er nicht, denn er mußte Möller alle Morgen die toten Leichen vorzählen. Wir waren noch lange nicht nach Amerika, da hatte er seinen Priem gewonnen. Er bot noch eine Wette um tausend an, aber keiner wollte. Er war sehr fröhlich. Die Zeit vorher war er traurig, denn er hatte kein Geld und keinen Priemtabak. Mit ein Paar neuen Schuhen ging er da rum. Die waren ganz gut gearbeitet. Tabak wollte er dafür, aber er hat keinen gekriegt, und Heinrich Möller wollte ihm keinen auf Abschlag geben. So hat er einen ledernen Hosenträger halb aufgepriemt. Nachher aber lachte er sich über das ganze Gesicht, und den andern Hosenträger brachte er nach Amerika.

Lieber Freund, ich kann dir mitteilen, der Priem auf dem Schiff taugte auch nichts. Es war lauter falsches Zeug und Betrug. Inwendig ein Ende Bast oder Strick, und bloß ein bißchen Tabak rumgewickelt.

Von den Läusen will ich auch noch ein paar Wörter machen. Das waren keine gewöhnlichen. Das waren solche, wovon sechs Stück einen Hammel festhalten. An einem Tag kam Wilhelm Rump mit der Axt. Was willst du? — Schlachten! — Woso? Was willst du schlachten? — Komm und siehe es. — Ich ging mit. Da saß der Hebenkieker auf den Brettern und hielt eine Laus fest. Die war mächtig groß und gräsig anzusehen. Mein Lebtag hab ich so ein Biest nicht gesehen. Die hatte er gefangengenommen auf der Grenze zwischen dem irischen und deutschen Distrikt. Dort hat Rump sie erschlagen. Ein Irländer sprach: Die Laus gehört euch zu. Ein anderer: Sie ist gerade so langsam wie die Deutschen. Ein dritter: Aber es ist eine gute, schiere Rasse. So rieben sie sich mit Wörtern an uns. Ich sprach: Nun paßt Achtung, ihr Männer von Irland, und höret, was ich euch zu sagen habe. Sie sprachen: Was hast du uns zu sagen? Ich sprach:

Alles, was recht ist. Aber bei uns gibt es höchstens die gewöhnlichen kleinen Mücken, die manchmal auch in der feinsten Hemdnaht rumspazieren. So ein Biest aber kommt nicht vor von den Alpen bis an die Nordsee. Auch trägt sie einen roten Sattel quer über den Rücken. Den gibt es bei uns auch nicht. Die Laus gehört in euren Distrikt, und ihren Heimatschein trägt sie bei sich. Ich sehe es an der Ähnlichkeit, daß sie eine

23

Irländerin ist. Ihr Irländer tragt alle blaue Unterbüchsen. Aber die Farbe taugt nichts, denn sie färben ab. Darum habt ihr auch alle blaue Beine, wenn ihr morgens aufsteht. Die Laus gehört zu euch, denn siehe, ihre Beine sind auch blau. In euren Unterbüchsen ist Überbevölkerung eingetreten, darum wollte sie auswandern. So ist sie bis an die Grenze gekommen.

Als ich so weit gekommen war mit meiner Rede, da kam ich nicht weiter. Da erhob sich ganz Irland wider mich. Da nahm ich meine längsten Beine in die Hand. Da machte ich, daß ich fortkam.

Wieschen sagt, ich soll das nicht schreiben, weil sich das nicht schicken tut. Ich sage: Wieschen, sage ich; das verstehst du nicht. Ich habe versprochen, alles so aufzuschreiben, wie es richtig war. So gehören die lausigen Geschichten auch dazu. Ich will dir sagen, schlimmer ist es bei Pharao und seinen Plagen auch nicht gewesen, und das steht in der Bibel. Aber wir konnten man nicht ausziehen. Nein, Wieschen, das Kapitel von der irländischen Laus muß mit hinein. —

Da war ein Mädchen auf dem Schiff, die kam weit her aus Breslau oder da herum. Die sagte: Ich bin 28 Jahr und sehr gebildet, und ich sollte mit ihr kommen nach Baltimore. Aber sie war lebendig von Läusen, und ich sprach: Du hast noch nicht genug Bildung gelernt, denn du hast dich auf dem Schiff erst einmal gekämmt, und das auch man im ganzen ziemlich mittelmäßig Sie sprach: Ja, das will ich auch noch tun, wenn wir erst an Land sind. Hier lohnt sich das nicht. Ich sagte: von meinetwegen sollte sie sich man keine Umstände machen, und ließ sie stehen. Nachher hatte der Franzosendoktor oft mit ihr zu tun in den Ecken vom Schiff.

Auch habe ich einen Tag gesehen, da saß der erste Offizier auf den Knien und betete. Ich dachte: Das muß ein frommer Mann sein; vor dem muß man Ehrfurcht haben. Darum ging ich auf den Zehen an ihm vorbei. Und dann stand er auf und stach einen Matrosen mit dem Messer ins Bein, weil er ihm nicht fix genug in den Mast kommen konnte. Die Wörter, die er dabei brauchte, stammen auch nicht aus der Bibel. Da dachte ich: Also so sind die Frommen hierzulande. Als der Matrose oben war, setzte er sich wieder auf die Knie und betete weiter. Da bin ich um ihn rumgegangen und hab ihn so von der Seite aus angesehen, aber von ferne, und dabei hab ich gedacht: Erst beten, dann stechen, dann wieder beten, woans reimt sich das? Da möchte ich aber keinem von der Sorte abends im Dunkeln begegnen ohne einen dägten (tüchtigen) Handstock. Wenn ein Pastor da gewesen wäre, dann hätte ich ihn gefragt. Aber ich will doch lieber bei meinem Glauben bleiben, und Ehrfurcht habe ich auch nicht mehr vor ihm gehabt, und auf den Zehen tat ich auch nicht mehr gehen, wenn er betete.

Das Schiff aber fuhr unterdes immer weiter, ohne Wegweiser, ohne Traden (Wagenspuren) und Geleise. Das Blaue auf dem Wasser wollte gar nicht aufhören, und zuletzt war uns allen ganz wässerig und elendig zumute von all dem Wasser. Viele wurden auch krank. Wir dachten schon, daß Amerika gar nicht mehr kommen täte, und einer sagte: Ihr sollt mal sehen, dies geht nicht mit rechten Dingen zu, und wir werden noch ganz von der Erde runterfahren. Aber der Mensch kommt nirgends runter von der Erde, so weit er auch reist; höchstens kommt er in die Erde. Wir hatten uns auch alle steif gesessen und gelegen, weil wir uns nicht ordentlich ausarbeiten konnten. Schade, daß da nicht ein paar Faden[1]) Holz kleinzumachen waren oder ein paar hundert Ruten Roggen zu mähen. So sagte ich zu dem Kapitän: Dies ist eine traurige Gegend, da möchte ich nicht wohnen. Da hat er sich ein bißchen gelacht und weitergeraucht auf seinem Stummel. Da kuckte er wieder ernsthaft über das Wasser. Da war nichts zu sehen. Aber er tat es doch und war gleichwie ein Mann, der ein Ziel hat und sieht weder zur Rechten noch zur Linken. Von solchem Mann kann man lernen, wie man sein Leben machen muß, wenn man vorwärts will.

Zuletzt kam Amerika doch. Da waren alle froh. Ich auch, denn der oberste Koch gab mir einen Dollar und sagte: Du hast deine Sache gut gemacht. Da bin ich hingegangen und hab mich gründlich reingemacht und meine Matratze mit allem, was darin rumhüpfte, über Bord geworfen. Die anderen machten es auch so, und wir freuten uns noch mal alle zusammen, daß wir den alten Lausekasten verlassen konnten. Aber der Franzosendoktor hat noch Schacht gekriegt in einer düstern Ecke, und heute weiß er noch nicht, bei wem er sich dafür zu bedanken hat. Der Erste Offizier trat auch mit den Füßen auf ihn rum. Ob er er nachher wieder gebetet hat, kann ich dir nicht schreiben.

Als wir beinah nach Amerika ran waren, ließ der Kapitän uns zusammenkommen und hielt uns eine

---

[1]) 1 Faden = 4 Raummeter.

26

Rede. Er war ein braver Mann, darum haben wir gut zugehört; bloß es hat keiner verstanden, was er wollte. Er fing an zu schelten und hielt uns die Rede noch einmal. Es hat ihn keiner verstanden. Da schalt er noch mehr, und zuletzt jagte er uns alle hinaus. Aber es hat ihn keiner verstanden, und heute weiß ich es noch nicht.

Als wir ans Land kamen, mußten wir uns alle aufstellen und wußten nicht, warum. Bloß der Franzosendoktor fehlte. Zuletzt kam er hinter uns angeschlichen. Er dükerte sich noch mehr und ging mit dem schlesischen Mädchen mit der Bildung und den Läusen unter ihrem Kleid sitzen, und sie sagte nichts. Die Schiffsleute haben ihn gesucht und geflucht. Es war umsonst. Als die Offiziere und Schiffsleute fort waren, kam er wieder hervor und lief davon. Sie lief hinter ihm her. An der Straßenecke hielt er still. So gingen sie zusammen fort. Ich möchte wohl wissen, was er ausgefressen hatte.

Als wir wieder auf dem festen Lande waren, zählte ich mein Geld. Ich hatte noch zwei Taler und vier Schilling. Dazu den Dollar vom obersten Koch. So, dachte ich, bei der ersten Million bist du schon. Wenn du die zweite voll hast, dann kann's dir nicht fehlen. Dann kaufst du dir ganz Amerika und was dabei noch rumbaumelt.

Lieber Herr Lehrer, in der Schule hast du uns gelehrt, daß die Sonne im Sommer hier aufgeht, wenn sie bei euch untergeht. Lieber Herr Lehrer, ich muß dir mitteilen, daß das eine Irrlehre ist. Die Sonne geht hier auch morgens auf und abends unter. Ich hab gleich den ersten Tag gut aufgepaßt. Mit dem Mond ist das hier auch so beschaffen wie bei uns zu Hause. Auf der Reise ist mir auch richtig klar geworden, wozu es gut ist, daß die Erde so rund ist. Das ist darum, Sonne und Mond könnten sonst nicht so gut rumkommen um die Erde. Und wir wären mit dem Schiff sonst nicht so gut nach Amerika gekommen. Das hat alles seinen Sinn und Verstand.

Lieber Herr Lehrer, ich muß dir mitteilen, da ist etwas, was ich nicht verstanden habe. Auf der Fahrt von England nach Amerika ist die Sonne sieben Wochen und zwei Tage lang morgens richtig aufgegangen und abends richtig unter. Das hat alles seinen Schick wie bei uns zu Hause. Aber als wir hier ankamen, da wurden die Uhren ungefähr sechs Stunden nachgestellt. Lieber Freund, du mußt mir das mal ganz richtig erklären, warum das sein mußte. Ich weiß nicht, wo die sechs Stunden geblieben sind. Vielleicht liegen sie auch da, wo unsere Matratzen liegen.

Siehe, das ist ein großer Packen geworden und kein Brief. Ich hab auch beinah ein Vierteljahr lang daran geschrieben. Nu kiek tau, ob du twüschen de Ulen und Kreien dörchfinnen kannst. Ich hab für den nächsten Brief schon wieder zwei Pfund Papier in Chicago bestellt. Man bloß, es ist noch nicht fertig.

Ein langer Monat

In New York zeigten sie mir das Auswanderungshaus. Ich ging ins Arbeitszimmer und schmiß meinen Sack unter die Bank. Es dauerte nicht lange, so kam ein Franzose. Er konnte deutsch. Er kuckte uns alle der Reihe nach an. Als er mit seinen Augen bei mir angekommen war, fragte er, ob ich ein Mond bei ihm arbeiten wollte. — Woviel zahlst du das Mond? — Zwölf Dollars. — Ja, dann geh ich mit, wenn du am Weg nach Chicago wohnst. Da will ich nachher hin, wenn die andern aus meiner Gegend kommen. — Ja, sagte er, da wohne ich. Aber er wohnte über hundert Meilen Nord, und ich wußte mit den amerikanischen Himmelsrichtungen noch keinen Bescheid. Abends ging es zu Schiff den Nord River hundert Meilen hinauf. Ich fragte: Warum mietest du dir keinen Knecht aus deinem Dorf? — Wir haben hier keine Dörfer; hier wohnt jeder für sich auf seiner Farm. — Also wie die Büdner auf Hornkaten, sage ich. Da hat er sich gelacht. Das hat der Mensch nicht gern, wenn man über ihn lacht; noch dazu, wenn es der neue Dienstherr ist.

Als es Bettgehenszeit war, fragte er: Hast du Geld,

daß du ins Schlafzimmer gehen kannst? — Nein. —
So ging er allein, und ich stieg mit meinem Sack hinunter zu den Feuerleuten, weil daß es auf dem Wasser
kalt wurde. Sie sagten was; ich rührte mich nicht. Sie
sagten nochmal was und zeigten nach oben. Ich rührte
mich nicht. So ließen sie mich die Nacht durch in der
Ecke sitzen, und ich hab auch geschlafen. Das waren
freundliche Menschen. Ja well.

Endlich waren wir in Hudson. Da kam ein sehr
schöner Wagen. Darin saß ein Herr, der hatte sich
sehr hübsch angezogen. Ich nahm meine Mütze ab und
sagte: Das ist wohl der Großherzog von Amerika.
Nein, sagte mein Franzose, wir haben hier keinen
Großherzog. Da setzte ich meine Mütze wieder auf und
dachte: Wo kann das Land leben ohne Großherzog?
— Dann fuhren wir achtzehn Meilen auf der Eisenbahn. Das kostet 53 Cents. Da kriegte meine erste
Million ein großes Loch. Wie aber gewöhnlich ein Ereignis nach dem andern kommt, so auch hier. In der
Stadt wartete seine Tochter schon mit Pferd und Wagen. Sie war ein glattes, schieres Mädchen, aber das
Pferd war lange nicht gestriegelt und der Wagen
schlecht gebaut. Sie fuhren nach Haus, mein Sack fuhr
mit, und ich wackelte hinterher. So ein Sack hat es
manchmal besser als sein Herr.

Dann bekam ich endlich was zu essen. Ich glaube,
der Riese Goliath hat nicht mehr Speck und Brot und
Pellkartoffeln und Stipp essen können, als ich tat. Zuletzt wurde ich doch satt, und als ich das Messer weg-
legte, da dachte ich: Oh, nun sieht Amerika schon anders aus. Mein Franzose sagte: Ich sehe an deinem
Beten, daß du kein Katholik bist. — Nein, ich bin

30

lutherisch. — Ja, wir haben den Rahm und ihr die saure Milch. — Ja, sagte ich, und dann kommt die schwarze Katze und frißt den Rahm. Da machte er große Augen.

Es war ein Tag, da fragte er: Was hast du für Bücher in deinem Sack? Oh, sagte ich, einen ganzen Posten: Bibel, Gesangbuch, Katechismus und Starks Gebetbuch. Damit kommt man schon ein ganz Ende durch die Welt. Im Starkenbuch hat er öfter gelesen, und wenn er es zuklappte, sagte er: Das ist ein gutes Buch.

Am andern Tag sollte ich melken und konnte nicht, weil das bei uns Dirnsarbeit ist. Die Kuh merkte auch bald, daß ich nichts davon verstand. Sie sah mich mit Verachtung an und schlug mir den Schwanz um die Ohren. Als das geschehen war, schlug sie hinten auch noch aus, und ich und mein Eimer, wir flogen in den Dreck. So melkte er die Kuh. Das ging ihm läufig von der Hand. — Dann sollte ich die beiden Ochsen auf-jochen und pflügen. Ich ging auf die Weide, sie zu holen. Als die Ochsen mich sahen, nahmen sie Kopf und Schwanz hoch und kniffen aus. Ich lief hinter-her; da nahmen sie noch mehr Reißaus. Ich dachte: Amerika ist heil und deil verrückt. Hier haben die Ochsen es auch schon mit den Nerven zu tun. Nun jochte er sie auf. Kriegen die Ochsen keine Leine? fragte ich. Nein, sagte er, die werden mit Wörtern und Peitsche regiert. Ich dachte: Diese Welt steht auch nicht mehr lange. Und das will die neue Welt sein? Wenn Kolumbus sich man nicht geirrt hat. — Die Ochsen zogen den Pflug an einer Kette. Das kannte ich. Er pflügte das erstemal rum. Ich tüffelte nebenher. Er sagte mir die Wörter, die ich zu den Ochsen sprechen sollte. Denn siehe, seine Ochsen verstanden kein Deutsch. So was von Wörtern hab ich in meinem Leben nicht gehört.

Dann fuhr er mit seiner Tochter nach der Stadt, und nun hatte ich das Reich und mußte pflügen. Das ging ziemlich mittelmäßig, denn das Land war voll Stubben. Das zweitemal rum hatte ich alle Wörter vergessen und sprach plattdeutsch mit den Ochsen. Aber als ich Hüh! sagte, da standen sie still und spitzten die Ohren, und als ich Hott! sagte, standen sie noch stiller. Als ich aber Kemm! und Tudi! sagte, da nahmen sie Reißaus. Ich hielt die Pflug. Sie liefen kreuz und quer nach allen Richtungen; ich hielt die Pflug. Sie liefen immer döller; ich hielt die Pflug. Sie liefen in den Busch; ich hielt die Pflug. Als wir im Busch steckten, sah ich mich nach allen vier Winden um und sprach: O du mein liebes Vaterland, wo geht das deinen Kindern hier! Und das soll Amerika sein? Das ist den Deubel Amerika! Das ist noch schlimmer als bei den Türken oder in Konstantinopel. — Als ich das gesagt hatte, prügelte ich sie wieder raus aus dem Busch. Aber gründlich. Als das besorgt war, ging es besser. Aber das Stück Land sah bös aus, und es war man gut, daß da keiner aus unserm Dorf grade vorbeikam. Sonst hätte kein Bauer mich mehr als Knecht genommen und Hannjürn Timmermann erst recht nicht.

Auf einen andern Tag mußte ich Holz hauen, hartes natürlich. Mein Franzose sagte: Ein Amerikaner haut zwei Faden den Tag und setzt es auch auf. Wenn du einen Faden machst, bin ich zufrieden. Aber es ist mir sauer geworden. — Er hatte auch Buchweizen; der wurde mit Haken gemäht. Ich hatte schon von Haken gehört, aber noch keinen gesehen, noch weniger damit gemäht. Mit der Sense wollte ich schon fertig werden; da sollte mir keiner über sein. So ging es los. Ich mit der Sense voran. Die beiden baumlangen Amerikaner hauten zweimal zu, da waren sie mir auf den Hacken. Sie standen und lachten. Ich mähte und schwitzte. Ich mähte aus Leibeskräften. Sie hauten wieder zweimal zu. Da war ich gefangen. Da mähten sie im Bogen um mich rum. Ich haperte hinterher. Dies Land mag der Kuckuck holen! dachte ich und besah die Quesen (Schwielen) an meinen Händen. Man bloß, es gibt hier keinen Kuckuck. Aber die Sensen hier im Land haben auch schuld. Sie sind gegossen und lassen sich nicht mit dem Hammer haaren (schärfen). Dann brechen sie aus. So werden sie auf dem Schleifstein geschliffen. Sie kosten bloß drei Mark deutsches Geld, sind aber auch danach. Eine gut geschmiedete Sense aus Deutschland kostet hier sieben bis acht Mark und ist schwer zu haben.

Das war ein langer Mond in meinem Leben, aber zuletzt hatte ich ihn doch bei seinem kurzen Ende. Man bloß, daß ich wieder loslassen mußte. Mein Franzose wollte mich nach der Stadt fahren und meinen Sack auch, denn es waren fünfzehn Meilen englische Maß. Aber ich sollte noch eine Woche bleiben und seinen Buchweizen dreschen helfen. Er tät mich auch dafür bezahlen. Ich wollte nicht recht. Er machte noch ein Angebot: Fleisch satt! Das war mir neu in meinem Leben. In der Sprache hatte noch kein Mensch zu mir gesprochen. Das gefiel mir. Ich blieb, ich drosch, ich aß. Als die Woche zu Ende war, gab er mir für die ganze Zeit sieben Dollars und sagte: Das ist genug für einen Grünen, und nach der Stadt fahren tät er mich auch nicht. Aber seine Tochter hatte ein barmherziges Herz; darum gab sie mir einen ordentlichen Knacken Brot mit und durchgewachsenen Speck.

Damit machte ich mich auf die Socken und wickelte den Weg wieder ab. Der Speck war mir sehr angenehm auf meinem Wege. Als er alle war, ging ich auf eine Farm. Die gehörte einem Mann aus Schwaben. Da hab ich vier Tage gedroschen, $1\frac{1}{4}$ Dollars den Tag. Aber ein Engländer, mit dem ich zusammen schlief, hat mir in der letzten Nacht die fünf Dollars gestohlen. Am Abend vor dem Einschlafen und Stehlen hat er noch ganz christlich gebetet. Da hatte ich wieder nichts. Ich suchte eine andere Farm. Willst du dreschen? — Ich blieb und verdiente sechs Dollars. Ich zog weiter. Nachher bin ich auf dem Wege noch zweimal bestohlen worden und einmal betrogen. Das war, als wenn alle Spitzbuben von Amerika sich da niedergelassen hatten und auf mich warteten. Das war beinah als in der Gegend zwischen Jerusalem und Jerichow. Das kannte ich von zu Hause nicht. Aber da gab es auch keine Räuber, Spitzbuben und Betrüger.

So zog ich weiter und kam an einen Berg. Der war ähnlich getrachtet wie der Püttberg in unserm Dorf. Oben auch mit einem Wasserloch. Bloß daß er höher war. Oben auf dem Berge stand ich still. Da besah ich mich inwendig und auswendig, von unten bis oben. Und siehe, da stand ich vor mir und hatte nichts als einen Rock, einen Stock und meinen Gott. Mir gehörte nichts als die Knochen in meinem Fell und der Sack auf meinen Schultern. Da machte ich einen Strich unter das erste Mond. Da dachte ich nach über mich. Als ich das getan hatte, sprach ich zu mir:

Jürnjakob Swehn, du bist dumm gewesen, darum hat es dich begriesmult (angeführt). Zwölf Dollars hat er dir versprochen, sieben gegeben. Nach der Stadt gefahren hat er dich auch nicht. Das Geld hast du dir auch stehlen lassen. Du schiltst auf die Menschen, daß sie so schlecht sind, aber warum läßt du dich bestehlen? Jürnjakob, du bist dumm gewesen. Du mußt mehr Vorsicht lernen. Du mußt Achtung geben in diesem Lande. Sonst kriegst du von den beiden Kuhherden keinen Kälberschwanz zu sehen, den du in deinen Stall ziehen kannst. Du mußt auch ganz anders arbeiten lernen, Jürnjakob. Auf mecklenburgisch geht das zu ebendrächtig, das hast du beim Buchweizenmähen gesehen. Mit dem Pflügen und Holzhauen, das ging man auch so so. Die Knochen hast du, aber die haben die Ochsen auch. Du mußt umlernen in diesem Lande, Jürnjakob. Du mußt all' deinen Grips brauchen, sonst wird mein Lebtag nichts aus dir. Sonst bist du übers Jahr wieder in deinem Dorf, aber als der Peter in der Fremde, und die Kinder zeigen mit dem Finger auf dich: Kiek mal, dat is Jürnjakob Swehn. Jürnjakob wer tau dumm för Amerika. Dorüm hebben sei em wedder trüggeschickt.

Als ich das gesprochen hatte, sah ich mich nach allen vier Winden um. Aber das war nicht ich; das war noch der alte Jürnjakob, der das tat. Der dachte an seinen Großvater. Der kam in seinem Leben auch mal an eine Ecke und wußte nicht, wohin. Da warf er seinen Hut in die Luft und sprach: Wohin der Wind ihn weht, dahin gehst du. Das war zum Anhören eine lustige Geschichte. Aber für Amerika paßte sie nicht. Da darf man sich nicht nach dem Wind richten und nach Großvater Swehn seinem alten Hut. Darum schwengte ich mir den Speck wieder auf die Schulter, nahm Vaters Eichenstock in die Hand und stieg den Berg hinab. Und von dem Tage an wurde ich nicht mehr betrogen und bestohlen. So ging ich den graden Weg nach New York und sah mich nicht mehr um. Ich sah bloß noch vorwärts.

So ein Berg ist manchmal eine ganz gute Einrichtung im Leben, wenn's man auch ein kleiner ist. Man kann sich da oben besser besinnen. Es haben schon viele Menschen auf Bergen gestanden. Ich kenne einen, der stieg auch gern auf einen Berg, wenn er allein sein und sich mit Gott bereden wollte. Den haben wir bei dir in der Schule kennengelernt. Man kann sich da oben auch besser mit sich selbst bereden. Seinen Sack oder was man sonst mit sich rumträgt, kann man da auch leichter ablegen. Man kann da auch besser um sich sehen. Ich sah zurück auf meinen ersten Mond im neuen Lande. Aber ich sah auch vorwärts und lernte, wie ich mein Leben machen mußte, um voran zu kommen. Als das geschehen war, stieg ich wieder hinab und kam zu Menschen. Denn die Berge sind nicht dazu da, daß man da oben stehenbleibt. —

Als ich in New York ankam, hate ich noch einen Dollar. Aber die andern aus unserm Dorf waren da eben auch angekommen, und ich sah sie alle mit Namen: Schröder, Schuldt, Timmermann, Düde, Saß, Wiedow, Völß und Brüning. Dann fuhren wir alle nach Jova; dazu borgte Schröder mir das Geld. Dort habe ich mich auf ein Jahr vermietet für 210 Dollars. Da geriet es mir gut. Schröders Tochter Wieschen diente ja auch auf der Farm. So blieb ich da und ging noch für ein Jahr auf die Nachbarfarm. Als das Jahr um war und noch ein halbes dazu, da zählte ich mein Geld. Es waren rund 350 Dollars. Ich ging zu Wieschen. Es war Sonntag nachmittag. Sie saß mit dem Knüttstrumpf vor der Tür. Ich setzte mich auch auf die Bank. Wir sprachen vom Wetter und von der Wirtschaft. Als das besorgt war, fragte ich: Wieschen, wieviel Geld hast du zusammen? Sie holte ihren Beutel. Sie hatte gut 200 Dollars. Ich legte meine 350 daneben und sagte: Ich weiß da eine kleine Farm in der Nähe von Springfield. Es sind nur zwei Kühe und zwölf Schweine da; aber für den Anfang ist das genug. Ich will sie rennen, das meint: pachten, wenn du mit mir gehen willst. Sie folgte ihre Hände und kuckte einen Augenblick vor sich hin. Dann strich sie über die Schürze. Als sie das getan hatte, sagte sie Ja und gab mir die Hand. Siehe, so sind wir Brautleute geworden, und von dem Tage an war ich glücklich.

Aber wenn man ins Land kommt, ist einer so grun wie der andere. Was glaubst du wohl, wie klug einer ist, wenn er rüberkommt? So dumm as en Daglöhner-farken, einer wie der andre. Wenn Dummheit weh täte, dann wär am Hafen von New York vom Morgen bis an den Abend nichts zu hören als Heulen und Wehklagen. Aber das verlernt sich bald. Einer wird hier auch ganz anders rumgestoßen als drüben, und wenn man erst ein paarmal ordentlich angeeckt ist mit seinem dicken Kopf, dann lernt man bald Vorsicht und fest auf den Beinen stehen und fest zufassen. Wer das nicht kann, der soll das Reisegeld sparen; der soll Deutschland nicht mit dem Rücken ansehen. Denn dort ist der liebe Gott noch dem Dummen sein Vormund. Dor is de Minsch noch den leiwen Gott sin Dummerjahn. Hier gilt das nicht so recht. Hier sitzt den meisten ihr lieber Gott im Geldkasten. Ich könnte drollige Geschichten erzählen von manchen, die rübergekommen sind. Aber ich will keinen rügen, und bei den meisten würde es bloß mein eigenes Bild geben.

Nun ist mir der Blackpott runtergefallen, und bei den letzten Wörtern mußte ich vom Fußboden stippen. Nun ist Berti dabei und füllt die Dinte wieder ein. Mit dem Teelöffel tut sie das. Dabei sagt sie: Das kommt davon, wenn man so'n Mann als Vater im Haus hat. — Ja, so sind die Gören hierzulande.

Auf eigener Farm

Ein halbes Jahr zurück, da hast du gefragt, ob der
Jürnjakob hier auch Heimweh gekriegt hat. Ne, nie
nicht. Bloß mal als Junge Masern. Ich weiß nicht
genau, woans das Heimweh sich regieren tut. Aber ich
glaube nicht, daß es noch kommt. Nur welche von den
Alten, die können das hier nicht so recht anwenden.
Das ist, weil sie so spät rübergekommen sind oder sonst
kein Murr (Kraft) in den Knochen haben. Tagsüber,
bei der Arbeit, geht es noch. Aber abends in der Stube
oder, wenn's Wetter ist, vor der Tür, dann fühlen sie
nicht gut. Dann sacken sie zusammen und lassen den
Kopf hängen. Dann folgen sie die Hände zwischen
den Knien und sinnieren über ihr Dorf und sind kreuz-
unglücklich. Die lassen sich man schlecht aufmuntern.
Alles zu seiner Zeit, sagte Salomo und zählt einen
ganzen Posten auf, auch Steine sammeln und Steine
zerstreuen. Aber das Auswandern nach Amerika hat
er vergessen. Das war damals wohl noch keine Mode.

Für die Alten ist das hier nichts mehr, und für die
Weichen erst recht nicht. Für die ist die amerikanische
Luft zu scharf. Hier muß einer Eisen im Blut haben.
Hier darf er seine Harfe nicht an die Trauerweiden

hängen, wenn er eine hat. Hier ist es nicht so gemütlich als wie zu Hause. Hier hat keiner recht Zeit.
Selbst der Rauch, wenn er aus dem Schornstein
kommt, dann hat er hier nicht soviel Zeit als bei euch
im Dorf. Da kroch er langsam aus der Tür oder durch
die Wände, wo gerade Platz war, und dann kuckte
er sich erst mal gemütlich um, und wenn das besorgt
war, dann sagte er: Na, denn kannst du ja erst mal
so'n bißchen die Dorfstraße entlang schmöken. Aber
hier geht er auf und davon und kuckt sich nicht
mal um.

Nein, ich bin hier zu Hause. Hier ist ja auch meist
alles plattdeutsch und aus Mecklenburg. Und dann
bin ich in jungen Jahren rübergekommen. Ich habe
hier geheiratet. Ich habe hier eine gute Familie gereest[1]). Ich habe hier gebaut. Ich habe hier gesät
und geerntet. Ich habe hier viel Schweiß auf dem
Acker liegen, und der Schweiß tut hier sein Ding gerade so gut als drüben. — Ne, dat deiht hei nich. Bi
mi hett hei en ganz Deil mihr dahn, als hei tau Hus
dahn hadd. Im Dorf wär ich bei aller Arbeit doch
man Tagelöhner geblieben und, wenn's hoch kam,
Häusler, und meine Kinder wären wieder Tagelöhner
geworden. Wir haben hier auch scharf ranmüssen,
viel schärfer als in old Country. Das muß wahr sein.
Aber dafür hab ich auch mehr vor mich gebracht. Das
muß auch wahr sein. Hier hab ich mich frei gemacht.
Hier stehe ich mit meinen Füßen auf meinem eigenen
Boden und taglöhnere nicht beim Bauern. Das Frei-
sein ist schon ein paar Eimer Schweiß wert.

Mein Vater kriegte vier Schilling im Taglohn,

---

[1]) Englisch: raised = aufgezogen.

bloß in der Aust (Ernte) mehr. Dort ging der Wind durch alle Katenwände. Hier hab ich mir ein schönes Haus gebaut mit acht Stuben und was dazu gehört. Dort hatten wir im ganzen vier Fensterscheiben, und eine ist entzwei gewesen, so lang ich denken kann. Hier haben wir viele feste Wände und große Fenster. Die sind alle neu. Die arbeiten mit Gewichtern. Die Scheiben sind 24 mal 26 Zoll und an der Südseite ein großes, 3 mal 5 Fuß, ein Glas, und um die große herum sind kleine mit bunten Farben. Die Verkleidungen an Türen und Fenstern hab ich selbst gemacht, weil daß der Zimmerer sechzig Dollar haben wollte und mir das zu steif war. Eine große Veranda ist auch gleich dabei. Die haben wir hier meist alle.

Unser Haus haben wird gründlich um- und durchgebaut. Dabei konnte ich gerade so viel arbeiten, wie ich mochte. Als es fertig war, ließ ich es mit buntem Papier ausbacken (auskleben). Das kostete dreißig Dollars, die Arbeit zwanzig. Binnen und buten fertig kostete das Haus im Umbau rund 1500 Dollars, ohne meine Arbeit gerechnet. Ein paar Narben zur Erinnerung gab es für mich extra, weil ich mit dem Hammer am Haus vorbeiklopfte und den Daumen traf, daß das Blut rausprang. Da sagte Wieschen: So, dat hest du nu dorvon. Dacht heff ick mi dat all lang. Ja, so sind die Weiber. Aber dann ist sie doch hingegangen und hat mich verbunden, und am anderen Tag konnte ich weiterhämmern.

Nein, mit dem alten Strohkaten zu Hause will ich nicht mehr tauschen. Da gehörte mir kein Kuhschwanz. Bloß einmal, ich war so bei acht Jahr rum, da hat Düfferts Mutter mir einen Farkenstert ge-

schenkt. Man bloß, das Ferkel war da schon abgeschnitten, und aus einem Schweineschwanz läßt sich
kein seidenes Halstuch machen. Na, das kann man
auch bleiben lassen. Das hat man ja auch nicht nötig.

Jetzt hab ich zehn Pferde, achtzig Kühe, ein paar
Ochsen, dazu hundertzwanzig Schweine. Schweine
waren es früher weniger. Aber in den letzten Jahren
ist das Korn gut geraten. So haben wir mehr. Hühner
mögen es bei sechshundert sein oder auch mehr. Die
werden hier nicht gezählt.

Aber vom Vieh will ich dir diesen Winter durch
erzählen. Denn was ein richtiger Farmer ist, der macht
es wie ein richtiger Bauer bei euch. Er erzählt erstens
vom Vieh und zweitens vom Vieh, und drittens holt
er nach, was vom Vieh übrig geblieben ist. Erst kommen die Schweine.

Die haben hier auch einen ringeligten Schwanz und
sagen auch öcke, öcke. Aber sonst ist das hier alles
anders. In einer Bucht oder einem engen Stall kann
man keine Schweine aufziehen. Wir haben das erst
auch so gemacht, denn wir dachten: das muß so sein,
weil es zu Hause so war. Aber dies Land hat andre
Gebräuche bei den Schweinen. So haben wir um-
gelernt. Die Schweine müssen sich bewegen und viel
Sonne haben. Das Schwein liebt das Licht, darin
schlachtet es nach dem Menschen. Darum sind sie hier
auch immer gesund, und wenn wir in euren Zeitungen
lesen, daß die amerikanischen Schweine Trichinen
haben, so ist das in unsern Ohren zum Lachen. Denn
siehe, in euren Zeitungen lesen wir oft, daß Hof und
Markt da und da gesperrt sind von wegen Rotlauf
unter den Schweinen.

Auf 320 Acker kann ich genug Futter bauen für meine Kühe, denn das Land ist danach. Dabei hab ich auch genug Weide für die Schweine, beinahe vierzig Acker. Sie können vom Hof aus gleich reingehen. Alle acht Fuß ein Pfosten, unten zwei Brett von sechs Zoll, oben drei Stacheldraht. Das macht eine gute Fenz, das meint Zaun. Wir rechnen für das Schwein drei bis vier Mond auf der Weide. So gewinnt es in der Zeit bei hundert Pfund, und zehn Schweine auf einen Acker, das macht vierzig Dollars auf den Acker. Bloß, daß sie sind billiger als bei euch. Sie kosten jetzt vier Dollars das hundert Pfund. Aber hundert Schweine das Jahr macht doch was. Wenn man Korn pflanzt und kriegt fünfzig Bushel per Acker und zwanzig Cents den Bushel, das ist ein Unterschied; den fühlt der Geldbeutel. Da sagt der Geldbeutel: Dies Land ist mir lieb.

Wenn das Korn (d. i. Mais) reif ist, machen wir das so: Wir schaufeln die Kolben zusammen und stecken sie an. Wenn es ordentlich brennt, dann stellen sie sich um die Haufen rum und fressen von der Außenseite, was schon abgekühlt ist. So was haben die Schweine gern, ja well. Dann können sie Wasser zusaufen. Am zweiten Februar war ich mit achtzig Schweinen nach Chicago. Die brachten 685 Dollars. Nach Neujahr muß ich wieder hin. Schade, daß ich sie nicht auf einen deutschen Markt bringen kann.

Ochsen muß ich mir auch wieder anschaffen, weil wir über 120 Fuder Heu gemacht haben. Vor Weihnacht schickte ich zwanzig Stück nach Chicago, die brachten etwas über achthundert Dollars. Das ist hier schon ein guter Preis. Bloß Kühe sind hier jetzt billig;

eine gute Kuh kostet 15 bis 23 Dollars. An Korn hab ich dies Jahr über 3000 Bushel, davon 400 Bushel verkauft, den Bushel zu 35 Cents. Das ist hier auch schon ein guter Preis. An die Kühe verfüttern wir auch viel Korn. Wir schneiden es grün und packen es luftdicht ein. Dann hält es sich. Sie geben dabei mehr Milch als bloß bei Kleie.

Sonst machen wir es mit den Kühen so: Wir jagen sie auch auf die Weide. Aber ein Kuhjunge ist nicht dabei. Sie kommen von selbst wieder rein. Im Winter bleiben sie bei den Häusern. Ist das Gras raus, gehen sie weiter, daß man sie nicht mehr sehen kann. Aber zum Melken kommen sie wieder ans Haus. Die Milch treibt sie. Das ist um halb fünf im Winter und Schlag sieben im Sommer. Unsre Uhr war stehengeblieben. Es hat doch keine Not. Wir haben gewartet, bis die Kühe nach Hause kamen. So haben wir die Uhr nach den Kühen gestellt. Als ich das nächste Mal nach dem Town kam, hab ich sie mit der Stadtuhr verglichen. Und siehe, sie ging richtig.

Dies Jahr konnten wir bis jetzt nur 36 Kälber verkaufen. Die welchen waren von der Ernte her alt; die haben ihre Milch selber von den Kühen geholt. So sparten wir uns das Melken. Ein paar Mond taten sie das. Dann haben wir sie abgenommen und ihnen etwas Hafer gegeben. Sie haben 590 Dollars gebracht. Bei euch wären sie noch mal so viel wert gewesen. Aber Kälber verkaufen ist der reinlichste Kram. Warum soll man die Butterfabriken auch noch reich machen? Bei mir kam auch mal so ein Rahmherr und Sahnenonkel angefahren. Gleich mit Auto. Dafür war er auch ein Amerikaner. Aber was die Sorte Rahm nennt oder einen Zoll Rahm, daraus machen wir 1¼ Pfund Butter. Er sprach: Ich will dir deinen Rahm abkaufen. Gleich fürs ganze Jahr will ich das tun, wo du hier doch so einsam wohnst. Dann bist du alle Sorgen los. Ich sprach: Das ist eine brave Gesinnung von dir; die mußt du dir einpökeln für schlechte Zeiten. Er sprach: Ich will dich auch gut bezahlen. Ich sprach: Von meinetwegen kannst du Sand buttern; ich gebe dir eine Fuhre umsonst. Da fuhr er hin. Da ist er nicht wiedergekommen. Die Sorte sucht bloß Dumme; aber dann muß er früher aufstehen, und mit einem neuen Auto lassen wir hier uns noch lange nicht die Augen voll Sand streuen.

Mit dem Mist ist das hier so, daß er nicht so geehrt wird als bei euch, wo jeder Forkvoll in acht genommen wird und die Kinder ihn aufsammeln auf der Straße. Der Urwaldboden braucht lange Jahre keinen Meß. Aber zu Anfang ist er zu wählig (übermütig, ungebärdig). Dann trägt er bloß Lagerkorn. Erst mit den Jahren wird er zahm. Dann ist er sehr gut. Dann gibt er Korn, wie es bei euch nicht zu sehen ist. Zuletzt kommt er ganz sachten in die Jahre, wo er Meß braucht. Meinem Nachbarn lag seiner im Wege. Er lag auf dem ganzen Hof rum und hinter der Fenz auch noch. Ich sagte zu ihm: Ich will dir deinen Dung abfahren. Ganz umsonst will ich das tun. Aus Nachbarschaft will ich das tun. So hat er ja gesagt, und ich fuhr ihn ab. Das waren über hundert Fuhren. Das ist meinem Acker gut bekommen. Aber das nächste Jahr gab er nichts mehr auf Nachbarschaft von wegen dem Meß. Da hat er ihn selbst abgefahren. Da war er klug geworden.

Von den Eiern will ich diesen Winter auch noch ein paar Wörter machen. Sie sind hier teurer als bei euch auf dem Dorf. Sie kosten heute das Dutz 1,80 Mark. Das macht, weil sie alle nach New York gehen. Da kommen sie in große Kühlhäuser und liegen da, bis die Eierbarone den richtigen Preis raushaben. Dann drücken sie uns wieder die Preise. Aber wir können die Hühner man nicht drücken, daß sie streiken mit dem Eierlegen. Dann essen wir so viel Eier, daß wir bloß noch Kikeriki sagen können. Dann kommen wir zuletzt in einen Zustand, daß wir den ganzen Himmel für einen Eierdopp ansehen und die Abendsonne für einen Pfannkuchen.

Zwei Jahre zurück, da konnten wir zuletzt keine Eier mehr sehen. Es war ein Elend. Es war wie eine von Pharao seinen zehn Plagen. Zu der Zeit waren auch die kleinen Ferkel so billig. Wir gaben gern eins zu, um das andere los zu werden. Bloß, wir wurden das andere nicht los, und die Muttersauen ferkelten wie unklug. Ganz leidenschaftlich taten sie das. Es quiekte in allen Ecken. Was haben wir da gemacht? — Ich sage zu Wieschen: Wieschen, sage ich, weißt du, was Hannjürn Timmermann mir mal sagte, als auch solche Heimsuchung über old Country gekommen war? — Was hat er gesagt? sagt sie. — Er hat gesagt, seine Großmutter hat auch mal solche Not durchgemacht und ihm gesagt, daß sie die Ferkel an die Hühner verfüttert haben. Und seine Großmutter war eine brave Frau.

Äwer du büst unklaug, Jürnjakob, sagte sie. Heil und deil büst du unklaug. Wo kannst du so'ne olle abergläubische Saken glöwen. Woans sall dat woll an-

gahn, dat de Häuhner de Swien upfreten. Häuhner
freten Roggen un Kurn un Brot un Tüffel, das ist
Gottes Ordnung; äwer Swien freten, das ist gegen
Gottes Ordnung. — Hoho, Wieschen, sagte ich, weißt
du nicht mehr, daß da mal sieben magere Kühe sieben
fette Kühe aufgefressen haben? Und das steht in der
Schrift, und darum ist es nicht gegen Gottes Ordnung.
— I, sagte sie, das war auch man bloß im Traum. —
Da sah ich sie freundlich an und beredete sie weiter
mit schönen Wörtern, bis sie einwilligte in meinen
Rat. So haben wir die Ferkel abgestochen und ge-
kocht und richtig an die Hühner verfüttert. So waren
wir sie glücklich los.

Aber was geschah? Das geschah, daß die Hühner
nun wie verrückt legten. Immer ein Ei hinter dem
andern her. Es war ein rechter Jammer und gar nicht
mehr auszuhalten. Mir wurde ganz kakelig zumute.
Mir sackten die Hände am Leibe dal. Wieschen auch.
Sie schalt: Nu hebben wir uns richtig taum Ulen-
speigel makt vör de ganze Gegend. Und wenn sie so
sagt, dann ist das immer ein Zeichen, daß sie sich
ärgern tut. — Noch lange nicht, Wieschen, sage ich:
denn siehe, ich habe einen Plan. — Noch einen Plan?
Wist du uns noch mehr Unglück int Hus bringen? —
Wieschen, sage ich, es ist ein ganz ernstlicher Plan und
nicht zu verachten. Nu hör mal zu und paß Achtung.
Magst du noch Eier eten? — Ne! — Magst du noch
Pannkauken eten? — Swieg mi still von Pannkauken!

— Schön, denn sünd wi also wedder mal einig, un
Einigkeit macht stark. Nu will ich die wat seggen.
De Farkn sünd wi los. De Eier willen wi nun mal
uns Kalwer geben, denn sind wie dei ok los. Denn hett

alle Not ein Enn', und du sast mal seihn, wo ehr dat bekümmt.

Jürnjakob, du büst nich bi Trost, un wenn du öfter so'ne Infäll kriegst, denn süst du doch mal wat dorgegen dauhn. Irst verfudderst du de Farken an de Häuhner. Nu wist du de Eier de Kalwer geben. Wist du denn nachher de Kalwer nich slachten und de Swien mit Kalwerbraden fett maken, dat sei düchtig farken dauhn? Mi dücht, denn is de Rundreis' dörch de Wirtschaft richtig fardig. Odder willen wi dat nich versäuken un de Ossen mit Häuhnerbraden fett maken? Wat 'ne Wirtschaft, wat 'ne Wirtschaft!

Damit legte sie sich in den Schaukelstuhl. Als sie das getan hatte, stand sie wieder auf und lief hinaus. Ich aber kuckte ihr nach und sprach zu mir: Was die Frau da eben von der Rundreise gesagt hat, das ist nicht ganz ohne. Das ist eine richtige Karussellfahrt durch die Viehwirtschaft und durch die ganze Naturgeschichte. Als ich das gedacht hatte, steckte ich so'n Dutzend frische Eier in die Taschen und ging zu den Kälbern. Oha, haben die aber gelickmünnt[1])! Als Wieschen das sah, da war sie nicht mehr zornig. Da holte sie sich gleich eine halbe Schürze voll Eier. Da hat sie mir geholfen. So haben wir die Kälber mit Eiern gefüttert, und sie lachten über das ganze Gesicht, und dem kleinen schwarzen Bullenkalb lachte das Herz im Leibe.

Lieber Freund, ich kann dir mitteilen, sie sind so glatt geworden wie Spickaal, und wenn wieder mal solche Ferkel- und Eierplage über das Land kommt,

---

[1]) Lickmünnen, eigentlich den Mund lecken, weiter = lüstern verlangen.

dann machen wir wieder eine Rundreise durch die Wirtschaft. Es ist aber besser, daß du diese Geschichte nicht im Dorf vorlesen tust. Sonst lacht uns das ganze Dorf aus vom ersten Häusler auf dem Lasen bis zum letzten Büdner am Schnellenberg.

In den ersten Jahren, als wir eine eigene Farm hatten, da waren die Eier billig. Wir waren froh, wenn wir für das Dutz acht Cents kriegten. In den Jahren war es, daß die Geschichte mit dem Regierungshahn geschah. Wir hatten rund rum noch viel Busch (Urwald) und im Busch viel kleines Raubzeug. Da gingen die Hühner über das Feld bis an den Busch. Aber sie kamen nicht alle zurück. Wir hatten noch wenig. Wir zählten sie noch. Ich sagte zu Wieschen: Das geht nicht. Da muß was geschehen. Wieschen sagt: Ja, da muß was geschehen; aber was willst du machen? Ich sagte: Paß mal auf. Ich kaufe eine Bell, das meint eine kleine Glocke. Die hänge ich dem großen schwarzen Hahn um den Hals, denn er ist das Haupt. Dann nimmt das Raubzeug Reißaus, und die Hühner wissen gleich, wo ihr Herr ist und daß sie ausritzen müssen, wenn Not am Platze ist.

Sie sagt: Jürnjakob, du bist nicht klug. Was werden die Leute sagen? — Was die Leute sagen, darauf liegt keine Steuer; das ist mir auch gleich. — Aber der schwarze Hahn wird verrückt. — Abwarten, Wieschen! — Sie sagt noch dies und das, aber sie lacht sich dabei, und das ist immer ein gutes Zeichen an ihr.

So kriegte der Schwarze seine Glocke. Erst wurde mir auch bange. Er tobte wahrhaftig wie verrückt umher. Aber wo döller er tobte, wo döller er klingelte. Er hackte nach der Glocke, es half nichts. Er wälzte sich auf dem Rücken und stangelte mit den Beinen in der Luft rum; es half nichts. Es sah doll aus, und ich dachte: Na, wenn er sich man bloß nicht mit Selbstmord ums Leben bringt und ins Wasser geht. — Die Hühner kniffen auch erst aus, wenn er angebimmelt kam. Sie liefen in alle Ecken hinein und über das ganze Feld. Sie schlugen mit den Flügeln und schrien vor Furcht, wenn er mit der Bell am Halse angesaust kam.

Ich sage zu Wieschen: Von Treue und Liebe ist da auch nicht viel zu sehen bei dem Hühnervolk. Es ist man gut, daß es bei den Menschen anders ist. Je ßüh du! sagte sie; häng du dir mal so'ne Glocke um den Hals und lauf dann als Späuk hier rum, dann —. So, da hatte ich auch mein Teil. — Aber Gewohnheit ist das halbe Leben. Zuletzt gab sich das alles, und manchmal sah es schon aus, als trug der Schwarze seine Bell ordentlich mit Stolz über das Feld. Die Hühner gewöhnten sich wieder an, und das Mittel half gegen die Raubtiere.

In der Zeit war es, da kam einmal ein Tag, da fuhr hier eine Deutschrussin durch, die war auf dem Wege zu ihrem Sohn. Die hörte den Hahn läuten und sah ihn auch. Da hielt sie still und betrachtete sich den Hahn lange Zeit mit ihren Augen. Als sie das getan hatte, sprach sie: Was ist das für eine Sache, die ich hier mit meinen Augen sehe und mit meinen Ohren höre? Ich habe sechzig Jahre gelebt und bin von Rußland nach Amerika gekommen, aber so was habe ich noch nicht gesehen. Hat die Regierung das anbefohlen, daß die Hühner hierzulande eine Glocke tragen müssen?

50

Da hab ich ihr die Sache richtig klargemacht, warum das sei. Sie hörte auch mit ihren Ohren zu. Aber dann schüttelte sie doch den Kopf und sagte: Wo kann das einmal angehen! Das ist hier ein ganz malles Land. Wenn ich meinen Leuten das nach Hause schreibe, daß die Hähne hier eine Glocke tragen und sich noch groß damit tun, dann sagen sie: Die Alte ist ja wohl bei lebendigem Leibe verrückt geworden. Ach Gott, wenn ich doch man bloß in Rußland geblieben wäre! — Aber ich hab ihr gesagt: Das laß dir man nicht leid sein, daß du da ausgerückt bist. Dein Russenkaiser kauft dir doch nicht Hahn noch Huhn, wenn seine Wölfe sie dir weggeputzt haben. Und das mit der Glocke, das laß man gut sein. Wir Menschen mögen gern Musik hören. Warum die Hühner nicht auch? Sie legen da auch besser nach. Du wirst deinem Sohn seinem Hahn auch noch eine Glocke umtüdern (umbinden), und mich wirst du dafür noch loben und danksagen. Nach Rußland brauchst du das ja gar nicht zu schreiben.

Da wurde sie ganz gemütlich und meinte: Ja, es ist hier vieles anders als im Süden von Rußland, und ich habe auch schon umlernen müssen. Am meisten mit meinen Zähnen. Als ich fahren wollte, da kam der Zahndoktor aus Jekaterinosklaw raus und sagte: Wenn du durchkommen willst, dann mußt du noch alle Zähne haben, sonst schicken sie dich zurück. Der Zar von Amerika ist darin sehr strenge. Ich sagte: Ist das indem? Ja, sagte er, das ist indem. Er hat sieben Zahngebote erlassen, und ich sehe an deinem Munde, daß du sie nicht erfüllen kannst. Darum kommst du nicht durch. Ich sprach: Was ist dagegen zu tun? Er antwortete: Der amerikanische Zar hat mir schreiben lassen, er will die Leute hier noch durchlassen, wenn ich ihnen vorher ein künstliches Gebiß einsetze. Aus Gnaden will er das tun. — Ist das wirklich indem? — Ja, das ist wirklich indem. Der amerikanische Konsul in Odessa hat es mir geschrieben. — Aber ich fahre über Bremen. — Das ist gleich; untersucht wirst du erst drüben in New York. — So hat er mir ein volles Gebiß eingesetzt und sich teuer bezahlen lassen. Aber dafür bin ich auch ganz gut durchgekommen und habe schon vieles gesehen. Aber so was doch noch nicht.

Sie kuckte wieder nach dem Schwarzen. Der stand oben auf der Fenz und krähte und bimmelte. Als sie mit der Tasse Kaffee fertig war, die Wieschen ihr gebracht hatte, fuhr sie weiter. Aber unterwegs hat sie sich noch ein paarmal umgekuckt nach dem Regierungshahn und nach uns. —

Unser Hafer war im letzten Jahr von Mannshöhe, und wir trugen den Kopf hoch. wie das so zu gehen pflegt, wenn die Ernte sich gut anläßt. Da kam es mit den Plagen. Erst der Rost. Dann der Regen. Da knickte er ein und saß auf dem Hintern und hielt die Beine hoch. Das dauerte seine Zeit. Aber der Regen dauerte länger. Zuletzt war er wie gewalzt und blieb auch so. Ich hab es immer gesagt: So schönes Wetter wie früher gibt es gar nicht mehr, weil alles schlechter wird auf der Welt. Das gab eine Schneiderei, es war nicht den Bindfaden wert. Viele haben ihn einfach eingesteckt und abgebrannt. Ich verschnürte auf vierzig Acker sechzig Pfund Bindfaden, und dabei konnte ich nur die Hälfte fassen mit der Maschine.

Einen nassen Sommer kann man nicht auf die Leine hängen und trocknen, und das ist schade. Es regnete noch vier Wochen; da wuchs alles zusammen. In dem Sommer brauchten wir den Dreck nicht zu sparen. So fuhr ich den letzten Hafer in Mieten und jagte die Kühe und Ochsen dabei. Erst haben sie den Kopf geschüttelt und über die Schweinerei gebrummt. Dann gingen sie doch ran, und am ersten Oktober war auch die letzte Garbe runtergerissen und unter die Füße getreten. Ja, so kommt es auch mennigmal, und wir haben den Kopf nicht mehr hochgetragen, wenn wir an den Hafer dachten. Aber es ist wohl ganz in der Ordnung, wenn der Mensch ab und zu einen auf den Hut kriegt. Sonst wird er leicht übermütig. —

Ganz schlimm ist es hier mit den Dienstboten. Die sind schwer zu bekommen und noch schwerer zu halten. Besonders die Mädchen. Zu Anfang, als wir herkamen, kriegte Wieschen auf der Farm ihre drei Dollars die Woche. Heut zahlen wir den Mädchen vier bis fünf. Dafür machen sie aber nur leichte Arbeit. Für schwere sind die Mannsleute da. In der Stadt ist der Lohn noch höher. Eine Köchin kriegt sieben Dollars die Woche, und wenn sie noch andere Arbeit machen muß, acht. Soviel kriegte früher in unserm Dorf ein Mädchen das ganze Jahr, und dabei hatte sie schwere Arbeit von früh bis spät. Als wir mit einer Farm anfingen, machten wir fast alle Arbeit allein. Das waren harte Jahre, und abends elf Uhr waren wir oft noch beim Kornbinden, Wieschen und ich. Du kannst glauben, daß das schwere Zeiten waren. Aber wir sind dabei gesund geblieben. Es war ja auch nur eine kleine Farm, und wir hatten sie gerennt. Jetzt haben wir eine große, und sie gehört uns.

Da machen wir alles mit der Maschine. Wir legen

auf den Treibriemen, was sonst auf der Schulter oder
auf dem Arm des Arbeiters liegt. Das muß so sein
in diesem Lande. Vom Mähen an bis zum Abladen
in der Scheune. Das Säen natürlich auch und das
Dreschen erst recht. So brauchen wir keine Leute. Die
bleiben auch lieber im Osten. Da arbeiten sie ihre acht
Stunden. Nach dem Westen, auf die Farm, gehen sie
nicht gern. Am schlimmsten ist es in der Ernte. Da
kriegen sie heut ihre vier bis fünf Dollar den Tag
und Fleisch satt. Es ist aber auch harte Arbeit und
geht scharf her. Die Arbeitszeit dauert von Sonnen-
aufgang bis Sonnenuntergang, und die Sonne macht
sich hier in der Aust mächtig früh auf die Beine. In
der Zeit sparen wir das Wasser. Da tut sich kein
Mensch waschen. Da kämmt sich auch keiner. Was
da an Grannen rumfliegt, das glaubst du gar nicht,
und das sticht so sehr in die Haut, so daß das Gesicht
aussieht wie Wieschen ihr Nadelkissen oder wie dem
Swienegel sein Rücken. So aber legt sich eine dicke
Schmutzschicht auf das Gesicht, die hält alles ab.

Ja, dick ist sie, das muß ich sagen, und schöner wird
einer nicht, wenn er sich da beim Mähen so mal aus
Versehen mit dem Handrücken rüberwischt. Es ist man
gut, daß da kein Maler kommt und malt uns ab und
bringt dir das Bild. Du könntest einen mächtigen
Schreck kriegen. Du würdest sagen: Ne, Menschen
sind das nicht. Das ist eine Horde schwarzer Teufel,
und sie kommen eben frisch aufgewichst aus der Hölle.
— Ist die gröbste Arbeit fertig, dann nehmen wir
wieder Wasser und Seife. Was da an Seife verbraucht
wird auf einer Farm, das glaubst du nicht. Damit
könnte der Präsident ein paar Dutzend Neger blank

54

waschen lassen, daß ihre eigene Mutter sie nicht mehr kennt.

In der Aust haben wir auch oft Studenten zur Hilfe, auch Söhne von Professoren und Pastoren. Da ist Amerika wieder ein anderes Land als Mecklenburg. Sie kommen vom College. Sie haben dann Ferien. Sie gehen auf die Farm. Sie arbeiten nicht so lange den Tag über. Sie kriegen auch weniger. Aber wenn sie fertig sind, dann haben sie doch ihre neunzig bis hundert Dollars in der Tasche, und das kommt ihnen gut zu paß bei der Winterarbeit in den Büchern. Von der Arbeit werden sie auch nicht dümmer. Land und Leute sehen auf der Farm doch anders aus als in den Studierbüchern. Da ist das Papier den Augen im Wege. So ein paar Wochen mitarbeiten, bloß in Hemd und Bücks, das ist ganz anders als so auf den Abend eine Stunde zu Besuch im schwarzen Rock und zu sagen: Mein lieber Bruder, meine teure Schwester, wo geht euch das? — Nun lernen sie, wieviel Schweiß am Brot klebt. Zuerst wird ihnen das sauer, und sie seufzen mächtig. Dann können sie abends vor Wehtage nicht einschlafen. Dann klappen sie manchmal zusammen. Dann muß Wieschen den Doktor machen. Wenn sie aber erst eine ordentliche Dreckschicht angesetzt haben, dann gibt sich das, und zuletzt geht es ganz läufig.

Andre Studenten gehen in den Ferien kolportieren. Mit Büchern und Bildern tun sie das. Das ist leichter, bringt aber auch weniger und ist nicht so sicher. Doch hab ich einen gekannt, der verstand es, Bücher anzubringen. Das ging ihm vom Munde wie beim Wassermüller in nassen Jahren das Wasser. Der machte viel

Geld. Einmal kriegte er in seinen Ferien für sich bei vierhundert Dollars zusammen.

Mit der Sense mähen wir hier nur im kleinen. Unsre Sensen sind nicht so gut wie eure. Sie brechen zu leicht aus. Gute Sensen aus Schmiedeeisen lassen wir uns manchmal aus Deutschland schicken. Die tun was her. Das macht Amerika euch nicht nach. Man bloß, auf unsern großen Farmen kommen wir damit nicht aus. Woher sollen wir wohl all die Arme nehmen! —

Mit Dienstmädchen haben wir hier allerhand Versuche gemacht. Aber es ist nicht viel dabei rausgekommen, und Freude haben wir nicht daran erlebt. Erst ließen wir uns ein paar von den Polen schicken. Im Sommer trugen sie gar kein Hemd. Wieschen hat sie ausgefragt und sie sich genauer besehen. Im Herbst ziehen sie eins an, das ist dicker als unsres. Das tragen sie den ganzen Winter durch. Im Frühjahr ziehen sie es aus und werfen es weg, was dann noch davon übrig ist: mit allem, was darin rumhüppt. Es früher ausziehen als im Frühjahr und wechseln, das ist ihnen beinah wie Sünde und ganz unsinnig zu denken. Wenn Wieschen ihnen davon sagte, dann machten sie große, runde Augen, als wäre es gar keine Menschenmöglichkeit, so was auszudenken. Gott, was haben deine Eulen für große Augen! Ihre Kleider und Röcke trugen sie auch so lange, bis alles in Fetzen abhing. Im Arbeiten waren sie ganz fix, das muß man ihnen lassen. Na, wir haben den Versuch einmal gemacht, so für zwei Jahre. Dann aber nicht wieder. Denn diese Sorte (??) an den Herd zu lassen, daß sie mit dem Essen hantieren, — ne, das ist uns doch gegen den Appetit.

56

Dann nahmen wir eine Zeit Amerikanerinnen. Ich reiste nach Chicago, um mir ein paar Mädchen zu mieten. Ich besuchte Wilhelm Saß. Als ich mir die Wirtschaft dort ein paar Tage angesehen hatte, da bin ich ohne Mädchen zurückgereist. Nicht gern tat ich das, denn ich hatte Wieschen versprochen, ihr Mädchen mitzubringen. Erst hat sie auch richtig gescholten, und ich habe still zugehört, denn es ist am besten, wenn man seine Frau ausreden läßt. Als sie damit fertig war, sage ich: Wieschen, sage ich, nun paß Achtung! Da geht ein Trupp Dienstmädchen auf der Straße. Aber du sprichst sie doch nicht an, ob sie mit dir gehen wollen. Du wagst das gar nicht, denn sie gehen in köstlichen, weißen Kleidern. Sie wollen nicht in den Kuhstall. Nein, sie wollen ins Theater.

Ins Theater? — Dienstmädchen? — Ja, Wieschen, da kannst du Augen machen. Und wenn du ein paar von der Sorte mit weißen Kleidern und goldenen Uhren hier zum Dienen haben willst, dann kannst du es man sagen. Dann will ich schreiben.

Aber Wieschen will nicht, daß ich schreiben soll. Sie sagt: Nein, da ist es doch besser, daß du keine mitgebracht hast. Ne, sagt sie, nun erzähle man weiter, was du sonst noch gesehen hast.

Oh, Wieschen, einen ganzen Berg. Ich hab da auch Kinder gesehen, die lagen im Wagen und wurden spazieren gefahren wie andre Kinder. Sie waren so bei einem Jahr rum, als ich meine. Aber goldene Ringe und Armbänder und all' so'n Kram, damit waren sie über und über behängt. Wieschen, wo kannst du das verantworten, daß deine Kinder laufen lernten ohne goldene Armbänder? Wieschen, dau hast dich versün-

digt an deinen Kindern. — Jürnjakob, lat dat Dräh-
nen sin. Aber erzähle man weiter. — Ja, auch Straßen-
arbeiter und Kohlenträger hab ich gesehen, die trugen
bei der Arbeit auch dicke, goldene Siegelringe.

So, nun hab ich davon genug gehört, sagte sie und
nahm einen andern Strumpf zum Stopfen vor. Siegelringe, Armbänder, weiße Schuhe, weiße Kleider, goldene Uhren, die nicht gehen, — es ist schade, daß
Luther das nicht mehr erlebt hat. — Warum ist das
schade? — Oh, ich meine man; dann hätte er das doch
gleich mit aufnehmen können bei dem, was hier in
Amerika so zum täglichen Brot in der vierten Bitte
gehört. — Wieschen, sage ich, da hast du wieder mal
recht. — Na, sagt sie, nu erzähl man weiter, wenn du
sonst noch was gesehen hast. Oder bist du nun fertig?

Noch lange nicht, sage ich. Was ich da alles gesehen habe, das langt für einen ganzen Berg von
Strümpfen zu stopfen. Da war noch das Kauen. Sie
sagt: Na, darum brauchst du nicht nach Chicago zu
fahren. Das kannst du hier auch haben, wenn du dich
mit deinem Butterbrot vor den Spiegel stellst. —
Wieschen, paß Achtung und laß mich ausreden. Das
war ein anderes Kauen als hier auf der Farm, und
kein nahrhaftiges. Sie kauen dort alle, und es war
gar nicht Vesperzeit. Szüh, die Alten kauen Tabak und
die Jungen Shewing-gum, das meint Kaugummi. In
der Schule kauen sie dort auch und in der Kirche.
Und dazu spucken sie, so fein kann das keiner im
ganzen Grabower Amt, nicht mal der Landdrost.

Auch fuhr ich mit der Elektrischen. Vorn steht der
Fahrer. Der spuckt nach vorn. Das tut er im Durch-
schnitt an jeder Straßenecke. Denn da muß er halten.

Da hat er Zeit zu spucken. Hinten aber steht der
Schaffner. Der spuckt nach hinten. Aber nur beim
Fahren. Beim Halten hat er keine Zeit dazu. Szüh,
so lösen sie sich beim Spucken ab. Und wenn du dann
durch den langen Wagen gehst, dann sitzen da zwei
lange Reihen von Menschen, die reißen den Mund weit
auf und schmeißen den Gummi rum auf die andere
Seite. Dann kauen sie weiter, und weißt du, Wieschen,
woran ich da gedacht habe? — Ne, sagt sie, das weiß
ich nicht. Woran hast du gedacht?

Ich sage: An meinen alten Bauern hab ich gedacht.
— Warum an deinen Bauern? — Ja, als ich da so
durchging durch den langen Gang in der Elektrischen,
das war akkrat so, als wenn Hannjürn Timmermann
über die große Diele ging. Bloß, der Wagen war schmaler. Da standen die Kühe auf beiden Seiten der Diele
und kauten und klappten mit dem Maul immer auf
und zu. Ja, akkrat so war das hier auch.

Na, sagt Wieschen, dann wollen wir uns man freuen,
daß du wieder da bist, und ich will dir man noch eine
Tasse Kaffee einschenken, wo dir vom vielen Erzählen
doch der Mund trocken geworden ist. — Ja, sage ich,
das tu denn man. Doch schenke dir auch noch eine
ein. Dann tut es mir auch besser schmecken. Die
letzten Strümpfe können bis morgen warten. — So
freuten wir uns zusammen, daß wir auf der Farm
wohnten und nicht in der Stadt.

Szüh, dat heff ick all's in Chicago belewt, as ick
Deinstmätens meiden wull.

*

Wieschen liegt im Schaukelstuhl und kuckt in die
Luft. Der Schaukelstuhl, das ist so eine Leidenschaft

bei den Frauen hierzulande. Das ist, als wenn wir zu Hause als Jungs Wippwapp spielten. Er muß hier in jedem Hause sein. Wieschen hat das hier auch schon gelernt. Wir werden in Amerika zuletzt auch alt und müde. Ich fange an, einen griesen Bart zu kriegen, und meine Müller wollen nicht mehr so recht mahlen. Sie werden wackelig und fallen aus. Ich kann die Krusten nicht mehr so recht beißen. Aber lesen kann ich noch ganz gut ohne Brille. Dabei brauche ich noch keinen langen Arm zu machen. Schreiben kann ich auch noch bannig fix. Wir müssen das Arbeiten nach diesem doch langsamer angehen lassen. Es ging all die Jahre ein bißchen forsch auf die Knochen los, und man bloß im Winter sind wir auf kurze Zeit zur Besinnung gekommen. — Jetzt kommt Besuch. Die Bell hat gerungen[1]). Jetzt springt Wieschen auf. Jetzt ist sie nicht mehr alt und müde. Un ick legg de Fedder ok dal; nahsten schriew ick wieder. Dat is uns' Nahwer, un ick weit all, wat hei will. Ick sall sin Kalwer de Hürn afsagen.

Ein amerikanischer Farmer muß alles können und alles sein: Zimmermann, Tischler, Stellmacher, Schmied, Maurer, auch mal Schuster. Er muß auch seine Maschinen handzuhaben wissen. Ich hab mir ein paar kleine Werkstätten eingerichtet. Auch eine Maschine zum Eisenbohren mußte ich mir besorgen und viele Bolzen. Sonst muß man immer im Town liegen, und dabei kommt nichts raus als bloß das Geld aus der Tasche. Wir machen uns alles selbst, was wir brauchen. Wir machen uns frei vom Town, soweit es geht. Man vertrödelt dort sonst auch zu viel Zeit. —

[1]) Englisch: rung = geläutet.

Wir haben uns hier jetzt einen Brunnen machen lassen, 250 Fuß, und eine Windmühle darauf, die Wasser pumpt. Das war zu Anfang auch die umgekehrte Welt in meinen Augen. Ich dachte: Woans soll das wohl angehen, daß eine Windmühle Wasser mahlt? Aber das lernt sich hier alles viel leichter als in der alten Heimat, und wir sind fix dahinter her, daß wir lernen.

Eine große Farm mit voller Wirtschaft, daß alles flott vorwärtsgeht, da gehört vieles zu. Ich hab eine Kornmähmaschine, eine Grasmähmaschine, eine Heuharke für zwei Pferde, einen Heuauflader, den siehst du auf dem Bild, das ich mitschicke. Das hat Heinrich aufgenommen, als er in den Ferien mit seinem Abnehmerdings hier war. Eine Scheibenegge, eine gewöhnliche Egge, Pflüge und Schaufelpflüge, das Korn zu bearbeiten, eine Säemaschine. Natürlich auch was zum Heuabladen und zum Dungaufladen. Ein neuer Kornpflanzer soll noch kommen. Der Kaufmann hatte keinen mehr, aber er hat ihn geordert. Wenn ich Korn sage, das meint immer Mais; das meint nicht Roggen wie bei euch. Das ist so eine Gewohnheit in Land Amerika. Man bloß hölzerne Handharken wie drüben haben wir hier nicht. Was man nicht mit der Forke fassen kann oder mit der großen Harke, die von Pferden gezogen wird, das bleibt liegen. Das ist hier anders als bei euch. Ihr müßt alle Halme und alle Ähren und jeden kleinen Loppen (Büschel) Heu treu zusammenharken. Das ist, weil ihr in Deutschland so dicht auf einem Dutt wohnt und wenig Land habt. Wenn es hier soweit ist, dann werden die kleinen Handharken auch wohl noch aufkommen. Es ist auch schade um jede Ähre, die verlorengeht, denn Gottes Segen liegt darauf.

Aber uns fehlt die Zeit und die Mannschaften zum Nachharken. So bleibt es liegen.

Lieber Freund, ich kann dir mitteilen, mit dem Nachharken auf dem Felde ist das ähnlich so beschaffen wie bei den Alten, wenn sie ihr Leben noch mal nachdenken. Solange der Mensch jung ist, ist das anders. Da macht er lange Schritte. Da geht er hin. Da kümmert er sich nicht um das, was hinter ihm liegenbleibt. Er hat keine Zeit dazu. Aber wenn er alt wird, dann geht er in Gedanken sein Leben noch einmal durch und zweimal und oft. Da sammelt er dies auf und das. Es ist eine Arbeit, bei der er sich gut besinnen kann, wie er sein Leben gemacht hat. Siehe, ein alter Mensch geht mit der Harke den Weg seines Lebens gern noch mal lang. Meist findet er bloß noch Stoppeln; da ist nichts mehr zu machen. Er kann nicht noch mal von vorn anfangen mit Pflügen, Säen und Ernten. Aber dann und wann sind noch ein paar Ähren liegengeblieben, die er vergessen hat. Die sammelt er auf, wenn er in die Jahre kommt, und er tut das gern.

Meine Farm hält 320 Acker. Das nennt man hier eine große Farm. Eine mittlere rechnet 80—160 Acker. Eine solche zu 160 neben der großen gehört mir auch; aber ich hab ein paar Häuser daraufgesetzt und sie verrennt, das meint verpachtet. Die Wirtschaft wurde mir sonst zu weitschichtig. Das macht man hier meist so, wenn der Platz über 320 Acker hinausgeht. Für gewöhnlich rechnet man 160 Acker als eine Farm, weil die Regierung das von Anfang an als eine Heimstätte an die Ansiedler abgab. Sie hat alles Land in Quadratmeilen abmessen lassen, und ein öffentlicher

Weg, eine Road, geht ringsherum. So kommen auf jede Quadratmeile vier Farmen zu 160 Acker. Was eine kleine Farm ist, die rechnet so ungefähr bis 80 Acker. Was ein Acker ist, das mußt du auch wissen. Das sind 160 Quadratruten mecklenburgisch Maß. Einen Morgen kennst du, das sind 120 Ruten. Darum ist ein Morgen dreiviertel Acker. So weißt du, wie groß ein Acker ist. Eine große Farm gibt über 50 000 Ruten. Das sind zwei Bauerstellen, wie unser Dorf sie hat.

Lieber Freund, du siehst, das ist wirklich wahr geworden, was der Tagelöhnerjung im Hornkatener Sand von den beiden Herden träumte, als er auszog in ein fremdes Land. Wir haben alles plenty: plenty Land und plenty Vieh. Aber es kostete auch plenty Schweiß.

Ob man hier mehr Kühe hält oder mehr Schweine, das kommt ganz auf den Boden an und auf die Arbeitskräfte. Da hab ich einen guten Kauf getan. Mein Land ist so beschaffen, daß ich beides halten kann, Kühe und Schweine. Vor zuviel Kornbau muß man sich hier hüten. Das gibt gute Schweine, macht auf die Dauer den Boden aber mager. In einer großen Wirtschaft ist vieles zu bedenken. Ich kann nicht dies Jahr einen Plan auf Schweinezucht machen und im nächsten einen auf Milchwirtschaft. Ist ein Plan festgestellt, dann braucht er Jahre zum Abwickeln. Das Ansetzen und Aufziehen von Jungvieh, die Erträge aus dem Vieh, das alles rechnet mit einer Reihe von Jahren. In der Farmwirtschaft ist das nun mal so, daß man Schlagordnung halten muß. Aber bis der Plan nach dem Überschlag abläuft, können sich die Marktpreise schon siebenmal verschoben haben, und man wirtschaftet jahrelang mit Schaden. Das ist mir auch schon so gegangen, und ich schmiß Jahr für Jahr mit meinen Dollars hinter meinen Kühen und Schweinen her. Dann sprach ich zu mir: Der liebe Gott hat den Menschen den Kopf nicht dazu gegeben, daß sie ihn hängen lassen, und die Arme nicht, daß sie am Leibe dalsacken. Das ist gegen Gottes Weltordnung und ist auch keine richtige Schlagordnung. Du mußt ihn wieder hochnehmen und wahrschauen und die Arme brauchen. Dein Pflug ist man bloß an einen Stubben oder Stein gestoßen. Du mußt ihn rumwerfen, Jürnjakob, daß du weiter deine grade Furche ziehst. — Wenn ich mir so mit freundlichen Wörtern zugesprochen hatte, dann ging es weiter mit der Arbeit, und es kamen auch immer bessere Zeiten. Nur bloß nicht den Kopf hängen lassen! Dann ist man hier verloren. Hier noch zehnmal mehr als bei euch.

Der Boden ist hier jetzt auch schon teuer. Der Acker kostet seine 100—150 Dollars. Ist der Platz gut und liegt er an der Bahn, dann wird der Acker schon mit 200 Dollars bezahlt. Vor 25 Jahren kostete er 50 bis 70 Dollars, und 50 Jahre zurück, als Jowa noch Regierungsland war, da wurde er billig abgegeben. Da gab es Farmer, die zahlten 3—10 Dollars per Acker. Wer zu der Zeit mit einer Handvoll Gold ankam, der ist heute ein gemachter Mann. Das meint, wenn er ordentlich gewirtschaftet hat. Aber die mit einer Handvoll ankamen, die kann man an den fünf Fingern abzählen und braucht nicht zum zweitenmal beim Daumen anzufangen. Wir andern mußten uns raufarbeiten. Wir brachten kein Geld mit, bloß zwei kräftige Arme, und das ist auch was wert.

64

Hans Wickboldt wohnt sechs Meilen Süd und hat eine kleine Farm von 80 Acker zu eigen. Sein Bruder, der Dicke, der in der Schule immer schlief und nicht aufpaßte, der ist hier aufgewacht. Er hat seinen Platz verkauft für 150 Dollars den Acker und 320 Acker in Süd-Dakota wiedergekauft zu 50 Dollars den Acker. Davon sind 120 Acker gebrochen. Das andre liegt noch so, wie der liebe Gott es geschaffen hat. Es ist billig. Wenn ihn man die Landagenten nicht behumbugt haben. Billiges Land ist hier schon verdächtig geworden. Da muß man die Augen aufmachen. Wer farmen will, der soll in Jowa bleiben. Das ist meine Meinung. In Jowa ist alles plenty: plenty Wasser, plenty Heu, plenty Korn, plenty Kartoffeln. — Johann Schröder wohnt acht Meilen Ost. Vier Jahre zurück ist er auch nach Dakota gegangen. Da hat er drei schlechte Ernten hintereinander besehen. Da hatte er genug. Da kehrte er zurück. Erst hatte er große Dakota-Rosinen im Sack und machte viele stolze Wörter von Dakota. Jetzt hat er sich bekehrt. Jetzt sagt er: Schweigt mir still von Dakota, sonst werde ich fuchtig. Aber es ist eine alte Einrichtung im Leben: Wenn einen dat Fell jäkt, denn möt hei sick kratzen.

Karl Schneider wohnt ebensoweit Nord. Er hat 320 Acker gekauft für 12 000 Dollars. Das ist billig gekauft, aber es ist auch schlechter Boden dabei. So bei 5000 Dollars Schulden hat er noch zu tragen. Aber er bringt die Farm hoch und ist fleißig dabei, die Schulden abzutragen. Bloß seine Frau ist viel krank, sonst wäre er schon weiter. So trägt er Schulden und Sorgen; aber es ist ein Unterschied da: die Schulden nehmen ab, und die Sorgen nehmen zu, denn die Frau wird

wohl nicht wieder. Sie stammt aus Hohen-Woos. —
Mein Schwager hat seinen Platz verkauft und 320
Acker gerennt. Aber das Land ist zu naß. Sie haben da
auch viel kalt. Er fühlt sich da nicht gut. So will er
wieder herkommen. Er hat auch noch Geld und Interessen, das meint in der Sparbank. In unserm Country
wird er nicht mehr pachten können. In der Nachbarschaft ist es nicht anders. Was aber über den 100. Län-
gengrad und westlich ist, das ist aus der Regenlinie. Da
soll einer seine Nase von lassen. Sonst kommt es leicht,
daß es ihn begriesmult.

Du hast mich gefragt, woans es Jochen Jalaß gehen
tut. Das ist eine Geschichte, die fröhlich anfängt und
traurig aufhört. Vier Sommer zurück, da kamen drei
große Kerle mit mächtigem Bart bei mir an, und der
eine hatte schon einen griesen Bart. Die stellten sich
ganz breit und mastig hin, und als sie das getan hatten,
da sprachen sie: Wir wollen dich besuchen, und dann
wollen wir sehen, wo das Land offen ist. Sag an, kennst
du uns noch? — Ich ging um sie rum. Ich besah sie
von vorn und hinten: aber es war nichts Bekanntes
an ihnen zu sehen. So sprach ich: In meinen Augen
seht ihr grad nicht aus wie die Kundschafter aus Jo-
sefs Geschichte. Ihr seid bloß gekommen, um zu sehen,
wo das Land offen ist, zu farmen. Ihr seid Mekelbörger
und auch aus der griesen Gegend, so bei Eldena rum.
An eurer Sprache hör ich das. Aber sonst kenne ich euch
nicht. Saget an, wer ihr seid und woher ihr kommt.
So gaben sie sich kund, und siehe, da waren sie alle aus
unserm Dorf. Der mit dem griesen Bart, das war Jochen
Jalaß, der mit dem hellen Fritz Schult und der mit dem
braunen sein Bruder. Sie brachten mir die Grüße von

dir und von meinem Bruder und von vielen andern im Dorf und blieben gleich acht Tage bei mir. Da sind wir vier alten Knaben und Knasterbärte zusammen fröhlich gewesen. Das geht besser, als wenn man auf eigene Faust fröhlich ist. Sie waren alle auf Freikarten gefahren; so zieht hier einer den andern nach sich und oft seine ganze Verwandtschaft. Jochen Jalaß hatte die Karte von seinem älteren Bruder erhalten.

Als er dann bei seinem Bruder ankam, lag der krank zu Bett und kannte ihn nicht. Sie hatten sich in 47 Jahren nicht gesehen. Jochen war den Ostern erst zur Schule gekommen, als der andere fortmachte. Er hat es nicht glauben wollen, daß der Griesbart sein kleiner Bruder sei. Es hat lange gedauert, bis er sich bekehrt hat. Aber dann hat er richtig geweint und ihn über die Backen gestrakt, als wär er noch der kleine Junge, der den ersten Griffel noch nicht verbraucht hat. Und der andre hat an seinem Bett gesessen und von den Alten im Dorf erzählen müssen.

Aber Jochen hat ein trauriges Ende genommen. Als sein Bruder wieder besser war, wollte er mit ihm nach dem Town und Mehl gegen Korn eintauschen. Ein Krenzliner war auch noch dabei. Sie fahren mit der Karre auf den Schienen. Die Karren baut man hier gleich so, daß sie auf den Schienen spuren. Da kommt der Zug um die Ecke. Die beiden andern pressen sich gegen den Drahtzaun und machen sich dünn. Sie rufen Jochen zu, er soll sich auch dünn machen. Aber Jochen will noch schnell die Karre von den Schienen wuchten, daß es für den Zug kein Unglück gibt. Da faßt der Zug die Karre und schmeißt sie zur Seite, und ihn drückt er gegen die Karre. Er hat nur noch ein paar

Minuten gelebt. Er gehört zu den Menschen, auf die man sich verlassen kann. Er war ein fleißiger Arbeiter. Es ist schade um ihn.

Du wunderst dich wohl, daß sie auf den Schienen fuhren und die Karren schon in der richtigen Spurweite gebaut werden, daß sie dazu passen. Lieber Freund, ich kann dir mitteilen, an solchen Dingen merkt man, daß dies Land auf der andern Seite der Erde liegt. Wenn bei euch in Deutschland ein Fuhrwerk über die Bahn fährt und der Zug kommt und überfährt den Wagen, dann wird alles genau untersucht, wer die Schuld hat. Wenn bei euch so was passiert, dann ruft gleich alles nach Staat und Obrigkeit, daß sie den Menschen schützen. Das ist hier anders. Hier sind keine Schranken an der Bahn, und wenn da ein Mensch überfahren wird, dann heißt es: Warum geht er auch gerade dann rüber, wenn ein Zug kommt? Das hätte er doch nicht nötig gehabt. Hier sorgt der Staat nicht so für den einzelnen Menschen. Hier muß der Mensch für sich selbst sorgen.

Wenn bei euch ein Eisenbahnunglück geschieht, dann heißt es nachher in der Zeitung als Überschrift: Zwei Tote, fünf Verletzte. Von denen wird dann ausführlich geschrieben, wie sie hießen, woher sie waren und was sie waren. Zuletzt wird dann noch kurz erzählt von den Waren und Gütern. Hier ist es umgekehrt. Hier schreiben die Zeitungen erst ausführlich vom Güterschaden, und ganz zuletzt heißt es dann: 16 Tote, 48 Verletzte. Die Bahnen sind hier ja auch meist Privatbahnen und leicht gebaut, und es sind etliche Bahnstrecken da, die sind im Lande verrufen, weil da so viel Unglück geschieht. —

68

Du fragst noch, wo Org Warnholz geblieben ist. In der Schule nannten wir ihn den Hebenkieker. Der ist es. Ja, wo der geblieben ist, das mag der Schah von Persien wissen. Ich habe seit der Überfahrt nichts mehr von ihm gehört. Seine Tochter wohnt hier in der Nähe, aber von ihrem Vater spricht sie nicht. Ihre Heurat ist abgebluckt. Es war einer da, der hat sich eine Woche auf dem gepolsterten Wiegestuhl rumgerekelt und hat sich füttern lassen. Der ist mit zwölf Jahren ins Land gekommen und hat noch keine zwölf Dollars gespart. So hat sie ihm die Handschuhe gegeben. Das ist so ein Sprichwort in diesem Lande. Das meint, sie hat ihn laufen lassen.

*

Lieber Freund, ich will dir heute ein Gleichnis machen, denn draußen schneit es, und ich habe Zeit dazu. Das soll dir zeigen, wie wenig ein Platz hier kostete, als die ersten aus unserm Dorf rüberzogen. Das waren die Gebrüder Dubbe. Einem von ihnen gefiel es in Minnesota nicht. So zog er nach Wisconsin. Da gedieh es ihm. Da schrieb er an seine Verwandten. Ich habe den Brief nachher als hartlicher (ziemlich herangewachsen) Jung gelesen. Er war vom 18. Februar 1851. Er hatte zwei kleine Farmen von 40 Acker gekauft; die kosteten zusammen 850 Dollars. Das ist heute wie ein Trinkgeld gerechnet. Mit der einen Stelle waren im Handel verbunden vier Ochsen, zwei Kühe, vierzehn Schweine, fünfzig Hühner, weiter Haus- und Wirtschaftsgeräte, achtzig Scheffel Korn und zweihundert Scheffel Kartoffeln. Die Plätze lagen beieinander. So hat er sie in eins verbunden. Dazu gute Gebäude, das Land ebener Plan und schwerer Boden, wovon in guten Jahren das 40. Korn fiel, in mittelmäßigen das 25. Und dabei 850 Dollars. Nimm mal bloß an! Heute kostet so eine Farm von 80 Acker mit allem, was dazu gehört, ihre 4000 Dollars, und das wird dann noch geboten, das meint überboten.

Da wurde kein Schwarzbrot gegessen, nur Weizenbrot. Darüber hat sich unser ganzes Dorf gewundert. Die Leute haben gesagt: Das ist wie im gelobten Lande. Denn der Honig hat auch nicht gefehlt, oder es war was Ähnliches. Denn er hatte soviel Zuckerahörner, daß er die Bäume nicht zählte. Denen zapfte er den Saft ab. Den dickte er ein zu Zucker oder Sirup. Er hatte das Jahr 600 Pfund Zucker und 200 Kannen Sirup. Ein Stück Zucker hat er mitgeschickt. Das hat die Runde im Dorf gemacht. Ich hab es nicht mehr gesehen. Es war so bei kleinem aufgeleckt worden.

Auch aus Kürbis bereitete er Sirup. Er hatte den Herbst zehn Fuder nach Hause gefahren. Soviel Kürbis wuchs nicht im ganzen Grabower Amt. Auch waren viele Obstbäume mit der Stelle verbunden, dazu ein kleiner Wald von Eichen, Buchen, Zedern und solchen Bäumen, die er noch gar nicht kannte. Als er den Brief schrieb, hatten sie die Schweine noch nicht gefüttert. Die gingen Mitte Februar noch in die Mast. An Abgaben zahlte er das Jahr fünf Dollars. Die wurden ihm aus dem Haus geholt. Weiter war er niemand nichts schuldig, und kein Mensch hatte weiter einen roten Pfennig von ihm zu fordern. Der Präsident auch nicht. Bloß die Arbeitslöhne waren da auch schon teurer. Er wollte da einen Wagen haben. Das Holz gab er drein, zugeschnitten hatte er es auch. Aber der Stellmacher rechnete es für nichts, und der Wagen kostete 46 Dollars.

Sonst aber war das alles wie ein Lobgesang anzuhören. Und nur 850 Dollars. Nimm mal bloß an! Als unsre Leute im Dorf das hörten von dem Weizenbrot, Zucker und Sirup, von dem billigen Land und den kleinen Abgaben, da haben sie sich über die Maßen gewundert und gesagt: Wo kann das bloß angehen, daß es so ein Land auf der Welt gibt, und wir wußten nichts davon bis auf diesen Tag. Da haben sich etliche auf die Socken gemacht und sind hingereist. Zuerst sein Bruder mit Frau. Er hatte ihnen Freikarten geschickt. Und der alte Willführ hat sich auch auf die Socken gemacht. Er war schon 80 Jahr. Er hat gesagt: Ich will auch mal in meinem Leben Weizenstuten sattessen. Bloß, er ist unterwegs auf dem großen Wasser gestorben.

Der alte Jauert aber hat die Leute gewarnt und gesagt: Was tu ich mit dem Weizenbrot, wenn ich mir da nicht ordentlich Butter aufstreichen kann? Der Mann hat eine große Wirtschaft und bloß zwei Kühe. Das paßt nicht zusammen, wo bei uns doch jeder Bauer im Herbst eine Kuh einschlachtet. Ne, ich will lieber bei meinem Schwarzbrot bleiben und mir da dick Butter aufstreichen. Da steckt mehr Murr dahinter. Und mit dem ollen Schmer von Sirup will ich mir den Magen erst recht nicht verkleistern. Daß die Schweine noch im Februar draußen rumlaufen, das ist auch gegen Gottes Weltordnung. Was ein rechtschaffenes Schwein werden soll, das gehört vom Herbst ab in den Stall und kriegt Schrot. Dabei setzt es auch

dägten Speck an. Aber draußen rumlaufen, das gibt
lauter watschigen (weichlichen) Speck und Funzelkram. Das ist mir nicht säuberlich genug in meinem
Magen. Arbeiten kann ich hier auch. Ich bleibe, wo
ich bin. — So hat er gesagt und hat damit viele bekehrt, denn sie sind in sich gegangen und haben ihm
recht gegeben und sind im Lande geblieben. Die große
Auswanderung kam ja erst später. Da bin ich auch
mitgegangen, und es ist mir nicht leid geworden. Aber
eine Farm mit voller Wirtschaft war da schon viel
teurer. Achtzig Acker und nur 850 Dollars. Nimm
mal bloß an!

Wieschen sagt: Du schreibst bloß von der Wirtschaft, du solltest auch mal von unsern Kindern schreiben. Ich sage: Wieschen, wenn ich von der Wirtschaft
schreibe, so hat das seinen Grund. Wenn du aber sagst,
daß ich von den Kindern schreiben soll, so hat das
auch seinen Grund, denn wir haben eine gute Familie
gereest, das meint aufgezogen. So will ich dir davon
erzählen und will es gern tun.

Was mein Ältester ist, der hat in Jowa City studiert.
Er will Doktor werden. Ein richtiger Menschendoktor
will er werden. Wieschen wollte da erst nicht recht
ran. Sie wollte lieber, er sollte Pastor werden. Das
hat eine Mutter gern, wenn sie ihren Jungen auf der
Kanzel sieht. Er hatte aber keine Lust zu priestern.
So kriegte er seinen Willen. Es hat plenty Geld gekostet, aber er ist gut vorwärts gekommen. Er hat
einen hellen Kopf und einen festen Willen zu arbeiten.
Auf seiner Studierstube war es Mode, daß sie sich die

Menschen von inwendig besahen. Ich sagte: Woso macht ihr das? Ihr könnt ihnen doch kein Loch durch den Bauch kucken. — Nein, wir schneiden sie auf. — Ist das, damit sie besser Luft holen können? — Nein, das tun wir, damit wir nachher Bescheid wissen, woans die Menschen inwendig getrachtet (geartet) sind. — Da hat er mir das richtig klargemacht, warum das gut ist für die andern Menschen, die heute gesund sind und morgen krank. Na, das muß wohl so sein, aber ich hab ihm gesagt: Macht auf eurer Schule, was ihr wollt. Aber mir bleibst du raus aus meinem Bauch, wenn ich mal krank werde. Da hast du nichts zu kucken. Das mußt du mir versprechen. Er wollte erst nicht recht ran. Er sprach: Es kann doch sein, Vater, daß du mal inwendig krank wirst und daß der Doktor dich nur durch eine Operatschon retten kann. Ich sprach: Das steht beim lieben Gott, mein Jung. Aber dann sollst du nicht der Doktor sein. Dann mußt du einen andern holen, auf den Verlaß ist. Es paßt mir nicht zu denken, daß du mal in meinem inwendigen Menschen herumfingerierst, wo ich doch der Vater über dich bin. Na, da hat er es mir auch versprochen.

Ich muß noch etliche Wörter von ihm machen, wo er doch mein Ältester ist und ich diese Wochen viel Zeit habe. Im letzten Winter auf dem College kam eine Zeit, daß er nach weltlichen Dingen trachtete. Er mußte mit einmal eine goldne Uhr haben, einen goldnen Ring mit Edelstein, eine goldne Nadel und all so'n Zeug. Das war nicht schlimm; aber der Sinn, der hinter dem Bammelkram steckte, der gefiel mir nicht. Der paßte nicht zur Familie. So nahm ich ihn mal mit raus aufs Feld, so ein paar Meilen weit,

und da hab ich ihn so'n bißchen zurechtgestukt, und
es hat geholfen. Wie ich das gemacht habe?

Ich hab zu ihm gesagt: Mir ist in der letzten Zeit
mein altes Dorf und unser Haus oft durch den Sinn
gegangen, wo ich nun doch auch alt werde. So will ich
dir das mal richtig erzählen, daß du dir das ausmalen
und mit Augen sehen kannst. Denn es ist immer gut
für den Menschen, wenn er weiß, woher er kommt.

Es war ein alter Strohkaten, in dem wir wohnten.
Er war niedrig im Dach, aber dafür der längste im
Dorf. Darin gehörte uns eine Stube und eine Kammer. Wer lang aufgeschossen war, der tat gut, wenn
er mit seinem Kopf den Balken aus dem Wege ging.
Für einen hochmütigen Menschen war da schlecht
wohnen. Wenn er aber in eins von den vielen Löchern
im Fußboden trat, dann konnte er seinen Kopf hoch
tragen. Dann ging das so eben. Der Fußboden war
als Lehm auf dem Püttberg gewachsen. Man bloß,
er brach immer aus. Aber sonntags streute die Mutter
weißen Sand. Da sah er sehr schön nach Sonntag
aus.

Mit den Kartoffeln war das ganz bequem eingerichtet. Die brauchten wir nicht weit aus dem Keller
oder aus der Kammer zu holen. Sie lagen im Winter
unter dem Bett in der Stube, daß sie nicht erfroren.
Da unter dem Bett war auch noch Platz für einen
gadlichen Pölk[1]) oder wenigstens für ein hübsches
Ferkel; das sollte uns morgens mit seinem Quieken
wecken. So sparten wir die Uhr. Aber Vater starb zu
früh, und so weckte es uns bloß in Gedanken. — Die
Wände waren Klehmstaken, auf beiden Seiten mit

----
[1]) Ein ziemlich herangewachsenes Schwein.

74

Lehm überworfen, und der Lehm war mit Häcksel vermischt. So war er nicht so vergänglich; so hielt er sich besser. Im Frühjahr konnten wir den Flieder schon durch die Wand durch riechen, und im Sommer ging die Sonne hindurch, daß wir die Tür nicht mal aufzumachen brauchten. So bequem hatten wir das. Gab es nichts zu riechen im Winter, dann lehnten wir bloß ein paar Strohkloppen gegen die Wände, und der Schnee mußte draußen bleiben. Der Ofen war aus festem Backstein und auch mit Lehm vom Püttberg überworfen. Er hatte eine wunderschöne grüne Farbe. Du kannst alle Pötters in den Staaten fragen, und keiner tut das raten, woher die grüne Farbe kam, und der Präsident weiß es auch nicht. Das war ein Geheimnis meines Vaters. Denn siehe, er hatte den Lehm mit Kuhdung vermischt; darum sah der Ofen so schön grün aus.

Bettstellen, Koffer, Tisch und Brettstühle, das hatten wir alles ganz umsonst, denn Vater hatte es selbst gemacht. Der Koffer hatte links ordentlich eine Beilade, wie das so Mode war, und unten in der Beilade lag der Geldstrumpf, wie das auch so Mode war. Meist aber war nur der Strumpf da, und so konnten wir ruhig schlafen. An der Wand hing ein kleiner Spiegel; der Belag war hinten an vielen Stellen schon abgescheuert; aber wir konnten uns doch noch ganz nett in dem Spiegel besehen, wenn wir Lust dazu hatten. Dann hing da noch ein Christus am Kreuz und die heilige Genoveva. Glas und Rahmen hatten sie nicht. So waren sie an die Wand genagelt und konnten nicht runterfallen. Die haben sich da gehalten, so lange ich denken kann.

Wenn Holztage waren, dann schoben Mutter und

wir mit der Karre nach den Tannen hinter dem Roden Söcken und holten trockenes Holz. Das war eine Stunde hin und eine Stunde zurück und machte uns viel Spaß. Manchmal gab es in den Tannen auch einen Katteiker (Eichhörnchen) zu sehen. Aber Mutter mußte schieben, bis wir so weit rangewachsen waren, und sie mußte die Karre oft niedersetzen und sich verpusten. Vater verdiente vier Schilling im Tagelohn, aber es gab nur in der Aust und beim Dreschen was zu verdienen, und das Dreschen ging schon morgens drei Uhr los. Für uns Jungs war das Dreschen ein Fest, denn wir konnten nachmittags manchmal hingehen zum Bauern und uns auf den Strohkloppen wöltern (wälzen), und manchmal gab die Frau uns noch ein Butterbrot dazu. Siehe, so waren wir glücklich.

Das dauerte, bis der Vater starb. Er war nicht fest in der Lunge. Er hatte sich in der Aust erkältet. Er kriegte es mit der Lungenentzündung. Am letzten Tag sagte er zu Mutter: Es paßt schlecht, denn die Aust ist noch nicht zu Ende; aber meine Zeit ist um. Busacker will dir ein paar Bretter schenken, das hat er mir versprochen. Der alte Köhn will den Sarg umsonst machen; das hat er mir auch versprochen. Und der Lehrer will mit den Kindern „Christus, der ist mein Leben" singen, das hat er mir auch versprochen. Dann hat er die Hände gefolgt. Als Köhns Vater den Sarg zunagelte, da hab ich die Nägel gehalten und kam mir sehr wichtig dabei vor, denn wir waren alle noch klein. Aber Mutter hatte nachher oft rote Augen.

So, mein Junge, nun weißt du, woher du kommst. Und wohin du gehst, das brauch ich dir nicht zu sagen.

Bis dahin aber ist die Hauptsache, daß du ein tüchtiger Kerl wirst, der seine Sache versteht. Wenn du
hier so weit bist, dann reist du rüber nach Deutschland,
wo sie gute Ärzte haben. Da studierst du noch ein
Jahr lang und kommst dann wieder zurück. Unterwegs
aber kehrst du ein in unserm Dorf und siehst dich um
nach dem alten Katen, und es kann nicht schaden,
wenn du ihn dir aufmerksam in deinen Kopf und in
dein Herz nimmst. Und für mich nimmst du ihn ab
mit einem guten Abnehmerdings, wenn er da nicht von
umfällt. Das Bild soll einen guten Platz in meiner
Stube haben. Aber es muß ein gutes Bild werden, und
das Abnehmen will auch gelernt sein, sonst wird das
Bild nichts nütz. So kaufst du dir in den nächsten
Tagen ein gutes Abnehmerdings und tust dir vorweg
damit üben. Das alte Ding taugt nichts. Da kriegen
die Leute bloß einen Schrecken von, wenn sie uns
auf den Bildern sehen. Von dem letzten Bild, was du
von mir und Mutter abgenommen hast, davon muß ich
auch sagen: das ist gegen das vierte Gebot. Aber das
andre, den Goldbehang und Kläterkram, das schlägst
du dir aus dem Sinn. In unsrer Familie haben wir
so was nicht nötig.

Da hat er mich mit blanken Augen angesehen und
nichts dazu gesagt. Aber die Hand hat er mir gedrückt. Dann sind wir nach Hause gegangen. Er hat
nachher sein Jahr in Deutschland studiert und ist ja
auch drei Tage bei dir gewesen und acht Tage im Dorf.
Das Bild hat er mir auch mitgebracht, und es ist eine
Freude für meine alten Tage. Und dein Bild auch,
wie du in der Schulstube stehst. Und ein Bild von dem
Storch auf Brünings Haus. Nimm mal bloß an, er

hatte noch keinen Storch gesehen, denn hier herum gibt es keine. Kannst du dir das denken?

Aber angeführt hat er mich doch. Ein Jahr später trug er doch einen goldnen Fingerring. Aber es war ein ganz glatter, und damit war ich denn auch zufrieden. —

Von meinem Zweiten will ich nur wenig Wörter machen. Er kann selbst schreiben. Er hat einen harten Kopf zum Lernen. Dafür hat ihn der liebe Gott mit Knochen versorgt, daß er damit sein ganzes Leben auskommt. Er wächst und wächst, und wo mehr er wächst, wo größer wird er. Dabei ladet er mächtig breit aus in den Schultern, und seine Beine sind von solcher Art: wenn er ein paarmal ausholt, dann ist er den Acker lang. Es ist man gut, daß wir neu gebaut haben. In kleine Stuben paßt er nicht rein. Aber wo er hinkommt, da wird alles fröhlich, denn siehe, sein inwendiger Mensch ist auch fröhlich. Das hat er nun mal so an sich. Die Wirtschaft versteht er aus dem Grunde. Da hat er einen offenen Kopf. Da steckt er mich schon in den Sack. Ja, den haben wir auch gut gereest. —

Wieschen und Berti sind heut beim Backen, und darum ist ein schlechter Umgang mit ihnen. Beim Waschen ist das auch so. Ich gehe durch die Küche. Ich sage bloß so im Vorbeigehen: Wieschen, sage ich, wir müssen wieder bauen. Die Küche muß zehn Fuß mehr haben. Woso? sagt sie und kuckt mich ganz verstutzt an, und Berti knöpft ihre Jacke zu und kuckt auch. Ja, sage ich, weil sie zu kurz ist für das Brot. Mit dem Kopf steckt es im Ofen und mit dem Hintern verkühlt es sich auf dem Hof. Das ist auch nicht gesund für das Brot. Da hat sie sehr gescholten, und

Berti hat ihr dabei geholfen, und nun schilt sie wieder, weil ich ihr sage, daß ich dir das schreiben will. Dazu ruft Berti aus der Küche rein: Ein gräsiger Vater, nicht Mutter? Ich muß ihn mal wieder am Bart zupfen; er wird schon wieder zu übermütig. — Lieber Freund, ich kann dir mitteilen, das ist eine ganz andere Nation, die, wo links knöpft.

Der Ofen ist neu und aus gerolltem Stahl. Da kann man Brot in dreißig Minuten drin backen und zugleich kochen. Er hat sechs Kochlöcher, und unter dem Backofen ist noch Platz zum Obsttrocknen, wenn man was hat. Dies Jahr haben wir nichts. Er hat 68 Dollars gekostet ohne meine Arbeit gerechnet. Die großen runden Backöfen aus Backstein mit Lehm drüber, wie Köhns einen hatten hinten im Garten unter den Pflaumenbäumen, die gibt es hier nicht. Ich muß noch oft an den alten Köhn denken. Wenn das Brot rein war in den Ofen, dann saß der Alte noch immer gern auf dem Stein vor dem Ofen und hatte die Hände gefolgt. Es war, als ob er bete, daß ihm das Brot gut geriet. Es ist ihm auch nie mißraten. Das war noch ein Nachbar von der Sorte, die Luther in der vierten Bitte meint. Ja well.

Lieber Freund, im letzten Mond hat die Feder sich verpustet. Aber nun kann es wieder losgehen. Schreiben tue ich ganz gern. Im Winter macht es mir auch viel Spaß.

Jetzt sind wir ganz gut in der Wehr, das muß wahr sein. Aber der Anfang dauerte viele Jahre. Ich wollte meine Füße unter meinen eigenen Tisch stecken. Dazu war ich rübergekommen. Die Füße hatte ich dazu. Der Tisch fehlte. Wo er stehen sollte, das fehlte auch.

Aber meine Knechtschaft sollte ein Ende haben. Wieschen dachte wie ich. So haben wir erst einen kleinen Platz gerennt, um das Land auszukundschaften und inwendig zu besehen. Dann wieder anderswo. Das dauerte im ganzen fünf Jahre. Da kannte ich das Land. Da griff ich zu. Aber mit Vorsicht, und für den Anfang war es man eine kleine Farm. Nicht zu trocken und nicht zu naß. Mitten im Busch und meilenweit vom nächsten Nachbarn. Das Land war auch noch billig zu haben.

Das erste, was wir taten, das war, wir bauten uns ein Blockhaus. Holz war genug da. Ich habe die Bäume ausgesucht und runtergenommen. Ich habe sie grob zugehauen. An die vier Ecken des Hauses stellte ich vier mächtige Baumstämme; die konnten schon einen Sturm aushalten. Die andern legte ich quer. Da waren die vier Wände fertig. Die Ritzen machte ich mit Lehm dicht. Etwas Kalk kam auch noch drüber; draußen auch. Das sah besser aus und hielt sich auch besser.

Dann noch einen kleinen Stall für sich. Oben ein kleiner Bodenraum, unten ein kleiner Keller ausgeschachtet. Das Haus hatte zwei Räume: einen zum Wohnen, das war zugleich auch die Küche. Einen zum Schlafen, darin standen zwei Betten. Einen Schrank machte ich selbst. Aber er hatte die Gewohnheit an sich, daß er nicht zugehen wollte. Erst wenn ich ihm einen mit dem Knie vor den Bauch gab, dann parierte er. Dann quiekte er wie ein Ferkel. Von dem Quieken hat er nicht abgelassen, solange er lebte. Tisch und Stühle glückten mir auch. Ich gab jedem aber auch soviel Beine, wie ihm zukamen. Bloß daß sie ein bißchen wackelig standen, was eigentlich nicht sein soll. Die beiden Fenster waren auch man klein, aber jedes hatte doch zwei Scheiben. In der Ecke stand ein kleiner eiserner Ofen. Der war im Sommer ganz gut, aber im Winter hat er immer still vor sich hingestunken. Na, allen Menschen kann man es nicht recht machen. Kachelöfen kennt man hier nicht. Hier hat alle Welt eiserne Öfen.

Als das Haus fertig war, da war ich froh, denn der Anfang war da, und es war meist eigene Arbeit. Die Nachbarn haben mir bloß beim Aufschlagen geholfen. Ein Blockhaus zu bauen dauert nicht lange. Die Hauptsache ist die Vorarbeit. Das Aufschlagen selbst dauert oft nur einen Tag oder zwei. — So freute ich mich. Aber Wieschen fand ich mennigmal, daß sie in der Ecke oder draußen stand und ihre Hantierung mit dem Schürzenzipfel hatte. Und als ich mit freund-lichen Wörtern in sie eindrang, weißt du, was sie da sagte? Da sagte sie: Wenn unsere Wohnstube man so schön wäre wie der Schweinestall in eurem neuen Haus. — Hoho, dachte ich, so geht das nicht. Die mußt du ein bißchen aufmuntern, Jürnjakob Swehn, daß sie einen andern Glauben kriegt. Sonst sitzt ihr gleich von Anfang an im Dreck, und das Unvergnügt-sein zieht mit euch rein ins neue Haus, und dann hilft dir kein Mensch und kein Gott. Wenn erst die Kinder kommen, dann gibt sich das von selbst. Aber bis dahin mußt du wahrschauen, daß sie ihren Schürzen-zipfel nicht so oft braucht.

So hab ich sie bei der Hand genommen und bin mit ihr ums Haus rumgegangen und dann hinein, als wenn sie das alles zum ersten Male sah, und ich mußte ihr alles nun zeigen und ausdeuten: Nu kuck mal bloß, Wieschen, wo fein das läßt. Und lauter gesundes Holz. Das hat der liebe Gott hier extra für uns wachsen lassen, und war haben es nicht gewußt, bis wir her-kamen. Und die Bäume haben es auch nicht gewußt, und der Präsident auch nicht und kein Mensch, bloß der liebe Gott. So hat Abraham mit Sarah auch im Blockhaus gewohnt, und Josef, der Zimmermann, der hat akkrat solche Häuser gebaut, und besseres Holz hat er sein Lebtag nicht gehabt.

Und nun bekuck dir bloß mal die vier Stämme in den Ecken! Da ist Verlaß drauf, und sie zeigen genau nach den vier Winden, die wir in der Schule gelernt haben. Nu kuck mal um den da rum, — ne, so mößt du kieken! — Denn hast du grad die Flucht nach dem Bänkenberg, und dahinter liegt unser Dorf, und wenn du dahin kuckst, dann kannst du ruhig die Hände fol-gen. Und hier über den Berg rüber, da wohnt der Prä-sident über das Land, und wenn du dahin kuckst, dann kannst du ruhig einen Knicks machen. Das kostet nichts.

Und nun erst die Fenster. Zwei Stück! Noah hatte man eins in seiner Arche. Zu dem da guckt die Sonne morgens rein und sagt: Guten Morgen! Nu man fix an die Arbeit! Ich bin schon raus aus den Posen. Aber zu dem andern kuckt sie abends rein und sagt: Nu holt man up un gaht man tau Bedd! Morgen is ok noch en Dag. Es ist genug, daß ein jeglicher Tag seine eigene Plage habe.

Daß so viele Ritzen da sind, das ist auch gut. — Na, warum ist das gut? sagt sie und hat den Schür-zenzipfel nicht mehr in der Hand. — Ja, sage ich, da kommt frische Luft rein und geht der Rauch raus. Das ist billiger und besser als mit den neumodischen Luftklappen, die sie sich in den Städten ausgeklüstert (ausgegrübelt) haben. Und wenn wir abends so im Bett liegen, Wieschen, und draußen ist eine Mondfinsternis los oder so was, dann brauchen wir bloß den Kopf nach der Seite rumzudrehen, wo sie ist, und brauchen nicht mal aufzustehen wie die Reichen.

Wenn's aber regnen tut? sagt sie. — Dann freuen wir uns auch, sage ich; dann lassen wir's uns auf den Kopf regnen. Das ist echtes Haarwasser und ganz umsonst. Da tun die Haare nach wachsen. Auch ist der Regen gut für das Land, sage ich und merke, daß sie mich fest hat. So sagt sie auch gleich: Ja, für das Land, aber nicht für die Betten! Und dabei lacht sie mich aus, weil sie mich festgekriegt hat, und ich freue mich darüber, denn Lachen ist besser als Weinen. Lachen gibt blanke Augen und blankes Herz. So sage ich: Da hast du richtig recht, Wieschen; aber weißt du, was wir dann machen? Dann nehmen wir den großen Plan und ziehen ihn über die Betten und schlafen weiter. Nein, so ein Dach, das ist zehnmal besser als: Ich setze den Hut auf und das Dach ist fertig. Nein, Wieschen, daß die Häuser hier auch ein Dach haben und daß sie inwendig hohl sind, das gefällt mir an Land Amerika. Das ist eine gute Sitte.

Aber nun mal weiter; wir sind noch lange nicht fertig. Hier im Süden ist ein Loch; da können wir unsern Nachbarn gleich die Hand durch geben, wenn sie vorbeikommen, und können fragen, woans es ihnen geht. Und wenn ich auf dem Felde arbeite und hier kommt wer an, dann brauchst du nicht mal die Tür aufzumachen, wenn du nicht willst. Das ist auch gut, denn Tramps und Stromer können hier auch mal vorkommen. So kannst du sie dir durch das Knastloch anbesehen.

Lieber Freund, ich kann dir mitteilen, das Loch im Süden hat viele Jahre lang seine Schuldigkeit getan. Wenn da einer kam, dem sagten wir gleich durch die Wand durch guten Tag und guten Weg, und wenn ich draußen war und Wieschen drinnen und ich wollte was von ihr haben, dann langte sie es mir gleich durch das Loch raus. Aber im Winter stopften wir es mit altem Zeug aus. Mal eins war ich auf dem Felde, und sie hatte den Riegel nicht vorgeschoben. So stand da einmal ein Hausierer mit seinem Packen vor ihr. Aber sie wollte ihm nichts abkaufen. Da hat er mit Verachtung in den Ecken rumgeschnüffelt und gesagt: Man kann sehen, hier tanzt Powerlieschen hin! Sie aber hat ihm mit dem Besenstiel ein paar zwischen die Schulterblätter gegeben und dazu die Wörter gesagt: Und hier kann man sehen, wo Powerlieschen hinschlägt! So ist er ohne Segen und Geschäft hinausgekommen.

Ich aber hab ihr weiter das Haus erklärt und ausgedeutet: Wenn du glaubst, Wieschen, daß wir hier man eine Stube haben, dann glaubst du vorbei. Wir haben hier drei Stuben und eine Küche. — Wieschen macht runde Augen und kuckt an allen Wänden und an mir rum. — Es ist, als ich sage. Nu paß Achtung. — So nehme ich ein Stück Kreide und ziehe damit zwei Striche durch die Stube. Einen so und einen quer. Fertig! Nun hast du deine Stuben, und die Wände können wir uns sparen. Die sind auch bloß da, daß man im Dustern mit dem Kopf dagegenläuft. Hier ist deine gute Stube. Da kommt der Abreiß- kalender mit den bunten Bildern hin, den der Kauf- mann mir zu Neujahr versprochen hat. Ich sage dir, Wieschen, mehr Tage hat der Präsident auch nicht in seinem Kalender.

Ja, sagt sie und lacht, das wird fein, da nötige ich immer meinen Besuch rein. Der soll dann unter dem Kalender sitzen. — Schön. Und hier nebenan ist meine Stube. So kann jeder in seinem Salon sitzen, und wenn wir was zu besprechen haben, dann ist uns keine Wand im Wege. — Sie nickköppt und wird ganz eifrig: Und hier ist natürlich meine Küche, denn da steht der Ofen, und hier nebenan, das ist unser Speise- zimmer, denn da steht gut der halbe Tisch drin. — Richtig, Wieschen, und wenn wir uns nach dem Essen etwas verdauen wollen, dann brauchen wir hier bloß durch die Tür zu gehen, dann haben wir gleich den Busch vor uns. Nu sag' mal bloß, Wieschen, was ist dagegen dem Großherzog sein Schloßgarten in Lud- wigslust? En ganz lütten Drummel, segg ick di. Ne, mit den tusch ick noch lang' nich!

Szüh, so hat sie einen andern Sinn bekommen und ist nicht mehr so traurig gewesen. Das war auch ganz gut. Denn ein neuer Anfang mit viel Arbeit und dazu ein trauriges Herz, was sich zu tun macht mit Schür- zenzipfeln, das geht nicht. Aber das muß ich auch sagen: Als erst die Kinder kamen, da haben die dafür gesorgt, daß sie nicht mehr traurig wurde. Da hatte sie gar keine Zeit mehr, traurig zu sein. Das war auch gut, denn ich war ja meist draußen bei der Arbeit. Da hab ich aber auch gemerkt, wie es schafft, wenn man weiß, für wen man arbeitet und daß der Schornstein rauchen muß. Die Axt biß ganz anders in die Bäume, und die Sense ging ganz anders durch Gras und Korn. Da ging es vorwärts, und da ging es aufwärts.

*

Als das Haus fertig war, schlug ich den Busch nieder. Ich wurde Holzhauer. Die Axt fraß den Wald. Ich machte eine Masse Brennholz. Ich brauchte damit viele Jahre nicht zu sparen. Das Buschholz hab ich meist gleich verbrannt. Ich legte das Haus frei. Ich schob den Wald zurück. Jahr für Jahr tat ich das. Wenn's ging, rodete ich die Stämme aus. Saßen sie zu fest, so ließ ich sie stehen. So pflanzte und säte ich um die Stubben rum. Das sah bunt aus. Aber was das nachher für Korn gab, das glaubst du nicht. Halme wie dickes Rohr. Später sprengte ich die Stubben mit Dynamit. Das geht am schnellsten. Zwei Pferde schaffte ich mir auch an. Für den Anfang war das genug. Wege waren nicht da. Wo man fahren kann, da ist der Weg. So lautete hier die Wegeordnung. Wir hatten sie selbst gemacht. Aber das Umschmeißen gehörte auch zur Wegeordnung und war bei allen gebräuchlich. Ich hab in den ersten Jahren so oft umgeschmissen wie unser ganzes Dorf in zwanzig Jahren nicht. Das war mir zuletzt schon ganz geläufig geworden. Grade Wege konnten wir erst nach vielen Jahren bauen. Jetzt ist das auch allright. Jetzt sind die Wege auch grade. Erst waren sie bannig krumm.

Von der Arbeit kann ich dir nicht viel schreiben. Der viele Schweiß läßt sich nicht aufschreiben. Das

Schwitzen haben wir redlich besorgt. Es gehört auch zur Arbeit; aber darüber schreiben tut man nicht und kann man nicht. Es war auch einen Tag und alle Tage dasselbe. Davon ist nichts zu sagen. Aber ich machte Jahr für Jahr mehr Busch zu Ackerland und Weide. Ich schob den Wald immer weiter zurück. Jetzt ist er hier schon dünn geworden. Dafür ist das Land teurer.

Lieber Freund, ich habe gehört, daß die Blizzards auch seltener werden, wenn das Land immer mehr unter den Pflug genommen wird. Ob da wohl was dran ist? Denken kann ich es mir nicht so recht. Zum Glück kommen sie nicht oft zu uns. Aber wenn sie kommen, dann kann man Gott danken, wenn sie das Haus nicht zu Eierkuchen machen. Einer zog hier durch, als wir noch im Blockhaus wohnten. Da mußten wir vom Haus nach der Scheune Stricke ziehen, um uns daran lang zu finden. Denn wir konnten unsere eigene Scheune nicht sehen, so gingen Schnee und Eisstücke nieder. Ohne die Stricke wären wir verirrt und umgekommen. Einen von den dicken Eckpfosten hat er auch eingeknickt. Zum Glück ging er bald weiter. Aber wo er seinen Weg genommen hatte, da hat er uns das Mähen für das Jahr gespart. Im Wald nahm er uns die Arbeit auch ab. Im nächsten Jahr bauten wir uns dann ein Steinhaus. Wieschen glaubte nicht mehr recht an Eckpfosten. Ich auch nicht.

*

Am Sonntag arbeitete ich nicht. Das hat mein Vater nicht recht gemocht und meine Mutter auch nicht. Wieschen und ich mögen es auch nicht. Einen

Tag in der Woche muß der Mensch seine Ruhe haben und das Vieh auch. Es ist auch gegen das dritte Gebot. Bei den meisten Farmern im Land Amerika ist der Sonntag ein Tag des Schlafens. Wenn wir nicht zur Kirche oder zu Besuch fahren, dann schlafen wir auch. In den ersten Jahren konnten wir nicht oft fahren, denn für die Pferde war das auch Arbeit. Fünf Meilen hin und fünf Meilen zurück, das gab bei den Wegen lange Fahrt. So schliefen wir uns aus.

Du mußt aber nicht glauben, daß wir da nun so ganz einsam und gottverlassen wie die Wilden im Busch lebten. Oha, da geschah oft genug was. Einmal war uns eine Kuh weggelaufen, und das ist hier nicht so wie bei euch, wo sie bald wieder zurückgeholt wird. Nein, das war hier beinah so wie bei Saul, als ihm seines Vaters Esel ausgeritzt waren. Ich war einen ganzen Tag lang unterwegs, und dann fand ich sie im Busch in einer Lichtung. Da stand sie und graste wahrhaftig, als wenn bei uns die Hungersnot wäre. Daß sie mal auskniff, das hab ich ihr weiter nicht übelgenommen, denn so ein Vieh will auch mal was anderes sehen. Aber daß sie da so leidenschaftlich graste in dem sauren Zeug, wo sie zu Hause doch das beste Futter hatte, das ging mir gegen meine Ehre. Darum hab ich sie vor den Stock genommen, aber gründlich, und als das besorgt war, sind wir wieder nach Hause gezogen. Wieschen war sehr froh, als sie uns sah, denn es war ihre beste Milchkuh.

Nun kommt was anderes. Ich fuhr mit Schweinen nach dem Town. Es war noch in der Blockhauszeit. Ich saß oben auf dem Verschlag, unter mir tobten die Schweine wie wild. Ich redete sie mit freundlichen

Wörtern an; es half nichts. Ich schalt auf plattdeutsch und auf amerikanisch, sie sollten ruhig sein.
Aber die Biester hörten nicht auf plattdeutsch und
nicht auf amerikanisch. Und dann empörte sich das
größte Schwein, und auf einmal gab es unter mir einen
Ruck, und siehe, ich flog mit meinem Sitz im Bogen
runter vom Wagen. Als ich mich aufsammelte, da
waren meine sieben Schweine mir nachgefolgt. Sie
sausten in alle vier Winde auseinander, daß die Schinken man so flogen. Sie wollten sich die schöne Landschaft auch mal besehen. Ich im Schweinsgalopp
hinterher. Es hat Mühe gekostet, Schweiß auch, aber
zuletzt hatte ich sie doch alle wieder oben. Bloß eins
hatte ein Bein gebrochen. Das kam von seinem großen
Ungestüm. Mit dem Bein hat es mir viel Schaden
getan.

Meinem Schwager ging es mal ähnlich so, aber doch
ganz anders. Er brachte ein Kalb nach dem Town,
das lag still in seiner Ecke, und mein Schwager saß
still auf seinem Sitz. So bädeln sie beide ihren Weg
und denken sich nichts Böses und dösen so vor sich hin.
Der Braune vorn sagt nichts, das Kalb hinten sagt
nichts, er in der Mitte sagt nichts. Du weißt ja, wie
er ist. Es war aber an dem Tage viel warm, und er
drusselt so sachte ein bißchen ein. Da löst sich beim
Juckeln und Zuckeln hinten das Krett*) vom Wagen.
Es fällt runter und das Kalb auch. Er aber döst weiter.
Er kommt in die Stadt. Er hält beim Schlachter.
Der Schlachter kommt raus. Was bringst du? —
Ein Kalb, sagt Heinrich und weist mit dem Peitschen-

*) Das hintere Verschlußstück zwischen den Wagenleitern;
auch der unmittelbar davor liegende Raum.

stiel so eben über die Schulter nach hinten. Er macht nicht gern viel Wörter. — Ein Kalb? sagt der Schlachter; wo du dein Kalb gelassen hast, das mag der Präsident wissen. Ich kann's nicht finden. Da fängt Heinrich endlich auch an, sich umzudrehen, und als das besorgt war, — na, das Gesicht hätte ich gerne gesehen, denn ich bin ein Freund von solchen Gesichtern. Dann ist er zurückgefahren und hat sein Kalb nachgeholt. Das hat ruhig am Weg gelegen und auf ihn gewartet, denn nüchterne Kälber sind schlecht zu Fuß. Zunicht gefallen hat es sich aber nichts; es geht ihnen ähnlich wie den Katzen.

Nun kommt wieder was anderes. Das ist die Stinkkatze. Die kennt ihr nicht. Aber das laßt euch man lieber nicht leid tun, denn sie stinkt man einmal im Leben. Da hat sich der liebe Gott auch mal gründlich versehen. Sie ist ungefähr so groß wie unsre Katze, bloß der Schwanz ist länger. Die Biester stinken fürchterlich, und an Regentagen kommen sie gern an die Häuser. Da lernt man aber einsehen, daß es manchmal gar nicht schön ist, wenn der Mensch eine Nase hat.

Eines Morgens fingen die Kinder an, die Nase hochzuziehen. Ich dachte nichts Böses. Ich sprach: Warum tut ihr so hochmütig mit eurer Nase? Ich öffnete das Fenster ein wenig, denn sie erhoben ihre Nasen gegen das Fenster. Aber so schnell hab ich das Fenster niemals wieder zugekriegt. Denn siehe, es war kein Hochmut gewesen, was ihnen in der Nase saß, sondern eine Stinkkatze, und sie hatte da was fallen lassen, was nicht mehr schön war. Dann war sie auf und davon gegangen. — Auch war einmal ein Abend, und wir hatten alles aufgesperrt, denn ein starkes Gewitter war niedergegangen. Da kam was wie eine Wolke zu Tür und Fenster rein. Das war der Gestank. Die Kinder machten alles schnell zu. Aber er war schon drin, und er hält lange vor, daß man da auch was von hat.

Mein Zweiter hatte mal eine aus der Ferne geschossen. Dann band er ihr ein langes Ende Bindfaden um die Beine und schleppte sie fort. Ganz vorsichtig tat er das, weil er sich mit dem Gestank nicht berühren wollte. Aber wir haben seine Strümpfe und Schuhe doch ein paar Tage eingraben müssen. Lieber Freund, du wirst es mir nicht glauben, aber du mußt es doch tun. Es gibt Leute, die machen ordentlich Jagd auf das Tier. Haben sie eins geschossen, dann braten sie das Fett aus und nehmen es ein. Sie sagen, das ist das beste Mittel gegen Erkältung. Na, da gehört auch ein ganzer Posten Glauben zu und ein besonderer Magen auch. Nein, wenn du allen Gestank in unserm alten Dorf auf ein Jahr zusammenbringen läßt und läßt ihn extra in eine Buddel füllen, das ist noch Wohlgeruch gegen eine einzige Stinkkatze. Ja well. — Lieber Freund, in Chicago soll es feine Damen geben, die tragen das Fell von der Stinkkatze im Winter ordentlich als Muff und Kragen. Sie sagen, das Tier hat sich dann ausgestunken. Ich habe Wieschen gefragt. Sie sagt: Ja, das kann wohl angehen. Ich habe Berti gefragt. Sie sagt: Ja, Skunk ist fein; ich möchte auch sowas tragen. So hab ich ihr gesagt: Ich will kein Stinken nicht im Hause haben. Lieber kannst du dir ein Lammfell um den Nacken hängen, das hält auch schön warm. Da hat sie mit den Lippen eine Schüppe gemacht und gesagt: Vater, der liebe Gott hat das Stinktier auch geschaffen. So sage ich: Das stimmt, aber sein bestes Stück ist das nicht geworden. Und wenn du von der Erschaffung der Welt anfängst, so kann ich dir mitteilen, daß Eva damals mit einem Feigenblatt auskam. Da ist sie rausgelaufen. Lieber Freund, du wirst mir das auch nicht glauben, mußt es aber doch tun. Siehe, das ist eine ganz andre Nation, die, wo sich Felle um den Hals hängt. Wenn es nur wonach läßt, dann hört die Nase mit dem Riechen auf. —

Nun kommt noch was. Lieber Freund, ich will dir erzählen, wie ich einen Menschen vom Trinken bekehrt habe. Mit seinem Namen hieß er Smith und war lange Zeit mein Nachbar. Wir haben von der Sorte noch mehr in der Gegend. Er war hochnäsig und tat so, als wär er man bloß aus Gnaden zu uns gekommen. Aber siehe, im Hemd gehen sie alle nackt, und wenn sie abends im Town aus dem Saloon kommen, dann haben sie die Gewohnheit, daß sie gern im Rönnstein liegen. Vorm Jahr ging ich da mal lang, da lagen da en Stücker sechs rum.

Mein Smith verstand drei Künste: die Nase hoch tragen, faul sein und trinken. Darum war er auch runtergekommen in der Wirtschaft. Mit dem Trinken fing er morgens an und blieb den Tag über so bei. Tagsüber trank er als ein schweigsamer Mann. Abends fing er an zu reden. Dabei war sein drittes Wort: Ich bin christlich geboren, christlich getauft und christlich konfirmiert. Er hatte richtig Schlagordnung darin. Aber ich hatte es schon so oft gehört, daß ich dachte: Na, täuw man[1]), dachte ich, kumm du mi mal ins in de Möt[2]), denn will ick di mal gründlich verkonfirmieren. Bloß die Frau tat mir leid, und um ihretwillen hab ich ihn auch bekehrt. Das ging so zu.

Ich mußte mal nach dem Town, und als ich da so durch die Straße fuhr, da sah ich durchs Fenster meinen lieben Smith im Saloon sitzen, und das just, als wenn er da zu Hause gehörte. Wer hier oft im Saloon einkehrt, der wird von den meisten richtig verachtet. Als ich ihn sitzen sah, da standen die Pferde. Ich runter vom Wagen und hinein. Ich lasse mir vom Saloonkeeper ein Glas Bier bringen. Die anderen waren schon beim reinen Wort Gottes, das meint beim Whisky. Smith rallögt[3]) mich gnädig an und sagt: Komm, Nachbar, setz dich her. Ich will dich trieten[4]). — Brauchst mich nicht zu trieten. Kann mich allein trieten. Nach einer Stunde komm ich wieder vor. Dann bist du fertig und kommst mit. Deine Frau wartet auf dich. Verstanden? — Er wurde unsicher. Er sah mich an. Er sah seine Whiskybrüder an. Er sah uns noch ein paarmal umschichtig an. Sein inwendiger Mensch ritt auf der Fenz, das meint: er hinkte auf beiden Seiten. Aber seine Saufbrüder drangen in ihn hinein: Du brauchst ihm nicht zu gehorchen, wo er doch kein Vormund über dich ist. So wurde er bockig und fing davon zu reden an, daß er ein freier Mann und christlich geboren sei. — Also in einer Stunde, sagte ich und ging. Nach einer Stunde war ich wieder da. Seine Schnapsgesellen waren nicht

---

[1]) Warte nur! (als Drohung). [2]) begegnen. [3]) Die Augen verdrehen, rollen. [4]) to treat = bewirten, freihalten.

mehr da. Er hatte wohl kein Geld mehr, sie zu trieten. So nahm ich ihn beim Arm und schleppte ihn
zum Wagen.

Als er verstaut war, fuhr ich los und sagte: Du hast
noch eine Buddel voll in der Tasche. Darum sage ich
dir: Du trinkst von nun an keinen Tropfen mehr,
solange du bei mir auf meinem Wagen bist. Verstanden! — Als wir ein paar Meilen aus dem Town
raus waren, ging es in den Busch hinein. Im Busch
wurde es dunkel. Ich tat, als ob ich schlief. Aber ich
machte eine kleine Ritze in meinem einen Auge. Er
kuckte erst auf mich, dann in den Busch, dann wieder
auf mich. Ich schlief bis auf die eine Ritze. Er langte
in die Rocktasche. Ganz heimlich tat er das. Er holte
seine Buddel raus. Er nahm sie vor den Mund. In
dem Augenblick hatte er einen Schlag gegen die Hand,
der war nicht von schlechten Eltern. Die Buddel flog
in den Busch. Ich sagte nichts. Er sagte nichts. Die
Pferde juckelten so eben weiter. Dann hatte er sich
besonnen. Dann hielt er eine Rede. Erst brummelte
er leise vor sich hin. Dann wurde er lauter. Er redete
sich mit Wörtern in Zorn. Er sprach: Du bist mein
Vormund nicht. Du hast mir nichts zu sagen. Ich
lasse mir nichts von dir gefallen. Dies ist ein freies
Land. Es ist nicht brüderlich und christlich von dir,
mir die Buddel aus der Hand zu schlagen, wo ich den
Whisky doch ehrlich bezahlt habe. Ich aber bin christlich geboren.

Als er soweit war, siehe, da kam er nicht weiter.
Ich sagte Prr! und die Pferde standen. Ich sagte: Ja,
sagte ich, und christlich getauft bist du auch, und nun
will ich dich mal christlich verkonfirmieren. — Damit

94

zog ich ihn über den Sack, ordentlich handlich und bequem legte ich ihn zurecht, und dann hab ich ihn verkonfirmiert. Mit dem Peitschenstiel hab ich ihn da mitten im Busch verkonfirmiert. Den Peitschenstiel hatte ich mir ein Jahr zurück aus einem Eichenbusch geschnitten. Da war Verlaß auf, und so konnten wir die Sache in aller Gemütlichkeit besorgen.

Als sie besorgt war, setzte ich ihn wieder zurecht auf seinem Sack, und wir fuhren weiter. So, sagte ich, mit dem Stück Arbeit sind wir fertig. Allright. Du sagst, dies ist ein freies Land. Darum bin ich auch so frei gewesen, und ich will das vor Gott und dem Präsidenten verantworten, wenn sie danach fragen. Ich will dich jetzt unter meine Aufsicht nehmen, und wenn ich höre, daß du wieder trinkst, dann kriegst du wieder was. Darauf kannst du dich verlassen. Wir machen das ganz unter uns ab. Ich tue das nicht um deinetwillen. Das brauchst du dir nicht einzubilden. Das ist man bloß von wegen deiner Frau und daß die Wirtschaft nicht ganz auf den Hund kommt. Aber wenn du deinen Verstand noch nicht ganz unter Whisky gesetzt hast, dann mußt du dir selbst sagen, daß der Umgang mit der Whiskybuddel nicht für dich taugt und daß die Buddel dich bald unter die Erde bringt. Und dann gehen wir sonntags über den Kirchhof und besehen uns die Gräber, und wenn wir an deins kommen, dann sagt der eine: Ja, das ist der Smith. Der hat sieben Jahre zum Whisky gesagt: Ick stöt di üm, und er hat ihn umgestoßen. Aber im achten Jahr hat der Whisky ihn umgestoßen. Der ist es. Und der andere spricht: Ja, als Kind hat er die Milchbuddel gebraucht; das dauerte kurze Zeit. Dann nahm er die Whiskybuddel zur Hand. Und diese Buddelei dauerte so lange, bis er selbst eingebuddelt wurde. Laßt uns man lieber nach einem andern Grabe gehen! — Das sind dann sonntags so die Grabreden über den Text von deiner Buddelei.

Da hat er so'n bißchen geschluckt und sich mit der Hand über die Augen gewischt; ich weiß nicht, ob von wegen dem Peitschenstiel oder von wegen den Grabreden. So sagte ich noch ein paar Wörter zu ihm: Wenn du dich schickst und das Trinken sein läßt, dann kannst du dir dann und wann ein paar Wagenleitern voll Heu abholen, daß dein Vieh nicht zu hungern braucht, und einen Sack Korn kannst du oben raufschmeißen, daß das Heu fest liegt. Es kann auch sein, daß Wieschen mal einen Schinken mit einpackt oder ein paar Würste. Das ist für den Magen besser als ihn volltüppen mit Whisky. — Nun man jüh! Ich ließ die Pferde laufen. Er hat dann noch ein paar Jahre bei uns gewohnt. Ich hab ihn scharf im Auge behalten, und er wußte das. Aber das muß ich sagen: Bis er die Farm verkaufte und fortzog, hat er sich ganz gut gehalten, und die Wirtschaft sah zuletzt auch schon ein bißchen anders aus. — Siehe, so hab ich ihn bekehrt. Denn die Menschen sind verschieden getrachtet. Die einen werden bekehrt durch Gottes Wort und Gebet, die andern durch Krankheit und Not, die dritten durch ein gutes Beispiel. Aber dann sind da noch andre, die werden bekehrt mit dem Peitschenstiel, und zu der Sorte gehörte er.

Das kann ja mal passieren, daß einer einen über den Durst trinkt. Nachbleiben kann das aber auch. Nötig ist es nicht; der Mensch braucht nicht so viel zu trinken, bis er überläuft. Darin bin ich mit den wilden Frauen einverstanden, die hier an der Arbeit sind und wollen das Land trockenlegen. Aber mit der Art, wie sie das Trinken abschaffen wollen, — ne, damit bin ich nicht einverstanden. Hier hatte sich auch mal ein Dutz von der Sorte zusammengetan. Sie wollten unsre Stadt trockenlegen und eine Temperenz-stadt daraus machen. Aber es ist ihnen nicht geglückt, denn sie kamen an den Unrechten.

Da war ein Saloonkeeper, den baten sie vom Him-mel bis zur Erde, er sollte seine Trinkstube schließen. Sie stellten sich vor seinem Hause auf. Sie beteten und sangen für ihn. Es half nicht. Da bedrohten sie ihn mit allen Höllenstrafen. Endlich sagte er: Na, wenn es denn nicht hilft, dann muß ich es ja wohl tun, denn in die Hölle will nicht nicht. Aber wenn ich euch den Gefallen tue, dann müßt ihr mir einen wiedertun. Nur einen ganz kleinen. Wollt ihr das? — Ja, sagten sie, das wollten sie gerne tun. Schön, sagte er, dann zieht mal fix eure Schuhe aus und zeigt mir mal eure Strumpfhacken! Da liefen sie alle davon und sind ihm nicht wieder vor sein Angesicht gekom-men. Nein, ein Temperenzland wie Kansas wird Jowa wohl so bald nicht werden. Dazu sind hier zu viel Deutsche. Ich bin auch nicht für viel Trinken, lieber für wenig. Aber wenn ich einen Menschen sehe, der viel Umgang mit Trinkwasser hat und immer ein Glas nach dem andern in sich reintüppt, dann wachsen mir bloß vom Zusehen Frösche im Bauch.

*

Wir sind hier beinahe immer gesund gewesen. Da-für können wir Gott nicht genug danken. Denn wenn

Wieschen oder ich so mitten im **Busch** zusammen-
klappte, — ne, daran mag ich gar nicht denken. Zum
Doktorholen war das auch viel zu weit. Hier muß die
Natur sich selbst helfen. Wenn sie mal flau macht,
dann muß man die Zügel kurz nehmen und sie wieder
in Trab bringen. So zehn Jahre zurück, da mußte ich
auch mal zum Doktor. Ich tat es nicht gern. So ein
Doktor riecht mir zu sehr nach dem Kirchhof. Na,
zur Strafe dafür ist mein Ältester selbst einer geworden. — Ich hatte mit großer Hartleibigkeit zu tun, was
sonst nicht meine Sache ist. Hausmittel schlugen nicht
mehr an. So gab er mir was mit. Er sprach: Das
nimmst du ein; das hilft. — Es half nicht. Ich wieder
hin. Er sprach: Hast du laufen gemußt? — Nein,
es ging nicht. Dein Mittel war zu schwach. — Was?
Zu schwach? Und du hast nicht laufen gemußt?
Schämst du dich gar nicht? Das war doch eine Portion, wo ein Präriebüffel das Laufen nach kriegen
mußte. Na warte, dir will ich das Laufen beibringen.
— So gab er mir noch eine Portion, und damit hat
er mir das Laufen denn auch richtig beigebracht.
Anderthalb Dollars mußte ich bezahlen. Na, der Medizinmann will auch leben, und nicht schlecht. Sonst
kriegen sie von uns Farmern auch nicht allzu viel
zu besehen.

Da sind manche, weißt du, wie die das machen? Die
machen das so. Sie heben alle Medizin auf, die übrig-
bleibt, und das brauchen sie oft noch ein Jahr später
und bei einer ganz anderen Krankheit. Johann Klüß
sein Brauner hatte ein schlimmes Bein. Das wollte
und wollte nicht besser werden. Der Doktor gab ihm
was zum Einreiben. Es half. Ein halbes Jahr später

kriegte er selbst Wehtage im Fuß, und was tat der Kerl da? Er verbrauchte den Rest für sich, und denk dir mal! Er sagte: Das hat mir wiß und wahrhaftig geholfen.

Aber ein ganz dolles Stück war es, was Smith machte, den ich mal verkonfirmiert habe. Der war es. Der holte für seine Frau was zum Einreiben gegen die Gicht im Fuß. Den Rest hat er selbst zwei Jahre später gegen Husten eingenommen, wo er doch soviel Geld dafür bezahlt hatte. Na, das war ein Smith, und die Sorte ist dumm, soweit sie warm sind in ihrem Fell.

Einmal habe ich auch eine Gewaltkur gemacht. Aber es war in der Not und ist gnädig abgelaufen. Mein Ältester war sechs Jahr. Er kriegte es mit der Diphtherie. Wir hielten es bloß für Halsentzündung. Wir dachten: Das wird sich wohl wieder geben. Als wir es richtig merkten, da war es zu spät. Ich jagte zum Doktor. Er ritt gleich mit mir. Er untersuchte den Jungen. Er zog die Schultern. Er sagte: Da wird nichts mehr zu machen sein. Du hast mich zu spät geholt. Ich lasse dir ein Mittel hier. Du kannst es ja versuchen, aber helfen wird es wohl nicht mehr. Da ritt er hin. Es war Nacht, und die Lampe blakte.

Ich stehe am Fenster und gucke in die Nacht hinaus. Ich bete. Wieschen weint. Der Junge röchelt. Er kann keine Luft kriegen. Er wird blau im Gesicht. Mir kommt ein Gedanke. Ich denke: Der Doktor hat ihn aufgegeben; so kannst du das letzte versuchen. Schaden tun kann das dann auch nicht mehr. Ich gieße eine Kaffeetasse voll Petroleum, und damit hat er gegurgelt. Eine ganze Zeit hat er das getan. Dann

kam alles schwarz heraus, was auf der Zunge und im
Halse lag, — alles ganz schwarz. Da konnte er wieder
Luft kriegen und wurde nicht mehr blau im Gesicht.
Man bloß hinten im Hals war noch lange Zeit alles
roh. Das Petroleum hatte alles zerfressen. Den Belag hatte es aber auch weggefressen. Da hab ich
wieder zum Fenster rausgeguckt und noch ein paar
Wörter mit dem lieben Gott gesprochen. Wieschen hat
noch ein bißchen geweint. Dann sage ich: Wieschen,
zu Bett gehn mag ich nicht mehr. Ich will man lieber
nach dem Vieh sehen. Du leg' dich man ruhig auf
den Schaukelstuhl und nimm noch ein Auge voll. Der
Junge schläft.

Lieber Freund, ich kann dir mitteilen, es gibt hier
sonderbare Kuren. Drei Winter zurück besuchte ich
einen Landsmann in Michigan. Der Sohn hat auch
auf den Doktor studiert. Aber er ist Kneifdoktor. Er
hatte nur zwei Menschen zu kneifen. Die Leute glauben noch nicht so recht an ihn. Er kneift die Leute,
und davon werden sie gesund. Er kneift sie bei lebendigem Leibe. Eine Stunde lang kneifen, das kostet
zwei Dollars. Als Jungs machten wir das untereinander und umsonst. Ich wollte es auch mal probieren.
Ich dachte mir Kopfschmerzen aus. So fing er an zu
kneifen. Das gefiel mir. Das machte Spaß. Aber
man zu Anfang. Als er in die Gegend der kurzen
Rippen kam, da kam er nicht weiter. Da bin ich auf-
gesprungen und rausgelaufen. Es hat zu doll gekettelt.
Er ist um seine zwei Dollars gekommen. Aber sein
Junge spielte draußen. Dem hab ich fünf Cents gegeben und gesagt: Dor köp di 'ne Kauh för! Wieschen
hat seiner Frau nachher einen Schinken geschickt.

100

Indianergeschichten und Kinderbriefe

So, nu brennt de Piep wedder, un de Döns (Stube)
ward blag, un Wieschen schellt, dat ick ehr de witten
Gledinen gel smök. Wieschen, segg ick, du büst en
Irrgeist. Wo kan dat woll angahn, dat de blag Rok
ut min brun Piep din witten Gledinen gel farwt? Un
sei seggt: Jürnjakob, seggt sei, wo is dat woll mäglich,
dat unsern Buren sin swart Kauh von'n Roden-
Söcken gräun Gras frett un doch witt Melk un gel
Bodder gifft? — Und in de Käk lacht ok wat. Das is
min Dirn, und sei seggt: Wo is dat mäglich, Vadding,
dat de hellsten Blitze grad ut de düstersten Wulken
kamen? — So, dor hadd ick min Deil. Lat sick man
einer mit de Frugenslüd in! Siehe, das ist eine ganz
andere Nation, die, wo lange Haare hat.

Einen Winter zurück, da haben mir deine Enkeljungs geschrieben, ich soll ihnen ein paar Indianergeschichten schicken. Ne, das tu ich nicht, denn die
hab ich nicht und die kenn ich nicht. Ich hab die
Zeitung und den Kalender, und dann noch Bibel, Gesangbuch und Katechismus. Da weiß ich Bescheid in,
denn das ist Gottes Wort. Daraus kenn ich Kreter,
Araber und andere faule Bäuche. Ich kenn auch Par-

ther und Meder und Elamiter und Kappodozier und von den Enden der Libyen bei Kyrene und all so'n Volk, was sich schwer aussprechen läßt. Aber von den ollen Indianers ist da keiner mang in der Apostelgeschichte.

Und dann fragen sie, was ich hier dicht bei schon Indianers gesehen habe. Ne, hab ich auch nicht. Mit so'n Taters (Zigeuner) und Takelzeug geben wir uns hier nicht mehr ab. Die und das kleine Raubzeug sind lange schon zurückgedrängt. Wir sind hier lauter gute Plattdeutsche als wie bei uns zu Hause. Bloß noch ein paar Hochdeutsche, und dann Engländer. Als die vier Brüder Dubbe in den vierziger Jahren nach Minnesota zogen, da wohnten bei ihnen noch viele Eingeborene von roten Menschen, die auch eine andere Sprache in ihrem Munde führten. Aber sie haben sich gut mit ihnen vertragen.

Zwei Jahre zurück hab ich doch noch rote Leute gesehen. Ich war zu Besuch bei Heinrich Fründt in Minnesota. Du weißt ja, dem sein Vater hinter dem Bäukenberg mal mit deinem Heu umschmiß und das zweitemal auch man noch so eben in die Scheune kam, wo es gegen die Wand sackte. Dem sein Sohn ist es. Heinrich sein Jüngster hat hier auf den Pastor studiert und priestert nun nicht weit von seinem Vater in einem kleinen Town. Da wohnen noch Indianers nahebei. Da hab ich sie gesehen. Ihre Reservation liegt da man bloß sieben Meilen ab. Von Federn und Tomahawks und Skalps und all' solchen Dingen, davon ist bei ihnen nichts zu sehen. Sie tragen sich ganz vernünftig wie andere Leute, und zum Eulenspiegel machen sie sich nicht. Bloß daß sie rot aussehen.

Ob sie gut reiten können, weiß ich auch nicht. Beim Festzug auf der Weltausstellung in Chicago waren ja auch viele Indianer mit bei. Aber siehe, diese Indianers waren lauter Weiße. Sie haten sich bloß rot geschminkt und als Indianers angezogen. Und einer von den Rothäuten hieß mit seinem Namen Lehmbecker und war ein Mecklenburger aus der Teterower Gegend. Darum war er auch ein Weißer und hatte sich doch richtig zum Eulenspiegel gemacht. Das gleiche*) ich nicht. Die vier Skalps, die er mit sich führte, hatte ihm der Barbier gemacht. —

Was die richtigen und waschechten Indianers waren, die kamen meist mit Ponyfuhrwerk von ihren Camps nach dem Town. Die Ponys sind so getrachtet wie alle Ponys und für schwere Arbeit nicht zu brauchen. Für gewöhnlich laufen sie frei im Busch. Zur Arbeit werden sie eingefangen. Nachher läßt man sie wieder laufen. Im Winter stehen sie im Stall. Dann wächst ihnen ein richtiger Pelz von Haaren.

Aber sie haben einen großen Fehler. Das ist das Saufen. Ich bin kein Prohibitionist oder Temperenzmann, aber das Saufen gleiche ich nicht. Wenn ich nun abends vom Pastor aus dem Town zurückkam, dann lagen sie oft besoffen am Busch entlang auf der Road und stanken auf indianisch vor sich hin. Soviel Whisky hatten sie getrunken. Dann stand ich still, kuckte sie der Reihe nach an und sprach: Un ji willt mal Engels warden? Na, da wird der liebe Gott auch kein besonderes Wohlgefallen haben, wenn ihr versoffenes Tatervolk mal bei ihm ankommt. Mich soll bloß wundern, woans Petrus mit euch umspringt,

*) Das habe ich nicht gern: to like.

wenn er euch rausschmeißen tut. — Aber sie gaben nicht Achtung auf meine Wörter. Sie stanken weiter vor sich hin.

Bis nach ihrer Reservation sind nur ein paar Meilen, und doch betteln sie gern um ein Nachtlager; aber keiner nimmt sie gern in sein Haus. Beim Pastor ist spät am Abend mal einer ganz voll und duhn ins Haus gekommen, wo er just auf Reisen war. So hat die Frau erst einen mächtigen Schreck gekriegt. Als sie damit aber fertig war, hat sie ihn rausgeschubbst und den Riegel vorgeschoben. Denn man sagt ihnen nach, daß sie gern mitnehmen, was ihnen nicht gehört, und daß sie aus Versehen mennigmal eine Scheune anstecken. Akkrat als bei uns die Taters. Und einer war da, der fand einmal ein Hufeisen, an dem zufällig noch ein Pferd steckte. Ich weiß aber nicht, ob das alles an dem ist. Frauensleute erschrecken sich manchmal schon, wenn ihnen auf dem Gartensteig ein Regenwurm in die Quere kommt.

Daß sie aber runtergekommen sind, das ist durch das Saufen geschehen, und daran sind die Weißen schuld. Die haben ihnen den Schnapsteufel in den Leib gejagt. Das ist nun verboten. Aber sie tun's doch. Sie machen das so: Da ist mal ein armer Hausierer mit einem großen Buckel zu ihnen gekommen. Der hat ihnen bunte Bänder, Nadeln, Ketten, Glasperlen und all so'n Funzelkram verkauft. Aber siehe, der Buckel ließ sich abschnallen, und inwendig war er hohl und voll Branntwein.

Und dann ist ein Mann mit einem Karussell zu ihnen gekommen und hat gute Geschäfte in der Reservation gemacht. Aber als es Abend ward, da haben

104

sie alle rumgetorkelt. Das viele Karussellfahren hatte sie düsig (schwindlig) gemacht. Dann aber ist es rausgekommen, und siehe, ihre Düsigkeit hatte einen andern Grund. Das war der Branntwein. Dem Kerl seine Pferde und Schweine und Löwen sind inwendig auch hohl gewesen und lauter Branntwein drin. Unter dem Schwanz und unter dem Bauch ordentlich ein Hahn. Auch der Bretterboden, wo die Tiere auf standen, war inwendig hohl und voll Branntwein. Den Kerl haben sie endlich abgefaßt und eingesteckt; aber sein Karussell wurde zu Brennholz verarbeitet. Und das ist gut, denn die Weißen haben da gerade keinen Ruhm von, bei Gott nicht und bei den Menschen auch nicht. Sie sollten ihnen das Christentum bringen und sie zur Arbeit gewöhnen. Aber sie bringen ihnen den ärgsten Whisky, den es gibt. Sie sollten sie wieder hochbringen, und siehe, sie verderben sie. Die Roten gehen an den Weißen zugrunde. Sie werden von ihnen vergiftet.

Nein, das ist doch nicht richtig. Die Roten gehen auch zugrunde, weil sie nicht arbeiten. Das Land gehört immer dem Volk, das arbeitet. Das ist auf der ganzen Welt so und in den Staaten auch. Amerika kommt bloß durch Arbeit hoch, und die Roten arbeiten nicht. Die welchen haben sich in den letzten Jahren kleine, nette Häuser gebaut. Aber sie sind zu faul, sie einzurichten und reinzuhalten. Faul sind sie man einmal, und von Rechts wegen sollten sie alle nach Güstrow ins Landarbeitshaus. Auf der Farm ist die Sorte nicht zu gebrauchen. Nun arbeitet die Mission an ihnen und will sie zum Christentum bekehren. Unsre Pastoren sagen, dann werden sie auch arbeiten lernen. Sie wollen wieder gut machen, was der Schnaps an ihnen gesündigt hat. Ich glaube, sie kommen zu spät. Ich glaube, bis die rote Natur sich zum Christentum und zum Arbeiten bekehrt, ist sie in den Staaten schon ausgestorben.

Was sonst noch zu erzählen ist von den Indianern, das kann Berti dir und deinen Enkeljungs schreiben. Ich hatte ihr lange eine Reise versprochen. So nahm ich sie mit. Sie ist über Weihnacht bei Fründts geblieben.

*

Liebster Freund, ich will auch mal einen Brief über das große Wasser schwimmen lassen. Es ist der erste. Ich werde ihn ordentlich zubacken, daß da kein Wasser reinkommt. Wenn er versaufen tut, müssen Sie es mir schreiben, please. Ich war im Sommer mit Vater nach Muskatin. Da sahen meine Augen ein Dampfschiff. Ich tat auf ihm fahren. Das war schön. Wenn ich Zeit habe, fahre ich nach Deutschland und besuche dich. Du bist meinem Vater sein allerliebster Freund und meiner auch. Aber dem Pastor Fründt seine Frau ist meine allerliebste Freundin. Unser neuer Lehrer ist verheuratet. Seine Frau kann ich gern leiden. Ich lerne bei ihr häkeln. In der Schule kriegten wir auch einen Tannenbaum. Jetzt in der Kirche. Ich bin schon konfirmiert.

Vater liegt auf dem Sofa und raucht uns all die weißen Fenstergledinen gelb. Mutter liegt auf dem Schaukelstuhl und schilt. Aber er lacht sich bloß, denn er hat da weiter keinen Kummer von, und waschen tut er sie auch nicht. Sonst kann ich ihn gut leiden. Ich

kann reiten. Das hab ich zwei Jahr zurück gelernt.
Ich bin mit dem Pastor seiner Frau oft zu den Indianers in ihre Camps geritten. Ich war mit Vater
zu Besuch bei Fründts. Wenn einer von deinen Enkeljungs Zeit hat, so kann er mal rüber kommen. Ich
will ihn anbesehen. Sie müssen es ihm sagen. Vergiß
es nicht. Wie tut er heißen? Wir können zusammen
ausreiten. Vater sagt, ein Pferd braucht er nicht mit
sich zu bringen.

Vater sagt, ich soll dir vom roten Mann schreiben.
Ich sage: Ja, Vater. Am ersten Tag ging ich nach
dem Town und holte mir einen Bleistift. Da fuhren
gleich zwei echte Indianers an mir vorbei. In die deutsche Schule kommen ihre Kinder nicht. Sie tun bloß
in die Regierungsschule gehen. Die Indianers sind gar
nicht so schlimm. Vater mag sie bloß nicht, weil sie
nicht arbeiten tun. Das kann Vater nicht leiden. Die
kleinen Mädchen von den roten Menschen sind sehr
schüchtern und ducken sich wie kleine Küken. Wir
hatten diesen Sommer über hundert Stück. Aber die
Knaben spielen gern Ball und treffen ihn gut. In der
Schule sind sie ganz zutraulich. In der Kirche auch.

Aber bekehren lassen sie sich immer noch nicht. Der
Pastor ist forsch darüber her. Seine Frau hilft ihm
in der Indianermission; aber viele Bekehrte hat sie
auch noch nicht aufzuweisen. Es kam ein Sonntag, und
der Pastor war unterwegs. Da hat Hans die Glocken
geläutet. Das ist ihr Bruder. Er hat blaue Augen und
braunes Haar. Er studiert auch auf den Pastor. Als
das fertig war, hat er geörgelt. Aber siehe, ich habe
Wind gemacht und Frau Pastor gepredigt. Erst hat
sie ihnen eine biblische Geschichte erzählt. Weißt du,

Herr Lehrer, die von dem großen Ungestüm, also
daß auch das Schifflein mit Wellen bedeckt war, und
er schlief and so on. Dann hat sie ihnen die Geschichte
so richtig klargemacht, und sie haben aufgemerkt. Als
das geschehen war, hat Hans wieder geörgelt und ich
Wind gemacht. Er kann gut örgeln. Er will auch noch
Musik studieren. Er will mir Unterricht auf der Örgel
geben. Das soll schön sein.

An dem Tage hat sich wieder keiner bekehrt. Das
ist schade. Nun kann ich dir nicht schreiben, woans es
dabei hergehen tut. Vater sagt, sie sind zu faul, sich
zu bekehren. Aber Mutter sagt, das kommt noch. Das
ist mit Gottes Wort so wie mit Vater seiner Arbeit.
Wenn der Farmer gesät hat, dann kann er auch nicht
gleich ernten. Das muß wohl so sein. Das kann ich gut
verstehen. Nun kommt was anders. Das ist unsere Katz.
Sie springt auf den Stuhl. Jetzt auf den Tisch. Jetzt
nimmt sie die Pfote und strakt mir die Backe. Das
kitzelt fein. Ich gehe langsam durch die Stube. Sie
geht neben wir wie ein Hund, immer auf und ab.
Katzen mögen nicht gern laufen. Das ist so ihre Natur.
Sie heißt mit ihrem Namen little Pussy. Aber Vater
sagt Mieß. Sie ist schwarz und weiß. Jetzt jage ich
sie fort.

Ihre Frauen tragen das Haar lose und keinen Hut.
Zum Rock brauchen sie 12—14 Yards. Sie tragen eine
lose Jacke und ein großes Umschlagetuch. Weihnacht
war ich bei ihrer Feier. Die Synode hatte 25 Dollars
geschenkt. Aber die Farmer was für den Magen und
zum Warmhalten. Pastors Frau hat eine ganze Rolle
Kattun gekauft. Hans hat sie aus dem Store geholt.
Ich bin mit ihm gegangen. Ich sage: Laß mich auch

mal tragen. Er sagt: Nein, das schickt sich nicht für junge Damen. Damit meint er mich. Na, denn man zu.

Was der Pastor ist, der mußte zuschneiden und auch nähen. Sie saß dabei und sagte ihm, wie er nähen sollte. Das ging nicht nach der Mode, wie sie jetzt ist, sondern fünf Blatt in jedem Rock, daß man damit reiten kann. Dann haben wir Streifen aufgesetzt, sechs Stück und noch mehr. Geehrter Herr Lehrer, du kannst dir denken, da gab es lange an zu nähen.

Abends ist little Pussy spaßig. Vater sitzt und raucht und schreibt. Mutter und ich stopfen und flicken. Sie sitzt wie ein Präsident auf dem Tisch und guckt nach unsern Händen. Mit den Fingern, das geht ihr zu schnell. Sie steht leise auf. Sie kommt ran. Sie nimmt ihre Pfote und tippt auf meine Stricknadeln und auf Vater seinen Federhalter. Sie macht Falten auf der Stirn. Sie will sagen: Ihr lieben Leute, seid doch nicht so hastig. Das ist ja gar nicht auszuhalten. Seid man bloß ruhig. Das wird alles noch fertig zu seiner Zeit. Sprüche Salomonis, wie Vater sagt. Wenn sie das gesagt hat, dann geht sie wieder an ihren Platz. Dann legt Vater seine Feder hin und wir unsre Nadeln. Dann lachen wir uns ganz doll. Dabei verpusten wir uns von der Arbeit, denn beim Lachen kann man nicht arbeiten. Das ist fein eingerichtet. Aber sie bleibt immer ruhig und lacht sich nicht. Vater sagt, wo sie so ruhig ist, da kann mancher Wildfang von lernen. Damit meinte er mich. Er meint mich oft. —

Der Kattun war dunkelblau mit weißen Punkten. Darum setzten wir rote Streifen am Rock, Taille, Ärmel und Schultern. So sah es ganz freundlich aus und nicht so stumpf. Ich legte den Rock in Falten.

So waren die Weihnachtskleider fertig. Lieber Freund, ich kann Ihnen noch mitteilen, daß sie auch Schuhe, Strümpfe, Haarbänder und Taschentücher gekriegt haben. Hans sagt, die Taschentücher haben sie drei Jahre zurück noch als Halstücher gebraucht. Jetzt zur Nase. Auch große Tücher zum Umbinden, wenn kaltes Wetter in der Reservation ist. Was hast du deinen Schulmädchen auf dies Jahr zu Weihnacht geschenkt?

Ihre Jungs kriegten Hosen, Hemden, Taschentücher, Halsbinden und Kämme, auch Nüsse und Candy. Bedanken aber tun sie sich nicht. Das ist ihre Gewohnheit aus alter Zeit, daß sie sich nie bedanken. Aber freuen taten sie sich doch. An ihren Augen habe ich das gesehen. Die waren ganz groß. Damit sahen sie uns freundlich an.

Höflich sind sie nun einmal. Viel höflicher als die Deutschen und die Engländer. Welche von ihnen verbeugen sich ganz fein, in der Kirche auch und unterwegs auf der Road. Hans sagt, da kann mancher Deutsche sich belernen. Immer rufen sie rüber: How do, das meint: How do you do? Wie geht es Ihnen? Das sagen sie hinten aber nicht als Frage, sondern als Gruß, als wenn wir Guten Tag sagen. Mal begegnete uns einer mitten im Busch. Der sprach uns französisch an, und Hans meinte, sein Französisch hätte ordentlich einen Schick gehabt.

Das ist aber wahr, daß sie oft duhn sind. Da hat Vater wieder mal recht. Darum ging ich abends nicht gern den Weg lang, der nach ihren Camps ging. Die andern Mädchen taten das auch nicht, weil da zu viele von ihnen den Weg lang am Busch lagen.

Draußen geht little Pussy auch immer neben mir.

Sie tut als wie ein Hund. Vater sagt auch, sie ist bloß aus Versehen eine Katze geworden. Er sagt, sie muß von Rechts wegen Wasser oder Stromer heißen wie bei euch die Hunde. Zu Besuch kommt sie auch oft mit, und sonntags will sie gern mit nach der Kirche. So jage ich sie zurück. Einmal geschah ein Unglück. Einmal kam sie doch mit rein. Da geschah ein großes Halloh bei den jungen Leuten. Da stand sie hinter mir. Da sagte sie Miau. Sie sagte es mitten in der Kirche. Da hab ich mich bis in die graue Grund geschämt. Das ist noch ein mecklenburgisches Sprichwort von Vater. Die Kirchenältesten haben sie zuletzt rausgejagt. Vater hat nachher sehr gescholten. Ich sage: Das kommt nicht wieder vor. So haben wir uns wieder vertragen, und es ist nicht wieder vorgekommen. Aber geschämt hab ich mich acht Tage lang.

Ich kann auch all ein bißchen örgeln. Ich tu bei unserm Lehrer Stunde nehmen. Die Örgel steht in unserer Stube. Vater sagt, er will hier abends die Lieder hören, die er bei dir auf der Schulbank gesungen hat. — Siehe, den Dintklecks hat Vater gemacht. Vater drückt immer so doll auf die Feder. Dann spritzt es, und die Feder bricht ab. Das kommt oft vor, denn seine Faust ist so schwer und das Drücken mit dem Pflug so gewohnt.

Vater kann ich gut leiden, aber rasieren tut er sich bloß sonntags. Darum sind seine Backen in der Woche ganz kratzig, und seine Kinn ist am Sonnabend wie der Urwald. Vater ist so breit in den Schultern, die ganze Familie kann sich dahinter verstecken. Ich kann ihm noch immer unter dem Arm durchlaufen. Seine Hände sind inwendig wie Baumborke getrachtet, und wenn ich darauf langstrake, das ist auch kratzig. Er ist immer fröhlich und hat einen forschen Gang. Wenn er im Zug ist, dann muß ich laufen; sonst bleibe ich zurück. Aber im rechten Auge hat einen Rostfleck. Der geht wie ein Strich nach Südwest. Vater sagt, er hat mir den Rostfleck vererben wollen. Aber da wär ein Versehen passiert, und meine Augen wären ganz und gar verrostet. Hans sagt, meine Augen sind goldbraun um und um. Ich sage: That's nonsense, das meint Quatsch. Aber ich hab es ganz gern gehört. Manchmal sind sie wieder blau. Schreibe mir das nächstemal, woher das kommen tut. Vergiß es nicht.

Wenn Vater still sitzt und liest, dann komme ich ganz leise von hinten. Dann ziehe ich ihn am Bart. Dann schnappt er zu. Dann erschrecke ich. Dann springe ich zurück. Dann lachen wir uns beide. Dann macht er ein ernsthaftes Gesicht und sagt: Dirn, sagt er, kennst du das vierte Gebot? Ist das ein Sonntagnachmittagsvergnügen für die Tochter, daß sie ihren alten Vater am Bart durch die Stube zieht?

Eure alten Lieder mag Vater gern singen hören, aber vom Singen der Vögel hält er nicht viel. Als ich mal die Nachtigall lobte, meinte er: Ja, wenn so eine Nachtigall bei Martini rum ihre 18 Pfund wiegt und Gickgack sagt, dann höre ich sie auch ganz gern. Vater gehört zu den Leuten, die lieber gut und viel essen, als daß sie hungern. Am letzten Sonntag hatten wir ein paar Hühner nach dem Rezept der Neger zubereitet. Wir machten das so. Mutter zerlegte die Hühner in Stücke, ich drehte sie in grobem Kornmehl um, und Cora warf ein Stück nach dem andern in das Fett, das auf dem Herde kochte. Fett und Mehl geben eine dichte Kruste; darunter geht nichts verloren von dem Saft. Mutter meinte auch, das Negerrezept sei besser als das deutsche. Aber Vater wischte sich den Mund und sprach: Ein Volk, das ein so verständiges Rezept macht, kann nicht das geringste sein unter allen Völkern auf Erden. Cora ist die Frau von meinem ältesten Bruder. Er hat viele Kranke, und sie ist mit ihrem kleinen Charly hier zu Besuch. Vater trägt ihn auf dem Arm. Das haben die beiden gern. Gestern trug er ihn auch auf dem Arm durch die Stube. Da stand er still. Da nahm er die Taschenuhr aus der linken Tasche und steckte sie in die rechte. Als das geschehen war, hob er den Zeigefinger in die Höhe und sprach zu dem Kleinen: My chicken! Daß du mir aber nicht wieder in die Westentasche zischst wie am letzten Sonntag, als meine Uhr stehenblieb! — Mit den Uhren nimmt Vater es sehr genau. Abends hängt er seine Taschenuhr gewöhnlich an den Haken. Von seinem Platz aus kann er sie dann schlecht sehen. Cora ihre Uhr hängt an einem andern Haken; die kann er gut sehen. Wenn er dann nach der Uhr sehen will, sieht er nicht auf Coras Uhr, die vor ihm hängt. Nein, dann dreht er sich so weit herum, bis er seine eigene Uhr sieht. Cora spricht: Warum tust du das, Vater? Er spricht: Mein Kind, ich will deine Uhr nicht abnutzen! Dabei sieht er sie ganz ernsthaft an. Ja, so ist er manchmal.

Mir ging es auch so mit ihm. Wenn ich was nicht verstehe in der Zeitung, dann frage ich ihn. Es geschah einmal, da klagten die Leute über unsere Eisenbahn, daß der letzte Wagen immer so doll rüttelt und klappert. Das stand in der Zeitung. Ich sage: Vater, was ist da zu machen, daß der letzte Wagen

nicht so rüttelt und klappert? Weißt du ein Mittel?
— Ja, sagt er, ich weiß ein Mittel. Die Leute sollen
den letzten Wagen abhängen; dann rüttelt und klappert er nicht. — Was sagst du nun? Ja, so ist er
manchmal.

Einen Winter zurück mußte er jeden Abend eine
Tasse Tee von Leinsamen trinken, weil er sich verkühlt hatte. Er tat es nicht gern. Da paßte ich gut auf.
Mit seinem Trinken war das so beschaffen: 1. Er ging
immer rum um den Tee. 2. Ich hielt mein Taschentuch vor den Mund. 3. Er machte ein Gesicht wie die
drei Tage Regenwetter im Märchen. 4. Ich hielt mein
Taschentuch vor den Mund. 5. Er trank den Tee und
kriegte den Schüttelfrost. 6. Ich prustete los; ich
konnte mein Lachen nicht behalten. 7. Er nahm mich
beim Zopf und lobte den Tee, er sprach: Du kannst
jeden Abend eine Tasse Tee abbekommen; er tut dir
auch gut. 8. Ich sprach: Nein, Vater, wenn ich dich so
ansehe beim Teetrinken, das ist besser als eine Buddel
Medizin. —

Vater sagt oft: Der Mensch muß Ordnung halten
in seinem Leben. Den Spaß muß er hintun an spaßige
Stellen, aber den Ernst an ernsthafte Stellen. Bei uns
hat auch jeder Tag ernsthafte Stellen. Meist ist das
abends bei der Andacht. Dann räumt Vater auf mit
dem, was am Tage liegengeblieben ist. — Acht Tage
zurück war der alte Reusch zu Besuch hier, und Mutter wollte Apfelmus kochen, aber ich und Cora hatten
beim Schälen die meisten gleich aufgegessen. Mutter
schalt: Das ist ein Unrecht, wo wir doch so wenig
Äpfel haben. Aber wir haben darüber gelacht. Abends
nahm Vater die Bibel und sprach: Wir lesen heut

abend Sprüche Salomonis Kapitel 28. Er las eine Zeitlang. Dann sagte er: Nun kommt Vers 24. Das ist ein
Spruch, den Kinder und junge Leute oft nicht zu
Herzen nehmen. Sie müssen sich das Wort aber gut
merken, daß sie ihr Leben danach machen. So las er
den 24. Vers: Wer seinem Vater oder Mutter etwas
nimmt und spricht, es sei nicht Sünde, der ist des
Verderbens Geselle.

Ja, sagte Mutter, heut mittag die schönen Äpfel!
Vater sagte nichts, aber er las den 24. Vers gleich noch
einmal langsam vor. Ich und Cora wurden rot bis hinter die Ohren, als Vater uns strafte aus Gottes Wort.
Dann las er weiter. Als das Kapitel fertig war, kuckte
er uns der Reihe nach an. Dann fragte er mich: In
welchem Kapitel steht der Spruch? Ich wußte es nicht
mehr. Er fragte Cora. Sie wußte es auch nicht. Er
sprach zu Reusch: Heut morgen hast du mir gesagt,
ich habe eine feine Familie gereest; aber wenn man die
jungen Leute nach der Schrift fragt, dann schweigen
sie. Mutter sprach: Na, sie sind eben noch jung. Vater
kuckte Mutter an: Weißt du es noch, welches Kapitel
wir eben gelesen haben? Ja, antwortete sie, gib mir
mal die Bibel her, dann will ich es dir sagen. Vater
sprach: Zwischen Kleeschlag und Kornschlag geht eine
schmale Grenze, und zwischen weltlichen und heiligen
Dingen auch, Mutter. Aber Gott hat dem Menschen die
Augen und den Verstand gegeben, daß er die Grenze
sehen kann. Das sagte er ganz ruhig. Da waren wir
alle drei still und schämten uns. Heut schäme ich mich
nicht mehr, aber Sprüche Salomonis 28 und Vers 24
behalte ich jetzt.

Gott sei Dank. Nun ist der Brief fertig. Ich habe sieben Wochen daran geschrieben. Darum freue ich mich jetzt. Freust du dich auch? Du mußt es mir schreiben. Es grüßt dich deine allerliebste Freundin Berti.

*

Geehrter Freund! Ich will auch mal versuchen, einen Brief über das große Wasser zu schicken. Wie geht es dir? Mir geht es gut. Geehrter Freund, ich habe gehört, daß die Leute dort alle deutsch sprechen. Darum will ich deutsch schreiben. Aber im Englischen bin ich besser. Im Deutschen muß Vater mir helfen. Ich bin den ganzen Sommer in die deutsche Schule gegangen und hab auch Landkarte 3 × 4 Fuß von der ganzen Welt gelernt. Ihr wohnt auf dem Tiger seinem Rücken, denn Deutschland ist auf der Karte wie ein Tiger getrachtet. Aber euer Haus kann ich nicht sehen. Vater sagt, da liegt der Bänkenberg vor. Darum kann ich es nicht sehen.

Wir haben drei Sort Lesebücher. Das erste Buch, das zweite Buch, das dritte Buch. Ich bin im dritten Buch. In der deutschen Schule müssen wir den Katechismus tüchtig lernen. Viele Gesänge auch. Das ist hart. Die welchen müssen nachsitzen. Das ist auch hart. Oder was mit dem Stock. Solche sind immer faul. Aber wir haben viel Zeug an. So kommt es nicht durch. Erst ein paar Unterhemden. Dann einen Sweater. Dann ein paar Overalls. Dann einen Coat. Aber zuletzt kommt der Überzieher. Der wird in der Schule ausgezogen. Wo soll der Mann da durchkommen? Und manchmal ist es bloß ein Fräulein. Bloß im Sommer kommt er durch. Vater kommt immer durch. Ich muß mir dann erst das meiste ausziehen. Ich sage: Vater, das macht Umstände. Er sagt: Das macht nichts, ich habe so lange Zeit. Wenn er fertig ist, dann fühle ich schlecht. Ich sage zu mir: Was ist das Leben? Ich antworte zu mir: Lauter Sauerkraut! Nachher vertragen wir uns wieder.

Bei viel Maratz bleiben die Mädchen heim. Deine auch? Wir manchmal auch. Das tun wir gleichen. Wenn wir morgens zu spät kommen, that don't hurt. Diesen Winter besuche ich wieder die deutsche Schule. Nächsten Sommer bin ich wieder englisch. Englisch bin ich bloß mit der Zunge in der Schule; aber im Hemd bin ich deutsch. So sagt Vater. — Als ich klein war, wollte ich Millionär werden. Vater sagte: Das ist ein guter Posten. Zwei Dollars eignete ich schon. I said: Vater, was kriege ich zur Belohnung, wenn die Million voll ist? Er sprach: Wenn die Million voll ist, dann sollst du mitgezählt werden, wenn mal wieder Volkszählung ist.

Dear friend, I can tell you, daß ich gern essen mag. Vater sagt: Das kommt davon, daß ich ein Mecklenburger bin. Ich sage: Das kommt davon, because I am always hungry. — Mittag essen tun wir in der Schule. Nach Hause ist zu weit. Wir nehmen unsre Kessel mit. Das waren mal Sirupdosen. Die Deckel sind unsere Bratpfannen. Die legen wir mit unsern Sandwiches und Wurst oder Speck auf den Schulofen. Der ist oben flach. Well, da tut es rösten. Aber unsre Teacher zieht mit der Nase. Das meint unsre Lehrerin. Vater sagt, der Geruch vom Ofen ist zu bunt für ihre Nase. I say: Das kommt daher, daß sie noch deutsch riecht mit der Nase. Eingemachtes nehmen wir auch mit. Mittags haben wir nur eine Stunde Zeit zu essen und zu spielen.

Das ist zu wenig. Wenn ich erst Präsident bin, dann kommen andre Gesetze auf mit zwei Stunden zu essen und zu spielen.

Wir spielen Jäger und Hirsch, auch Wippwapp mit einem Brett. Das gibt einen schönen Ride, das meint einen schönen Ritt oder Fahrt. Auch Gefangennehmen. Aber wir laufen dem Policeman oft weg. Dann steht er mit einem langen Gesicht.

Im Winter schießen wir von der Fenz koppheister (kopfüber) in den Schnee. Auch nehmen wir unsern Kopf und bohren uns mit ihm durch die Schneeschanzen. Einer blieb stecken. Den haben wir an den Füßen wieder herausgezogen.

Die Mädchen spielen auch gern. Sie spielen: Mariechen saß auf einem Stein; Ziehet durch, ziehet durch, durch die goldne Brücke; Fuchs, du hast die Gans gestohlen and so on. Aber dafür sind es auch bloß Mädchen.

In der Schule spielen wir auch. Das darf die Teacher nicht merken. Sonst bekommt es uns schlecht. Mir ist es auch mal schlecht bekommen. Andre lassen Matches, das meint Streichhölzer, fallen und pedden mit dem Fuß drauf rum. Das hat fein gestunken. Aber see! sie hat es gemerkt. Mit ihrer Nase hat sie es gemerkt. Da war das auch vorbei. Im Herbst machten wir uns dann Musikdinger aus Gänsefedern. Aber das hat sie gemerkt mit den Ohren. Da war das auch vorbei. Geehrter Freund, alles geht schnell zu Ende, wo man eine schöne Freude an hat. Wenn ich erst Präsident bin, dann gebe ich eine andre Schulordnung. Die Gänsefedern muß sie dann auch wieder rausrücken.

Einmal kam ein Tag, da mußten wir viele Sätze

aufschreiben. Bloß aus dem Kopf. Ein Mädchen schrieb: Das Huhn reicht mit beiden Füßen bis an die Erde. Da haben wir gelacht. Vater nachher auch. Ein Mädchen schrieb: Im März legen die Hasen Eier, und im August kommen sie raus. Da haben wir wieder gelacht. Hasen gibt es hier sehr viele. Vater will sie nach Sibirien wünschen. Aber see! Ich fange sie in der Falle.

Im letzten Sommer habe ich das Korn beinah allein bearbeitet. Auch haben wir uns einen Heuauflader gekauft. Er nimmt ein Schwad acht Fuß breit und wird hinter den Wagen gehakt. Ich stehe vorn auf dem Wagen und treibe die Pferde. Vater in der Mitte und schmeißt auseinander. Es kommt sehr dick rauf. Vater muß gewaltig schmeißen. Er fällt manchmal auf den Rücken. Dann halte ich still. Dann geht es mit Hurra nach Hause. In fünf Minuten ist es abgeladen. Die Tür oben am Giebel ist 7 × 10 Fuß. Aber manchmal ist der Forkvoll so groß, daß es nicht hinein will.

Letzten Sommer haben wir achtzig Fuder reingefahren. Die Türen laufen auf Rädern und werden zurückgeschoben. Wenn der Wagen leer ist, nehmen wir den Meß (Mist) gleich mit aufs Feld. Auf dem Hof verbrennt er bloß. Mit dem Meß machen wir das so: Durch den Stall läuft ein Drahtseil unter der Decke lang bis vor die Tür. An dem Seil hängt eine Karre an kleinen Rädern. Die laufen oben auf dem Seil. Ich lasse die Karre mit einem Hebel runter und schmeiße sie voll. Ich drücke auf den Hebel, und die Karre steigt wieder nach oben. Ich gebe ihr einen Stoß, und sie läuft am Seil bis vor die Tür, denn das

Seil geht schräg abwärts nach draußen. Dort wird die Karre umgekippt, und der Meß fliegt gleich auf den Wagen. Wir haben eine große Farm mit vielen Abteilungen im Stall. Darum haben wir auch mehrere Seile und Wagen. Es ist eine richtige Schwebebahn im Stall. — Well, so machen wir das hier mit unserm Meß, denn wir sind praktische Leute.

Mähen kann ich gut. Zu Anfang ging es schlecht. Die Sense ging hin und her, und Vater sah mir zu. Er sprach: Dir geht es auch, wie Joab sprach: Das Schwert frißt bald diesen bald jenen. Dazu schüttelte er sich mit dem Kopf. Aber die Sense hat hier wenig Arbeit. Das Mähen besorgt die Maschine. —

John Williams ist ein Jahr älter als ich und einen Fuß länger. Aber see! ich schmeiße ihn runter. Dann fingert er mit den Beinen in der Luft rum. Dann schimpft er: Damned German! und stößt mit den Beinen nach mir. Einmal traf er mich hart. Da packte ich ihn bei seinen Hinterpfoten und muwte ihn auf dem Rücken über die Weizenstoppel. Ich sprach: Ich ziehe dich bis nach Chicago, wenn du noch einmal stößt. Da hat er bloß noch geblökt. Er hat Waden wie unser schwarzer Hammel. Meine sind dick und stramm. Vater sagt: Es ist gut, daß du ihn schmeißen tust.

Die Hälfte Schweine sind hier in Jowa klapiert an die Kolera. Wir haben noch keins, wo uns klapiert ist. Mit unsern Äpfeln haben ein Jahr zurück die Schweine aufgeräumt. Wir hatten so viele. In diesem Jahr kamen uns die Nachtfröste zu früh. Da sind uns die Äpfel an den Bäumen erfroren. Ein Nachbar hat 3000 Bushel Äpfel verloren. Wir haben uns drei Faß Grafbirnen schicken lassen aus Michigan,

120

das Faß mit vier Bushel, den Bushel zu 65 Cents, und jedes Faß hat 1,47 Dollars Fracht gekostet. Es hat zehn Tage genommen bis hier. Aber sie sind gut angekommen.

Wir haben ein Telephon im Hause. Die Nachbarn auch. Das Telephon kann auch plattdeutsch sprechen. Vater hat ein Piano gekauft. Geehrter Freund, weißt du, was ein Piano ist? In Springfield wollten sie 450 Dollars dafür haben. Vater hat es in Chicago gekauft. Es ist dieselbe Nummer und kostet 375 Dollars mit Fracht. Ich soll darauf spielen lernen. Auf der Örgel soll ich auch spielen lernen. Es ist sehr hart. Sie kostet 85 Dollars. Mit der Maschine pflügen, säen und mähen, das tu ich lieber als auf den weißen und schwarzen Tasten rumklopfen. John schmeißen, das tu ich auch lieber. Ich habe eine Windbüchse, aber Hasen kann ich noch nicht treffen. Vor und hinter den Hasen ist zuviel Platz. Hühner treffe ich much better, sie sind nicht so fix. Wenn ich eins getroffen habe, dann schilt Mutter mit mir und kocht es.

I hope, du hast schon lange auf meinen Brief gewartet. I hope, mein Brief wird nicht naß über das große Wasser. Well, mein Brief ist sehr lang geworden. Ich habe vier Wochen daran geschrieben.

I am your friend Hans.

Auf der Weltausstellung in Chicago

Es ist schon eine geräumige Zeit her, daß ich dir zuletzt geschrieben habe, aber nun liegt schon all die
Wochen viel Schnee. So bleib ich in der Döns und
schreibe dir diesen Brief mit dieser meiner Hand. Ich
will dir von meiner Weltausstellungsreise nach Chicago erzählen, und das dauert viel länger als die Reise
selbst. Na, der Schnee wird wohl so lange vorhalten,
bis ich fertig bin. Er hat tüchtig geschanzt, und von
der Fenz ist nichts mehr zu sehen. Die Reise ist schon
eine ganze Ecke von Jahren zurück; aber ich weiß das
alles noch, was ich erlebt habe.

Schuldt kam zu mir. Er sprach: Willst du mit auf
die Weltausstellung gehen? Völß kommt auch mit. —
Was wollt ihr da? — Was sehen und uns belernen.
— Das kostet ein Stück Geld. — Darum stecken wir
was in die Tasche. — Da sind nicht wenig Menschen.
— Wenn wir ankommen, sind es noch drei mehr. —
Nehmen wir unsre Frauen auch mit? — Nein. Wer
sein Weib lieb hat, läßt sie zu Hause. Wir haben
nachher sonst auch keinen Menschen, dem wir erzählen können, was wir gesehen haben. — Das leuchtete mir ein. Mein Kaufmann in Springfield hatte

sich mal verheiratet. Da wollte er gern eine Hochzeitsreise machen, aber er hatte noch nicht recht was
vor den Daumen gebracht. So wurde es ihm zu teuer.
Darum ließ er seine Frau zu Hause und machte die
Hochzeitsreise allein. So wurde es billiger. Er hat
seiner jungen Frau nachher viel zu erzählen gehabt
von der Hochzeitsreise. Ob sie damit zufrieden war,
hat er nicht gesagt. Sie auch nicht.

Als ich darüber nachgedacht hatte, ließ ich meine
Frau auch zu Hause. Ich zog meine besten Weltaus-
stellungsstiefel an und ging mit. Gegen neun Uhr ging
der Zug von Springfield. Er war proppenvoll, und wir
mußten bald Vorspann nehmen. Da ging es recht kurz-
beinig weiter. Morgens sieben Uhr kamen wir in Chicago an. Jungedi, wat Minschen! Wir gingen ins
Gasthaus. Da mußten wir einen Dollar bezahlen für
Essen und Schlafen. Unser Mittagessen bekamen wir
mit und steckten es in die Tasche. Da drückten wir
es breit und konnten es nicht mehr essen. Bis an die
Lake, das meint den See, mußten wir eine Meile zu
Fuß laufen, dann drei auf der Eisenbahn fahren: zehn
Cents. In die Ausstellung hinein: fünfzig Cents. Ich
ging gleich von den andern ab. Sie waren mir zu langsam. Völß sagte: Richt' man kein Unheil an! Ich
schoß vorwärts. Was mich verinteressierte, das be-
kuckte ich. Was mich nicht verinteressierte, daran
schoß ich vorüber.

Da fing ein Kind an zu schreien. Ich kuckte mich
um, da war es ein kleines Mädchen von drei Jahren.
Es lag auf dem Fußboden. Ich half ihm auf. Ich
dachte: Es ist ein Unverstand, so kleine Gören mit in
den Trubel zu nehmen. Was hat das Gör nun davon?

Weildes kam die Mutter gelaufen. Sie schrie: Du hast mein Kind niedergelaufen. Kannst du langer Laban dich nicht vorsehen! — Ich riß aus und kam ins Deutsche Haus. Da waren die Apostel in Lebensgröße aufgestellt und kuckten still über all die Menschen hin. Ich schoß den Fußboden entlang, die Augen auf die Apostel gerichtet. Sechzehn Fuß vor den Aposteln ging es eine Stufe runter, die hielt einen Fuß. Ich sah sie nicht. Bums! schoß ich mit der Nase voran auf den Boden, daß es man so dröhnte. Da lag ich zu der Apostel Füßen. Da waren aller Augen auf mich gerichtet und lachten. Aber die Apostel lachten nicht. Judas auch nicht. Sie kuckten ganz ernsthaft weiter.

Am andern Tag gingen wir wieder aus. Da fing einer an zu schimpfen. Das verstand er. Das hörte ich gern. Er brauchte schöne neue Wörter. Darum stand ich still und sah ihn aufmerksam an. Aber Schuldt sagte: Er meinte dich. Du hast ihm seinen Haufen Bananen umgelaufen. Ich wußte von nichts. Aber wir machten, daß wir weiterkamen, und ich dachte: Du mußt dich vorsehen, sonst richtest du wirklich noch Unheil an, und dann spunnen sie dich ein. So sah ich mich vor, und wir gingen zusammen in das California-Building. Da hatte einer anlockenden Apfelsinawein zu verkaufen. Der sah wohlschmeckend aus. Schuldt sagte: Ich will drei Glas zum besten geben. Völß sagte: Ich auch. Ich sagte: Ich auch. So tranken wir jeder drei Glas. Schuldt lickte sich mit der Zunge die Lippe ab und nickköppte; Völß auch, ich auch. Schuldt hob seine Augen auf und sagte: Es fängt mir gewaltig im Leibe zu wühlen an. Völß sagte: mir auch; ich sagte: mir auch. Ich glaube, das kommt von dem Apfelsinawein, sagte Schuldt. Ich auch, sagte Völß; ich auch, sagte ich. Ich habe Eile sagte Schuldt; ich auch, sagte Völß; ich auch, sagte ich. Wir schossen über den Platz. So stand da ein sechs Fuß langer Yankee mit einem Ofenrohr auf dem Kopf. Der betrachtete uns schon, als er uns von ferne sahe. Work in Jindelmen. Work in Onley feif Cents! Ich habe es so aufgeschrieben, wie er es sagte. Aber sein Gesicht kann ich nicht aufschreiben. Dann mußten wir noch zehn Cents dazu bezahlen. Aber es waren auch gestickte Gardinen davor, und das war auch was wert. Bloß die eine war unten links schon eingerissen, und seine Frau hatte es noch nicht wieder gestopft. Ich glaube, der andre hatte Krötenöl in seinen Wein gegossen. Ich glaube, Rizinusöl war auch damit verbunden. Ich glaube, die beiden wirkten gemeinschaftlich zusammen. Ich glaube, der lange Amerikaner hat in dem Sommer gute Geschäfte gemacht.

Es gab viel zu sehen auf der Weltausstellung. Die Heilsarmee kam mit Weinen und Seufzen, mit Singen und Beten, mit Fahnen und Halleluja anmarschiert. Dann standen sie still. Dann trampelten sie mit den Füßen auf der Erde rum, und mit den Händen schlugen sie gegen ihre Brust und verdrehten die Augen und machten damit einen großen Spektakel. Das geschah, weil sie uns mit aller Gewalt bekehren wollten. Wenn's nach ihnen ging, dann war Chicago mit seiner ganzen Weltausstellung gleichwie Sodom und Gomorra. Und wenn da nicht Feuer und Schwefel niederfiel, dann war das bloß ihnen zu verdanken. So theaterten sie da rum mit ihrer Bekehrung, und die Menschen hörten ihnen zu wie dem Kattunhändler, der da an der Ecke seinen Kattun ausrief. Aber dann gingen sie weiter. Daß der Mensch mit seinem Beten in die Schlafkammer gehen und die Tür so'n bißchen hinter sich zumachen soll, das gilt nicht für Land Amerika. Eine Gesellschaft von Mormonen predigte da auch rum und wollte die Heiden bekehren. Die Heiden waren wir. Aber wir wollten uns nicht zu den mormonischen Leuten bekehren. Was Wieschen denn wohl gesagt hätte!

An der Ecke stand einer auf einer alten Kiste und predigte eine neue Lehre. Er wollte die Welt verbessern und gesund machen. Wenn er das getan hatte, dann sammelte der andere Geld ein. Der stand neben dem Kistenmann. Aber die meisten gingen weg, wenn er mit seinem Teller kam. Die Predigt von der Verbesserung der Welt und von der Gesundheit wollten wir auch hören. So was kann man immer brauchen, wenn's nicht zu viel kostet. Wir drängten uns durch. Ganz vorn stand Krischan Hasenpot, da achter Grabow her. Er wohnt auch in unserm Country. Es gibt unterschiedliche Menschen. Die welchen sind so, und die welchen sind so, und zu der letzten Art gehört Krischan Hasenpot auch. Lieber Freund, ich kann dir mitteilen, er hat nicht recht seinen Klug. Er ist so'n bißchen einsam in seinem Kopf. Meist sagt er nichts. Manchmal führt er wunderliche Reden in seinem Munde. Aber manchmal ist er lange nicht dumm. Der war es. Der stand vorn, und an ihm predigte der Kistenmann rum. Erst von der Nervositätigkeit, woher sie kommt, woans sie sich regiert und daß sie eine Welt- und Menschenkrankheit ist über alle Krankheiten. Du hast ihr auch, sagte er zu Krischan. Ich

126

sehe dir das an deinen Augen ab. Siehe, der Whiskyteufel ist in dich hineingefahren und hat ein halb
Dutz seiner Brüder mit sich gebracht, daß sie in dir
Wohnung machen und da regimentern. Du mußt das
Trinken lassen und in einem nüchternen Leben wandeln. Bekehre dich, bekehre dich, daß die Teufel wieder von dir ausgehen. Sonst bist du übers Jahr ein
toter Mann!

So drangen sie mit harten Worten in Krischan
Hasenpot hinein und handschlagten wider ihn. Krischan hörte erst andächtig zu. Aber er hat in seinem
Leben nie nicht einen Schluck getrunken, und als ihm
der Kistenmann von den sieben Teufeln sprach und
von seinem Saufen und ihm seinen Tod wahrsagte, da
schüttelte er sich mit dem Kopf und sprach: Dat is
en scharpen Tobak, säd de Düwel, dunn hadd de Jäger
em 'ne Ladung Schrot int Gesicht schaten. — Der da
oben verstand aber kein Grabower Plattdeutsch, darum
drang er noch kräftiger in ihn hinein: Um deinetwillen sind wir heute beide zu dir gekommen, mein
Bruder und ich. Da sah Krischan sie ernsthaft an,
nickköppte und sprach: Gleich und gleich gesellt sich
gern, säd de Düwel, dunn güng hei mit en Afkaten
spazieren. — Aus der Ferne sind wir zu dir gekommen;
das haben wir aus christlicher Liebe getan. — Gebildt'
Lüd drapen sick, säd de Voß, dunn güng hei mit de
Gaus spazieren. — Da lobten sie ihn mit freundlichen
Wörtern, daß er schon anfing sich zu bekehren; dazu
umarmten sie ihn auf beiden Seiten. Er aber entwich
ihren Händen, sah sie freundlich an und sprach: Ein
schöner Gedanke, säd de Düwel, äwer dat kümmt ganz
anders. — So hoben sie ihre Augen auf und stimmten

127

einen Gesang an, daß sie die Menschen zu sich bekehrten. Als das fertig war, wischten sie sich den Schweiß ab, und Krischan sprach: Wo man singt, da laß dich ruhig nieder, säd de Düwel und sett' sick in'n Immensworm (Bienenschwarm).

Als das geschehen war, da holten sie eine kleine Buddel aus der Kiste; die zeigten sie vor allem Volk und riefen: Das Weltheilwunder, das Weltheilwunder, das Weltheilwunder! Das Rezept stammt aus dem Heiligen Lande. Vor dreitausend Jahren hat ein Engel es zu den Menschen gebracht, und dann ist es zu den Indianern gekommen. Die haben es wie ihren größten Schatz verborgen. Aber zu mir sprach der Geist: Faste, bete, gehe, suche, finde, lerne, heile! So hab ich es gefunden, und hier bringe ich es euch. Das Weltheilwunder! Das virginische Zauberwasser! — Krischan reckte den Kopf hoch und sprach: Einfach, aber niedlich, säd de Düwel un strek sick den Swanz grün an. — In wenig Jahren hat es die Welt geheilt von einem Ozean bis zum anderen, auch in Frankreich und Peru. Nach Afrika habe ich es den Missionaren geschickt, und die Kaiserin von Chinaland hat es für ihren Sohn kommen lassen. Es ist nur ein kleines Fläschchen, aber es bedeutet die Gesundheit der Welt. — Krischan sprach: Beter wat as gor nicks, säd de Düwel und stek den Swanz in 'ne Teertunn. — Seine Heilkunst ist so gewiß wie euer Tod. 5—10 Tropfen in einem Löffel mit Wasser vertreiben deinen Whiskyteufel und alle übrigen bösen Geister. Das virginische Zauberwasser und Weltheilwunder ist das beste Mittel bei Schwindsucht und Ohrensausen, gegen Verstopfung und wenn man zuviel Öffnung hat. — Krischan sprach: Dat is gaud, dat einer dormit nicks tau dauhn het, säd de Düwel, dunn flögen sick twei Schornsteinfegers. — Wer blind ist und reibt sich die Augen damit ein, der wird wieder sehend. Aus Mexiko hat mir ein Offizier geschrieben. Dem haben sie im Krieg ein Bein abgeschossen. So hat er sich damit eingerieben, und es hat geholfen. Er hat es mir selbst geschrieben. Hier ist der Brief mit seiner eigenen Unterschrift. Das Universal- und Weltheilwunder! Der virginische Zaubertrank! Heute nur ein Dollar die Flasche! Die Flasche heute nur ein Dollar!

Da gingen sie mit der Buddel und dem Teller rum. Aber es hat keiner gekauft. Da fingen sie an zu schimpfen. Aber es hat keiner gekauft. So sprach Krischan Hasenpot: Wat de Aal' in dit Johr doch dünn sünd, säd de Düwel, dunn hadd hei en Regenworm in de Hand.

Dann gingen wir wieder ins Deutsche Haus. Da mußten wir zehn Cents für ein Glas Bier bezahlen. Alle andern Plätze gaben es für fünf. Darum wurde ich verstimmt. Dann wollte ich auf einer Zigarre rauchen. Was kostet sie? — 25 Cents. — Da wurde ich wieder verstimmt. Ich sprach: Die Deutschen sind schlimmer als die Yankees. — Oh, sagte er und lachte sich, schimpf doch nicht so. Du bist ja selbst ein Deutscher. — Da wurde ich wieder gut, aber die Zigarre kaufte ich nicht.

Dann kamen wir an einen andern Platz. Der Yankee stand davor und predigte: Hier kann man die ganze Welt für 10 Cents besehen! — Das ist billig, sage ich, da müssen wir rein. Aber da hingen bloß ein paar Bilder an der Wand; weiter war da nichts zu sehen.

Ich sprach: Hier ist ja nichts zu sehen. Will der Kerl uns zum Narren halten? Aber da hinter dem roten Vorhang, da wird die Welt wohl zu sehen sein. So hoben wir den Vorhang auf, und als wir ihn aufgehoben hatten, siehe, da waren wir wieder draußen und sahen die Welt, und in der Ecke nebenan lag noch ein Haufen Müll extra. Da mußten wir lachen und kamen an das Persische Haus. Da stand einer davor, der sprach: Hier liegt der König von Persien in einem Sarg und ist einbalsamiert. Nur 25 Cents. So antwortete ich und sprach: Du kannst mir deinen ganzen König von Persien geben, so wie er daliegt, in Essig oder Salzlake. Er ist mir keine fünf Cents wert. Und am besten ist es, wenn du den alten Mann in Ruhe läßt, wo er doch hinüber ist und ein König war. — Aber im Ägyptischen Haus haben wir uns den König Pharao aus der Bibel doch für 25 Cents anbesehen. Man bloß, er hatte sich sehr verändert und war gar nicht wiederzuerkennen. Na, er hat ja auch so lange im Roten Meer gelegen, und die weite Reise nach Chicago ist auch keine Kleinigkeit.

So kamen wir ins Türkische Haus. Da war ein echtes türkisches Mädchen. Die konnte Deutsch und Englisch. Die hatte seidene Taschentücher zu verkaufen. Ich kuckte mir welche an, denn ich dachte an Wieschen. Sie sprach: Du bist der einzige Mensch auf dieser Ausstellung, der den Tuch für zweieinhalb Dollars kaufen kann. Alle anderen haben fünf bezahlen müssen. Du mußt es aber nicht weitersagen. Da dankte ich ihr mit freundlichen Wörtern, das könnte ich ja gar nicht verlangen, und fragte sie nach ihrem Herkommen. Sie sprach: Ich bin aus Damaskus. Das ist die älteste Stadt auf der Erde. — Hoho, sagte ich, in unserm Dorf gibt es Häuser, die schreiben sich noch aus dem Dreißigjährigen Krieg her, und in Grabow sind welche, die sind noch älter. Aber sage mir: Wo liegt dein Damaskus? Da schnüffelte sie nach allen vier Winden und sagte: Dahinüber tät es liegen! Aber sie zeigte nach Nordwest.

Das hab ich mir gleich gedacht, sagte ich, du weißt mit den Himmelsrichtungen hier auch noch nicht recht Bescheid. Da wurde sie patzig und sprach: Was weißt du von Damaskus! — Oh, ich kenne Damaskus ganz gut. Da ist eine Straße, die da heißt die richtige (Ap.-Gesch. 9, 11), aber da wohnst du wohl nicht ein. — Nein, meinte sie, die liegt denn wohl am andern Ende der Stadt. — Ja, das tut sie denn wohl. Aber du solltest auch man sehen, daß du dich da einmietest, wenn du wieder zurückkommst. Schlag man in der Bibel nach, wo sie liegt. — Da kuckte sie mich an wie die Kuh das neue Tor, und ich ließ sie stehen. Ein paar Tücher für Wieschen kaufte ich nachher in der City.

Abends, als wir aus dem Zug stiegen und die Straße entlanggingen und ein großes Gedränge war, da sah ich einen Zylinderhut über die Straße rollen. Er kam den Leuten unter die Füße, und sie zertraten ihn. Ich sprach zu mir: Da hat auch einer seinen Hut verloren; das ist schade. Denn der Hut war noch neu. Hinter uns fing einer gewaltig an zu schimpfen. Ich dachte: Da schimpft einer, der es versteht. Den haben sie im Gedränge wohl tüchtig gestoßen. Es kann auch sein, daß ihm der Hut gehört. Schuldt sagte: Der Mann meint dich wieder. Du hast ihm seinen Hut abgelaufen; ich hab's gesehen. Ich wußte von nichts.

Zuletzt waren wir von der Ausstellung ganz satt und müde. So fuhren wir nach Hause. Der Zug ging um ein Uhr mittags. Wir standen auf dem Perron. Der war drei Fuß hoch, zwanzig Fuß breit und sehr lang. Er stand gedrängt voll. Ich sagte zu Völß: Geh mal schnell um die Ecke zum Schlachter und hole Wurst, daß wir unterwegs nicht hungern. Wir haben aber bloß noch zehn Minuten. — Gut fünf Minuten waren hin, der Wurstholer war noch nicht da. So sage ich zu Schuldt: Ich will mal schnell um die Ecke kucken, ob er noch nicht kommt. Ich sause los. Er ist noch nicht fertig. Das Gedränge beim Schlachter ist zu groß. Endlich bringe ich ihn. Der Zug ist fort. Schuldt ist falsch und schilt: Du hast zu lange getrödelt mit deiner Wurst, eben ist mir der Zug an der Nase vorbeigefahren. Völß wurde auch falsch, daß der andere der Gerechte sein sollte und er der Ungerechte. Er sprach: Das war nicht nötig, daß er dir an der Nase vorbeifuhr. — Wieso nicht? — Du brauchtest dich bloß umzudrehen, dann fuhr er dir am Achtersteven vorbei.

So vertrieben sich die beiden die Zeit mit Schelten, bis der nächste Zug kam. Mit dem fuhren wir dann los. Lieber Freund, ich kann dir mitteilen, das ist oft so im Leben. Wenn die Menschen ausziehen, dann sind sie ein Herz und eine Seele, und wenn sie zurückkommen, dann zankt jeder wider seinen Nächsten. Aber bei der Wurst haben sie sich wieder vertragen, denn die Wurst war gut, und ich redete ihnen auch gut zu, daß sie sich wieder vertragen sollten. Da erhoben sie sich beide wider mich. Schuldt sagte: Sei du man still. Es war hohe Zeit, daß wir aus Chicago

kamen. Wir wurden sonst noch eingesteckt um deinetwillen. Erst hast du die halbe Weltausstellung um-
gerannt und eben noch einen Polizisten, daß er vom
Perron auf die Straße und in den Rönnstein flog. Da
lag er, so lang er war, und es regnete noch dazu, und
der Hut rollte über die Straße. Aber es hat ihm nichts
geschadet. Er hat sich bald wieder aufgesammelt und
gelacht. Als ich ihm beim Abwischen half, da sagte er:
Ja, das hab ich nun für meine Gefälligkeit. — Nämlich, als ich losschoß, da wollte er mich fragen, was
mir fehlte. Aber er hat es nicht mehr vollbracht. Im
Vorbeisausen muß ich ihn wohl so'n bißchen mit dem
Ellbogen geschrapt haben, und da ist er runtergeflogen.
Das ist möglich und wird auch wohl so sein. Aber
ich wußte von nichts.

So, nun weißt du von allem Bescheid, und das kann
ich dir auch noch sagen: Nach so einer Weltausstellung bringen mich keine zehn Pferde wieder hin. Das
kostet auch alles viel Geld. Knapp, daß sie einem das
Fell lassen. Wenn ihr da mal Weltausstellung habt
in Schwerin, und du willst hin, dann verkauf man
nicht bloß das Kalb, dann verkaufe die Kuh auch man
gleich; sonst langst du nicht mit dem Geld. — Und
dann die vielen Menschen auf einem Dutt! Das ist
ganz anders als auf dem Martinimarkt in Eldena. Ich
richte da noch mal Unheil an. Ich muß freies Feld
haben, wo mir keine kleinen Kinder und Polizisten
und Bananenhügel und Zylinderhüte im Wege sind.
Ich gehöre auf die Farm. Ich muß mit Beinen und
Armen weit ausholen können.

Nun mußt du mir bald wieder schreiben. Hoffent-
lich hast du schon lange auf einen Brief von mir ge-

wartet. Vergessen tun darfst du uns nicht. Ich hab schon oft in meine Box Nr. 118 gekuckt. Aber da war nichts drin als bloß von Kaufleuten. Dann dachte ich: Du hast dich heute mal wieder umsonst gefreut, und wenn ich das gedacht hatte, dann bin ich traurig weggegangen. Wir reden hier im Country viel von euch, und neulich nachts hatte ich einen Traum. Du warst hier zu Besuch und alles kam dir so sonderbar vor, und die Kühe und Schweine auch, und du sagtest: Jürnjakob, sagtest du, deine Wirtschaft habe ich mir doch ein bißchen anders gedacht. Aber ich sehe, daß du fleißig bist und dir Mühe gibst, und das freut mich. Wenn ich wiederkomme, will ich mich noch mehr freuen. Dabei hast du mich freundlich angekuckt und bist aus der Tür gegangen.

Da bin ich aufgewacht, und als es Morgen ward, bin ich nach der Stadt geritten, denn ich dachte: Heut muß was drin sein, denn du hast lebendig von ihm geträumt. Aber als ich in meine Box kuckte, siehe, da war wieder nichts drin. So ritt ich zurück und sagte: Mit den Tränen, da ist heutzutage auch nichts mehr mit los, wo alles in der Welt schlechter wird. Aber ich sage dir: Vergessen tun dürft ihr uns hier nicht. Wir tun euch auch nicht vergessen. Und wenn du uns mal besuchst, dann sollst du hier auch lauter Wohlgefallen an uns haben. Aber du mußt gleich auf einen ganzen Sommer kommen, daß du alle deine alten Schüler hier herum besuchen kannst. Das soll schön sein. Wir sitzen sonntags mennigmal zusammen. Die Kinder sind dann unter sich. Aber wir Alten reden von dir, von unserm alten Dorf und von alten Zeiten. Dabei kannst du uns dann helfen, denn du hast die

134

alten Zeiten alle mit durchgemacht. Man bloß, du wirst dich wundern, denn deine Schüler sind alle griese Kerls geworden. Ich denke oft: Wie geht das bloß zu? Du warst eben doch noch ein kleiner Junge, der auf der Schulbank saß, und nun hast du mit einmal einen griesen Bart und erzählst von der Weltausstellung. Wie ist das bloß möglich? Ich glaube, wenn ich wieder in Deutschland wäre, dann wäre ich auch wieder ein kleiner Junge und dein Schüler. Hier aber läuft die Zeit mächtig fix, und man muß sich sputen, wenn man mit will. Ich habe mich auch gesputet. Aber zuletzt kommt man nicht mehr mit. Man muß sich öfters ver- pusten und den Kopf in die Hand stützen. Und dabei bleibt man immer weiter zurück. Weißt du, was ein Glück ist? Ein Glück ist, daß die Sonne den Kalender noch so einigermaßen an der Leine hat. Sonst würde uns hier in Land Amerika die Zeit noch ganz anders ausritzen als bei euch. Weißt du, was ich gern wissen möchte? Ich möchte gern wissen, ob du auch schon einen griesen Bart hast wie deine Schüler hier. Weißt du, was Wieschen und ich oft gesagt haben? Wieschen und ich haben oft gesagt: Wenn unsre Kinder doch auch bei dir zur Schule gegangen wären. Wenn das fertig war, dann sagte ich: Wieschen, dat geiht jo nich. De Gören hadden sich ünnerwegs jo de Söcken natt makt, un denn de wiede Weg! Sei werden jedesmal tau lat (spät) kamen und hadden jeden Dag nahsitten müßt. Un mi dücht, du mößt nu woll nah de Mel- kerie kieken, un ick will mal bi de Ossen nah'n Ge- rechten seihn.

Lieber Freund, ich kann dir mitteilen, daß Wieschen sich zu ihren Tüchern gefreut hat. Aber tragen tut sie sie nicht, und nach der Weltausstellung hat sie mich auch man wenig gefragt. Darüber hab ich mich richtig gewundert. Ich habe da vieles gesehen und kennengelernt, aber auf Wieschen kenn ich mich noch lange nicht aus.

Am Sterbebett der Mutter

Lieber Freund und Lehrer! Ich will heute nur ein paar Wörter schreiben, aber in den nächsten Wochen wird der Brief wohl fertig werden. Ich bin sehr traurig in meinem Herzen. Ich habe letzten Mittwoch, den zwölften April, meine Mutter begraben. Ich soll dich von ihr grüßen mit ihrem letzten Gruß, und sie läßt sich auch noch bedanken für alles Gute, was du ihr getan hast. Siehe, so will ich dir das schreiben und ausrichten.

Mutter ist ihres Lebens alt geworden 72 Jahr 6 Mond und 5 Tage. Davon ist sie beinah sechs Jahr hier bei mir gewesen. Als ich ihr die Freikarte rüberschickte, da ist sie ganz gern gefahren, weil wir uns über dreißig Jahr nicht gesehen hatten und weil sie alt wurde und nicht mehr so recht arbeiten konnte. Aber es ist ihr hier so gegangen wie den meisten, die alt rüberkommen. Sie ist das Heimweh nicht mehr losgeworden. Es ging ihr damit gerade so wie dem alten Fehlandt. Der hatte es hier bei seinen Kindern auch gut, aber es fehlte ihm was, das konnte Land Amerika ihm nicht geben, so groß und reich es auch ist. Alte Bäume verpflanzen sich schlecht. Sie fangen an zu quienen (kränkeln) und gehen so nach und nach ein.

Mutter ist hier auch nie ganz zu Hause gewesen. Wir haben alles getan, was wir ihr an den Augen abkucken konnten. Wir haben sie auf den Händen getragen. Sie hat kein ungutes Wort zu hören gekriegt. Aber das Land war ihr fremd, das Haus war ihr fremd und die Wirtschaft zu weitschichtig. Unsre Kinder waren groß und brauchten nicht mehr auf dem Arm getragen zu werden. Auch gab es hier keine Gössel zu hüten und keine Küken, was sonst ja ganz gut ist für die Alten. Und den ganzen Tag Strümpfe stricken und stopfen, das ging doch auch nicht. Die Hände in den Schoß legen und stillsitzen, das konnte sie nicht, denn sie hatte es nicht gelernt, und im Schaukelstuhl hat sie nie nicht gelegen. Sie sprach: Ich will mit dem Sitzen und Liegen auf meine alten Tage nicht mehr umlernen. Zum Sitzen bei Tag ist der Stuhl da und zum Schlafen bei Nacht das Bett, und mit so'n Mittelding, was nicht mal feststeht auf seinen Beinen, damit will ich nichts zu schaffen haben. Aber nun ist sie tot, und am letzten Mittwoch haben wir sie begraben.

Sie ist nicht lange krank gewesen. Wir hatten dies Frühjahr scharfen Wind, und da kriegte sie es auf der Brust. Ich holte den Doktor heimlich, denn das wollte sie auch nicht. Er sprach ihr gut zu. Aber draußen sagte er zu mir, daß sie wohl nicht wieder werden würde. Die Tropfen, die er ihr verschrieb, die hat sie willig eingenommen. Aber dabei ist ihr Essen immer weniger geworden, und sie wurde immer schwächer. Ihre Finger waren zuletzt ganz dünn und nichts als Haut und Knochen.

In der letzten Zeit hab ich oft und lange an ihrem Bett gesessen und ihre Hand gehalten, und wir haben viele gute Wörter miteinander gesprochen. In den Wochen bin ich eigentlich, solange ich hier bin, zum erstenmal so ganz zur Besinnung gekommen. Da bei meiner alten Mutter am Bett, da ist all der Arbeitskram und die Arbeitssorge von mir abgefallen wie ein fremder Rock, und ich bin bloß noch meiner Mutter ihr großer Jung gewesen. Sie hat zu mir gesagt: Du bist zu scharf im Arbeiten. Du mußt nicht so hart schaffen. Du mußt dir Zeit lassen, daß du mal zur Besinnung kommst. Besinnung tut dem Menschen nötig, denn er ist nicht bloß zum Arbeiten da. Du hast deine meisten Sensen verbraucht und dein meistes Korn gedroschen. Deine letzte Ernte kommt früh genug; da brauchst du gar nicht so doll zu laufen. — So hat meine Mutter zu mir gesprochen, denn ihr Leben war Arbeit und Mühseligkeit. Darum so habe ich es mir aufmerksam in mein Herz genommen und mein Leben überdacht. Und siehe, sie hatte recht. Eine Mutter hat immer recht, wenn sie zu ihren Kindern spricht. Denn sie suchet ihrer Kinder Bestes und findet es auch.

Meist aber haben wir von zu Hause gesprochen. Sie hat auch oft davon erzählt, daß du den Alten im Dorf, die nicht mehr zur Kirche kommen konnten, Sonntagabend in der Schule immer und all die Jahre eine Predigt aus Harms oder Scheven vorgelesen hast. Und von der Weihnachtsfeier, die du den Kindern und den Alten im Dorf in der Schule machst und wozu sie sich alle schon vom Herbst an freuen. Dabei sagte sie: Für die Alten im Dorf war das Leben im Winter ohne die Weihnachtsfeier und Predigt in der Schule wie eine griese Jacke.

Auch hat sie mir viel erzählt aus ihrer Kinderzeit, wo ich nichts von wußte. Denn es ist mit den Menschen also: Wenn sie alt werden und die Beine wollen nicht mehr vorwärts, dann fangen die Gedanken an zu wandern, und sie wandern rückwärts. Einmal hat sie auch zu mir gesagt: Wenn ich an die alte Zeit zurückdenke und dann wieder an heute, das ist mir, als ob ich bloß aus einer Stube in die andere gehe. Bloß in der Tür ist das dunkel. Aber da kommt man denn auch wohl durch.

Siehe, das sagte die alte Frau da in ihrem Bett. Da hörte ich in Ehrfurcht zu und strakte ihr die Hand und sprach: Mudding, was du eben gesagt hast, das könnte ganz gut im Psalm stehen, bloß mit ein bißchen andern Wörtern. — Unterdes war es schummerig geworden, aber Wieschen hatte draußen noch zu tun. Da sagte sie ganz leise, so, als wenn sie sich schämte: Jürnjakob, sagte sie, du kannst mir mal einen Kuß geben. Mich hat so lange keiner mehr geküßt. Ich hab eigentlich bloß dreimal im Leben einen Kuß gekriegt. Einmal, als ich mit Jürnjochen Hochzeit machte. Das andre Mal, als du geboren wurdest. Das dritte Mal, als Jürnjochen starb. Nun will ich mich fertigmachen und ihm nachgehen. So kannst du mir noch einen mit auf den Weg geben. — Ich aber sprach: Mudding, das geht mir gerade so wie dir, und ich sehe, daß ich dein Sohn bin. Da haben wir beide was nachzuholen.

So hab ich mich ganz sacht über sie gebückt und sie richtig geküßt, und sie hat mich über die Backe gestrakt, als wenn ich noch ihr kleiner Junge war. Dann legte sie sich zurück und war ganz zufrieden. Als ich dann aber draußen beim Vieh stand, da war ich in meinem Herzen richtig erstaunt und sprach zu mir: Jürnjakob Swehn, da liegt nun eine alte Frau und will sterben, und das ist deine Mutter, und du hast sie im Leben nicht kennengelernt. Siehe, so lernst du sie im Sterben kennen.

Als aber der Tag zu Ende war, da kam ein anderer, und das war der letzte. Das war ein Sonnabend. Ihr Essen und Trinken, das war nicht mehr, als wenn ein kleiner Vogel essen und trinken tut. Als die Arbeit fertig war und es schon schummerte, da saß ich wieder an ihrem Bett und hielt ihre Hand, und der Puls ging sehr schnell. Lange Zeit saßen wir da im Schummern. Es war ganz feierlich wie in der Kirche, wenn vorn auf dem Altar die beiden Lichter brennen, weil Abendmahl ist. Ja, daran dachte ich, als ich in ihre Augen sah. Es waren sonst ganz gewöhnliche blaue Augen; aber an dem Tage ging ein Schein von ihnen aus, den sah ich sonst nicht in dieser Welt. Aber nun sah ich ihn mit meiner Seele.

Wieschen machte Licht und gab ihr mit freundlichen Wörtern was zu trinken, denn die Lippen waren trocken. So, Jürnjakob, sagte sie dann, nun lies mir was aus der Bibel vor.

So las ich ihr die Geschichte von Lazarus vor, und als ich zu Ende war, sagte sie: Da ist ein Psalm, den will ich noch gerne hören. Ich weiß nicht mehr, woans er anfangen tut, aber da ist was von Säen und Ernten drin. — Ich weiß schon, Mudding, welchen du meinst, sagte ich und schlug den 126. auf und las: Wenn der Herr die Gefangenen Zions erlösen wird, dann wer-

den wir sein wie die Träumenden. Hörst du, Mudding? Wie die Träumenden! — Ich höre, mein Sohn.
— Und ich las weiter bis zum Schluß: Sie gehen hin und weinen und tragen edlen Samen und kommen mit Freuden — mit Freuden, Mudding! — und bringen ihre Garben. — Ich hab man keine Garben, wenn ich ankomme. — Ja, Mudding, wenn's danach geht, dann kommen wir alle nackt an und haben nichts in der Hand.

Sie schwieg eine Weile. Dann sagte sie: Nimm das Gesangbuch und lies: Christus, der ist mein Leben. So las ich den Gesang, und sie hatte die Hände gefolgt und leise mitgesprochen, und als ich zu Ende war, da sagte sie: Das hat unser Lehrer auch mit den Schülern gesungen, als Jürnjochen gestorben war. Und nun lies noch: Wenn ich einmal soll scheiden. So las ich die beiden Verse.

Dann gab Wieschen ihr wieder zu trinken, und sie nickte ihr zu und drückte ihr die Hand, und einen Cake hat sie auch noch gegessen, und als ich sie nötigte, noch einen halben. Als sie den auf hatte, freute ich mich: Oh, Mudding, wat is dat schön, dat du en beten eten hest. Du sast man seihn, wenn dat nun ierst warm ward, denn ward dat ok weder beter mit di. — Da rakte sie leise mit der Hand über die Bettdecke, sah mich an und sprach: Beter warden? Dor is nich an tau denken. Du mößt blot noch beden, dat dat nich mehr so lang' duert. — Lieber Freund, als sie das sagte, da ging mir das mitten durch meine Seele, denn ich hatte mich eben noch zu ihrem Essen gefreut.

Dann rakte sie wieder leise über die Decke, und ihre Seele war sehr müde. Ich aber überdachte ihr Leben,

als es zu Ende ging, und fand nichts als Mühe und
Not. Dann folgte sie die Hände wieder und sah mich
still und fest an, und ihre Augen waren groß und tief.
Da war schon etwas drin, was sonst nicht drin war.
Das kann ich nicht mit Wörtern beschreiben. Da
konnte man hineinsehen wie in einen tiefen See. Ich
legte meine Hand ganz sacht wieder auf ihre Hände,
und wir warteten. Aber nicht mehr lange. Dann
sagte sie noch mal was. Sie sagte: Ick wull, dat ick
in'n Himmel wer; mi ward die Tied all lang. — Lieber
Freund, das behalte ich mein Leben lang bis an meinen
Tod. Das könnte, so wie es ist, ganz gut im Gesangbuch
stehen. Dann aber folgte sie die Hände wieder unter
meiner Hand. So betete sie ganz leise unser altes
Kindergebet: Hilf, Gott, allzeit, mach mich bereit zur
ew'gen Freud und Seligkeit. Amen.

Als sie das Amen gesagt hatte, da drehte sie den
Kopf so'n bißchen nach links rum, als wenn da wer
kommen tat. Und da ist auch einer gekommen; den
habe ich nicht mit meinen Augen gesehen und nicht
mit meinen Ohren gehört. Der hat sie bei der Hand
genommen, und da ist ihre Seele ganz leise mitgegangen, richtig so, als wenn man aus einer Stube
in die andre geht. So ist sie nach Hause gegangen,
als wenn ein müdes Kind abends nach Hause geht.
Und nun ist sie nicht mehr in einem fremden Lande.

Ich hatte das Fenster geöffnet, daß ihre Seele hinaus konnte. Es war dunkle Nacht, und durch die
Bäume ging ein harter Wind. Die Lampe wollte ausgehen. Sie hatte lange gebrannt.

Meine Mutter war eine Tagelöhnerfrau. Aber wenn
ich an ihr Sterben denke, dann ist immer etwas Feines

und Stilles und Schönes in meinem Herzen, das vorher nicht da war. Aufschreiben kann ich das nicht, und sagen läßt sich das auch nicht. Aber draußen auf dem Felde muß ich manchmal mitten im Pflügen still-halten und in mich hineinhorchen. Dann kann ich das richtig in mir hören, was meine alte Mutter zuletzt gesagt hat. Ganz deutlich höre ich, wie sie es so ganz leise und müde sagt. Ja, so ist es: Ich höre meiner Mutter Stimme in mir selbst. Und dann ist mir richtig wie am Feiertag. Dann ist mir, als wenn da der Vorhang zum Heiligtum ein wenig aufgezogen wird, daß man da so'n bißchen durchsehen kann. Wenn ich dann weiterpflüge, muß ich mich darüber immer wieder wundern.

Ich war noch ein ganz kleiner Junge. Da hatte ich am Pfingstmorgen mal zu lange geschlafen, was eigent-lich nicht sein soll, weil man dann Pingstekarr[1]) wird. Da wachte ich plötzlich auf, denn ich fühlte was Weiches in meinem Gesicht. So stand da meine Mut-ter an meinem Bett. Sie bückte sich über mich und strich mir mit einem kleinen Fliederstrauß über das Gesicht. Ganz leise tat sie das. Dabei sah sie mich freundlich an. Siehe, das ist meine erste Erinnerung an meine Mutter.

---

[1]) Der Letzte beim Viehaustreiben.

Von Kirchen und Pastoren

Ich schicke dir das Bild von unserer neuen Kirche. Sie ist ein Jahr zurück fertig geworden. Sieht sie nicht ganz schmuck aus? Es liegen aber noch beinahe 2500 Dollars Schulden drauf. Die Ernte ist gut gewesen; so wollen wir es zu Neujahr glattmachen. Länger können wir nicht damit warten. Der liebe Gott könnte sonst denken: Was es doch für sonderbare Menschen hier im Busch gibt! Da haben sie mir ein neues Haus gebaut; da sitzen sie nun und singen: Nun danket alle Gott mit Herzen, Mund und Händen — und dabei haben sie noch 2500 Dollars Schulden drauf liegen. — Ein bißchen kahl liegt sie ja noch da auf ihrem Hügel. Aber die Anlagen können noch ein Jahr warten. Für den Anfang ist eine schöne neue Kirche ohne Anlagen besser als eine schlechte mit hübschen Anlagen. Ein schlechter Rock und eine neue Schürze, das gleiche ich nicht.

Was hat sie für einen staatschen Turm! Wenn wir den am Sonntagmorgen sehen, dann freuen wir uns schon von ferne. Oben steht ein richtiger Wetterhahn. Der ist vergoldet, daß er man so blinkt. Das hat ein Turmhahn gern, wenn er vergoldet ist. Darum dreht er sich auch gern um sich selbst. Aber sonntags betrachtet er sich die Welt nach allen vier Winden. Da paßt er auf, ob auch alle kommen tun, die zu unserer Kirche belangen[1]). Aber das Rufen besorgen die Glocken, denn siehe, er kann nicht krähen. Wir sind fröhlich darum, daß wir die neue Kirche haben, und es war eine sehr schöne Einweihungsfeier. Der Pastor predigte über das Wort: Bis hierher hat der Herr geholfen. Das paßte gut. Das haben wir uns aufmerksam ins Herz genommen.

Einen neuen Kirchhof haben wir auch gleich angelegt. Erst wollten wir unsre Toten auch da oben zur Erde bringen. Aber von der schönen Aussicht haben sie doch nichts, und dann war der Platz da oben auch man knapp. So haben wir ihn unten am Hügel angelegt. Die Glocken und die Orgel gehen da auch über ihr Grab. So haben wir einen Sammelplatz für die Toten und einen für die Lebendigen dicht beieinander, und wenn unsereins da sonntags so durchgehen tut, da weiß man gleich, wo man hingehört und wo man mal hinkommen wird. So wie die Menschen nun einmal getrachtet sind, ist es ihnen ganz gut, wenn sie dann und wann mal zwischen Gräbern stehen und sich mit den Toten bereden. Da spricht der eine: Wie geht es bei mir zu Hause? Siehst du dich auch mal um nach meinen Kindern und nach der Wirtschaft? Du hast es mir doch versprochen, als ich so krank war. Und der andere sagt: Du warst lange nicht bei mir. Wo bist du so lange gewesen? Du hast mich doch nicht vergessen? Aber der dritte meint: Dat is nett, dat du kümmst. Du wist di hier woll en paßrechten Platz

---

[1]) Englisch: belong = gehören.

utsäuken! — Lieber Freund, ich kann dir mitteilen, man hat da sonntags genug zu tun, wenn man seinen Toten Rede und Antwort stehen will. Aber wenn der Mensch alt wird, muß er sich doch Zeit dazu lassen. Sonst kann er nicht verlangen, daß andre stehenbleiben und zuhören, wenn er selbst da auf dem Kirchhof wohnt und ihnen was zu sagen hat. Ich will dir davon ein Gleichnis machen. Das ist so, als wenn ich am Zaun stehe und da kommt ein guter Freund die Straße lang. Ich will ihn was fragen, aber er geht weiter und hört nicht zu. Hier auf der Farm kann ich ihm nachlaufen; auf dem Kirchhof geht das nicht gut. Da muß ich warten, bis die Freunde zu mir kommen. Aber sonst ist das ähnlich so. Das haben die Toten gern, daß man sie lieb behält und sich in der Stille so'n bißchen mit ihnen beredt. Und für die Lebenden ist das auch ganz gut, wenn sie sich mal über sich selbst besinnen.

*

Ein paar Wochen zurück hab ich dir von unserer neuen Kirche erzählt und vom Kirchhof. So will ich dir heute einen Bericht machen von unserm neuen Kirchenofen. Der kostet 264 Dollars, alles gerechnet. Der wird am Sonnabend angesteckt. Der mußte rein, denn wenn wir im Winter unsere fünf bis zehn Meilen gegangen, geritten oder gefahren sind, noch dazu bei unsern Wegen und bei unserm Wetter, dann wollen wir in der Kirche nicht in nassen Kleidern und Stiefeln sitzen und frieren. Der liebe Gott hat da auch kein Wohlgefallen an, wenn er sich die durchgefrorene Gesellschaft mit ihren roten Nasen und nassen Füßen besieht. Mit Klapperzähnen kann man Gott nicht lobsingen. Es ist schon der zweite Ofen, den wir haben. Der erste war billig, aber er war von der umgekehrten Weltordnung. Die Hitze ging zum Schornstein raus, dafür ging der Rauch rein. Da bin ich mit einem andern Gemeindevorsteher auf Reisen gegangen, Land anzubesehen, Freunde zu besuchen, Korn zu kaufen, Vieh zu verkaufen. Aber auf Kirchenofenreisen sonst noch nicht. Wir haben die Kirchenöfen in andern Gemeinden studiert, woans sie inwendig und auswendig getrachtet sind. Das war bald nach Neujahr, denn das ist dazu eine ganz paßliche Zeit. Da haben wir viel erlebt, und ich könnte dir sonderbare Geschichten von Menschen und Öfen erzählen. Aber ich will keine Namen nennen und dir bloß eine Geschichte erzählen.

In einer Kirche kamen wir bei großer Kälte an, und der Ofen war auch geheizt, und er rauchte auch, denn das Rohr war geplatzt. Aber der Pastor stand auf der Kanzel und tat eine Predigt vom Hauptmann von Kapernaum und von seinem Knecht, und alles war blau. Er mußte da oben gewaltig husten, und seine Stimme war wie eine Stimme aus den Wolken. Da stand der Kirchenvorsteher auf. Das war nach seinem Herkommen ein Mann aus Schwaben und aus Pennsylvanien zugezogen. Aber sonst ist er ein ordentlicher Mann und belangt auch zu unserer Synode. Meist sind da sonst auch Plattdeutsche. Der war es. Der sah, daß das nicht ging. Er dachte: Das wollen wir schon fixen! Da stand er auf. Da sprach er durch den Rauch und das blaue Wolkenwerk nach der Gegend hin, wo der Pastor auf der Kanzel hustete und predigte: Please. Preacher, stop a little! Mer müsse erscht das Ofenrohr fixe! — Da hörte der Pastor auf mit dem Predigen und hustete

148

bloß noch. Der Mann aus Schwaben aber rief zum andern Mal. Er rief in die Kirche hinein: John, tu mal 'ne Bench angreife! Dann machten sie das Rohr wieder dicht, und wir sahen zu und paßten auf. Sie machten ihre Sache ganz gut, und wir konnten ihnen anmerken, daß es nicht das erstemal war, daß solches in der Kirche vorkam.

Als der gröbste Rauch abgezogen war, da war der schwäbische Mann ganz zufrieden mit seinem Werk. Er sprach: So, Preacher, now kanscht weiter schwätze! Und dann predigte der Pastor weiter vom Hauptmann von Kapernaum und von seinem Knecht. Als aber die Kirche aus war, da hatten wir genug gesehen und fuhren nicht mehr weiter. Ich sprach zu Schröder: Schröder, sprach ich, soll ich dir ansagen, was meine Meinung ist? Er sprach: Sage an! Ich sprach: Der Hauptmann von Kapernaum ist schon lange tot, und der andere war man bloß ein Knecht. Aber es paßt sich doch nicht, daß sie beide so lange warten müssen, bis das Ofenrohr wieder gefixt ist, denn es sind heilige Leute. Wenn wir nun weiterziehen, dann kann es am nächsten Sonntag dem heiligen Apostel Paulus oder einem andern passieren, daß er auf der Kanzel auch so lange warten muß, bis das Ofenrohr wieder gefixt ist. Was ist deine Meinung? Schröder sprach: Deine Meinung ist meine Meinung. — So sind wir wieder zurückgefahren und haben in der Gemeindeversammlung Bericht getan. Da haben sich alle sehr gewundert. Sie haben gesagt, woans so was möglich wäre. Siehe, so haben wir jetzt den neuen Ofen zu 264 Dollars.

Unser Pastor ist seinem Herkommen nach aus Pommern, wovon bei uns die Mädchen auf der Straße

sangen: Pommerland ist abgebrannt. Daher stammt er
auch. Darum ist er auch ein Plattdeutscher und paßt
zu uns. Sein Vater ist ein Bauer gewesen, darum paßt
er erst recht zu uns. Das ist mit ihm so, wie mit dem
alten Pastor Timmermann in Eldena. Der verstand
seine Leute auch, weil er ein Bauernsohn aus unserm
Dorf war. Unsen Preister geiht dat Plattdütsch bannig
fix von'n Mund weg. Aber auf der Kanzel ist er hochdeutsch. Da predigt er Gottes Wort lauter und rein
nach der Schrift und dreht nicht lange dabei herum.
Achterkorn und Spreu und Menschenwort ist nicht
dazwischen, Er gibt uns das auch ein wie mit einem
Eßlöffel, immer einen ordentlichen Schluck, so wie der
alte Doktor Steinfatt in Ludwigslust es machte. Der
verschrieb seinen Kranken auch gleich eine ganze
Kannbuddel voll. Das ist für uns Schlag Menschen
auch besser als so ein paar Tropfen, die nicht den Weg
über die Zunge finden. So ist das mit Gottes Wort
hierzulande auch. Wenn wir unsern langen Kirchgang
hinter uns haben, dann wollen wir auch nicht, daß
der Pastor nach zwanzig Minuten beim Amen ankommt. Wenn wir sitzen, dann sitzen wir fest. In der
Kirche auch. So predigt er meist eine klockenigte (ge-
schlagene) Stunde. Lieber Freund, ich kann dir mitteilen, er posaunt mit großer Kraft und herrlichen Wörtern auf der Kanzel. Seine Wörter sind wie ein richtiges Donnerwetter und haben keine Handschuhe an.
Damit fährt er uns über die Ohren und Herzen, daß
sich eine Ehrfurcht auf unsre Seelen setzt. Das ist, als
wenn Gottes Gericht mit Blitz und Donner kommt.
Damit predigt er uns so zusammen, daß wir vor lauter

150

Angst der Seelen seufzen und schwitzen, und er schwitzt auch. Denn er läßt sich das sauer werden mit uns.

Dazu schlägt er mit der Faust auf die Kanzel, daß es man so knallt. Das meint, er zerschmettert dann den Teufel. Manchmal ist das aber auch wie Ja und Amen und: Das ist gewißlich wahr! Und manchmal, wenn er seine Hände folgt, dann ist es wieder, als wenn er all unsre Sorgen darin zusammenfaßt und vor Gott bringt. Dann folgen wir auch unsre Hände. Das kommt dann ganz von selbst und muß so sein. So geht das immer weiter fort in der Andacht, und an Schlafen denkt da kein Mensch. Aber zuletzt läßt er das Blitzen und Donnern und Erdbeben sein. Dann kommt das stille, sanfte Säuseln. Damit richtet er seine Buschleute wieder auf, nachdem er sie zuvor niedergedonnert und zerschlagen hat um ihrer Sünde willen. So haben die Frauensleute auch was davon. Denn sie hören den letzten Teil der Predigt lieber als das Donner- und Gewitterstück zu Anfang.

Auch hab ich einen Sonntag gesehen, da predigte er wieder gewaltig, und dazu schlug er mit der Faust auf die Kanzel. Da fiel ein großes Stück Kalk von der Wand. Es war noch in der alten Blockhauskirche. Mein Nachbar sprach: Süh, nu deiht em de Hand acht Dag' lang weih, un wi hebben den Schaden dor- von, denn wi möten dat un wedder utwitten laten. Aber ich hatte es wohl gesehen, der Kalk war an der Stelle schon vorher eingesprungen, und nun fiel der Klacken runter. Ich habe nachher noch oft nach der Stelle hingesehen, solange die Kirche stand. Denn sie sah ungefähr so aus wie Land Mekelborg auf der Karte. Auch war daneben noch ein kleines Stück abgesprungen, das war die Insel Pöl bei Wismar. Das hab ich ganz gern angesehen, denn der Mensch muß immer was Festes vor Augen haben. In der Kirche auch. Und den Pastor kann man nicht immerzu ankucken.

Weil er uns Gottes Wort verkündigt, darum achten wir ihn, und weil er so viel Mühe hat von unsern dicken Köpfen, darum achten wir ihn auch. Er läuft auch nicht die ganze Woche rum im Chorrock, und den Kanzelton läßt er in der Woche auch zu Hause. Das gefällt uns erst recht an ihm. So tun wir auch was für ihn. Er hatte nur 400 Dollars einzukommen. Aber wir haben ihm aufgelegt, und seine Frau bekommt noch viel Schinken und Wurst in die Küche hinein. Wenn der Pastor und der Lehrer es verstehen, die Gemeinde heranzuziehen, dann läßt sie sich nicht lumpen und gibt gerne.

Er war niemals fort und hatte keine Ferien. Aber in seinen Augen hatte er zuletzt schon den richtigen amerikanischen Geierblick. Den kriegen hier viele Menschen, die mit dem Kopf arbeiten müssen und nicht ausspannen können. Auch waren seine Backen uns zu hohl. Ein Pastor soll das Vaterunser beten, aber man soll ihm nicht das Vaterunser durch die Backen ablesen können. So haben wir heimlich für ihn gesammelt, daß er zur Verlöschung mal nach Deutschland reiste. Als das Geld zusammen war, sagten wir: Soll der Mann allein reisen und die Frau hierbleiben? Das hat keinen Schick. Sie muß mit. — So sammelten wir noch einmal. Es waren im ganzen 800 Dollars. Wir sprachen: Nun reisen Sie man in Gottes Namen los, und vor einem halben Jahr brauchen Sie nicht wiederzukommen. Sehen Sie man zu, daß Sie ein paar Pfund Fleisch mehr mitbringen an Ihrem Leib und rote Backen auch; sonst halten Sie das hier bei uns nicht aus. Wir werden in der Zeit nicht verwildern. Und wenn es doch geschehen sollte, dann donnern Sie uns nachher wieder zurecht. Da reisten sie beide hin. Als sie fort waren, da rissen wir sein Haus gleich nieder und bauten ein neues, denn das andre war alt und ein windschiefer Kasten. Unten an der Lehne vom Kirchhügel haben wir es gebaut und einen großen Garten dazugelegt. Als alles fertig war, da war der Sommer hin. Als alles trocken war, da kam er zurück und wußte von nichts. Seine letzten Karten hatte er bei deinem Sohn in Bremen geschrieben. Unsre Frauen und Töchter sprachen: Das neue Priesterhaus sieht zu kahl aus. Wir wollen da schöne Girlanden und bunte Inschriften anbringen; das ist lustig anzusehen. Denn siehe, lieber Freund, das ist eine ganz andre Nation, die, wo sich gern mit Blümeleins abgibt. Ich sprach: Girlanden könnt ihr machen, aber macht sie man lieber aus lauter Wurst, und zu den Inschriften nehmt man Speckseiten. Das ist lustig anzusehen und gut davon zu essen. — So geschah es auch, und die neue Speisekammer machte einen sehr nahrhaften Eindruck. Bloß an der Haustür hatten sie doch Blumen angebracht. Na, denn man tau!

Drei Jungs saßen oben auf der Scheune und kuckten aus nach der Post, denn eine Eisenbahn hatten wir noch nicht. Als der Wagen aus dem Busch kam, schwenkten sie mit der Mütze. Und dann gab es große Augen zu sehen. Sie haben sich sehr gewundert und gefreut. Seine Frau zweimal. Das zweimal in der Speisekammer. Die sah sehr wohlgefällig aus. Dann hielt der Pastor uns eine Lob- und Dankrede. Die ging uns glatt ein. Das hat der alte Adam gern, wenn er gestrakt wird. Dat kettelt em. Er aber hatte richtig ein paar Pfund Fleisch mehr mitgebracht, und seinen Geierblick war er auch wieder losgeworden, und das hat uns am meisten gefreut. Denn es ist hier nicht so, wie in einer andern Gemeinde, die ich auch kenne. Die achtet ihren Pastor bloß, wenn er gut Mist aufschlagen kann.

*

In der neuen Kirche haben wir auch eine neue Örgel. Die alte quiekte zu sehr. Sie heulte immer noch, wenn der Pastor schon lange auf der Kanzel stand. Das kam vom Wetter. Sie wußte damit so gut Bescheid wie die Knochen von meiner Großmutter. Aber der alte Lehrer konnte nicht recht auf ihr örgeln. So hat dem Pastor seine Frau das besorgt, bis endlich der neue Lehrer kam. Der hatte den richtigen Handschlag und kannte sich gleich aus auf ihr. Bloß, er konnte sich nicht recht stellen mit unserm alten Windmacher. Das war ein stiller Mann und stand hinter der Örgel. Da paßte er auf, daß ihr die Puste nicht ausging. So war er ein Handlanger an Gottes Wort und Lobgesang und rechnete sich scharf zur Geistlichkeit. Er sprach: Die Örgel geht noch ganz gut, aber sie ist verkehrt aufgeschlagen. Nach vorn gehöre ich hin, denn ich bin das Haupt. Wenn ich keinen Wind mache, kann der Schulmeister nicht örgeln, und wenn der Schulmeister nicht örgelt, kann der Priester nicht predigen. Darum so muß sich sein Predigen nach meinem Wind richten, und darum gehöre ich nach vorn.

154

Das war sein geistlicher Hochmut, und einen Zylinderhut trug er auch. Aber die alte Örgel kannte er ganz genau, wenn sie auch noch so heimtückisch war. Wenn das Wetter in der Woche umschlug, dann weissagte er das schon am Sonntag, denn siehe, er kannte alle ihre Gichten. Einmal hatte er uns sogar einen Blizzard gewahrsagt, und das kann nicht mal der Präsident. Bloß eingetroffen ist es nicht.

Weil er nun schon so viele Jahre mit dem Windkasten seine Hantierung hatte, darum hatte er es gründlich rausgekriegt, wie oft er am Sonntag bei den Liedern zutreten mußte; denn er war ein scharfer Rechner. Und das ging alles sehr gut, solange die Priesterfrau und der alte Lehrer örgelten. Als aber der neue aufkam, da spielte er nicht so ebendrächtig wie der alte. Er brachte in der heiligen Musik viele Schwänze an, vorn und hinten, und in der Mitte auch noch, und da war der Krach zwischen vorn und hinten fertig. Die Schwänze waren man ja kurz; aber wenn ich viele kleine Enden Bindfaden zusammenbinde, dann gibt es doch ein langes Ende, und darauf war der alte Windmacher nicht einstudiert. Er mußte nun viel öfter zutreten als sonst. Der da vorn ging der Örgel ganz anders zu Leibe als sein Vordermann. Er registerte auch ganz anders darauf los. Er bedachte nicht, daß die Örgel alt war und ihr Brustkasten klapprig. Sie hatte einen kurzen Atem, wie alte Leute es manchmal haben. Und davon kam der Kirchenstreit.

Es kam einmal ein Sonntag, und da war der Glaube angesteckt. Der Alte wußte ganz genau, wie oft er da zutreten mußte. Aber der neue Örgelmann spielte ihn hier zum erstenmal. Er wollte Ehre einlegen vor

Gott und Menschen. Darum zog er alle Register und
setzte viele Schwänze an. Das hörte sich fein an, aber
nicht lange tat er das. Denn hinten der Windmacher
zählte nach dem alten Glauben, und als er 165mal zu-
getreten hatte, da war sein Glaube zu Ende, und dem
neuen Glauben da vorn ging auf einmal die Puste aus,
und das war mitten im dritten Vers.

Er konnte nicht weiter. Er lief rum um die Örgel.
Er fing an zu schelten. Aber der alte Windmacher
wurde zornig in seinem Herzen. Er erhob seine Stimme
und sprach: Ich weiß, wieviel Wind zum Glauben
gehört: 165 Schlag. Für das Amen gab ich 5 zu. Das
macht 170 Schlag. Aber Sie brauchen aufs wenigste
250. Registern Sie man nicht so doll drauf los, als
wenn der Wind kein Geld kostet, und lassen Sie man
die weltlichen Schwänze raus aus den heiligen Liedern,
dann kommen Sie mit meinem Wind gut aus. Ich habe
hier viele Jahre Gott treu gedient; aber mehr Wind
kann ich Ihnen für Ihren Glauben nicht liefern, wo
mein Einkommen so gering ist.

Wir saßen unterdes und hörten zu. Dann machten
sie einen Akkord. Der da vorn brauchte freundliche
Wörter und ließ ab: 50 Schlag ließ er ab. Der da
hinten brauchte trotzige Wörter und legte zu. Aber
bloß 30 Schlag, das Amen eingerechnet. So einigten
sie sich auf 200 Schlag für den Glauben. Als sie einig
waren, ging ein jeglicher wieder an seinen Ort, und
wir sangen den dritten Vers noch mal von vorn. Aber
dem Örgelmann haben wir nachher gesagt, für sich
selbst und beim Einüben könnte er ja örgeln wie er
wollte; aber in der Kirche brauchte er nicht so bunt
zu spielen. Da wollten wir Gott man lieber auf die alte

156

Weise loben. So hat er es denn auch gehalten und sich ganz gut bei uns eingelebt, denn er war ein vernünftiger Mensch. Er hatte bloß zwei Fehler. Er sagte immer Orgel und nicht Örgel, und beim Kaffeetrinken stippte er immer mit dem kleinen Finger von der rechten Hand in die Luft rein, als wenn er sagen wollte: Seht mich an! Ich bin nichts Gemeines; ich gehöre zur Geistlichkeit. Aber sonst hatte er an seinem Leibe keinen Hochmut.

In dem Stück schlachtete er nach seinem Windmacher. Der rechnete sich auch immer zur Geistlichkeit. Beim Tanzen auch. Dann strich er den Baß. Er verstand nichts davon, aber das junge Volk ließ ihm das Vergnügen, denn es kostete nichts, und den Baß hatte er sich aus einer alten Zuckerkiste hergerichtet. Oben schnitt er ein paar Löcher rein, vier dicke Saiten zog er darauf, so stand er mit seinem Baß in der Ecke und spielte, daß es einen Hund jammern konnte. Er konnte auch nicht recht mitkommen mit der andern Musik, und hinter den Tänzern hinkte er auch immer her. Aber er ließ nicht davon ab. Er sprach: Der Baß kommt mir zu. Wir von der Geistlichkeit sind ruhige Herrschaften. Da paßt die Fidel nicht, sie ist viel zu hiwwelig (aufgeregt). Aber der Baß geht einen bedächtigen Gang. Der Baß ist ein geistliches Musikstück. — Manchmal sang er auch zu seinem Baß. Dann kniff er die Augen zu und schmetterte los: Mit dem Pfeil, dem Bogen. Das eine konnte er man, und das sang er auf jede Melodie, und das konnte wieder einen Hund jammern. Er hat sich selbst aber immer ganz gern zugehört, und darum hat ihm niemand etwas gesagt.

Jetzt ist dem alten Windmacher selbst die Puste ausgegangen, und ich weiß nicht, ob er im Himmel auch Wind machen kann, wenn die kleinen Engel sonntags ein bißchen auf der Örgel spielen. Ich wollte es ihm wohl gönnen, denn wieviel Wind zum Glauben gehört, weiß er ganz genau. Aber die kleinen Engel sind ein unruhiges Volk und ein bißchen fahrig. Wenn die auch so viel Schwänze anbringen, dann kann er nicht mehr mit, denn er ist noch einer nach der alten Mode.

Für seine Frau haben wir gesorgt. Sie ist immer ein treues Glied der Gemeinde gewesen, und er hatte doch das geistliche Amt. Bloß Geld war nicht da, und als der Mann tot war, ging es ihr und ihren Kindern man zeitlich. Da hat sie ganz gern die Hand aufgetan, wenn einer ihr da was reinlegte. War es wenig, dann sprach sie: Vergelt's Gott, wenn's der Wind nicht wegweht! War es mehr, dann sprach sie: Danke christlich! denn sie war eine fromme Frau. Aber aus der Hand in den Mund leben, das geht nicht für die Dauer. So haben wir ihr ein kleines Haus hingesetzt und etwas Gartenland dazu vermacht, bis die Kinder groß sind. Darum hat sie keine Sorgen und sitzt an jedem Sonntag auf ihrem alten Platz unter der Kanzel. Von da aus konnte sie ihren Mann immer arbeiten sehen und stolz auf ihn sein.

Man bloß, sie ist beinah blind geworden. Aber eins von ihren Mädchen führt sie an der Hand in die Kirche, und sie ist immer eine von den Letzten. Der Pastor hat sie schon mal verwarnt. Da hat sie gesagt: Herr Pastor, wenn Ihr aufwacht, dann könnt Ihr genau sehen, ob es Tag ist oder Nacht. Ich kann das nicht mehr so sehen. Aber wenn der Tag kommt, daß die

Blinden sehend werden, dann will ich mich sputen, wie geschrieben steht: Die Letzten werden die Ersten sein. Wenn Ihr dann die Predigt tut, sollt Ihr nicht über mich zu klagen haben. — Da hat sich der Pastor richtig verstutzt und ihr nichts mehr gesagt. Als wir ihr das Haus bauten, haben alle was gegeben. Aber sonst ist mancher in der Gegend, der sein gutes Auskommen hat und dabei vor Geiz vorn und hinten stinken tut. Von einem solchen will ich dir eine Geschichte erzählen. Aber es wird wohl ein paar Wochen dauern, bis ich dazu komme. —

So, nu stek di de Piep an, un denn hür tau! Du kennst wohl noch Hans Jahnke aus Menkendorf von der Dienstschule her. Er war Kuhjunge bei Karl Busacker, und seine Frau stammt aus Tewswoos. Er arbeitet auf Wochenlohn und wohnt mit Frau und sechs Kindern fünf Treppen hoch in Milwaukee, denn es geht ihm man mäßig. Aber sein Onkel Jochen Penningschmidt ist reich und hat keine Kinder und wohnt hier ein paar Meilen Süd auf seiner Farm. Der besucht ihn im Herbst und liegt ihm acht Tage lang auf dem Hals. Dabei erzählt er, daß er 115 Fuder Heu eingefahren hat und zwölf Dollars das Fuder kriegen kann. Er will aber warten, bis er dreizehn kriegt. Für seine Milch hat er von der Käsefabrik einen Wechsel von über 900 Dollars erhalten, und dann kriegt er noch viel Geld für Korn, Hafer, Gerste, Kartoffeln und Gemüse. Auch hat er viel Geld auf Interessen. Das zählt er dem andern so vor, und dabei folgt er die Hände über den Bauch und spricht fromme Wörter von Gottes Segen. Denn er ist ein gottseliger Mann, wenn's nichts kostet.

Hans Jahnke wundert sich mächtig und sagt: Na, wenn du so im Fett sitzt, wieviel Kirchenbeitrag zahlst du dann das Jahr? So fragte er, weil er ein frommer Mann war und nicht bloß in Wörtern. Der andre will erst nicht mit der Sprache raus, dann sagt er: Oh, was meinst du wohl, ich zahle 8 Dollars! — Was? Nur acht Dollars? Und ich zahle bei meiner Armut alles in allem rund dreißig Dollars! Dabei wundert er sich noch mehr über den Alten. Als Jochen abreiste, hat er den Kindern nicht mal einen Cent geschenkt, aber eingeladen hat er die ganze Familie. Die Frau sagt: Ja, ich wollte auch gern mal wieder ein Kornfeld sehen und wissen, wie Landbutter schmeckt. Aber es sind 250 Meilen. Wenn du für die Reisekosten aufkommst, wollen wir dich gern besuchen. Der Onkel meint: Das wird sich schon finden, und hin reist er. Im nächsten Sommer schrieb die Frau an ihn, woans es mit der Reise wäre. Aber er antwortete nicht.

Es geschah aber, daß Jahnke von einem andern Verwandten in der Gegend eingeladen wurde. Der schickte auch gleich das Reisegeld. Er fährt hin, und seine Kinder trinken Milch wie die Börnkälber. Er muß auch den Pastor besuchen. Der hat sieben Kinder. Die dreizehn Gören schlafen auf einem großen Strohlager. Der Pastor sagt: Na, wenn sich eins davon im Stroh verkrümelt, dann bleibt das Dutzend immer noch voll. Jahnke kuckt das Nest voll an und meint: Herr Pastor, Gott hat Euer Haus gesegnet. Eure Kinder sind nach dem Wort der Schrift wie die Ölzweige. Ja, lacht der Pastor, die Zweige sind da, aber mit dem Öl im Krug und mit dem Mehl im Cad ist es man knapp bestellt. So sprach er, denn er hatte damals nur seine vierhundert Dollars. — Ihr habt hier aber doch Farmer, die was in die Suppe zu brocken haben. — Haben wir, aber sie brocken man nicht in unsre Suppe. — Ich kenne hier einen, der hat das letzte Jahr seine 115 Fuder Heu eingefahren und für seine Milch —. Ja, für seine Milch hat er von der Käsefabrik einen Wechsel von über 900 Dollars erhalten, und mit seinem Namen heißt er Penningschmidt. — Und das ist mein Onkel. — Und Kinder hat er nicht. — Warum greift er denn nicht in die Tasche?

Da lachte der Pastor und sprach: Vor Weihnacht begegnete er mir auf der Landstraße. Er fuhr Holz nach dem Town, gutes, trocknes Hartholz, und ich wollte zu einem Kranken. Da hielt er still und sagte, er wollte mir dies Jahr auch eine Freude machen zu Weihnacht und meiner Frau auch. Ich kenne ihn schon lange Jahre, darum dachte ich: Abwarten! Aber einige Tage vor Weihnacht ließ er wahrhaftig eine Fuhre Holz bei mir abladen. Man bloß, es war grünes, und olmiges war auch dazwischen. Na, etwas ist besser als nichts. Meiner Frau hat er auch einen großen Packen geschickt. Das war Rindfleisch und noch ziemlich frisch. Man bloß, der liebe Mann hatte aus Versehen lauter Knochen zu fassen gekriegt, und Knochen haben wir selbst so viel in unserer Familie, daß wir damit auskommen. Na, eine Mahlzeit gab es her, mehr aber auch nicht.

Nu glöwst du woll, dat de Geschicht tau Enn' is? Lieber Freund, ich kann dir mitteilen, daß du dann einen Mißglauben in dir hast. Denn bald nach Neujahr kam Penningschmidt zum Pastor. Der nötigte ihn zum Sitzen, aber er wollte nicht. Er hatte was auf dem

Herzen. Er drehte seine Mütze in der Hand, und das tut der Mensch nur, wenn er was auf dem Herzen hat. Zuletzt kam er auch damit raus: Herr Pastor, ich wollte man anfragen, ob das Holz richtig angekommen ist. Ich will's Ihnen billig machen: vier Dollars für die ganze Ladung. Dabei schielte er in die Ecke hinein. Da stand der segnende Christus und wunderte sich. Es war aber schade, daß da nicht Christus der Tempelreiniger stand. Der wäre nicht stehengeblieben vor Verwunderung. Der hätte ihn Hals über Kopf zur Tür hinausgejagt, wie Mattäi 21 geschrieben steht.

Der Pastor war so verstutzt, daß er kein Wort sagen konnte. Darum griff er in die Tasche und gab ihm das Geld, denn er ist nicht der Mann von solchen Wörtern, wie sie bei solchen Gelegenheiten paßlich sind. Aber da kam zum Glück seine Frau rein. Die hatte hinter der Tür gestanden und gehorcht, so ungefähr, wie Sarah tat. Das war dem Manne sein Glück, denn sie kannte die Wörter, die ihm fehlten. Und das war Penningschmidt sein Unglück. Er wollte fort. Er kannte die Frau. Aber sie stand vor der Tür wie einer von den Cherubs, daß er nicht ausritzen konnte. Na, sagte sie, eine Quittung brauchen wir wohl nicht, daß Ihr das Geld für Euer Weihnachtsgeschenk richtig erhalten habt. Nein, sagte Penningschmidt, wo kann das unter Christenmenschen wohl angehen, daß da eine Quittung nötig ist. — Schön, was kosten denn die Knochen von der alten Kuh? — Oh, das schöne Fleisch soll gar nichts kosten, antwortete Penningschmidt und fingerte mit den Augen wieder in der Ecke rum, wo Christus stand. — Na, das freut mich, und ich sehe, daß Ihr die Predigt vom Herbst her gut behalten habt. Da habt

Ihr ja noch Mittag bei uns gegessen, und ganz umsonst. Das war ja die Geschichte von dem alten Kamel, das absolut durch ein Nadelöhr durchwollte und konnte nicht, und von dem Geizigen, der nicht ins Reich Gottes reinkommen konnte. Das ist eine schöne Geschichte zum Nachlesen für jedermann. — Ganz meine Meinung, Frau Pastorin, sagte Penningschmidt und zählte das Geld in der Tasche nach; ganz meine Meinung, denn der Geiz ist die Wurzel alles Anfangs. — Ihr meint: Der Geiz ist die Wurzel alles Übels. — Ja, Frau Pastern, as ick segg: Der Geist ist die Wurzel alles Anfangs. — Da ging er hin. Der Pastor und seine Frau haben sich erst geärgert, denn das Geld war knapp bei ihnen. Nachher aber hat das Lachen überhand genommen, und das ist auch gut, denn wenn der Mensch lachen kann, das bekommt ihm besser, als wenn er sich bloß ärgern kann.

Nu glöwst du woll, dat de Geschicht tau Enn' is? Lieber Freund, ich kann dir mitteilen, daß du dann einen Irrglauben in dir hast. Denn nun kommt das dicke Ende, und das ist zum Lachen geworden für unsre ganze Gegend. Als Jahnke die Geschichte von dem Weihnachtsgeschenk hörte, da ergrimmte er in seinem Herzen, weil das in seiner Freundschaft passiert war. Darum arbeitete er mit seinem Vetter einen richtigen Plan aus, wie sie den Alten strafen und bekehren wollten. Denn christliche Wörter nützten bei dem nichts. Der mußte auf amerikanisch bekehrt werden. In den nächsten Tagen reisten die beiden viel in der Gegend rum, und siehe, es wurde eine richtige Verschwörung und Strafexpeditschon gegen den alten Geizhammel. Penningschmidts hatten seit vielen Jahren keinen großen Besuch bei sich gesehen. Das kostete zu viel. Sie fuhren bloß zu Besuch bei andern. Das war billiger. Jetzt kam Leben in die Bude. Jetzt schickte Jahnke sein Vetter einen Botschafter an ihn: Nächsten Sonntag nach der Kirche kommt großer Besuch. Dazu haben wir uns schon lange gefreut. Wir wollen einen fröhlichen Tag mit euch verleben, wo wir doch so gern bei euch sind. Richtet euch ein, denn wir wollen zu Mittag bei euch essen!

Und siehe, das war eine richtige Völkerwanderung, was am nächsten Sonntag, als die Kirche aus war, nach Penningschmidts Farm zog. Da kamen alle seine Freunde und Verwandten über die Berge dahergezogen. Und wer nicht mit ihm verwandt war, der kam auch, denn er hatte rundgegessen bei allem, was für ihn erreichbar war im Country. Und es waren bei 35 Mann. Als sie ankamen, da trat die Frau ihnen entgegen; ihre Augen waren voll Entsetzen, und sie sprach: Was wollt ihr hier? — Euch eine Freude machen! sagte der eine und sprang vom Wagen. Wo wir so lange nicht bei euch gewesen sind, sagte der zweite und kletterte vom Pferde. Essen! der dritte. Aber nicht zu wenig! der vierte. Spute dich, denn wir sind hungrig! der fünfte. So füllten sie das Haus mit ihrem Lachen. Aber die Frau lief und suchte ihren Mann. Der hatte sich hinten im Garten versteckt. Da kaute er an seinen Stachelbeeren rum und fand keinen Rat.

Endlich war der Tisch gedeckt, aber die Hälfte konnte man sitzen, die andern mußten so lange warten. Zuletzt kam das Dienstmädchen mit einem großen Teller. Da sahen alle Augen auf den Teller und waren neugierig. Und was meinst du wohl, was da auf dem

Teller lag? Ein ganzes Huhn und nicht mehr. Das hielt seine Beine nach oben, als wollte es sagen: Es ist nicht meine Schuld. Da sprach der eine: Was ist das unter so viele? Da sprach der andere: Es ist mir leid um meinen schönen Hunger. Und der dritte: Soll ich un- gegessen von euch gehen? Der vierte: Wir wollen eure Schinken und Würste mal in Bewegung setzen, sonst verschimmeln sie. Da sprachen sie alle: Die Sache hat euch übernommen. Es ist billig und recht, daß wir euch helfen, wo wir euch doch die Umstände machen.

So liefen sie in die Speisekammer und holten Schin- ken und Wurst. Andre aber machten sich mit den Hühnern zu schaffen, die auf dem Hof rumliefen, und brachten sie in die Küche Und sie aßen und wur- den alle satt. Aber es dauerte bis gegen den Abend. Denn sie aßen erstens aus Hunger und zweitens aus Rache und drittens noch einmal. Penningschmidt und seine Frau aber saßen da und legten die Hände in den Schoß und sagten nichts und taten nichts; bloß blaß sein taten sie. Nachher aber zogen die Gäste wieder fort unter Loben und Danken und sprachen: Du wohnst hier sehr schön, Penningschmidt, aber du bist zu sehr für die Einsamkeit. Es hat uns hier schön gefallen bei dir. Wir werden dich öfter besuchen, wo du doch einen christlichen Lebenswandel führst und gast- frei bist ohne Murmeln.

Er aber war wie ein geschlagener Mann und lächelte mit Wehmut. Im nächsten Jahr hat er nicht mehr acht Dollars Kirchenbeitrag gegeben, sondern fünfzig. Denn der Grund zu dem Strafessen und Überfall auf seine Hühner und Würste war ihm auf Umwegen bis an seine Ohren hinangekommen. Als wir merkten, daß er

Angst hatte, da haben wir ihm in aller Freundschaft gesagt, wir würden nächstens mal wieder kommen, denn es hätte uns sehr schön bei ihm gefallen. Siehe, so hat er sich allmählich schon auf hundert Dollars gesteigert. Siehe, so haben wir ihn auf amerikanisch bekehrt. Ja well.

Das ist eine wahre Geschichte, und der dir das erzählt hat, der ist mit dabeigewesen und hat mit eingehauen. Die Geschichte kannst du ruhig vorlesen in deinem Dorf: daraus kann mancher lernen und einen Augenspiegel nehmen. Penningschmidt hat das auch getan, und Penningschmidts wird es bei euch auch wohl geben. Bloß, sie heißen mennigmal mit ihrem Namen anders. — Wieschen hat das Bekehrungsessen nicht mitgemacht. Sie sagte, das wäre ihr zu schanierlich. Aber ausgefragt hat sie mich nachher bis auf den letzten Wurstzipfel. Frauensleute sind neulich (neugierig).

Unsre Kirche hat auch vier Wände. Darin ist sie grade so getrachtet wie eure. Bloß die vier Wände stehen hier dichter zusammen. Dafür ist sie sonntags auch voller als eure. Wir haben hier auch mehr Interesse an Kirchensachen. Wir haben hier nicht bloß zu zahlen. Wir haben da auch mit zu sagen und zu beschließen. Hier sucht der Pastor auch seine Leute auf. Er wartet nicht, bis sie zu ihm kommen. Ja, jetzt ist das alles hier bei uns in Ordnung. Aber zu Anfang, da war es nicht so. Meine Farm lag mitten im Busch. Da kam mein Stammhalter an und wollte getauft werden. Es war nicht leicht. Denn zu einer richtigen Taufe gehört nicht bloß ein Junge; nein, da ist auch ein Pastor nötig. Mit dem Jungen hatte es seine Rich-

166

tigkeit, ja well. Siehe, er wog nüchtern seine neun
Pfund. Aber mit dem Priester, das war schlimm, denn
da war bloß ein methodistischer in der Gegend. Der
hatte die Angewohnheit an sich, daß er seine Stelle
alle zwei Jahre wechselte. Er sprach: Gott hat mich
gerufen! Weißt du, was ich glaube? Ich glaube, der
Mann hat sich da oft verhört. Die Frau hatte es
schlimm, denn sie mußte immer das Packen besorgen.
Seine Hühner waren es schon gewohnt. Wenn er in
den Stall reinkuckte, dann legten sie sich gleich auf
den Rücken und hielten die Beine hoch. Sie dachten:
Nun geht das Elend mit dem Umzug wieder los. Aber
wir wollen uns man fix die Beine zusammenbinden
lassen, daß wir zur rechten Zeit fertig sind und mitkommen.

Von den Methodisten muß ich noch ein paar Wörter
machen, weil wir doch so viele bei uns haben. Ich
bin auch ein paarmal auf ihren Versammlungen gewesen. Da predigte und schrie der Priester auf die
Versammlung los, daß sie sich bekehren sollten. Er
erzählte Bekehrungsgeschichten und predigte vom
Jüngsten Tag und vom Feuer in der Hölle. Auch von
den Frauensleuten schrien welche dazwischen. Aber es
wollte sich keiner bekehren. Da schrien sie noch doller.
Sie schrien so durcheinander, daß nichts mehr zu verstehen war. Aber es wollte sich noch keiner bekehren.
Bloß schwitzen und seufzen taten viele, und am meisten schwitzte der Priester. Dann erzählte er greuliche
Geschichten von Menschen, die sich nicht bekehren
wollten. Da war der Teufel mit Gestank gekommen
und hatte ihre schwarze Seele geholt, so daß sie in
Verzweiflung gestorben waren. Da kamen dann zu-

letzt zwei oder drei alte Frauen nach vorn. Sie weinten und jammerten und warfen sich auf die Bußbank. Na, das war doch wenigstens was.

Mir kam auch mal einer von den methodistischen Leuten ins Haus. Er wollte mich bekehren, und Wieschen gibt ihm zu essen und zu trinken. Er jammerte über meine Seele. Er predigte sich in eine große Hitze hinein. Aber dabei gingen seine Augen vom Schinken zur Wurst und von der Wurst zum Schinken. Er stürmte mit Geschrei auf mich los und wollte mich mit Gewalt bekehren. Aber dabei säbelte er ein paar mächtig dicke Scheiben Schinken herunter. So sprach ich: Ich sehe, daß du auch am liebsten Schinken magst. Aber wenn du geistlich sein willst, dann sei geistlich; und wenn du weltlich sein willst, dann sei weltlich. Geistliches und weltliches in einem Pott, das gleiche ich nicht. — Da hat er mit Bekehren und Jammern nachgelassen. Da hat er mich bloß noch mit ein paar frommen Wörtern ermahnt. Da war er ein ganz vernünftiger Mensch, und Wieschen ihre Wurst hat er auch noch gelobt.

Nein, einer von der Sorte sollte unsern Jungen nicht taufen. Als lutherische Christen wollten wir zum lutherischen Priester. Als Wieschen wieder so weit war, machten wir uns darum auf den Weg. Ich mit dem Jungen vorauf, sie hinterdrein. Wir gingen zwei Tage. Die Nacht blieben wir bei einem Farmer aus Norwegen. Wir kannten ihn nicht. Wir haben ihn nie wieder gesehen. Er nahm uns auf. Seine Frau hat Gutes an uns getan.

Am andern Morgen zogen wir weiter. Der Weg war schlecht. Er war wie ein Regenwurm, der auf Irr-

wegen ist. Bald gingen wir rechts durch den Swamp,
bald links durch den Busch. Dann wieder über dicke
Baumstubben. Einer war so dick, da sagte ich zu
Wieschen: Wieschen, sagte ich, wenn du willst, können
wir mal einen Schottschen drauf tanzen. Aber Wieschen wollte nicht. Da waren so viele Wagentraden
und Geleise als auf dem Bahnhof in Chicago. Man
bloß, sie liefen wild durcheinander. Da war keine Ordnung und kein Gesetz, und die vielen Schlaglöcher
sorgten auch dafür, daß wir nicht zu schnell vorwärts
kamen. Das Gehen ging da sehr holprig. Wenn ich den
linken Fuß aus einem Loch rausgezogen hatte, dann
steckte ich mit dem andern schon im nächsten. Wieschen mußte ich auch oft raushelfen, und den Jungen
durfte ich auch nicht fallen lassen. So kamen wir vorwärts, und am Abend des zweiten Tages waren wir
beim Pastor. Da war der zehn Meilen Ost geritten,
um Gesunde und Kranke zu besuchen.

Wir hatten aber Glück. Wir durften in seinem Hause
schlafen, und seine Frau gab uns nicht bloß freundliche Wörter; sie gab uns auch was zu essen. Am andern Tag hatten wir noch mehr Glück. Da kam er
selbst, und der Junge wurde getauft, daß es eine Lust
war. So konnten wir zurückwandern. Aber der Weg
war darum nicht besser geworden, daß der Junge nun
auch Christ war. Auch brüllte er noch ganz heidnisch.
Ihm gefiel die Wanderschaft nicht. Das dicke Ende
aber kam nach.

Als wir wieder in unserer Blockhütte waren, da
klappte Wieschen zusammen. Es war ihr zuviel geworden. Dann hat sie einmal um die Uhr rund geschlafen. Das war wieder gut. Aber der Junge schrie,

die Kühe brüllten, die Schweine murrten: Die Wirtschaft paßt uns nicht. Wo können wir Schinken und Speck ansetzen, wenn ihr uns so behandelt! Ich ging hinaus. Ich kratzte mich hinter den Ohren. Als ich das getan hatte, sprach ich zu mir: Jürnjakob Swehn, dat Kratzen nützt hier ok nicks. Riet di man leiwer tausamen, dat Vieh un Minschen ehr Gerechtigkeit kriegen. Als ich das zu mir gesprochen hatte, da riß ich mich zusammen. Ich melkte die Kühe und gab ihnen Futter, den Schweinen Korn und Wasser, daß sie nicht mehr murrten. Für den Jungen machte ich einen Lutschbeutel, als wenn es schon der sechste wäre. So fein, sage ich dir. Wieschen kochte ich eine schöne Suppe, und dann setzte ich mich an ihr Bett und aß den Speck mal wieder über den Daumen wie in alter Zeit. Schinken und Speck ist eine angenehme Gesellschaft für eine einsame Seele. — Ja, zu Anfang hatte es in Amerika seinen Haken, seinen Jungen auf lutherisch taufen zu lassen. —

Lieber Freund, von unserm Anfang kann ich dir noch manches erzählen. Wir hatten den Pastor schon viel näher, da ist es mir doch noch ein paarmal passiert, daß ich sonntags in die Kirche reinkam und der Pastor kam mir schon entgegen. Das tat er nicht aus Höflichkeit, sondern weil die Kirche schon aus war. Bloß ich konnte nicht eher rankommen. Andern ging das auch so. War der Pastor beinahe fertig mit seiner Predigt, dann konnten wir in der Ferne manchmal noch ein Ochsengespann hören. Das kam langsam näher. Das war Heinrich Tiesel. Er wohnte seine zwölf Meilen Nord, und sein Weg ging durch Busch und Sumpf. Bei den vielen Schlaglöchern sind Ochsen am sichersten. Man bloß, man muß laut mit ihnen reden, sonst verstehen sie es nicht. Tiesel aber hatte eine gute Ausrede, darum hörten wir ihn schon von ferne, und um das Amen rum war er denn auch richtig in der Kirche. Dann ließ der Pastor noch einen langen Schlußgesang singen. So hatte er auch was vom Sonntag und hatte den weiten Weg doch nicht umsonst gemacht.

Ich hatte zu Anfang auch manchmal ein merkwürdiges Unglück in der Kirche. Da stand an der Tafel der Gesang Nr. 401. Hoho, denke ich, den kennst du von der Schule her aus dem Kopf; da kannst du dein Gesangbuch sparen. Denn es war noch mein altes von der Schule her. Ich fing dann auch richtig an zu singen: Ein' feste Burg ist unser Gott. Aber meine Nachbarn wunderten sich über mein Singen und stießen mich an, denn sie sangen: Du bist zwar mein und bleibest mein; wer will mir's anders sagen? Nimm mal bloß an, das ist in Amerika Nr. 401! — Da war wieder mal ein Sonntag, und am Brett stand Nr. 359. Ich denke mir nichts Arges dabei und lege richtig los: Wer nur den lieben Gott läßt walten. Aber Wieschen stieß mich an, denn die andern sangen: Gott lebet noch, Seele, was verzagest du doch? — So ging es mir auch mit Nr. 89. Das war in der Passionszeit, und ich wundere mich noch, daß da Luther sein Weihnachtslied gesungen werden soll, denn Nr. 89 ist ja: Lobt Gott, ihr Christen, alle gleich. Aber wir waren in Amerika, und da war Nr. 89 kein Weihnachtslied. Es war: O Welt, sieh hier dein Leben. Ja, denke ich, das paßt besser und ist auch ein schönes Lied. Aber es ist doch schade, daß nicht alle Welt einerlei Zunge

und Sprache und Gesangbuch hat. Ich hatte mich
so schön an die alten Nummern gewöhnt. Aber einer
muß hier im Leben oft umlernen und in den Nummern auch.

*

Unsere Pastoren haben hier kein bequemes Leben,
und die meisten bleiben bellschen mager. Was der
unsre ist, der war zu Anfang meist als Reisepastor
unterwegs und hatte in der Woche vier Predigten zu
tun, zwei am Sonntag, zwei in der Woche. Zu uns
kam er am Dienstag. Da mußte einer es schon ganz
wild haben oder sehr raffig sein, sonst machte er den
Dienstag zum Sonntag. Sein Reisen und Reiten geschah also, daß er seine sieben Meilen ritt oder mehr.
Bis Mittag hielt er dann Kirche. Nachher gab es noch
biblische Geschichte mit den großen Kindern, wobei
wir auch meist dablieben. Später legte er sich einen
Wagen zu und kam öfter. Meist gegen Abend, weil
er uns dann mehr zu Hause traf. In der ersten Zeit
ritt er manchmal den ganzen Tag von Farm zu Farm
und traf doch nur Kinder. Die Großen waren alle
auf dem Felde. Jetzt richtete er auch Kinderlehre
und Konfirmandenunterricht ein. Drei Tage hielt er
Schule in Town, drei halbe auf dem Lande. Die Kinder lernten biblische Geschichte, Katechismus und Gesang. Die meisten konnten nicht lesen. Pflügen,
mähen, reiten und fahren, ja, das konnten sie alle.
Lesen konnten sie nicht; es ist auch schwerer. Ja,
wenn man die Buchstaben mit der Harke zusammen-
fassen könnte! — Er sprach es ihnen vor, und sie
sprachen es nach, bis sie es wußten. So lernten sie

in zwei Wintern doch ihre zehn Gesänge und mehr und sangen sie auch. Auch lernten sie bei ihm Lesen, Schreiben und Rechnen, wenn so viel Zeit da war.

Auf die Dauer ging das nicht. Er gab sich viele Mühe, aber die Kinder wuchsen doch beinahe auf wie das liebe Vieh. Der Mann konnte das auch nicht aushalten. Es begegnete ihm zuviel Unfall. Mal sich verirren im Busch und draußen übernachten, aber nicht bei so schönem Wetter, als Jakob unterwegs hatte. Sondern er war bis auf die Haut durchweicht. Viel kalt war es auch noch. Bei solchem Wetter hätte Jakob auch nicht von der Himmelsleiter geträumt. Mal mit dem Braunen durch den Fluß geschwommen. Aber unterwegs verlor er seinen Braunen oder der Braune ihn. Mit knapper Not kam er wieder ans Land. Sein Brauner auch, man bloß am andern Ufer. Da kuckten sie sich beide an, und die Tasche mit dem heiligen Rock schwamm unterdes nach dem Ozean. — Mal wieder mit dem Wagen umgeschmissen. Er ließ ihn liegen und kam mit den losbändigen Pferden an. Mal übernachtete er in einer elendigen Blockhütte, in der lange keine Menschen mehr gewohnt hatten. Das Dach war so löcherig, daß er nachts den Regenschirm aufspannen mußte. Das hält auf die Dauer kein Mensch aus, ein amerikanischer Pastor auch nicht. Aber man muß sie dafür ehren und danken.

Als erst mehr Leute zugezogen waren, da machten wir es anders. Da meldete sich der Pastor zum Sonntag an. Da wurde alles aufgeboten, was so bei zehn Meilen in der Runde wohnte. So ist mein altes Blockhaus auch ein paarmal Kirche gewesen. Ich hatte die Balken inwendig aber auch extra gekalkt. Die Stube

173

war die Kirche, die Küche nahmen wir auch noch dazu. Ich schleppte große Blöcke rein und legte Bretter darüber. Aber Wieschen deckte ein weißes Laken über den Tisch. Da war die Kirche fertig.

Am andern Morgen kamen sie alle an, zu Fuß oder zu Wagen. Die welchen zu Pferd, Frauensleute auch, denn der Weg war schlecht. Winter war es auch, und wir hatten in dem Winter viel kalt. Na, dagegen gab es einen heißen Ofen und heißen Kaffee. Zuerst sangen wir: Ich singe dir mit Herz und Mund. Das schallte man so. Das ging bunt her. Da kam ein jeder für sich am Ende des Verses an. Denn da gab es welche, die waren hitzig; da gab es auch welche, die hatten was Gleichgültiges an sich. Als aber der Vers zu Ende war, da hielten die Hitzigen so lange still, bis die andern auch da waren. Da war auch eine Däne, der stammte aus Naestved, das liegt da irgendwo achter Rostock rum. Der saß hinter dem Ofen in der Ecke, da, wo es am heißesten war. Da saß er auf seinem Stubben. Da schwitzte er auf amerikanisch und sang auf dänisch. Da wurde es noch bunter, denn er sang, wie geschrieben steht: In eigener Melodie. Und die war auch dänisch. Lieber Freund, weißt du, was ich glaube? Ich glaube, der liebe Gott hat sich an dem Tage sehr gewundert über seine Buschleute.

Siehe, an dem Tage war ich der Küster und ging mit dem Klingelbeutel rum. Das war mein schwarzer Hut. Denn Wieschen sagte: Mit dem Strohhut kannst du Gott nicht ehren. Ich sagte: Wieschen, du hast einen verkehrten Glauben. Mit einem Strohhut kann man Gott auch ehren, denn der Herr siehet das Herz an, und vom Hut steht nichts in der Schrift, ob das

174

ein schwarzer oder ein weißer sein muß. So sagt sie:
Weiß ist er schon lange nicht mehr, aber entzwei ist
er schon lange. Wenn sie dir nun da oben Geld rein-
werfen und es fällt gleich durch und rollt durch die
Stube, dann muß du dahinter herkriechen und es wieder suchen, und das gehört nicht zur Andacht. So sage
ich: Wieschen, wenn es so ist, dann will ich man lieber
den schwarzen nehmen. Das sieht auch geistlicher aus.
— So wurde der schwarze auf den Tag zum Klingelbeutel erhöht. Man bloß, daß da keine Klingel an
war. Geklingelt hätt' ich für mein Leben gern.

So fing ich an zu kollekten, und es hat mir keiner
in meinen Hut reingenickköppt, sondern alle haben
gegeben, und der Pastor kriegte über fünfzehn Dollars.
Da war er fröhlich. Aber Wieschen war stolz auf mich
und ich auch, denn so was hat der alte Adam gern.
Der Däne aus Naestved da auf dem Block hinter dem
Ofen, der hat auch einen Dollar gegeben, und nachher
sagte er: Verstanden hab ich nichts, aber es war sehr
feierlich und eine große Auferbauung. Wenn ihr nichts
dagegen habt, will ich gern wiederkommen.

Der Pastor predigte über die Speisung der Fünftausend, und dazu brummten die Kühe und Ochsen,
und die Schweine quiekten, und die Hähne krähten,
und das hat sich alles ganz gut mit der Speisung der
Fünftausend vertragen. Denn die Tiere loben Gott
auch mit ihrer Stimme, ein jegliches nach seiner Art.
Aber nach dem Amen kam noch eine Frau. Die wollte
taufen lassen, und was meinst du wohl, wer das war?
Das war Dürten Fründt aus unserm Dorf. Sie hat
hier Fehlandt seinen Zweiten geheiratet, und zu ihrem

kleinen Mädchen bin ich Pate geworden und Wieschen auch.

Als das geschehen war, räumten wir aus und stellten die Tische zusammen, und die meisten haben gleich bei uns gegessen. Lieber Freund, ich kann dir mitteilen, da waren Gerichte darunter, die konnte der ärmste Mann essen. Du kannst mir richtig glauben, sie sind alle satt geworden und haben gesagt: Danke, ich habe plenty! So war ich wieder mächtig stolz auf Wieschen.

Nachher blieben wir gleich sitzen, und da wurde viel erzählt. Erst Geistliches, dann wurden wir weltlich und zuletzt wieder geistlich. Es war alles sehr schön und dauerte sehr lange. Denn wir kamen in den Jahren selten zum Sitzen. Aber wenn wir mal saßen, dann saßen wir auch fest. Erst sprachen wir von den Toten, und dem einen sein Großvater liegt auf dem Kirchhof in Picher, dem andern sein Vater in Konow und meiner in Eldena. So sind sie auch Nachbarn und nicht weiter auseinander als ihre Kinder hier im Land Amerika. Und der eine hat seine erste Frau im Hannöverschen begraben und der andere seinen ältesten Sohn im Holsteinschen, und der Pastor sprach viele gute Wörter dazwischen von Leben und Sterben und Auferstehen.

Aber von den Toten kamen wir auf die Lebenden; denn was dem einen recht ist, ist dem andern billig, und der Pastor erzählte schöne Geschichten aus der Heimat und aus schönen Büchern, daß es uns eine rechte Freude war und die Augen blänkerten. Dann sprach der eine vom Bohnenmähen in Holstein, was das für schwere Arbeit sei, und der andre vom dreikantigen Weizen in der Heide. Mit einmal waren wir

176

dann alle in der Kinderzeit, und jeder erzählte von zu Hause und von der Schule. Dann waren wir wieder auf den Farmen, und der eine verkaufte sein Vieh vom letzten Jahr noch einmal, und der andre fing schon an, seine nächste Weizenernte zu dreschen, wenn er auch noch gar nicht gesät hatte. Aber der dritte schlug Holz, und der vierte sprengte die Stubben mit Dynamit. Alles auf plattdeutsch. Bloß, das dauerte nicht lange, denn das haben wir hier alle Tage, und sonntags will der Mensch mal was anders hören.

Siehe, da fing einer an und erzählte aus seiner Dragonerzeit in Ludwigslust, und ein anderer war wieder Füsilier in Rostock, und eine dritter streckte seine krummen Knie und diente als strammer Grenadier in Schwerin. So exerzierten sie durch die Stube, und in der Küche war die Parade an Großherzogs Geburtstag; darum machten sie schöne Griffe mit dem Besenstiel. Aber der Dragoner fing an zu singen: König Wilhelm saß ganz heiter. Viele Verse konnte er nicht mehr, aber das schadete nicht, denn wir waren alle schon beim großen Krieg, und Sedan, Straßburg, Metz und Orleans wurden an dem Tage noch einmal erobert. Als aber Paris erobert war, da wanderten die Besenstiele wieder in die Ecke, denn der alte Schuldt hatte schon ein paarmal sein Häih?! gesagt, und das ist immer ein Beweis, daß er müde ist. Die Frauensleute meinten auch, nun sei es Zeit. So machten sie den Anfang. Dunkel war es auch schon. Aber Wieschen hatte noch einmal guten Kaffee gekocht, und als sie den eingenommen hatten, da wurde alles in die Wagen gestopft, und alle sagten: So einen schönen Sonntag haben wir uns schon lange mal wieder gewünscht, denn der Mensch ist nicht bloß zum Arbeiten auf der Welt. — Da fuhren sie hin, und wir gingen auch zu Bett. Das war mal ein richtiger Sonntag. Ja well.

*

Das haben wir dann lange Zeit so gemacht, mal beim einen, mal beim andern. Zuletzt ging das nicht mehr. Wir hatten schon zuviel Zuzug gekriegt. Die Blockhäuser waren nicht mehr groß genug. Wat nu? Wir besprachen die Sache zwei lang, zwei breit. Aber beim Reden kommt auch nicht viel raus, und rein noch weniger. Wenn man beim Reden nicht weiß, worauf man hinaus will, dann kann man sich ebensogut vor den Spiegel stellen und den Mund eine halbe Stunde auf- und zuklappen. Das ist dann auch eine ganz gute Übung. — Als wir wieder mal bei mir zusammenkommen wollten, da sage ich: Wieschen, du mußt zum Sonntag so schön kochen, als du man irgend kannst, und recht viel davon. Denn ich habe einen Plan, und du mußt mir mit deinem Kochen dabei helfen. Wieschen wird hellhörig. Sie sagt: Woso und woans? Was hat mein Kochen mit deinem Plan zu tun? Was hast du vor? Sage es mir! Ich sage: Ein tugendsam Weib ist die Krone ihres Mannes, aber viel fragen macht den Leib müde. Du wirst es erfahren, wenn wir alle satt sind.

Als nun die Kirche zu Ende war, da haben sie alle gegessen. Sie haben so gegessen, daß sie pusteten; denn Wieschen hatte getan nach meinem Rat. So sprach ich: Lieben Freunde, Nachbarn und Landsleute, unsere

Gemeinde ist zu groß geworden und unsere Häuser zu klein. Darum so laßt uns eine Kirche bauen.

Da waren auch viele gleich dafür. Das waren die, mit denen ich die Sache schon vorher besprochen hatte. Da willigten auch die bald ein in meinen Rat, die vorher am meisten gegessen hatten. Denn wenn der Mensch satt ist, dann ist er friedfertig. Darum bespricht sich so etwas besser nach dem Essen. Aber es waren noch etliche, die wollten abspringen, denn ihr Geld war ihnen zu lieb. So haben wir mit ihnen gerechnet: Wir machen das meiste mit eigen Hand und Spann, denn es soll für den Anfang bloß eine Blockkirche werden. Die kostet so gut wie nichts. Die können wir uns selbst herrichten und zusammenschlagen. Holz haben wir genug, und wenn wir gleich dabei anfangen, dann sind wir zu Ostern fertig mit dem Bau.

Der dicke Meier will nicht. Er sagt nichts. Aber er steckt die Hände in die Taschen und brummt vor sich hin. Im Mittagsschlaf haben wir ihn auch gestört. Dann ist nicht viel mit ihm anzufangen. Aber ich kenne ihn. Ich weiß, wie er zu nehmen ist. Ich sage: Meier, ich will dir mal was sagen. Es dauert mich schon lange, daß du hier gar nicht ordentlich sitzen kannst. Unsere Bänke sind viel zu schmal für dich. Du mußt immer schräge sitzen. In der Kirche bauen wir breite Bänke, daß jeder bequem drauf sitzen kann. Und eine wird extra breit gebaut. Die sollst du haben, daß du mit Loben, Danken und Wohlgefallen drauf sitzen kannst. Die Bank vermachen wir dir schriftlich. Wenn du einverstanden bist, dann kannst du dich nachher auch gleich hinter den Ofen setzen und ein Auge voll nehmen. Wieschen, stell Meier den Stauhl doch en beten achter den Aben!

So sage ich, denn ich weiß, daß er gern bequem sitzt. Das von der breiten Bank hat er auch gern gehört. Da hat er nicht mehr gebrummt. Da hat er bloß noch die Hände in den Taschen gehabt. Da ist er halb gewonnen. Darum sage ich zu seiner Frau: Wir müssen eine Kirche haben. Das geht nicht, daß wir dir deinen schönen Teppich immer so voll Schnee treten und dir soviel Dreck in die Stube tragen, wo du sie vorher grade so schön gebohnert hast. — Das sieht die Frau ein, denn sie ist sehr für die Reinlichkeit. So sagt sie ja, und da ist der dicke Meier ganz gewonnen. Er holt seine Hände aus den Bücksentaschen. Er geht hinter den Ofen. Denn er ist ein verständiger Mann. Aber in etlichen Dingen ist die Frau der Mann, und sein Haus ist manchmal von der umgekehrten Weltordnung.

Da waren aber noch ein paar andere, die wollten auch nicht anbeißen, denn Teppich und Fußbodenstreichen sind ihnen wilde Wörter, und ihre Dielen haben nicht die Angewohnheit, daß sie gescheuert werden. Denen ist das gleich, ob da ein Zoll Dreck mehr raufkommt das Jahr oder zwei. Sonst sind sie ordentliche Arbeiter. Es sind Polen, aber sie belangen zu unserer Kirche. Sie wohnen nun einmal unter uns, und haben müssen wir sie; sonst springen sie ab und laufen zu den Sekten, und die wollen wir uns hier vom Leibe halten. Die mußten anders genommen werden.

Ich sage: Ihr mögt doch gern Kirchenglocken hören? — Mögen wir, antworteten sie. — Als wir uns vor drei

130

Wochen im Town trafen und die Glocken gingen, da habt ihr gesagt: Darüber tun wir uns freuen. — Tun wir auch noch. Ja, Kirchenglocken können wir gut leiden. — Ihr habt dann weiter gemeint, daß es so schön wäre, wenn wir auch ein paar Glocken haben täten. — Meinen wir auch heute noch. — Ja, wo bleiben wir dann aber mit den Glocken? Oben aufs Hausdach können wir sie nicht gut hängen, und in den Baum hinein, das läßt auch nicht. Da lassen die Vögel auch leicht was drauffallen, was sich für heilige Glocken nicht paßt. Wie sieht das bloß aus! Wenn da mal einer herkommt und läßt es nachher in die Zeitung setzen, dann lacht das ganze Land über uns. — Da wollten sie erst recht nicht ran. Sie sagten: Das mit den Vögeln, das hat nichts zu sagen. Aber das Gerede in der Zeitung, nein, das darf nicht aufkommen. Zuletzt hatten wir sie dann richtig so weit, daß sie sagten: Wenn Glocken sein sollen, dann muß auch ein Turm sein; das geht da nicht ohne.

Schön, sage ich. Aber was meint ihr, wollen wir den Turm denn so auf den Berg stellen? Da kommen viele Leute die Road lang. Die stehen mal still und verpusten sich, und wenn sie das besorgt haben, dann kucken sie sich um, und einer spricht: Nu seht mal bloß, was für eine malle Gegend! Die haben sich einen Glockenturm hingestellt und weiter nichts. Dann sagt der andre: Das werden wohl Nachkommen sein von dem Farmer, der einen Wald kaufen wollte. Aber das wurde ihm zu teuer. So ging er hin und kaufte sich eine Bohnenstange. Dann sagt der dritte: Oder von dem Mann, der eine Farm kaufen wollte. Aber das wurde ihm zu teuer. So ging er hin und kaufte sich einen Kohlkopf! Dann sagt der vierte: Oder von dem Mann, der einen Knopf hatte und nun am Wege saß und auf jemand wartete, der ihm die Bücks dazu schenkte. Dann gehen sie mit Lachen weiter, und ein paar Tage später lesen die Leute es mit Lachen in der Zeitung. Wenn wir einen Turm bauen, dann müssen wir auch eine Kirche bauen, daß wir nicht zum Eulenspiegel werden im Country. Bloß ein Turm, das ist nicht Hemd und nicht Bücks. So sagt mir, was eure Meinung ist.

Da haben sie sich gelacht und gesagt: Unsere Meinung ist, daß du uns angeführt hast. Du hast mit der Kirche da angefangen, wo andere mit aufhören. Weil wir mal gesagt haben, daß Kirchenglocken sich schön anhören tun, darum müssen wir nun eine Kirche bauen. — So waren wir einig, und sie haben fleißig geholfen. Wir machten gleich in den nächsten Tagen den Anfang, denn den Platz hatten wir schon vorher ausgesucht. Wir nahmen die paßrechten Bäume nieder. Streben, Stützen, Balken, Bretter: alles wurde vermessen und zugeschnitten. Aber Dielenbretter und innen die Verschalung, dazu nahmen wir Ahorn. Es war ein saures Stück Arbeit, denn es war hartes Holz, und die Säge ging wie in Eisen. Die Steine zum Fundament mußten wir auch erst den Hügel raufwälzen. Aber es ging schnell vorwärts, denn wir arbeiteten mit Freuden und nicht mit Seufzen. Als Palmsonntag ins Land kam, da war sie hoch. Ostern hielten wir zum erstenmal Kirche im Rohbau, und Pfingsten läuteten die Glocken zum erstenmal. Da standen wir unten auf dem Kirchhof und nahmen die Hüte und Mützen ab und beteten. Und als wir das getan hatten, freuten wir uns wieder, und alle waren zufrieden. Meier auch mit seiner Extrabank.

Bloß einer war nicht zufrieden. Das war der Krüger. Er hatte da einen Saloon aufgemacht. Er bot uns zweihundert Dollars zum Bau, wenn wir die Kirche näher an sein Haus ranrückten. Einen schönen Hügel am Wege wollte er auch umsonst hergeben, und den Kirchhof konnten wir von seinem Platz abstecken, so groß wir ihn haben wollten. Aber wir haben ihm abgesagt: Christus und Belial, die passen nicht zusammen, die müssen Abstand haben. Da wurde er falsch, aber man für kurze Zeit, denn mit seinem Kramladen ist er auf uns angewiesen.

Siehe, das war unsre erste Kirche. Sie wurde nachher auch zu klein, und da bauten wir die schöne Steinkirche. Die alte hat dann noch eine Zeit als Schule gedient. Aber den Turm brauchten wir nicht runterzunehmen. Der Sturm hatte uns die Arbeit schon abgenommen. An die alte Kirche denken wir noch gern zurück, denn es war die erste, und wir hatten sie selbst gebaut. Wir hatten Gottes Wort in ihr gehört und Gottes Segen mit rausgenommen auf unsre Farm.

*

Ein Vierteljahr zurück schrieb ich dir von den Polen, wie wir sie zum Kirchenbau bekehrten. Von dem einen will ich dir heute eine Geschichte erzählen, denn Wieschen hat in diesen Tagen mal wieder ihre große Reinmacherei, und dann ist ein schlechter Umgang mit ihr. Ich sage bloß so im Vorbeigehen ganz löslich ein paar Wörter von der Sündflut. So sagt

sie, ich soll mir ganz ruhig eine Arche bauen und ab-
gondeln. Ja, so sind die Weiber. Nun riecht das
ganze Haus nach Wasser, und bei dem wässerigen Geruch ist mir die Geschichte von dem Polen wieder
eingefallen. Der Mann hieß mit seinem Namen Scharwenski und war ein Jahr mit im Kirchenvorstand.
Aber so was von Dreck hab ich mein Lebtag nicht in
einem Hause gesehen. Die Stube war anzusehen wie
ein richtiger Schweinestall, und in der Küche klebte
das Geschirr an den Brettern. Die Wanzen wollten
gern schwadronsweise an den Wänden lang exerzieren.
Man bloß, sie blieben stecken, sie saßen bis an den
Bauch im Dreck. Na, es gibt verschiedene Würmer
aus Gottes Erdboden. Die einen mögen gern im Apfel
sitzen und die andern im Dreck. Die Naturen sind
verschieden.

Der Pastor kam zu ihnen. Der Mann war nicht
da. So kam die Frau rein. Sie kam vom Ausmisten.
Das konnte man sehen und riechen auch. Sie hatte
sich nicht mal die Finger gewaschen. Sie trug Brot,
Butter und Käse auf. Der Pastor mußte essen. Er
mußte sich würgen. Es wollte nicht untergehen. Er
mußte noch ein großes Stück Käse mitnehmen. Er
war froh, als er draußen war. Den Käse legte er in
seine Stube. Als er dann wieder rein kam, da saß
sein Kandidat hinter dem Käse und säbelte ein Stück
nach dem andern ab. Das war ein feiner junger Herr,
und sein Vater war Professor am College. Er war
auch schon mal bei Scharwenski gewesen, aber nachher
hatte er einen Tag lang nicht essen können.

Als der Pastor ihn nun so nürig (emsig) essen sah,
sprach er zu sich: Dein Kandidat will Pastor werden.

184

So kommt er zu allerlei Volk und muß an ihrem Tisch sitzen und ihr Brot essen; sonst sehen sie das als eine Beleidigung an. Der junge Mann ist von Hause aus noch immer zu ekelhaft in seinem Essen. Er muß mehr hartfratsch[1]) werden, und dies ist ein paßliche Gelegenheit, ihn zu bekehren.

Als er so weit gedacht hatte, da lobte der Kandidat den Käse in seinem Geschmack und daß er auch einen besonderen Geruch an sich habe. Ja, sagte der Pastor, er ist auch von Frau Scharwenski. Als der junge Herr das hörte, da aß er nicht mehr. Da legte er das Messer hin. Da wurde er blaß. Da lief er raus. Da lief der Käse auch wieder an die frische Luft, und das Vesperbrot sauste hinterher. Da hat der Pastor es aufgegeben und hat ihn nicht mehr bekehrt.

Solche und ähnliche Geschichten passieren hier auch. Der Mann hat seine Farm nachher ganz gut verkauft und ist über den Missouri nach Nebraska verzogen. Mit ihm ging ein andrer; dem sein Haus sah sehr reinlich aus, denn die Frau war dafür. Als sie so zusammen fortzogen, da wurde ein Sprichwort hinter ihnen hergesprochen: Hier swemmen wi Appel, säd de Roßappel taum Gravensteiner, dunn swemmten sei tausammen de Bäk dal. Aber sein Nachfolger und seine Frau, die haben ein halbes Jahr lang zu tun gehabt, daß sie den Stall rein kriegten, und die Frau hat einen ganzen Tag mit der Schüffel gearbeitet, bis sie den gröbsten Mist aus der Stube hatte.

Wieschen sagt: Das mußt du nicht schreiben, denn es gehört zum Afterreden und ist gegen das achte Gebot. Ich sage: Wieschen, das ist nicht an dem. Ich

---

[1]) wenig wählerisch, alles essen.

habe es geschrieben, damit der Mann weiß, wie Land Amerika manchmal aussieht, wenn es in unrechte Hände kommt. So sagt sie: Du wirst auch keine Geschichten hinschreiben, die für dich selbst keine Ehre sind; darum mußt du es bei andern auch nicht tun. — Hoho, Wieschen, das werde ich doch tun. Ich soll ihm das Leben hier aufschreiben und abmalen, wie es wirklich ist; und das muß ich tun, ob ich davon eine Ehre habe oder nicht. — Was willst du denn von dir hinschreiben? — Wie ich mal von der Kanzel herab gezüchtigt worden bin! — Ach, laß doch die dumme Geschichte! Das ist ja auch schon seine zehn Jahre her. — Wir wollen uns freuen, Wieschen, daß es nicht erst letzten Sonntag passiert ist. Sonst würde ich meine Feder nicht in die Dinte stippen, sondern in Grimm. — Und das ist nicht christlich und bekommt auch nicht. Ich konnte dir den schönsten Braten machen, aber du bist auf und davon gegangen. — Stimmt, Wieschen! Ein Gericht Kraut mit Liebe ist besser denn ein gemästeter Ochse mit Haß, Sprüche Salomonis Kap. 15. — Na, das laß man sein. Für Krautessen bist du immer nie nicht gewesen.

Da geht sie hin, und ich will dir die Geschichte aufschreiben. Es ist nichts dabei, ist auch schon lange her. Du brauchst es aber im Dorf nicht vorzulesen. — Wir hatten mit Freunden und Verwandten eine kleine Feier. Es war ganz ordentlich, bloß zuletzt ein bißchen laut. Da kam ein junger Mensch rein, der hatte reichlich getrunken. Dem hatte Wieschen früher mal die Wahrheit gesagt, weil er duhn war und Reden führte, die nicht mehr anständig waren. Nun fing er an, sich mit Wörtern an Wieschen zu reiben. Sie sah mich an.

Ich sah ihn an. Er stichelte weiter. Er stichelte nicht mehr mit Nähnadeln. Er stichelte mit Packnadeln. Es wurde ganz still. Ich sprach: Du mußt nun ruhig sein. Ich muß dir sonst eine runterhauen. Du kommst billiger weg, wenn du es jetzt sein läßt. — Es half nicht. Der Bengel trieb es immer ärger. Wieschen schämte sich vor den Leuten. Ich stand auf. Ich ging auf ihn zu. Ich hob meine Faust wider ihn. Ja, das tat ich. Aber Wieschen sprang dazwischen. Einer von den Nachbarn warf den Bengel aus der Tür. Ich vergaß die Sache. Aber sein Vater ging zum Pastor und verklagte mich. Das war der erste Teil.

Nun kommt der zweite Teil. Am Altjahrsabend saß ich in der Kirche, und der Pastor hielt eine schöne Predigt über das Wort: Meine Zeit stehet in deinen Händen. Aber am Schluß machte er noch eine Anmeldung. Er sprach: In unserer Gemeinde befindet sich ein Mann, der seine Hand wider seinen jungen Bruder erhoben hat. Er ist noch nicht um Vergebung bei ihm eingekommen. So wollen wir am Schluß des Jahres für ihn beten. — Und wahrhaftig! Da beteten sie für mich, und es kam mir gar nicht zu. Als sie das taten, da dachte ich erst was, was ganz unchristlich war, und was man in der Kirche lieber nicht denken soll. Aber dann hab ich auch gebetet. Ich habe gebetet: Vater, vergib ihnen, denn sie wissen nicht, was sie tun. Nachher bin ich zum Pastor gegangen und hab ihm mein Beten erzählt und die ganze Geschichte auch, denn mein Herz ist keine Mördergrube. Ich hab ihm auch gesagt, wenn er wieder mal von der Kanzel herab für einen bete, dann solle er sich vorher lieber genau erkundigen, daß er nicht vorbeibete. So war alles wieder in Ordnung, bloß der Pastor kriegte einen Kopf, der war etwas rot. Aber den Jungen und den Alten hat er sich dann mal ordentlich gelangt, und der Junge hat sich bei Wieschen verbeten und ist seitdem viel manierlicher geworden.

Na, so was kann passieren, denn Irren ist menschlich, auf der Kanzel auch. Und Fürbitte kann der Mensch immer mal brauchen. Paßt es heute nicht, dann paßt es ein andermal, und ich denke, der liebe Gott hat meine Fürbitte zurückgelegt für ein andermal, wo sie besser für mich paßt. Unter den Menschen aber ist es nötig, daß da kein Span und Haken zurückbleibt, und hier ist nichts zurückgeblieben.

Oha, in unsern Kirchen geschahen früher manchmal merkwürdige Sachen. Das war meist, als wir noch im Anfang steckten und weit auseinander wohnten. Aus der Zeit stammt sich eine Kirchengeschichte, die trug sich in einer Nachbargemeinde zu, so bei zwanzig Meilen West. Sie hatten da einen guten Pastor, aber eine schlechte Ernte, und das drei Jahre hintereinander. Alles war auf dem Halm verbrannt, und sie konnten sich das Einfahren sparen. Ihre Kühe waren anzusehen wie die Windhunde. Das erste Jahr ging das noch an. Als aber auch im zweiten Jahr der Himmel verschlossen war, da kamen sie zusammen und klagten sich ihre Not. Als sie damit fertig waren, machten sie den Beschluß, sie wollten in diesen teuren Zeiten dem Pastor sein Gehalt auch sparen. So gehen sie zu ihm und reden erst vom Wetter und all solchen Sachen, womit der Mensch anfängt, wenn er zu Menschen kommt. Aber dann stößt einer den andern an, und endlich mußte der Kirchenälteste damit raus. Der stammte aus Buxtehude, da achter Hamburg. Das is dor, wo de Swienegel mal mit den Hasen in de Wedd löp und wo er ihn im Laufen übermochte.

Herr Pastor, sagt er, Ihr habt uns nun so 'n Stücker drei Jahre Gottes Wort gepredigt, und wir haben Euch das Gehalt gern gezahlt und ohne Murren. Aber nun sind aasig schlechte Zeiten gekommen, und wir müssen sparen, denn die Gemeinde kann Euer Gehalt nicht mehr aufbringen. So haben wir den Beschluß gemacht, wir wollten mal versuchen, ohne Euch fertig zu werden.

Er hält still in seiner Ansprache. Keiner hilft ihm. Ihm wird heiß. Er merkt, es ist nicht leicht. Der Pastor steht am Fenster. Er kuckt raus. Er sagt nichts. Der Buxtehuder muß wieder anfangen: Wir haben an das Wort gedacht, was Ihr uns verkündigt habt: Gott ist in den Schwachen mächtig. Das wird wohl auch für trockne Jahre gelten. Besonders, wenn da ein Schwacher nicht allein ist, sondern ein ganzer Posten. Um Gottes Segen haben wir auch schon gebetet. Nun sind wir zwölf Mann im Kirchenrat, und wir haben uns das so gedacht: Wir wollen uns das umgehen lassen im Vierteljahr. Jeder übernimmt einen Sonntag und hält in der Kirche eine geistliche Vermahnung an die Gemeinde, so ähnlich, wie Ihr das macht. Bloß kürzer und kräftiger, und einer nach dem andern, daß jeder sein Recht kriegt. Er hält wieder still. Ihm wird noch heißer. Er muß sich den Schweiß abwischen. Der Pastor steht noch immer am Fenster. Er kuckt noch immer raus. Er sagt noch immer nichts. Der Mann aus Buxtehude muß noch einmal anfangen: Ihr habt uns Gottes Wort treu gepredigt. Dafür sind wir Euch dankbar. Aber jetzt sind wir in großer Not, und wir wollen uns bei Euch bedanken, wenn Ihr Euch eine andre Stelle sucht. Der liebe Gott wird Euch dabei helfen, und wir wollen auch für Euch beten. Wenn der liebe Gott wieder Regen über das Land schickt, holen wir Euch gern zurück. — Er hustet. Er scharrt mit dem Fuß. Er ist fertig mit seiner Ansprache. Die andern nickköppen ihm zu: Du hast deine Sache gut gemacht.

Da ist der Pastor auch fertig mit seinem Fensterkucken. Er dreht sich rum und sagt ja. Dann wischt er sich mit der Hand ein paarmal über den Mund und das Kinn. Ja, wenn Ihr meint, daß es nötig ist und daß Ihr auch ohne mich fertig werden tut, dann macht Euch weiter keine Sorgen. Heute ist Montag. Nächsten Donnerstag will ich gehen, und nächsten Sonntag könnt Ihr anfangen. Bloß, Ihr müßt mir erlauben, daß ich meine Sachen noch ein paar Wochen hierlasse. Denn für den Augenblick weiß ich nicht, wo ich damit hin soll.

Da willigten sie gerne ein und zogen ab, und er rief ihnen noch nach: Also bis dahin, daß der liebe Gott wieder Regen schickt über das Land! — Ja woll! riefen sie zurück. Du, sagte draußen einer zum andern, der Pastor hat sich eben, als er vom nächsten Regen sprach, mit der Hand wieder über den Mund gewischt. Aber es kam mir so vor, als wenn seine Augen sich inwendig lachten. Dabei ist für ihn doch nichts zu lachen. Aber wozu reibt er sich denn um den Mund rum? — Laß ihn reiben! sagten die andern, und am Donnerstag zog der Pastor richtig ab.

Damals dachte noch kein Mensch auf der Farm daran, sich ein Telephon anzuschaffen; aber die Geschichte lief in ein paar Tagen in der ganzen Gegend

rum: In Dingskirchen hat die Gemeinde ihrem Pastor
aufgesagt. Gottes Wort wird ihnen in trocknen Jahren zu teuer. Nächsten Sonntag wird der Kirchenälteste an seiner Stelle eine geistliche Vermahnung
an die Gemeinde halten, die soll kurz und kräftig ausfallen. Sie wollten sich das umgehen lassen.

Da kam der nächste Sonntag schon ran. — Da kam
alles, was Beine hatte, und ich auch. Ich sagte zu
Wieschen: Das muß ich mir anhören. Sie sprach:
Die Leute haben eine Dummheit gemacht, und die sie
Sonntag machen, die wird noch größer sein, denn die
erste war. Was willst du dir die Stiefelsohlen danach
ablaufen? Aber als der Sonnabend kam, da nahm ich
die zwanzig Meilen unter die Füße, und am Abend
hatte ich sie richtig abgewickelt. Am andern Morgen
war die Kirche proppenvoll. So voll hatte der Pastor
sie wohl lange nicht gesehen. Vor dem Altar stand
das Lesepult, und davor saß der Buxtehuder und hatte
seinen Sonntagsrock an. Aber ein Sonntagsgesicht
hatte er nicht aufgesetzt. Auch rutschte er heftig hin
und her auf seiner Bank. Na, denke ich, in deiner
Haut möchte ich heute auch nicht stecken. Wo dit woll
möt!

Er läßt Nr. 288 singen: Was willst du, armer Erden-
kloß, so sehr mit Hoffart prangen? Es ist ein langer
Gesang. Er hat 13 Verse. Es ist zu Ende. Er bleibt
sitzen. Er läßt ein zweites Lied singen. Die Gemeinde
wundert sich; er ist sonst nicht für Musik. Endlich
ist das auch zu Ende. Noch ein drittes Lied — nein,
das geht nicht. So wankt er nach dem Pult und stellt
sich dahinter. Aller Augen sehen auf ihn, die einen
mit Neubegier, die andern mit Ehrfurcht. Ihm bebern

die Bücksen. Er muß sich immerzu den Schweiß abwischen. Er nimmt die Bibel. Er schlägt sie auf. Er
liest Matthäi am 23.: Oh, ihr Schlangen und Otterngezücht, wie wollt ihr der höllischen Verdammnis entrinnen? — Wir setzten uns. Wir husten noch mal,
um nachher nicht zu stören. Wir setzten uns zurecht,
und ich denke so bei mir: Alles, was recht ist! Eine
kurze, kräftige Vermahnung läßt sich da gut anbringen. Aber daß er die Farmersleute gleich mit Schlangen und Ottern vergleicht, das wäre wohl nicht nötig
gewesen, wo es auch gar nicht an dem ist. Na, das ist
seine Sache. In der Bibel kommen Schlangen und
Ottern ja öfter vor.

Als die Gemeinde mit dem Husten fertig ist, da
hustet er selbst noch ein paarmal. Dann gibt er sich
inwendig einen Ruck und fängt wahrhaftig an. Lieber
Freund, ich kann dir mitteilen, was nun kam, so was
hab ich im Leben nicht gehört. Das war nicht geistlich. Das war nicht weltlich. Das war bloß ängstlich
und lauter Unsinn. Er fing an:

Meine lieben Mitchristen! Oder, wie der Apostel
sagt, ihr Schlangen- und Otterngezücht! Ihr Schlangen! sagt er. — Ihr Schlangen und Ottern! — — Ihr
Ottern und Schlangen! — — Ihr Ottern! — Ihr
Schlangen! Das brüllt er man so raus, und dazu schlug
er mit der Faust auf die Kanzel. Er tat es aber nicht
aus Kraft, sondern aus Angst. Er wollte sich Mut
machen. Es gelang ihm nicht. Er wußte nicht weiter.
Er verbiesterte (verirrte) in seinem Text. Er fing
wieder an: Ihr Schlangen- und Otterngezücht! — Ihr
Schlangengezücht! — Es war wieder alle. Er kuckte
über sich. Er kuckte uns an. Wir kuckten ihn an.

Wir saßen ganz still. Er legte noch mal los; aber er war heil und deil verbiestert: Ihr Schlangen! Ihr Schlottern und Zangen! — — Ihr Schlottergezücht! — Das kam noch ordentlich forsch raus. Und dann saß er ganz fest. Seine Vermahnung war alle geworden. Er blickte um sich wie einer, der in großer Not ist.

Es war aber allda einer von den Ältesten, der sollte am nächsten Sonntag ran. Der sah seine Not und daß er die Tiere so durcheinander schmiß. Der sah auch, daß es mit der geistlichen Vermahnung für heute nichts mehr wurde. Darum erbarmte er sich über ihn und rief ihm leise zu: Lasset uns beten! — Er aber griff das Wort mit seinen Ohren auf, und mit seinen Augen suchte er auf der Bibelseite Matthäi am 23. nach einem Gebet. Es nützte nichts mehr. Er war nun einmal an Leib und Seele verbiestert, und darum verhaspelte er sich auch in seinem Beten. Er folgte die Hände und sprach: Lasset uns beten! Wehe euch, ihr Schriftgelehrten und Pharisäer! Amen. — Dann setzte er sich und tat sich bloß noch den Schweiß abwischen. Wir sangen noch ein kurzes Lied, und dann war die Kirche aus. Die Andacht war schon lange vorher aus gewesen. Weißt du, was ich wohl wissen möchte? Ich möchte wohl wissen, was der liebe Gott zu dem Buxtehuder seiner geistlichen Vermahnung gesagt hat.

Die Ältesten aber hielten einen Rat und machten einen Beschluß: Wir wollen unsern Pastor aufsuchen und ihn bitten, daß er wieder zu uns kommt. Es ist schwerer, als wir gedacht haben. — Der Pastor war auch gar nicht schwer aufzufinden. Er war in der Nähe geblieben, weil er sich das schon so gedacht hatte. Am nächsten Sonntag stand er wieder auf der Kanzel,

und die Kirche war wieder voll. Sie haben ihm alle
gedankt und gebeten, er solle ihnen das man nicht
weiter übelnehmen; es sei bloß ihre Dummheit gewesen. Lieber wollten sie noch ein trockenes Jahr durch-
halten als noch eine geistliche Vermahnung von der
Sorte.

Der alte Buxtehuder aber hat um Vergebung einkommen müssen bei der Gemeinde. Er hat auch gesagt, es sei ihm bloß aus Angst abgegangen und es
tue ihm leid; sie würden es aber auch nicht besser gemacht haben. Das haben sie denn auch geglaubt und
sind damit zufrieden gewesen. Bloß, als Kirchenältesten haben sie ihn gleich abgesetzt, weil es vor Gott
und allem Volk geschehen war. Es durfte ihn aber
hinfort niemand fragen nach seinem Priestertum. Dann
wurde er wild. — Der Pastor und seine Gemeinde sind
nachher ganz gut miteinander fertig geworden, und
in trocknen Jahren ist nicht wieder die Rede davon
gewesen, daß sie ihm aufsagen wollten.

Als ich nach Hause kam und meinen Stock in die
Ecke gestellt hatte, da sagte ich: Wieschen, sagte ich,
du hast wieder mal recht gehabt. Lieber in trocknen
Jahren Sägespäne essen, als vor dem Altar stehen und
nicht priestern können. Wieschen meinte, das habe
sie ja gleich gesagt. Aber ich mußte ihr die Geschichte
doch haarklein erzählen.

Beim Maispahlen

Unsere Maisernte war all die Jahre durch gut, nur in einem Sommer verregnet. Das hat der Mais gern, wenn er sich versonnen kann. Der Bushel Mais wiegt beinah soviel wie ein kleiner Scheffel Rostocker Maß, 56 Pfund. Er kostet jetzt 75 Cents; das ist schon ein guter Preis. Der Bushel hat aber nicht einerlei Gewicht für alles, was wächst. Denn ein Bushel Weizen wiegt 60 Pfund, ein Bushel Kartoffeln auch 60. Beim Mais wird wieder unterschiedlich gerechnet, ob mit oder ohne Kolben. Mit Kolben, wenn er noch nicht geschält ist, hält er 70 Pfund; ohne Kolben, so wie er bei euch in den Handel kommt, 56 Pfund. Pfund und Pfund ist kein großer Unterschied, denn hundert deutsche Pfund sind hundertacht amerikanische.

Wir verbrauchen auch die Stubben vom Mais und die Kolben, wenn die Körner raus sind. Das können wir alles gut verbrauchen, ja well. Damit heizen wir. Wir stecken Steinkohle dazwischen. Das heizt beinah noch besser als Steinkohle allein und hält lange vor im Ofen. Die Stubben in der Erde lassen, das geht nicht. Wenn wir so lange warten wollen, bis sie da verfaulen, dann müssen wir so alt werden wie Methu-

salem; denn sie sind steinhart. Wollen wir sie klein-
haben, so nehmen wir die Axt.

Das Korn macht viel Arbeit. In den ersten Jahren
machten wir das noch verkehrt. Da fuhren wir es
auf dem Felde zusammen. Dort schälten und pahlten
und rieben wir die Körner aus. Wir mußten morgens
schon vor vier weg, und Wieschen stand dann so früh
auf, daß wir vorher noch Kaffee trinken konnten. Die
Pferde mußten vorher ja auch was haben. Es war
so die Gewohnheit in meinem Kopf, daß ich zu dann
rechtzeitig aufwachte. Bei Hannjürn mußten wir ja
auch erst einige Lagen Korn dreschen, bis es Mehl-
suppe gab.

So trieben wir es einige Jahre. Dann trieben wir
es nicht mehr. Wir änderten unser Leben. Wir standen nicht mehr so früh auf. Wir fuhren das Korn
nach Hause und schälten es da aus. Das geschah
manchmal am Tage, sonst abends. Dann saßen wir
die ganze Familie zusammen und machten Korn aus.
Zwei Kolben wurden aneinandergerieben, und die
Körner sprangen raus. Aber das kostete Zeit und wird
heute nur noch auf ganz kleinen Farmen so gemacht.
Auf großen Farmen machen wir das heute alles mit
der Maschine. Die ganz großen im Westen und in
Kanada arbeiten mit Dampfmaschinen; die schneiden
Stangen und Blätter auch gleich zu Häcksel. Viel
Korn verfüttern wir auch grün. Wir fahren es in
großen Haufen zusammen und schließen es luftdicht
ab. So hält es sich, und das Vieh frißt es gern.

Mit dem Maispahlen vertrieben wir uns im Winter
die Zeit. Das war eine schöne Gelegenheit zum Vorlesen und Erzählen. Da hörten wir aus der alten Hei-

mat und von hier. Wir hörten von Gerechten und Un-
gerechten, vom Reichwerden und Armwerden. Wir
hörten Gutes und Böses aus allen vier Winden, meist
aber aus Ost. Denn knapp vier Meilen Nord, da läuft
eine große Road an meiner Farm vorbei. Die geht
nach dem Westen ins Land hinein. Da bröckelte manch
einer ab, der aus dem Osten kam. Der wollte sich
nicht mehr die Sohlen entzweilaufen. Manchmal
hatte er auch keine mehr. Wer ordentlich aussah, der
konnte bleiben. Wieschen gab ihnen zu essen und zu
trinken. Abends halfen sie dann beim Maispahlen.
Das taten sie auch ganz gern. Dabei erzählten sie ihre
Geschichten; das taten sie auch gern. Die meisten
hatten schon viel erlebt. Da kamen manche an, die
konnten acht Tage lang erzählen. Da kriegte man viel
zu hören und wurde nicht dummer davon. Aber am
liebsten erzählten die alten Frauen. Wenn so ein paar
zusammenkamen und eine erzählte, dann knabberte
die andre schon immer mit dem Munde. Sie konnte
nicht die Zeit abwarten, bis die Reihe an sie kam.

Da kamen bunte Geschichten zusammen, auch solche
aus Rußland, Galizien, Bessarabien und wie die ollen
Länder alle heißen. Die Jungs konnten sie auf der
Karte auch nicht immer finden. Manchmal war das
Land so klein, daß ich es mit dem Daumen zudecken
konnte. Man denkt gar nicht, daß es da auch Leute
gibt und Geschichten. Man denkt, das ist bloß zum
Lernen für die Schüler da, denn es sieht bloß gelb oder
blau oder braun aus. Aber dann saß da auf einmal
einer in unserer Stube; der kam da her, und dann
wurde der kleine gelbe oder braune Fleck auf einmal
lebendig, und siehe, da wohnten gerade solche Men-

schen wie wir, bloß ganz anders, und wir sagten oft noch nach Jahren: Haha, da war ja der her, der die schönen Geschichten von den polnischen Juden erzählte, oder: Wieschen, weißt du das nicht mehr? Da hat ja die Frau mit den beiden Jungs gewohnt, die abends so schöne Lieder sangen und nachts das Bett naßmachten.

So saßen wir alle um den Maishaufen herum und erzählten und hörten zu. Dazu wurde Kaffee getrunken und geraucht, daß die Stube blau war. Das schaffte aber mit dem Korn. Das dauerte so bis neun Uhr. Dann fingen wir an zu andachten, und dann ging es zu Bett. Am andern Tag bedankten sie sich und zogen weiter. Die welchen blieben auch länger. Ich wollte bloß, du hättest dir das einen Winter über angehört und gleich alles aufgeschrieben. Das waren manchmal Geschichten, die konnten in einem richtigen Buch stehen. Nun ist das Maispahlen meist vorbei. Aber besuchen mußt du uns doch. Du sollst auf dem besten Platz sitzen und uns abends die Andacht lesen und sonntags die Predigt, wenn wir nicht zur Kirche kommen können. Das mußt du dir überlegen, aber nicht zu lange. Und dann mußt du kommen, aber bald. Bis dahin will ich dir ein paar von unsern Maispahlergeschichten erzählen, um dir Lust zu machen. Wieschen sagt, sie will auch alles tun, daß es dir bei uns gefällt. Sie sagt, das wird dir hier auch gefallen. Das glaub ich auch; denn was Wieschen sagt, darauf kannst du dich verlassen.

An einem schönen Nachmittag kam sie an. Ich hörte sie schon, da sie noch ferne war. Ich dachte: Das ist eine ganze Gesellschaft. Das kann dir passen beim

Mais. Aber dann war sie es man ganz allein. Sie unterhielt sich auf eigene Faust und zausterte (räsonierte) immer so eben vor sich hin. Das hat der Mensch gern, wenn er mal ein vernünftiges Wort mit sich selbst reden kann. Erst tat sie wie ein verschüchtertes Huhn und kuckte uns an, als ob sie unter die Räuber und Mörder geraten wäre, so zwischen Jerusalem und Jericho. Beim Essen wahrschaute sie auch erst. Ich sprach: Du kannst ruhig essen; es ist kein Gift mang. Wir löffeln ja alle aus derselben Schüssel. Da aß sie ganz nürig mit. Reden konnte sie für drei, aber alles bunt durcheinander, daß es nicht anzuhören war. Das war, als ob einer mit der Peitsche hinter ihr her war. Das war, als ob sie in großer Angst einen langen Weg gelaufen war.

Als sie hinter ihrem Maishaufen saß, da wurde sie ruhig. Ich sprach: So, nun siehst du, daß du bei ordentlichen Leuten bist. Hier tut dir kein Mensch was zuleide. Hinter deinem Maishaufen bist du so sicher wie in Abrahams Schoß. Und nun fang' noch mal an zu erzählen, aber hübsch der Reihe nach. Da muß Schlagordnung drin sein. So erzähle uns, wie du heißt, wo du herkommst und wie du über die Grenze gekommen bist, wo du hier doch keinen Mann hast.

Da erzählte sie. Sie hieß mit ihrem Namen Etelka Bräuer und kam aus Ungarn, war aber von deutschen Eltern geboren. Die Jungs hatten das Land Ungarn auch bald gefunden. Damit hatte es seine Richtigkeit. Und nun legte sie los: Ach, ich bin so glücklich, daß ich zu euch gekommen bin und bin nicht gefallen in die Satanshand, entschuldigen Sie. Wie ich über die Grenze gekommen bin, das sollt ihr auch wissen. Man muß nur sein aufherzig und ohne Scheu, denn den Aufrichtigen läßt es Gott gelingen. Ich nahm mir bloß einen andern Namen in meinem Kopf und fuhr damit nach Teschen. In Teschen hat man mich gefragt: Wohin? Ich habe gesagt: Nach Oderberg. — Vater, hier ist Oderberg! sagt mein Ältester und tippt auf die Karte. — Weiter nicht? — Nein! So bin ich in Gottes Namen gefahren nach Oderberg. In Oderberg hat man mich gefragt: Wohin? Ich habe gesagt: Nach Ratibor. — Weiter nicht? — Nein. So bin ich gefahren nach Ratibor. — Vater, hier ist Ratibor! — In Ratibor hat man mich gefragt: Wohin? Ich habe gesagt: Nach Berlin. — Weiter nicht? — Nein. So bin ich gefahren nach Berlin, und in Berlin hat man mich nicht mehr gefragt. Da konnte ich weiterfahren bis Bremen. So hab ich mich mit Gottes Hilfe glücklich durchresekiert. Man muß nur sein aufherzig und ohne Scheu, denn den Aufrichtigen läßt es Gott gelingen. Ich sage: Dein Christentum ist von einer Sorte, daß es sich nicht für einen Christenmenschen gehört. Du hast dich durchgeflunkert und sagst nun: der liebe Gott hat mir geholfen. Mit deiner Aufherzigkeit ist das man ganz kläterig bestellt, und vom zweiten Gebot weißt du wohl nicht mehr viel ab. — Ja, sagte sie, es ist so, wie ich sage: den Aufrichtigen läßt es Gott gelingen; darum bin ich glücklich durchgekommen. — Na, denn erzähle man weiter, aber den lieben Gott laß man lieber raus aus deinen Geschichten. Und sie erzählte weiter:

In Bremen auf dem Bahnhof stand ein Mann mit einer blauen Schürze und mit einer Nummer an der Mütze. Der stürzte auf mich los und wollte mich versuchen und griff nach meinen Sachen. Aber ich habe sie festgehalten und zu ihm gesagt: Hebe dich weg von mir, Satanas! Ich muß zu dem hochwichtigen Herrn Pastor, denn ich bin in der evangelische Glaube geboren und erzogen, und wenn ich in der Glaube bin, dann bin ich in der Glaube. Da ist er von mir gewichen und hat sich bloß noch einmal umgekuckt. Ach, es ist sehr traurig, zu fallen in die Satanshand, entschuldigen Sie.

Ich bin dann zu dem Herrn Pastor gegangen, und der hat mich zu Herrn Mißler gebracht, und da hatte ich wieder einen andern Namen. Man muß nur sein aufherzig und ohne Scheu, und meine Geld und mein Zettel hab ich in die Strumpf, um nicht zu fallen in die Satanshand, entschuldigen Sie. Ich muß mein Leben selbst schwer machen, und mein Mann ist gewesen ein Satan, entschuldigen ·Sie, und meine große Knabe hat mich verunglückt mit meine Geld. Ach, ich bin glücklich, daß ich gekommen bin durch, und ich will nicht schlafen in die Hotel; ich will schlafen in euer Küch.

Na, sage ich, das mit der Geldversicherung im Strumpf, das gefällt mir, aber von Aufherzigkeit bin ich bis jetzt nichts gewahr geworden in deiner Geschichte. In Bremen auf dem Bahnhof wirst du dich auch wohl verkuckt haben, denn der Satan trägt für gewöhnlich keine blaue Schürze und keine Nummer an der Mütze. Wieschen, wo blieben wi mit dat Worm?

Da hat Wieschen sie natürlich behalten. Wir machten Schicht, und sie ging zu Bett. Aber es dauerte nicht lange, da gab es in ihrer Kammer einen großen Spektakel. Sie schrie: Hilfe! Man will mich vergiften.

Ich bin gefallen in die Satanshand! — Wieschen stand
auf und ging zu ihr. Da war alles in Ordnung. Aber
sie sagte: Nein, hier ist Gift in der Luft. Hier ist
Satans Hand in die Luft. Mit meiner Nase rieche
ich sie. Ich bin gefallen unter Räuber! Wieschen sagte:
Dummen Snack! und redete ihr das aus und sprach
ihr gut zu mit freundlichen Wörtern, so daß sie wieder
zu Bett ging. Es dauerte so seine Zeit, dann ging es
wieder los mit dem Giftgeschrei. Wieschen stand
wieder auf. Wieschen brachte sie wieder zur Ruhe.

Als sie wiederkam, sagte ich: Wieschen, sagte ich,
wenn das so beibleibt, dann kann das eine kurzweilige
Nacht werden. Die Alte muß im Kopf nicht ganz
ordentlich sein; sonst kommt doch kein vernünftiger
Mensch auf den verrückten Einfall, daß wir hier Gift
legen tun. Über so was kann ich mich nun wieder
giften. Denn so eine Nachrede, das ist keine Ehre für
unser Haus. — Reg dich man nicht auf, Jürnjakob,
sagte Wieschen. Oder glaubst du, daß da draußen neu-
gierige Menschen stehen und horchen, was hier los
ist? Die Frau hat wohl schon schwere Tage durchgemacht, und davon ist sie so ängstlich geworden. Nun
dreh dich man lieber nach der andern Seite rum und
schlaf weiter und laß das Reden sein. Oben eine, die
auf ungarischdeutsch schreit, und unten einer, der auf
amerikanischdeutsch knurrt, das ist in einer Nacht ein
bißchen reichlich.

Als sie das gesagt hatte, da war ich richtig erstaunt
und drehte mich rum und schlief weiter und dachte:
Dieses, das ist die längste Rede, die Wieschen jemals
getan hat in ihrem Leben, und das mitten in der
Nacht. Und das ist bloß, weil ihr die Alte da oben

jammern tut in ihrem Herzen. Und dabei hat sie nichts davon als Laufereien. Es ist doch eine ganz merkwürdige und unbegreifliche Nation, die, wo nachts Barmherzigkeit tut an ihresgleichen.

Zweimal lärmte sie oben dann noch los, und zweimal stand Wieschen noch auf. Nachher schlief sie ein, und da konnten wir auch schlafen. Aber es dauerte nicht mehr lange, da kuckte der Tag durchs Fenster. Und als alle Kaffee getrunken hatten, da mußte ich auch noch mit rauf, denn die Frau ließ sich das nicht aus ihrem Kopf ausreden, daß da Gift in der Luft sei. So schnüffelte ich mit meiner Nase alle Wände ab. Von Gift hab ich nichts gerochen, aber rausgekriegt hab ich das doch, und als ich es raus hatte, da hab ich auch ungarischdeutsch mit ihr gesprochen. Ne, hab ich gesagt, das ist kein Gift, das ist bloß der Geruch von die amerikanische Seif; das bist du nicht gewöhnt. Das seh ich an deinem Nacken und hinter deinen Ohren, da hast du lange keinen Umgang mit die Seif gehabt. Gekämmt hast du dich auch nicht ordentlich. Das mußt du dir in Land Amerika auch noch angewöhnen. — Das hat sie mir denn auch versprochen, und nachher ist sie fröhlich abgezogen, daß es bloß Seife war und keine Satanshand oder Gift.

Ja, erzählt hat sie genug, und erlebt haben wir auch genug mit ihr. Aber viel Korn hat sie nicht ausgemacht. Ihr fehlte der ruhige Sinn, darum hatte sie auch keine ruhige Hand. Lieber Freund, weißt du, was ich glaube? Ich glaube, sie wird sich noch mal festresekieren. Ich glaube, sie glaubt, der liebe Gott hilft ihr bei ihrem Lügen, weil sie dabei fromme Wörter macht. Ich glaube, in Ungarn wohnen auch nicht lauter solide Christen. Das war Nro. 1.

*

Nun kommt Nro. 2. Den hab ich im Lehnstuhl sitzen lassen. Beim Kornausmachen mochte ich ihn nicht anstellen, denn er war ein alter Mann. Zwei Jahr zurück kam er schon einmal hier durch. Da zählte er seines Lebens 78 Jahr. So war er jetzt 80. Aber er lief so flink wie ein Katteiker. Er wollte nach dem Hannöverschen und seine Augen besehen lassen. Da liegt eine Stadt, die heißt Göttingen; da wohnt ein tüchtiger und aufgeweckter Augendoktor und Brillenmacher. Auf der Karte ist sie ein kleiner Punkt. Er hatte noch alle Zähne, und hören konnte er auch gut. Man bloß, Bibel, Zeitung und Kalender mußte er armweit von sich abhalten. Nun wollte er sich in Göttingen eine Brille verschreiben lassen, die ihm Bibel und Zeitung näher ranzog. Seine Verwandtschaft wollte er bei der Gelegenheit auch gleich besuchen. Er kam hier ganz fröhlich angestiefelt. Gut vierzehn Tage ist er dann drüben gewesen und hat sich richtig eine Brille anmessen lassen. So kam er hier wieder an. Das war zwei Jahre zurück. Jetzt kam er wieder. Das ging noch grade so beinig wie das erstemal. Na, sage ich, da bist du ja auch schon wieder. Ja, sagte er, ich muß wieder nach Göttingen und mir ein paar neue Gläser einsetzen lassen. Mir geht das auf meine alten Tage mit den Gläsern so wie den Jungs mit den Stiefelsohlen. Sie nützen sich bald ab. Bloß, daß man das bei den Gläsern nicht so sehen kann. Darum will ich nach drüben. Die amerikanischen Gläser taugen nichts.

Es dauerte auch nur wenig mehr als zwei Mond, so war er wieder da und war ganz glücklich. Wie hat es dir denn in der alten Heimat gefallen? Oh, antwortete er, bei dem Augendoktor in Göttingen ganz gut. Er freute sich, als er mich sah. Er kannte mich auch gleich wieder, als ich ihm sagte, daß ich das sei. Ja, das ist ein freundlicher Mann. Und seine kleine Frau war noch freundlicher. Die hat mir Kaffee und Kuchen gegeben, als sie hörte, daß ich aus Amerika kam. Und als ich von meinen achtzig Jahren sagte, da hat sie mir noch extra ein weiches Kissen hinter den Rücken gesteckt. Das waren freundliche Menschen. Ja well. Was macht denn deine Freundschaft? — Hm! Das war man so so, und ich freue mich, daß ich mein Leben gerettet habe. Drüben mag es auch ganz nette Freundschaft geben; aber es ist meine nicht. Was die meine ist, wenn ich da als amerikanischer Onkel zu Besuch komme, dann heißt es: Aller Augen warten auf dich. Erst freuten sie sich und backten Kuchen. Den hab ich gern gegessen. Da war ich lieber Onkel vorn und lieber Onkel hinten. Das hab ich gern gehört. Aber dann fingen sie von meinen Jahren an und redeten ganz christlich von Tod und Sterben, und aufhören taten sie mit Testament und Vererben. Sie fingen schon morgens an und sangen Sterbelieder. Das hab ich nicht mehr gern gehört. Als sie das merkten, da sprachen und sangen sie nicht mehr davon. Da mußte ich immer mit ihnen rein nach Hannover. Da mußte die eine ein Kleid haben, die andre einen Hut, und am nächsten Tag mußte es eine goldene Uhr sein. Sie haben mich beinahe ausgezogen. Mit Liebe und frommen Wörtern haben sie das getan, daß ich mich nicht wehren konnte, und ich hab mich auch nicht gewehrt. Bloß das Geld wurde alle, und da war ihr Gesicht nicht mehr wie gestern und ehegestern.

Darum machte ich mich auf die Socken. Sie gaben mir noch schöne Bibelsprüche mit auf den Weg und sprachen von der Hoffnung auf ein Wiedersehen. Ich aber grawwelte in meinen leeren Bücksentaschen rum und sprach: Ja, das hoffe ich auch. Ich bin gern hier gewesen und will gern wiederkommen. Aber dann müßt ihr mich nach einem andern Schriftwort behandeln als diesmal. Sie sprachen: woso und woans? — Ja, diesmal habt ihr mich behandelt nach dem Wort der Schrift: Ein lebendiger Hund ist besser denn ein toter Löwe; Prediger Salomonis am neunten.

Als er seinen Pfeifenstummel wieder in Brand hatte, sagte ich: Na, denn bleib man lieber hier und laß das Reisen. Er meinte aber: Ja, für's erste will ich das auch tun. Wenn ich aber neue Gläser haben muß, reise ich doch wieder rüber. Die amerikanischen Gläser taugen nichts. Das Reisen macht mir auch vielen Spaß. Bloß, ich muß mir das nächste Mal mehr Geld einstecken. — Damit tüffelte er ab. Als zwei Jahr hin waren, hab ich auf ihn gelauert. Er mußte ja wieder neue Gläser haben. Er ist aber nicht wiedergekommen, und ich habe nichts wieder von ihm gehört. Ich glaube, die freundlichen Doktorsleute in Göttingen kriegen ihn nicht wieder zu sehen. Ich glaube, er hat eine andre Reise gemacht, in ein Land, wo er keine Brillengläser mehr braucht, keine amerikanischen und keine aus Göttingen.

Nro. 3 und 4. Denn nun kommen gleich zwei Mann, und das ist eine ganz merkwürdige Geschichte. Lieber Freund, ich kann dir mitteilen, daß es nirgends bunter zugeht als auf dieser Welt. Eines Tags, da kamen zwei Mann angewankt, das waren die richtigen Tramps, das meint Landstreicher. Ich sah sie mir so'n bißchen an; denn das hat der Mensch im Winter gern, wenn er sich dann und wann einen neuen Menschen anbesehen kann. Dann wollte ich ihnen schon den Rat geben, sie sollten den Weg man wieder unter die Füße nehmen; denn sie sahen sehr heruntergekommen aus, und was die Sorte einem ins Haus bringt, das springt bei zehn Grad Kälte noch im Hemd herum. Aber die Sprache war mir bekannt. Und als ich den einen, was der jüngere war, noch mal richtig ankuckte, da kommt mir auch sein Gesicht bekannt vor. Bloß, ich wußte ihn nicht gleich hinzubringen.

So nahm ich sie beide auf, und sie haben gegessen als wie in Akkord. Als das besorgt war, machten sie schon andre Gesichter, denn es ist ein großer Unterschied im Leben, ob einer satt ist oder hungrig. Als sie abends hinter ihrem Kornhaufen saßen, fragte ich sie nach ihrem Woher und Wohin. Da erzählte bloß der Große. Er redete auch in Akkord. Er hatte es in den Wörtern wie der Katteiker im Schwanz. Er sprach: Ich stamme aus Berlin. Da war flaue Zeit. So machte ich mich auf und kam nach Wittenberge. Da war das Essen schlecht. So kam ich nach Grabow. Als er Grabow sagte, da wurde ich hellhörig, denn das ist schon unser Land; das andre ist bloß Ausland. — Von da lief ich nach Ludwigslust. — Da wurde ich noch hellhöriger. Er aber erzählte weiter:

Als ich da die Hamburger Chaussee ein Ende rausgelaufen war, dachte ich: Berlin kennst du, aber die
Dörfer hierzulande kennst du nicht. Vielleicht kannst
du da dein Glück machen. So bog ich links in den
nächsten Landweg ein und kam nach Hornkaten. Das
ist ein langes Dorf, und jeder wohnt für sich auf seinem Acker. Aber die Hunde taugen nicht; darum ging
ich weiter. — Lieber Freund, denk dir mal bloß, dann
ist der Lankschinkige aus Berlin wahrhaftig in unser
altes Dorf gekommen! Kannst du dir das wohl denken?
Und das erzählte er so ganz gleichgültig weg, als wenn
er in irgendein Dorf in Land Asien hineingeraten wäre.

Als er aber sagte, daß er nach Hornkaten und weiter gezogen wäre, da stand ich auf. Da ging ich ans
Fenster. Da kuckte ich raus. Es war schon dunkel,
aber mir ging ein mächtiges Licht auf. Ich sprach:
Ich höre dir ganz gern zu. Ich merke, daß du ein
Berliner bist und daß du die Welt kennst. Erzähle man
weiter. — Da wurde er ganz gnädig: Gewiß kenne
ich die Welt. Als richtiger Berliner Junge kann ich
mein Glück allenthalben machen, auch auf dem Dorf.
Darum bin ich da beim Bürgermeister in Dienst gegangen. Da hab ich die jungen Leute erst mal in
Schwung gebracht. Abends trommelte ich sie auf der
Dorfstraße zusammen. Da hab ich sie einexerziert, daß
sie ordentlich die Beine schmeißen lernten. Dann
haben wir im Krug weiter exerziert und den Bier-
flaschen den Geschwindschritt beigebracht. Ich wollte
da wohl mal Bürgermeister über die Bauern sein.
Denen wollt' ich aber den Parademarsch beibringen!

Ich kuckte noch immer raus. Es war immer noch
dunkel, aber inwendig lachte ich mich, als er so ber-

208

linerte. Ich dachte: Das menschliche Maul ist eine Landstraße, die viel begangen wird. Ich sprach: Hatte der Schulze keine Tochter? Dann hättest du dich ja einfreien und Bürgermeister werden können. — Nein, eine Tochter war nicht da, und die Arbeit paßte mir auch nicht. Vor dem Herbst kein Geld in der Tasche, das ist nichts für mich. Ich bin ein Berliner Junge und kenne die Welt. Aber da brannte abends nicht mal eine Laterne auf der Straße. Was sollte ich da verbauern? So bin ich davongegangen. Ich will hier mein Glück machen. — Bist du denn wieder über Ludwigslust gereist? — Nein, diesmal über Dömitz, weil ich mir die Elbe mal ansehen wollte. Warum fragst du danach? Dabei kuckte er mich ein bißchen unsicher an.

Aber ich kuckte ihn sehr sicher an. Ich nahm einen Stuhl. Ich setzte mich quer neben ihn. Auf der andern Seite stand der Ofen. Vor ihm lag der Kornhaufen. Er war eine richtige Belagerung von dem Ofen, vom Mais und von mir. Er konnte nicht ausritzen. So sage ich: Wo bist du mit den 185 Mark geblieben, die du in Dömitz für dem Schulzen sein Kalb gekriegt hast? — Lieber Freund, ich kann dir mitteilen, daß ich gern Gesichter sehe und in meinem Leben auch schon manche Gesichter gesehen habe. Aber dies Gesicht kann ich dir nicht abschreiben. Er fuhr auf. Er wollte raus. Ich kriegte ihn beim Kragen. Ich drückte ihn sanft auf seinen Stuhl nieder. Ich sprach: Philister über dir, Simson! Wenn du noch eine Bewegung machst, die nach Weglaufen aussieht, dann kriegst du eine Tracht Prügel, daß dein Fell aussieht wie die Karte von Deutschland.

Dann zum andern: Dich kenne ich jetzt auch. Du

bist Wickboldt sein Jung und hast für deinen Bauern
zwei Kälber nach Dömitz gebracht und dafür 350 Mark
gekriegt. Aber du hast auch den Weg nicht wieder
finden können! — Siehe, so saßen sie da wie Frau Lot
von Sodom und Gomorra und klappten den Mund
immer umschichtig auf und zu. Der Kleine rallögte
bloß, aber der Große lauerte mit den Augen an den
Wänden rum. So sage ich: Ich will Kloppschinken aus
euch anfertigen, wenn ihr flüchten wollt. Dann holt ich
den Brief raus, in dem du mir die ganze Geschichte
geschrieben hast. Damit hab ich ihnen die Beichte
verhört. Erst dem Großen, dem Berliner: Du bist ganz
verhungert und abgerissen wie ein Lump ins Dorf
gekommen. Schulzens Mutter hat dich satt gemacht,
und er hat dir Zeug geschenkt, daß seine Bauern nicht
glaubten, er hätte eine Vogelscheuche aus dem Garten
geholt und als Späuk (Gespenst) auf dem Hof angestellt. Dann hast du einen Tannendrumm vom Wagen
nehmen sollen. Da hast du erst geprahlt, daß du in
Berlin solche Dinger immer an der Uhrkette getragen
hast. Aber von deinem großen Maulwerk ist der Drumm
nicht runtergekommen. So hat es der Schulze besorgen
müssen. Daß du dich abends immer auf der Dorfstraße
und im Krug rumgetrieben hast, das ist richtig. Du
hast aber vergessen, daß der Schulze euch gewöhnlich
mit der Peitsche auseinander gejagt hat und daß du
dann das meiste gekriegt hast. Denn der Schulze ist ein
gerechter Mann. — Ich halte den Brief in einer Hand
und ihn in der andern. Nach ein paar Wörtern drücke
ich ihm immer so ein bißchen den Arm. Dann dreht
er seine Augen. Das tun wir umschichtig, das Drücken
und das Drehen.

210

Ich sage: Das Geld hast du in Dömitz richtig gekriegt. Dann hast du den andern verführt, und er ist richtig mitgedammelt nach Hamburg. Ich drücke wieder. Er dreht wieder seine Augen. Ich sage: Du brauchst mit den Augen hier gar kein Theater zu spielen. Dafür geb ich dir keinen Cent.

Dann wieder zu dem andern: Nu kümmst du. Du büst noch dümmer as dumm. Wenn du so lang as dumm werst, denn künnst du den Mond küssen. Du bist auch schlecht. Die 350 Mark mußte Brüning gebrauchen, um seine Pacht zu bezahlen. Du hast große Trauer in die Familie hineingebracht, denn die Ernte war mäßig und das Geld knapp. Nun hat er sich das Geld leihen müssen. Wo hast du das Geld? Damit drücke ich ihn auch so ein bißchen über den Arm. Er ruft: O Gott, o Gott! Ich sage: Den lieben Gott brauchst du bei dieser Gelegenheit nicht anzurufen; das ist gegen das zweite Gebot. Und dann hab ich ihm links und rechts ein paar Ohrfeigen gegeben, und das war nicht gegen die zehn Gebote. Der Große hat zur Gesellschaft gleich ein paar mitgekriegt, denn bei solchen Geschichten muß man gerecht sein mit der Hand.

Als das besorgt war, hab ich den Beschluß gemacht: Ich sollte euch als Verbrecher zurückschicken, daß ihr die Geschichte in Grabow abbrummt. Aber darüber geht bloß Zeit hin, und das mit dem Geld kommt doch nicht in Ordnung. So wollen wir es anders machen. Du, sage ich zu dem Großen, du schreibst morgen an den Schulzen, ob er dir deine Schlechtigkeit nicht vergeben will. Aus dem Lehrer seinem Brief sehe ich, daß der Schulze dir deinen Lohn nicht mehr geben konnte, weil du ihm ausgekniffen bist. Das wird wohl gegeneinander aufgehen. Du bleibst hier bei mir als Farmhand, bis der Schulze wieder geschrieben hat. Wenn alles in Ordnung ist, kannst du gehen. Wenn du auskneifst, schicke ich dir die Polizei nach. Nun weißt du Bescheid.

Dann wieder zu dem andern: Du bleibst auch hier und arbeitest erst die beiden Kälber ab. Wenn das geschehen ist, bist du frei. Das Geld lege ich aus. Das schicke ich morgen ab an den Lehrer, daß er es deinem Bauern bringt. Und du schreibst morgen auch an ihn, daß er dir vergeben soll. Es sei deine Dummheit gewesen. Das kannst du ruhig schreiben, das ist keine Lüge.

So ist es denn auch gekommen. Der Berliner konnte nach zwei Monaten gehen. Der andre hat dreiviertel Jahr arbeiten müssen. In der Zeit hab ich ihm auch deinen Brief vorgelesen, in dem du schreibst, daß du Brüning das Geld gebracht hast und daß die Frau vor Freude geweint hat. Da fing der Bengel doch wahrhaftig an, sich die Augen zu wischen. Schlecht ist er doch nicht, aber dumm bloß einmal. Mit dem Mais hat das in der Zeit aber mächtig geschafft. Es ist ihnen doch in die Knochen gefahren, daß sie von Dömitz nach hier laufen mußten, damit die Geschichte wieder ins gleiche kam. Dem Großen hab ich beim Abschied auch gesagt: Es war nicht nötig, in der Geographie so weit rumzulaufen; du hättest es von Dömitz aus näher und bequemer haben können, und ein Denkmal werden die Berliner dir wohl nicht setzen. — Es ist man gut, daß nun alles wieder in Ordnung ist.

212

Nun kommt Nro. 5, das war auch ein Mecklenburger. Wir saßen nachmittags beim Kornschälen, und der Pastor saß auf dem Sofa beim Glas Grog, denn es war rusiges Wetter. Da ging die Tür auf und herein kam ein Mensch, der war im ganzen ziemlich eckig gebaut, und ziemlich eckig kam er auch in die Stube rein. Aber im Zeug ging er ganz ordentlich. Als er die Tür zugemacht hatte, drehte er sich wieder um. Er nahm seinen Hut ab und sprach:

Erlauben Sie mal, mein Name ist Drögmöller. Darf ich ein paar Wörter zu Ihnen sprechen? Ich komme von Singer, Nähmaschinenfabrik, erlauben Sie mal. Singers Nähmaschinen sind weltberühmt. Singers Nähmaschine ist in jedem Hause unbedingt notwendig. Erlauben Sie mal. Ein Sofa ist nicht unbedingt notwendig. Ein Klavier ist nicht unbedingt notwendig. Aber Singers Nähmaschine ist unbedingt notwendig. Ein Sofa kommt aus der Mode. Ein Klavier wird verstimmt. Aber Singers Nähmaschine kommt nicht aus der Mode und wird auch nicht verstimmt. Darum kaufen Sie Singers Nähmaschine! Es wird Ihnen niemals leid. Sie können auch gar nichts Besseres tun für das Wohlbefinden Ihrer hochverehrten Frau Gemahlin. Sie ersparen damit jährlich eine kostspielige Badereise. Darum: kaufen Sie Singers Nähmaschine! Wir machen Ihnen die kulantesten Bedingungen und werden es uns stets zur besonderen Ehre rechnen, Sie zu unsern hochgeschätzten Kunden zählen zu dürfen. Zu Anfang waren uns allen die Hände am Leibe dalgesackt, dem Priester auch. Dann faßte ich mich und sprach: Na, bist du nun zu Ende, Drögmöller? Du hast deinen Spruch schön auswendig gelernt. Singers Nähmaschine brauchen wir aber nicht zu kaufen, weil wir sie schon haben. Da steht sie ja, neben dir. Du hast sie man bloß nicht gesehen, weil des du deine Lektion aufsagtest. Weil du aber auch ein Mecklenburger bist, Drögmöller, darum kriegst du auch ein Glas Grog. — Wieschen, meine hochverehrte Frau Gemahlin, stah up un mak em ok en lütten Grog! Wieschen ging hin.

Da war die Reihe an ihm, daß er sich verwunderte. Woher wissen Sie, daß ich ein Mecklenburger bin? — Das will ich dir sagen, Drögmöller. Deine Sprache verrät dich. Hier kommen viele Menschen durch und führen allerhand Sprachen in ihrem Munde. Die welchen verstehen wir man knapp, und die welchen gar nicht. Das kommt noch von dem dämlichen Turmbau zu Babel. Aber, was Mecklenburger sind, die kennen wir doch gleich raus, weil wir uns auch daher schreiben tun. — Nun laß dir man deinen Grog schmecken; deine Hände sind ja ganz klamm geworden bei dem Hundewetter. Wenn du erst aufgetaut bist und magst nicht weiter, dann kannst du über Nacht hierbleiben. Dafür hilfst du heut abend beim Kornausmachen. So sparst du Stiefelsohlen und die Rechnung im Gasthaus.

Damit war er gern einverstanden. So saßen die beiden und tranken ihren Grog, und wir saßen und schälten unsern Mais. Draußen klatschte der Regen gegen die Fensterscheiben, und es war sehr gemütlich. Dann kam die Rede auf die alte Heimat, denn wo so ein paar richtige Mecklenburger zusammen sind, da klönen sie auch einen Strämel von ihrem alten Lande. Von dem Lande kamen wir auf die Pastoren, und

Drögmöller erzählte von Pastor Brandtmann und seiner Nachbargemeinde. Den lobte er und sprach: Ja, Pastor Brandtmann, das ist ein leutseliger Mann. Der hat ein Herz für die Armen. Der kennt die Not des Volkes. Wenn ich heute zu ihm gehe und klage ihm meine Not und bitte ihn um eine Unterstützung, dann langt er in die Tasche und sagt: Lieber Bruder in Christo, hier haben Sie einen Taler. — Das tut Pastor Brümmerstädt in meiner Gemeinde nicht. Der fühlt nicht mit dem Volk. Dem liegt die Not des armen Mannes nicht am Herzen. Wenn ich zu dem komme und bitte ihn um eine Unterstützung, dann steckt er beide Hände in die Bücksentaschen und sagt: Drögmöller, sagt er, gah hen un klopp Stein! Denn hest du Brot und brukst nicht tau snurren!

Ich sage: Da gefällt mir deinem Brümmerstädt sein Rat aber besser als deinem Brandtmann sein Taler. — Der gefällt Ihnen besser? sagt er. Wie meinen Sie das? Das müssen Sie mir erklären. — Das will ich tun, Drögmöller. Wenn du hingehst und Steine klopfen tust, dann machst du ein Stück ehrliche Arbeit und verdienst dir selbst dein Brot und kriegst eine sichere Hand, einen festen Arm und einen festen Willen. — Und Quesen in den Händen, meinte er und betrachtet sich seine Hände; die waren schön glatt und ohne Quesen. — Das schadet nichts; darauf kannst du stolz sein. Quesen sind besser als ein Arbeitsschein von Papier. Wer aber immer von Unterstützung lebt und mit gesunden Knochen andern Leuten auf der Tasche liegt, der verkommt und wird ein Lump.

Dazu nickköppte der Pastor, und Drögmöller sagte: Das ist mir sehr interessant, was Sie da sagen. Meinen

Sie das wirklich so, daß man vom Steinklopfen energisch wird? — Ja, das meine ich wirklich so. Aber nicht bloß vom Steinklopfen. Einen festen Willen kriegt der Mensch durch jede ehrliche Arbeit, die von Dauer ist.

Darüber hat er eine ganze Zeit nachgedacht und dazwischen Grog getrunken, aber man dann und wann und immer einen kleinen Schluck. Wieschen schüttete noch ein paar Kohlen auf, und es war sehr gemütlich in der Stube.

Als er mit seinem Nachdenken zu Ende war, fing er wieder an: Ich fühlte mich früher auch zu was Höherem geboren. Ich war erst im Seminar zu Lübtheen und wollte Lehrer werden. Das gefiel mir nicht mehr. Da wollte ich Pastor in Amerika werden. Darum schrieb ich an Pastor Brümmerstädt, ich hätte große Gaben und fühlte mich zu was Höherem berufen. Und was meinen Sie wohl, Herr Pastor, was der Mann mir da schrieb? Er schrieb:

Mein lieber Drögmöller! Es ist ja sehr erfreulich, daß Sie die Entdeckung gemacht haben, daß Sie große Gaben besitzen. Aber es ist besser, wenn andre Leute das auch noch merken und sagen; sonst ist es verdächtig. Ich kenne einen Mann, den berief Gott selbst zum Predigtamt. Also hatte er doch gewiß große Gaben. Aber er antwortete und sprach: Ach, Herr, ich tauge nicht zu predigen, denn ich bin zu jung. Wenn Sie Näheres darüber wissen wollen, dann schlagen Sie Ihre Bibel auf und lesen Sie Jeremias 1. — Haben Sie das denn getan? — Ja, getan hab ich das und gekommen bin ich bis zu dem Topf von Mitternacht her, aber abgegangen bin ich auch vom Seminar. Das mit dem Pastorwerden, das verlor sich auch wieder. Zum Bauern gehen und da für mein Leben lang Kühe melken und den Stall ausmisten, danach stand mein Sinn auch nicht. So schrieb ich an meinen Freund und Gönner, den Auswanderermissionar in Bremen, und der schrieb an einen Bankdirektor in Schwerin, und der schrieb mir wieder, ich sollte mich mal vorstellen.

Na, was hat der Bankdirektor denn zu Ihnen gesagt? — Ja, das war ein lustiger Herr. Es war ein kurzer, runder Herr, und zuerst tat er ganz kurz und knasch: Haben Sie Ihre Papiere mitgebracht? — Ich gab ihm den ganzen Packen, denn ich hatte mir auf jeder Stelle ein Zeugnis ausstellen lassen. Sonntags nachmittags lese ich da manchmal gern drin und mache mir eine Freude, denn ich sehe, daß die Leute was von mir gehalten haben. — Na, der Bankdirektor wiegt den Packen in der Hand, sieht mich scharf an, und dann sagt er: Sie mögen wohl gern laufen? — Nein, Herr Bankdirektor, dieses weniger; ich habe Plattfüße. — Da hat er laut losgelacht. Er hat über die Maßen gelacht. Er hat übermenschlich gelacht. Warum er wohl so gelacht hat, Herr Pastor? — Er hat gemeint, daß Sie Ihre Stellen wohl ein bißchen oft gewechselt haben. — Ja, das hab ich mir nachher auch gedacht. Wir haben uns dann noch schön unterhalten, und zuletzt hat er gesagt: So viel wie ein guter Volksschüler wissen Sie auch. Wir wollen den Versuch machen. Woher wußte er das wohl? Die Zeugnisse hat er knapp angesehen. — Nun, das hat er aus der Unterhaltung gehört. — Ja, das hab ich mir auch schon gedacht.

Herr Pastor, fing er wieder an, ich habe Vertrauen zu Ihnen. Ich achte Sie. Aber meinen Vorgesetzten kann ich nicht achten. Sehen Sie, diesen Brief schreibt mir der Mann. Ich verkaufe ihm nicht genug Nähmaschinen. Aber der Mann schreibt weder grammatisch noch orthographisch richtig. Kann man vor solchem Vorgesetzten wohl Achtung haben? Ich möchte gern Ihre Meinung hören. Ich möchte wissen, was Sie dazu sagen. — Ja, Herr Drögmöller, das kommt ganz darauf an, was Sie von dem Mann lernen wollen. Wollen Sie Grammatik von ihm lernen? — Dieses nicht. — Wollen Sie Orthographie von ihm lernen? — Dieses auch nicht. — Wollen Sie von ihm lernen, wie man Nähmaschinen verkauft? — Ja. — Na also. Versteht der Mann sein Nähmaschinenfach? — Ja, das versteht er großartig. Der Mann versteht Wörter zu machen. Er versteht auch Geschäfte zu machen. — Dann müssen Sie ihn auch achten. — Aber er schreibt weder grammatisch noch orthographisch richtig, Herr Pastor.

Sagen Sie mal, Herr Drögmöller, kennen Sie Karl den Großen? — Na und wie! 768—814! — Haben Sie Respekt vor Karl dem Großen? — Dieses sehr! — Nun, der Mann konnte auch nicht richtig schreiben. Er machte mehr Fehler als die Kinder heute in der Schule; aber darum bleibt er doch Karl der Große. — Herr Pastor, das imponiert mir. Herr Pastor, das leuchtet mir ein. Na, denn will ich nach diesem bei meinem Nähmaschinenonkel und seinen Fehlern man immer an Karl den Großen denken und ihn auch achten.

Ja, dat dauh denn man, Drögmöller, sagte ich. Der Pastor ging, und er half beim Maispahlen. Da lernte ich ihn weiter kennen, denn er sagte gerade raus, was er dachte, und das gleiche ich. Was andre Leute von ihm sagten, das erzählte er auch gerade raus, wenn er da auch keine Ehre von hatte. Er erzählte: Pastor Brümmerstädt hat mich immer mit Josef verglichen. Er hat zu mir gesagt: Drögmöller, wenn ick di so ankieken dauh, denn möt ick ümmer an Josef denken: Sehet, da kommt der Träumer her! Das hat mir an dem Mann nicht gefallen. Das war nicht höflich von ihm. — Das laß man gut sein, sage ich, Josef war doch ein heiliger Mann und steht in der Bibel. — Höflich war das aber doch nicht. — Na, sag' mal ehrlich, bist du in der Zeit wohl so etwas von einem Träumer gewesen? — Das will ich nicht abstreiten. Das kann gut angehen. Das ist wohl nicht ganz ohnedem. Brümmerstädt hatte mal in Hamburg zu tun, und ich mußte mit. Da nahm er mich auch mit in den Zoologischen Garten, und wir standen lange vor dem Löwenkäfig. Da hielt der Pastor mit einen Vortrag über die Löwen, und ich hatte unterdes meine Betrachtungen über all' die Löwengeschichten, die ich schon gelesen hatte. Als er nun fertig war mit seinem Vortrag, da war ich auch gerade fertig mit meinen Betrachtungen und sprach: Herr Pastor, sind das hier nun wirkliche oder lebendige Löwen? Da hat er sehr gescholten. Er hat sogar auf hochdeutsch gescholten, was sonst nicht seine Angewohnheit war. — Und eines Nachmittags stand ich hinter der Scheune und kuckte die Wolken an und hatte dabei meine Betrachtungen über mich und meine Zukunft. Denn die Natur hat sehr vieles Anzügliches für mich. Da kam die Frau Pastorin und sagte: Drögmöller, die Kühe brüllen ja wieder so; die haben gewiß wieder kein Wasser ge-

219

kriegt. Drögmöller, Drögmöller, woran denken Sie eigentlich immer? Und ich wandte meinen Blick von den Wolken zur Erde und antwortete und sprach: Frau Pastorin, immer an Lernen!

Er war mächtig sparsam, und das gefiel mir an ihm. Er war geizig, und das gleiche ich nicht. Er war schon Mitte der Dreißiger und noch immer ein Mann von kümmerlichem Einkommen. Dabei hat er doch 3000 Mark auf der Sparkasse. Das hat er selbst erzählt, und ich glaube, daß er wahrgesagt hat. Jahrelang hat er sich durchgehungert im Lübeckschen; aber einmal im Jahr, am Altjahrsabend, da ist der Sparer ein richtiger Verschwender gewesen.

Ja, da hab ich herrlich und in Freuden gelebt. Da kaufte ich mir einen Spickaal zum halben Taler, einen Butterkuchen mit viel Rosinen und Korinthen, ein Stück Butter extra und eine Flasche Portwein. Das baute ich vor mir auf, und dann setzte ich mich dahinter. Ja, das verputzte ich an dem Abend, und von der Aalhaut nachher auch noch ein Stück, weil sie so schön fett war. Bloß in der Nacht kriegte ich mächtige Bauchwehtage. Was meinen Sie, woher mögen die wohl gekommen sein? — Na, Drögmöller, wenn du dat all' inpackt hest un hest dinen Spickaal mit Rosinen und Korinthen in Portwein un Bodder swemmen laten, un denn de oll tage Aalhut achteran, dat kann jo kein Präriebüffel uthollen.

Ja, das habe ich mir auch schon gedacht. Ich habe sonst einen gesunden Magen, und das Hungern ist mir auch ganz gut bekommen. Auf den Altjahrsabend aber hab ich mich schon immer von Martini an gefreut. Ja, da hab ich herrlich und in Freuden gelebt wie

Moses in den drei fetten Jahren in Ägypten. — Na, Drögmöller, nimm mi dat nich äwel, äwer dat is dummen Snack. Irstens waren dat nicht drei fett Johren — dat weren säben. Tweitens hett Moses von de fetten Johren nicks markt, denn hei is dor noch nicht mit bi west, un drüddtens gelt dat „Herrlich und in Freuden leben" nicht von Moses; dat gellt von den rieken Mann int Evangelium. Mit de Bibel weißt du nich recht Bescheid. Du hest dor kein richtige Slagordnung in. Wi willen uns de Geschicht von den rieken Mann man noch vörlesen und denn tau Bedd gahn.

Nach der Andacht aber hatte er noch was auf dem Herzen, und endlich kam er damit raus. Er tat eine Bitte an Wieschen: Kann ich mir in der Küche wohl noch ein reines Hemd anziehen? Es ist da so schön warm, und morgen ist doch Sonntag. — Das war Wieschen auch noch nicht vorgekommen in ihrem Lebenswandel; aber sie sagte ja, und er sprach: In Lübeck hat meine Wirtin mir das auch immer erlaubt. Ich sparte mir das Einheizen, und am Sonnabendabend nahm ich das Hemd unter den Arm und ging in die Küche. Frau Böteführ wußte dann schon Bescheid und ging solange raus. So zog ich das alte Hemd aus und setzte mich auf den Herd. Da war es schön warm und ein guter Platz für Betrachtungen. Wenn ich ordentlich durchwärmt war, zog ich das reine an. Ja, das war eine schöne Zeit. — So erzählte er, und Wieschen machte dazu ihre runden Augen.

Am Sonntag blieb er bei uns. Da erzählte er viel von seiner Mutter. Von der hält der alte Knabe viel, und sie hat man den einen Jungen. Einmal ist sie sehr krank geworden und hat dazu auch Not gelitten. Er liebt das Geld sehr; aber da hat er gleich 300 Mark abgehoben und ist zu ihr gereist und hat sie gesund gepflegt. Das gleiche ich. Denn der Mensch, der seine Mutter in Ehren hält, der muß in seinem Herzen doch gut sein, und er lebt nach dem vierten Gebot. — Am nächsten Tag wanderte er weiter. Ich glaube, er wird nicht viele Nähmaschinen verkaufen im Land Amerika, wenn er seinen Spruch auch noch so schön aufsagt. Ich glaube, er ist inwendig in seinem Kopf ein bißchen steifbeinig gebaut und ein bißchen einsam dazu. Er ist nicht der Mann, der sich hier durchschlägt. Aber er ist auch wie ein Kind, und man muß ihm gut sein. Wieschen hat ihm den Rat gegeben, er solle man wieder nach Mecklenburg gehen und ein Mädchen heiraten, das etwas Land und zwei Kühe hat. Das wäre das beste für ihn und für seine Mutter auch. Aber davon wollte er noch nichts wissen. Er meint, hier in Amerika liegt das Geld auf der Straße und man braucht sich nur zu bücken und es aufzusammeln. Darum wird das Mädchen wohl auch noch auf ihn warten müssen. Aber wenn er sich nach dem Gold bücken tut, dann macht er erst lange Betrachtungen, und unterdes kommt ein anderer; der sammelt es auf und geht davon. Es tut mir leid um ihn. Als er von uns ging, da gingen unsere Gedanken mit ihm. Aber sie mußten allein wieder zurückkommen. Sie suchen ihn noch manchmal, aber sie finden ihn nicht. Vielleicht hat er getan nach Wieschen ihrem Rat.

*

Nun kommt Nro. 6. Das ist der letzte. Sieben Winter zurück hab ich dir von ihm geschrieben. Ich kannte

ihn gleich wieder, als er angewankt kam. Ich besah
ihn mit meinen Augen. Ich sprach: Die Welt ist
bannig klein. Ich will auf der Fenz nach Chicago
reiten, wenn das nicht der Franzosendoktor ist. Und
er war es. Nun will ich ihn abschreiben, wie er aussah. Der Kopf war noch ungefähr so groß wie bei der
Überfahrt, aber man konnte ihm das Vaterunser durch
die Backen lesen. Auf dem Kopf trug er einen Hut,
vor dem Bäcker-Krischan sich geschämt hätte, und
Bäcker-Krischan trug doch alle Hüte von den Vogel-
scheuchen der Bauern der Reihe nach zu Ende. Seinen
kaffeebraunen Überzieher trug er auch noch, aber unten sah er schon grün aus. Vorn und hinten war er
geflickt mit allen Farben; aber das war lange her, und
die Flicken hingen wie traurige Fahnen runter. Unter
dem Überzieher trug er einen Rock. Ich glaube, von
dem Rock war nicht mehr viel nach als die Naht.
Ich glaube, er hatte kein Hemd an. Ich habe Wieschen
gefragt. Die glaubte es auch nicht. Es war Winter
und viel kalt. Auf seinen Beinen ging er man sehr
klapprig, denn ihm waren die Waden abhanden gekommen. Seine Bücks war nichts als Lumpen, die
man noch knapp zusammenhielten. Als Hosenträger
brauchte er einen Bindfaden. Die Schuhe hatte er auch
mit Bindfaden zusammengebunden, aber vorn rissen
sie beide ihr Maul auf. Er hatte eine richtige Hühner-
brust und hing nur so in den Schulterknochen. Der
Mann sah aus wie eine von Pharao seinen sieben
mageren Kühen. Weißt du, wo ich mal um nachsitzen
mußte, weil ich zwei abgehandelt hatte und den Rest
aus Versehen von den sieben fetten auffressen ließ.
Auf dem Rockkragen kroch was rum, was man nicht

gern nennt. Aber in Pharao seinen Plagen kommt es auch vor. Das haben die Frauen nicht gern, wenn man ihnen so was ins Haus bringt. Das ist so eine Gewohnheit bei dieser Nation. Wieschen ist auch so.

Gesagt hat er zu Anfang nicht viel, bloß was vor sich hingebrummelt von schlechtem Wetter und Hunger. Ich sprach zu mir: ‚Wenn man diesen Menschen in einen Weizenschlag stellt, das ist gut gegen die Sperlinge. Aber das geht nicht, denn erstens ist es Ende Januar, und zweitens ist dieser Mensch auch nach Gottes Ebenbild geschaffen, wenn das Bild auch ein bißchen unähnlich geworden ist. In Not ist er nun mal, und wenn du ihn gehen läßt, dann bleibt er dir hinter der Fenz liegen, und auf deinem Gewissen bleibt er auch liegen. Kennen tust du ihn auch schon, und ein Deutscher ist er obendrein, wenn auch von der miesigen Art. Zu essen wird sie ihm wohl geben, und die Nacht über schläft er im warmen Stroh, daß er auch mal eine Freude hat. Man bloß, seine Winterläuse muß er erst los sein, sonst nimmt sie ihn nicht auf.‘

So zog ich mit ihm los, und wir traten vor Wieschen ihr Angesicht. Wieschen kuckte ihn an. Wieschen kuckte mich an. Wieschen kuckte ihn an. Da wurde ich verzagt. Aber Wieschen kuckte mich nicht wieder an. Da wurde ich fröhlich. Sie sagte nichts. Er sagte nichts. So sagte ich: Du hast es heute morgen eilig gehabt, darum hast du dich nicht mehr waschen können. In deinem Magen wird es auch wohl so aussehen wie zu Pfingsten in meinem Heustall. Dafür ist Essen und Trinken gut. Aber vorher wollen wir uns mal mit Wasser und Seife beschäftigen.

Ich gab Wieschen einen Wink. Ich goß ihm zwei

Eimer warm Wasser in den großen Tuppen im Stall. Wieschen holte ihm abgelegtes Zeug, ein Hemd auch. Seine Lumpen hab ich nachher auf die Forke genommen und hinter dem Stall eingegraben. Als er rauskam, sah sein auswendiger Mensch schon anders aus den Augen. Bloß daß mein Rock ihm zu weit war. — So, sage ich, nun kommt der inwendige Mensch, denn Ordnung muß sein. Wieschen holte ein dägtes Stück Speck, und ich säbelte ihm ein paar dicke Scheiben Brot ab. Sie schenkte ihm heißen Kaffee ein. Sie ging immer im Bogen um ihn herum. Ich weiß, warum sie das tat. Sie glaubte damals noch an Läuse. Ich nicht. Er kratzte sich ja noch manchmal, wo man sich bei solchen Gelegenheiten kratzen tut. Aber das war bloß die Gewohnheit von seinen Händen und Gedanken.

Dann hat er gegessen. Lieber Freund, ich kann dir mitteilen: Was hat der Mensch gegessen! Ich kann dir mitteilen: Ich hatte immer Glück mit dem, was in den Jahren zum Maispahlen zu mir kam. Die konnten alle scharf essen. Die hatten lange Zeit nichts zwischen den Zähnen gehabt als ihre eigene Zunge. Aber zuletzt wurde er doch satt. Da vermunterte er sich schon ein bißchen. Da machte er schon andre Augen. Weißt du, was ich glaube? Ich glaube, bei plenty Brot und Speck würde es weniger Hunger und Elend geben unter den Menschen. — Nachher drusselte er so'n bißchen ein, und als er damit fertig war, kriegte er eine kurze Pfeife. Da vermunterte er sich noch mehr, da rauchte er wie Vater Köhns Backofen zu Pfingsten, wenn kein trocknes Holz mehr da war. Als er aufgetaut war, fand er auch seine Sprache wieder. Sie war ihm bloß aus Hunger und Ohnmächtigkeit abhanden gekommen.

Als er sich ordentlich ausgeruht hatte, schob ich ihn mit einem Stuhl hinter den Mais. Ich sprach: Du hast nun gegessen, und schlafen kannst du hier auch. So kannst du jetzt beim Maispahlen helfen. Das ist so schön gemütlich beim warmen Ofen. Dabei kann man auch so schön Geschichten anhören. Darum erzähle uns: Wo kommst du her und wo willst du hin?

Da fing er an zu pahlen. Das ging mäßig. Da fing er an zu reden. Das ging besser. Er hatte eine gute Ausrede, und seine Zunge war draußen nicht lahm geworden. In seinem Reden wurde er wieder ganz der alte Franzosendoktor von der Überfahrt her. Dazu handschlagte er durch die Luft: in der einen Hand die beiden Kolben, in der andern die Pfeife und im Kopf mächtig viel Pläne. Die Kinder pufften sich an und wollten lachen. So theaterte und fuhrwerkte er in der Luft rum. Ich schickte sie zu Bett und wunderte mich. Er erzählte, wie er sein Leben gemacht hatte. Er kannte die Nordstaaten und die Südstaaten. Er war im Osten gewesen und im Westen. Er war alles gewesen und nie was Ordentliches. Nun wollte er wieder in die Großstadt. Nimm mal bloß an, der alte Knabe wollte nach New York und dort sein Glück machen. Und draußen lagen seine Lumpen und Läuse und redeten wider ihn. Mit den Lumpen und mit den Läusen wollte er sein Glück in New York machen. Was die Menschen dort wohl gesagt hätten bei seinem Einzug!

So sprach ich: Da war es man gut, daß du hier erst angekehrt bist. In New York hätten sie dich so gar nicht reingelassen. Aber daß es dir so jämmerlich geht, wer hat die Schuld daran? Ich habe das so in meinem Gefühl, daß du nicht arbeiten magst. Du hast deine Stellen zu oft gewechselt. Da wurde er noch großspartanischer und redete stolze Wörter: Arbeiten? Jeder Mensch muß arbeiten; aber es ist ein Unterschied zwischen arbeiten und arbeiten. Die einen arbeiten wie die Ochsen auf dem Felde und haben ein Brett vor dem Kopf. Aber andere sind da, die haben die Pläne im Kopf, und danach müssen die andern arbeiten. Das ist immer so gewesen und wird auch so bleiben. Ich habe einen ganzen Sack voll Pläne. Kuck mal meinen Kopf an! Dabei tippte er sich mit dem Kolben gegen den Kopf. Im Augenblick geht es mir ja schlecht; in den Weststaaten sind die Leute ja zu dumm und noch zu weit zurück. Für neue Gedanken sind sie da noch nicht reif. Aber das ist nur ein Übergang. Frag' mal nach einem Jahr in New York nach mir. Jedes Kind auf der Straße wird dir Bescheid sagen.

So windmüllerte er in einem fort, und über mich kam ein Schrecken. Ich dachte: Dem Mann ist draußen in der Kälte und bei leerem Magen der Verstand eingefroren und nun zu schnell wieder aufgetaut. In der Schule hast du gelernt, daß man mit verfrorenen Fingern und Ohren nicht so schnell ins Warme gehen soll. So wird ihm das mit seinem Verstand auch wohl gegangen sein. In der Ofenwärme ist er zu schnell aufgetaut, und davon ist er ein Irrgeist geworden.

Als ich darüber nachdachte, da war es doch nicht an dem. Denn was er redete, da war Sinn drin, wenn auch Unsinn. Und der Unsinn nahm überhand. Er redete gegen Reiche und Arme. Er redete gegen Gott und Präsident, gegen Farm und Town, gegen Arbeiten und Nichtarbeiten. Dazu stangelte er mit den Kolben in der Luft rum. Er redete mir das Hemd vom Leibe und den Bauch aus dem Leibe. Er redete sich duhn mit Wörtern, und hinter dem Stall lagen seine Lumpen und Läuse. Aber seine Gedankenläuse waren am warmen Ofen aus dem Ei gekrochen. Am meisten aber redete er zuletzt wider Gott und heilige Dinge, als da sind Auferstehung des Fleisches und ein ewiges Leben. Auf die Bibel gab er schon lange nichts mehr. Das hatte er an den Schuhsohlen abgelaufen. Mit solchen Sachen muß man mir vom Leibe bleiben, sagte er. Dazu bin ich zu klug und zu weit rumgekommen in der Welt. Ich glaube nur, was ich begreife.

Ich sprach zu mir: Du mößt em stiewer kamen. Du sollst es erst mal mit einem Gleichnis versuchen. Darum sah ich ihn freundlich an und sprach: Wenn ich dich so höre, mein lieber Mann, dann muß ich immer an meine Ochsen denken. Die glauben auch nur, was sie begreifen. Viel ist das aber nicht. Und dein Ausgang wird auch nicht viel anders sein. Aber meine Ochsen geben wenigstens noch ein gutes Stück Fleisch zum Wohlgefallen für die Menschen. Aber wenn du so beibleibst, dann wirst du zuletzt in die Erde gesteckt, und die Würmer können sich die Zähne an dir ausbeißen; viel Lob und Dank wirst du nicht von ihnen haben.

Du hättest Priester werden sollen, antwortete er und fuhrwerkte mit seinen Maiskolben vor meinem Gesicht hin und her. Aber mir darfst du mit solchen Bekehrungsgeschichten nicht kommen. Dazu bin ich zu klug. — Ich will dich gar nicht bekehren; ich will dir bloß mal ein Gleichnis machen. Im Sommer gingen meine Kühe draußen und fraßen Gras. Glaubst du das? — Natürlich; warum sollte ich das nicht glauben? — Schön. Daneben gingen einige Schafe, die fraßen auch Gras. Glaubst du das? — Warum nicht? Aber was willst du damit sagen? — Das kommt nachher. Neben den Schafen gingen meine Schweine; die fraßen auch Gras. Glaubst du das? — Nun sage bloß: wo hinaus willst du mit deinem Gleichnis? — Antworte mir nur Ja oder Nein! Glaubst du, daß Schweine auch Gras fraßen? — Ja. — Schön; ich bin auch gleich zu Ende. Neben den Schweinen gingen ein paar Gänse; die fraßen auch Gras. Glaubst du das? — Ja, das glaube ich. Aber —. So sage mir, wie kann das bloß angehen? Die Tiere gehen alle nebeneinander auf der Weide und fressen dasselbe Gras. Aber doch kriegen die Schweine Borsten, die Schafe Wolle, die Kühe bloß Haare, aber die Gänse Federn. Kannst du das begreifen, so sage mir, wie das zugeht.

Er aber schwieg und verstummte und sprach: Nein, begreifen kann ich das nicht. Aber daß es ein ganz dummes Gleichnis ist, das begreife ich. Die Bekehrungsgleichnisse mußt du den Priestern lassen; bei denen gehört das zum Geschäft. Aber mir mußt du nicht damit kommen. Und dann legte er wieder los und redete das Blaue vom Himmel herunter.

Ich sprach zu mir: Du mößt em stiewer kamen. Mit din Gleichnisse is dat nicks bi em. So sprach ich: Nun halt mal still. Deine Windmühle läuft sich sonst in Brand. Ich will ohne Gleichnisse zu dir reden. Ich kenne dich. Du bist der Franzosendoktor, mit dem ich Anno 68 die Überfahrt machte. Auf dem Schiff hast du dann immer zusammengesteckt mit dem schlesischen Mädchen, die die viele Bildung und die vielen Läuse hatte. Als sie dich bei der Landung suchten, da war das auch von wegen unsauberer Geschichten. Aber das ist lange her und gehört zu deiner Vergangenheit. Darum wollen wir von deiner Gegenwärtigkeit reden.

Daß ich ihn so auf die alte Bekanntschaft anredete, das schoß ihm doch mächtig in die Knochen. Er war zu Anfang ganz verbast (verwirrt), und seine Zunge stand still. Bloß die Pfeife hielt er noch hoch. Dann wollte er wieder anfangen, aber ich sprach: Laß deine Zunge sich man noch verpusten, Franzosendoktor. Du sagst: das ist man ein Übergang. Das sagte der Fuchs auch, als ihm der Jäger das Fell über die Ohren zog. Du sagst: ich habe einen mächtigen Kopf. Das muß wahr sein. Darin bist du getrachtet wie ein Kürbis. Der hat auch einen großen Kopf. Aber denken tut er damit nicht. Das hat er auch nicht nötig. Du sagst: ich glaube nur, was ich begreife. Ja, so sagst du. Ich begreife das nicht, sprach der Regenwurm auch, als der Hahn ihn schon beim Kragen hatte; aber glauben mußte er es doch. Du sagst: ich gebe nichts auf Bibel und Gottes Wort, denn damit kommt man heute nicht mehr durch die Welt. Glaubst du denn, daß du mit deinen Lumpen und Läusen durch die Welt kommst?

Ne, ne! Laß das Handschlagen mit der Pfeife man sein. Du hast für heute genug geredet. und ich bin auch gleich fertig. Ich will dich bloß noch taxieren, so wie du hier vor mir stehst. Du bist nichts. Du hast nichts. Du weißt nichts. Du kannst nichts. Du glaubst nichts. Darum bist du auch unter die Räder gekommen. Wer hier voran will, der muß hart arbeiten. Aber es ist für

alle Fälle gut, wenn man noch eine Stütze hat für
Leben und Sterben. Es ist nur von wegen der Sicherheit. Ja well. Und dir will ich wünschen, daß du das
nicht zu spät gewahr wirst. — Nun ist Schlafenszeit.
Hier hast du zwei wollene Decken. Damit kannst du
ins Stroh kriechen und erst mal ordentlich ausschlafen.
Aber die Pfeife mußt du hierlassen, daß da kein Unglück im Stroh geschieht.

Jürnjakob, du hast ihm das zu scharf eingegeben,
und krank ist er auch, meinte Wieschen, als wir zu
Bett gingen. Ich sagte: Wieschen, ich kannte einen
Menschen, dem hatte der alte Doktor Steinfatt in Ludwigslust aus Versehen eine halbe Kannbuddel voll
Rizinusöl eingegeben. Als er nach vierzehn Tagen
wieder so weit war, ging er hin und wollte ihn ver-
klagen. Da sprach der Doktor zu ihm: Sei du zufrieden
und geh nach Hause. Es ist noch genug von dir übrig-
geblieben. Da ging er hin, und es war ihm ein großer
Trost.

In der Nacht hat er viel gehustet, und am andern
Morgen lag der Schnee knietief. Willst du jetzt nach
New York? — Er sah erst mich an, dann das Wetter.
Er sprach: Ich muß mich verkühlt haben, und zu Fuß
ist das nichts bei dem Wetter. Reisegeld hab ich auch
nicht. Wenn ihr nichts dagegen habt, dann bleibe ich
heute noch hier und warte das Wetter ab. Heut abend
helfe ich dafür wieder beim Maisschälen. Aber du
mußt mich nicht wieder so hart anfassen wie gestern
abend. — Ich antwortete: Dich hab ich gar nicht an-
gefaßt, bloß deinen alten Adam. Du hattest vergessen,
ihn mit deinem alten Zeug auszuziehen. Er sprach:

Du hast auch deinen alten Adam; das ist deine Recht-schaffenheit. Aber du weißt es nicht.

Ja, so sagte er. Ich aber wurde ganz verstutzt und dachte: Dieser Mensch ist verlumpt, aber er hat in dein Herz hineingesehen. Du hast wahrhaftig auch deinen alten Adam, das ist deine Rechtschaffenheit, und der Kerl sitzt ganz vergnügt in deinem Herzen und trägt den Kopf hoch und baumelt wohlgefällig mit den Beinen. Wir sind allzumal Sünder, und den alten Knaben hat dir der liebe Gott wohl extra ins Haus geschickt, daß er dir deinen alten Adam weisen tut. — Das hab ich mir aufmerksam in mein Herz genommen und ihn nicht mehr verachtet. Ich sprach: Bei solchem Wetter lassen wir dich nicht ziehen, wo du doch unser Landsmann bist. Mit deinem Husten muß es auch erst wieder besser werden. Wieschen soll dir gleich Tee kochen.

Als es aber besser war mit seinem Husten, da ist er doch nicht weitergezogen. Lieber Freund, ich kann dir mitteilen, daß er nicht mehr nach New York gekommen ist. Er ist bei uns hängengeblieben. Er hat uns in der Wirtschaft geholfen, und ich habe ihm Lohn gegeben. Das dauerte zwei Jahre. In der ersten Zeit steckte der alte Adam noch manchmal seine Hörner raus. War es schlimm, dann sagte ich: Ich will nach-sehen, wann dein Zug fährt. Dann wurde es besser mit ihm. Aber sonst bin ich fein säuberlich mit ihm gefahren, denn ich dachte an meinen alten Adam.

Mit seinem Helfen, das war nicht weit her. Aber er gab sich Mühe, und manchmal lobte ich ihn. Denn das hat der Mensch gern, wenn er von andern gelobt wird. An die Kirche hat er sich auch wieder gewöhnt und die Bibel nicht mehr verachtet. Bloß rechten Bescheid hat er nicht mehr in ihr gelernt. Das Vaterunser lernte er auch wieder. Zuerst liefen ihm die sieben Bitten wild durcheinander, aber nachher ging es ganz gut. Etliche Verse aus dem Gesangbuch auch. Viel war es ja nicht; aber ich glaube, daß es genug gewesen ist.

Bloß mit seiner Lunge, das wollte und wollte nicht. Die hatte auf den Landstraßen zu viel weggekriegt, und nach zwei Jahren wollte sie gar nicht mehr. Er ist nur kurze Zeit krank gewesen. Wieschen hat ihn treu verpflegt. Zuletzt konnte er auch nicht mehr sprechen. Da hab ich noch das Vaterunser für ihn gebetet und den Segen über ihn gesprochen. Dazu hat er mit dem Kopf genickt und uns beiden die Hand gedrückt. Nach einer Zeit hat er die Augen noch mal weit aufgemacht und leise gesagt: Mutter, Mutter! Da waren wir richtig erstaunt, denn in den zwei Jahren ist nie ein Wort von Vater und Mutter über seine Lippen gekommen. Und als das geschehen war, da hat er sich still auf die Socken gemacht und ist seinen Weg gegangen. Aber nicht nach New York, sondern einen andern, und der ist sicherer. Aber er hat doch recht gehabt mit seinem Wort: Es ist man bloß ein Übergang.

In den zwei Jahren, daß er hier war, ist er so sachte doch ein anderer geworden. Er kam zur Ruhe, erst auswendig, dann auch inwendig. Er war lange nicht dumm, und abends und sonntags haben wir oft über dies und das gesprochen. Einmal fragte er mich: Wo hast du das gelernt, daß du so in der Bibel beschlagen bist und im Gesangbuch und Katechismus? — In der Schule. — Das muß ein guter Lehrer gewesen sein. — Ist er auch noch, sagte ich, und dann erzählte ich ihm von dir und daß ich ein Mecklenburger bin. Aber davon wollte er nicht recht was wissen. Er sprach: Mecklenburg ist man klein und hat nicht mal eine Verfassung. Das ist kein freies Land.

Stimmt! sagte ich. Eine Verfassung haben sie da nicht, aber ein nahrhaftes Land ist es darum doch, und ein ruhiges auch. Und dann haben wir da einen Groß-herzog, und den hat Amerika nicht mal. Klein ist Mecklenburg auch gar nicht. Lange nicht klein! Du hast wohl man bloß einen kleinen Atlas gehabt. Nimm man bloß die Seen an! Amerika hat bloß eine Salt-Lake, wo die mormonischen Menschen wohnen. Aber Mecklenburg hat viel Salzwasser in sich. Da ist zuerst die Sült bei Konow und dann all die andern Sülte, Sülze, Sülten und Sülstorf, und immer ist da Salz-wasser bei dem Namen. Wat is dorgegen de ein solten Pütt in Amerika? — Und wieviel andre Seen haben wir dann hier im Lande? Wenn du beim Ontariosee anfängst und zählst die großen Seen an den fünf Fin-gern ab, dann brauchst du gar nicht wieder beim Dau-men anzufangen. Aber Mecklenburg hat mächtig viel Seen. Da ist der Wocker See, der Schweriner See, der Schalsee, der Goldberger See, der Krakower See, der Plauer See, der Malchiner See, der Kummerower See, die Müritz, und so geht das noch lange weiter. Und erst die vielen Solls (Wasserlöcher)! Das geht in die Tausende. Und dann noch das viele feste Land von Boitzenburg und Dömitz bis achter Rostock, bis Rib-nitz hin. Ne, das laß man gut sein. Mecklenburg ist ein großes Reich!

Der Exam. *Von einer jungen Lehrerin und von alten Erinnerungen*

Nu geiht dat Kratzen mit de Fedder wedder los. Ich wull all vör acht Dag anfangen. Äwer bi weck Baukstaben müßt ick söß Mal taukratzen. Dunn dacht ick: Dat kümmt blot von de dämliche Fedder. Äwer de Fedder hadd ditmal kein Schuld. Dor wer kein Black mehr in de Buddel, un wenn ick kein Black heff, kann ick nich schriewen. Süß bün ick bannig fix in de Fedder. Blot nahher lesen, dat is en slimm Stück. — Uncle Sam ward ümmer barmhartiger gegen sin Kinner. De Breifdräger kümmt nu all jeden Dag. Äwer de Stüern warden ok jedes Jahr gröter! Nu man los!

Ich will dir was erzählen, wo du keine Ahnung mehr von hast. Der alte Suhrbier fragte Jochen Möller mal in der Schule, wieviel Läuse in Ägyptenland waren, und Jochen sagte: Einen ganzen Kartoffelsack voll, und das sagte er mit einem ernsthaftigen Gesicht, denn er sah immer einbömig (einerlei) aus. Beim Essen auch. Ich habe damals oft nachgedacht, woher er das wohl wissen täte. Denn in der Bibel steht nichts davon, daß Moses sie mit Scheffel und Himpen aufgemessen hat. Es war noch vor dem großen Feuer, als

235

das halbe Dorf abbrannte, und wir waren alle so bei zehn, zwölf Jahr rum, also in einem Alter, was so recht zum Nachdenken anzufangen paßt.

Und Karl Gaurke wollte mal ausprobieren, wo heiß es in der Hölle wär. Es war so gegen Herbst, und wir hüteten Kühe auf dem Plahst und dem Stör und in der Strichel. Wir sagten: Wo willst du das anfangen? Er sprach: Das sollt ihr bald sehen. Dann nahm er Tannenquäst und Olm und Busch. Das war im Sommer schön trocken geworden. Damit machte er ein mächtiges Feuer auf dem Grabenwall zwischen Plahst und Stör. Als es brannte, zog er sich splitternackt aus und setzte sich wahrhaftig da mitten mang, und wir standen rum und kuckten zu. Man bloß, heil lange hat er das nicht ausgehalten. Er fing an zu schreien und ritzte aus. Im Krullengraben war noch Wasser, darin hat er sich abgekühlt. Dann mußte er ein paar Wochen zu Bett liegen, weil daß er hinten ganz voll Blasen war. Vom Maukern[1]) und vom Stuten beim Flachsbraten hat er nichts mehr abgekriegt. Als er wieder raus war und hinten alles heil, da hat er Schacht auch noch gekriegt, denn sein Vater verstand in heiligen Dingen keinen Spaß. Es durfte ihn hinfort auch keiner darum fragen, wo heiß es denn eigentlich in der Hölle wär. Sonst wurde er falsch. Wenn du ihn siehst, dann frag ihn mal, ob er das noch wissen tut. — Nein, frag ihn man lieber nicht.

Das war wohl in demselben Jahr, aber im Sommer. Da saßen wir so'n Stücker sechs Jungs beim Kuhhüten auf der Guhls. Die Kühe mußten sich allein

---

[1]) Kinderspiel und -bittgang abends beim Festessen nach dem Flachsbrechen.

hüten, und das taten sie auch, denn der erste Schnitt
war runter von den Wiesen. Wir saßen auf dem Wall
und aßen Brommelbeeren. Dazu sprachen wir vom
Angeln und von Regenwürmern und Chinesen. Denn
morgens in der Schule hatten wir im Lesebuch gelesen, daß die Chinesen gern Regenwürmer essen
mögen. So sprachen wir davon, ob die deutschen
Regenwürmer sich auch wohl essen lassen täten. Denn
bei uns in Mekelborg war das nicht Mode. Und ob man
sie auch auf Butterbrot legen könnte. Da sagte Krischan Kollmorgen — weißt du, der nachher Schneider-
Jürn-Jochen seine Dürten zur Frau nahm und nach
Vielank zog, — der sagte: Warum soll man sie nicht
auf Butterbrot essen? Was die ollen dämlichen Chi-
nesenleute können, das kann ein richtiger Mekelbörger
Jung noch alle Tage. Man muß da bloß aufpassen,
daß sie nicht runterkriechen. Und so viel Fett als ein
Spickaal zu einem Schilling auf dem Martinimarkt in
Eldena, so viel hat ein guter Regenwurm noch alle
Tage. Als er das gesagt hatte, da sagte er: Ich will
es probieren. Aber ihr müßt mir was dafür geben,
umsonst kann ich das nicht machen.

Wir sprachen: Ja, das wollen wir denn auch noch
tun. So setzten wir fest, was wir ihm geben wollten.
Dann nahmen wir unsere Taschenmesser und gruben
Regenwürmer aus und warfen sie ihm zu, denn er war
auf dem Wall sitzengeblieben. Er aber fing sie auf
und wischte sie ab; dann steckte er sie in den Mund
und aß sie auf. Zu jedem Happen Butterbrot einen
Regenwurm. Für einen kleinen, magern kriegte er zwei
Zwicken für seine Peitsche, für einen mittelgroßen
drei und für einen ganz großen, fetten vier Zwicken.

Siehe, er hat sich den ganzen Sommer über keine Zwicken mehr zu drehen brauchen. Aber er hat doch mächtig geschluckt und gewürgt, wenn er von Natur auch hartfratsch war, und hat uns keine Wette mehr angeboten.

So wurde alles ganz richtig ausprobiert. Bloß unsere Kühe waren weildes in dem Schulzen seinen Hafer gegangen, und der Schulze kam und jagte uns mit der Peitsche auseinander. Am andern Tag fragten wir Krischan, woans ihm die Pierenmahlzeit (Regenwürmer) bekommen wäre. Da schüttelte er sich noch und sprach: De Gesmack is verschieden, säd de Düwel, dunn hadd hei in'n Düstern 'ne Pogg für 'ne Bier (Frosch für 'ne Birne) äwersluckt. Äwer seggt man blot min Großmudder nicks!

*

So will ich dir diesen Winter erzählen, wie es hier mit der Schule steht und wie es zu Anfang war, als wir herkamen in dies Land. Ja, jetzt ist alles ganz allright. Aber zu Anfang war es damit spaßig und schlimm in ein und derselben Zeit, und die Gören wuchsen auf wie die Tiere im Busch. Ich war damals noch Knecht auf der Farm, und die Farmer da herum hatten noch nicht recht was vor den Daumen gebracht. So konnten sie kein Schulhaus bauen und sich auch keinen Schulmeister leisten. Da erbarmte sich der Pastor über die Not, indem er sich aufs Pferd setzte, denn er wohnte ein paar Tagreisen ab. Da holten wir alles zusammen, was so seine sechs bis acht Meilen in der Runde wohnte. Dann predigte er uns und hielt

Schule mit den Großen, die konfirmiert werden sollten; die Kleinen saßen dabei und hörten zu. Viele schliefen auch ein. Wenn noch Zeit über war, dann fiel auch für sie noch was ab: Buchstabenlesen und Rechnen. Hatte das so ein paar Tage gedauert, dann ritt Gottes Wort auf seinem Braunen nach einer andern Farm und lehrte dort. Das war aber bloß zu Anfang.

Als ich meine erste Farm gerennt hatte, da saßen in der Gegend schon Mecklenburger. Wir wollten einen Lehrer haben. Wir machten es bekannt beim Kaufmann und in zwei Zeitungen. Da meldete sich keiner. Wir machten es noch mehr bekannt. Da meldete sich einer. Aber wir sollten ihm Reisegeld schicken. Wir machten es noch mehr bekannt. Da meldete sich wieder einer. Den ließen wir kommen. Sein Rock war vorn und hinten einesteils heil, andernteils entzwei. Aus seiner Bücks kuckte hinten das Hemd raus, und das war man auch so so. An einem Schuster war er wohl lange nicht vorbeigekommen. Na, das ließ sich alles flicken. Aber der Mann roch vorn und hinten nach Schnaps. Inwendig wohl auch. Wir fragten ihn nach seinem Herkommen.

Er sprach: Ich komme von einem großen Hamburger Auswanderungsschiff. — Was hast du da gemacht? — Ich bin da Obersteward gewesen. — Warum bist du nicht dageblieben? — Der Kapitän konnte mich nicht leiden. — Wieso konnte er dich nicht leiden? — Er schnückerte immer zwischen den Töpfen rum, und ich kann keine Topfkuckerei leiden. Auch wollte er mir immer in mein Kochen reinreden. So hab ich ihm eine Tasse mit Kaffee an den Kopf geschmissen, und das wollte er sich nicht gefallen lassen. Wir haben uns dann gleich in der Küche auseinandergesetzt, aber er hat das meiste gekriegt. So bin ich von ihm gegangen. — Na, sage ich, wenn es an dem ist, dann sehe ich schon, dann wirst du dir wohl Respekt verschaffen in der Schule. Aber mit der Kaffeetasse schmeißen, noch dazu, wenn sie voll Kaffee ist, das ist bei uns kein Gebrauch. Ja, meinte er, das könnte denn ja auch nachbleiben.

Er kriegte nun auch eine Pfeife, und als sie brannte, sagte ich: Wir wollen jetzt den Exam abhalten; denn wir müssen dich prüfen, was du weißt. So sprach ich, denn die andern hatten mich als Oberhaupt gewählt. Der eine sprach: Mir sind beim Schreiben die Buchstaben im Wege. Der andre: Ich weiß mit dem Einmaleins nicht mehr so recht Bescheid. Der dritte: Beim Lesen kommen mir immer so viel Stubben in den Weg. So saßen sie am Tisch oder hinter dem Ofen und schmökten und hörten andächtig zu. Es war am Sonntagnachmittag.

Ich will dich prüfen, sagte ich. Denn man zu, sagte er und spuckte aus. Das verstand er. — Erst in der Bibel, sagte ich. — Das wird schlecht gehen, sagte er, meine hat der Kapitän einbehalten. — Das macht nichts. Weißt du noch was von dem, was in der Bibel steht? — Ja, sagte er, einen ganzen Posten. Da sind viele fromme Geschichten in von Abraham und David und von den Hirten auf dem Felde und von Luther und Pharao und Karl dem Großen. — Na, sage ich, den laß man raus. Aber erzähle mal, was du noch von Pharao weißt. — Oh, das war ein sehr edler Mann. — Kannst du uns das aus der Schrift beweisen? — Na, meint er und spuckt aus, sonst wär er doch nicht mit in die Bibel gekommen. Das ließ sich hören, war aber verkehrt. Weißt du noch was von der Weihnachtsgeschichte? — Gewiß, das ist von den Hirten und von den Schafen, die da auf der Weide im Grase gingen. — Erzähle uns die Geschichte mal. — Siehe, da wußte er kein Sterbenswort von der Weihnachtsgeschichte. Kannst du dir das wohl denken? So sage ich: Na, denn mal die Geschichte von dem Meeresturm. Die wirst du wohl kennen, wo du doch oft auf dem großen Wasser gewesen bist. — Ach, sagt er, was ist da viel von zu erzählen. Da ist ein Sturm wie der andre. Aber als ich mal um Kap Horn rumfuhr —. Kap Horn steht nicht in der Bibel. So wollen wir mal sehen, woans du im Alten Testament beschlagen bist. Wieviel Söhne hatte Jakob? Er wußte es nicht. — Wer war Jakob sein Vater? Die Verwandtschaft war ihm auch fremd. — Dann erzähle mal die Geschichte von Pharao seinen Träumen. Weißt du, was er da sagte? Da sagte er: Auf Träume geb ich nicht viel. Ja, so sagte er und wischte sich den Schweiß ab und spuckte aus.

So wollen wir das Gesangbuch vornehmen. — Schön, sagte er, im Singen hatte ich immer Nummer 1. — Singen kommt nachher auch noch. Erst aber aufsagen. Kennst du den Gesang: Vom Himmel hoch da komm ich her? — Gewiß! Was wollt ich den nicht kennen! — Na, dann sag ihn mal auf. — Aufsagen? Weiter weiß ich ihn auch nicht, als du ihn eben aufgesagt hast. — Ich fragte ihn noch einen ganzen Posten. Er rauchte und wußte von nichts.

Na, denn mal weiter in dem Exam. Nun kommt geistlich Singen. Was kannst du da? — Oh, eine ganze Masse. — Das ist schön. Unsere Kinder müssen singen lernen, daß es man so schallt. Dann sing uns mal eins vor, aber recht schön. Er spuckte aus und nahm die Pfeife aus dem Munde. Er fing an und sang: Adam hatte sieben Söhne. — Aber das ist doch kein geistlich Lied! — Aber Adam war doch ein geistlicher Mann! — Dagegen konnten wir nichts sagen, aber es war verkehrt.

Na, denn mal ein weltliches Lied, so wie die Kinder es in Deutchland in der Schule singen. Kannst du eins? — Gewiß, im Singen hatte ich immer Nummer 1. Aber ich muß mich erst besinnen, denn es ist lange her. Er klopfte seine Pfeife aus, stopfte sie wieder, zündete sie an und machte ein paar Züge. Dann spuckte er aus, legte sie auf den Tisch und sagte: Nun weiß ich eins. So fing er an zu singen. Er sang: Möpschen, wie früh schon fliegest du jauchzend der Morgensonne zu. — Iwo, Möpse und andre Köter können doch nicht fliegen! — Ist mir ganz egal, sagte er, aber ich hab mal zu Weihnacht ein Buch geschenkt gekregen, da standen lauter solche Sachen ein; dies auch. Das war ein kleines Buch mit Bildern. Haifisch hieß der Mann. — Lieber Freund, ich kann dir mitteilen, was er da sang, das war Unsinn, und was er sagte, das war auch Unsinn. Wir kuckten uns an. Heinrich Folgmann steckte sein Gesicht hinter dem Ofen raus. Er sprach: Meine Großmutter kannte einen Menschen, der führte einen solchen Lebenswandel: Erst trank er sich voll, dann fiel er unter den Tisch. Dann sprach er: Das ist eine ganz natürliche Sache. — Wir kuckten uns noch mal an, aber wir konnten nichts gegen das Buch sagen, denn wir kannten es nicht. In Not waren wir auch. So ging der Exam weiter.

Nun kommt der Katechismus, sagte ich, kennst du den noch? — Gewiß. Aber meinen hat der Kapitän einbehalten. — Wieviel Hauptstücke stehen da drin? Er wußte es nicht. — Wie lautet das vierte Gebot? Er tippte auf seine Pfeife und sagte: Die hat auch nicht recht Luft. — Wie lautet dein christlicher Glaube? Er purrte an der Pfeife rum. Er sog lange daran. Er sprach: Du mußt mir den Anfang sagen. So sprach ich vor, und er sprach nach: Ich glaube an Gott den Vater, allmächtigen Schöpfer Himmels und der Erden. Er schwieg. Wir halfen ein. Er rauchte. Er setzte wieder an. Er schwieg. Wir halfen wieder ein. Endlich mußten wir damit aufhalten, und das war noch lange vor Pontius Pilatus.

Da waren wir mit der Religion fertig. Ich sprach: Na, in heiligen Dingen bist du im ganzen man ziemlich mäßig beschlagen. Aber etwas hast du ja gewußt. Nun sollst du noch geprüft werden in Lesen, Schreiben und Rechnen. Ich nahm das Lesebuch. Ich schlug eine Geschichte auf. Ich schob ihm das Buch rüber, tippte mit der Pfeife auf die Überschrift und sprach: Lies das mal! — Er kuckte das Buch an. Er kuckte uns an. Er kuckte das Buch wieder an. Er kuckte uns wieder an. Dann wurde er falsch und sprach: Über Kopf lesen, das war zu meiner Zeit noch nicht Mode. Wenn eure Kinder so lesen lernen sollen, denn müßt ihr euch einen andern Schulmeister suchen. Dies ist ja eine ganz verrückte Landschaft hier. — Wir kuckten ihn an. Wir kuckten uns an. Heinrich Folgmann steckte sein Gesicht wieder hinter dem Ofen hervor. Er sprach: Meine Großmutter kannte einen Menschen, dem war als Kind ein Ziegelstein auf den Kopf gefallen. Darum betrachtete er sich gern die Natur. Er sprach: Der Krebs ist das einzige Geschöpf, das einen vernünftigen Lebenswandel führt. Es wird erst wieder besser werden in dieser verdrehten Welt, wenn wir unser Leben machen wie die Krebse.

Am liebsten hätte ich unsern Obersteward rausgeschmissen. Aber wir waren in Not. Darum kam jetzt Schreiben. Ich schob ihm einen halben Bogen Schreibpapier hin: Da schreib mal deinen Namen auf, damit wir sehen, wie du im Schriftlichen bist. Er hieß mit seinem Namen Bernhard Stöwesand. Aber er war mit dem Stöwe knapp fertig, da war er schon über den Bogen rüber.

Zuletzt Rechnen. Ich sprach: Woviel ist die Halbscheid von 23? Da hat er sich lange besonnen und viele Schwefelsticken verbraucht. Zuletzt sagte er: Die Aufgabe ist falsch. Es geht nicht auf. 11 ist zu wenig, 12 ist zuviel. So gab ich ihm noch eine Aufgabe: Zwei Araber saßen am Rande der Wüste unter einer Palme. Sprach der eine zum andern: Wo ist deine Tochter, die Rose von Schiras? Antwortete der andre und sprach: Meine Tochter, deine Magd, treibt eine Herde Gänse auf den Wochenmarkt nach Marokko. Eine geht vor zwei, eine hinter zwei und eine zwischen zwei. Nun rechne aus, wieviel Gänse es waren. — Die Aufgabe hatte ich ein Jahr zurück im Kalender gelesen, und du hattest sie uns in der Schule auch schon aufgegeben, bloß ohne diese Rose von Schiras.

Da hat er ein Blatt Papier 15 mal 20 Zoll von oben bis unten vollgerechnet, und so beide Seiten. Lauter Zahlen, eine ganze Masse. Aber rausgekriegt

244

hat er immer neun Gänse. Und damit war die Prüfung zu Ende.

Wir schickten ihn raus und besprachen uns. Heinrich Folgmann steckte sein Gesicht wieder hinter dem Ofen hervor. Er sprach: Meine Großmutter kannte einen Menschen —. Ich antwortete: Deine Großmutter war eine rechtschaffene Frau, Heinrich: aber hier kann sie uns auch nicht helfen, denn wir sind in Not. So dauerte die Beratung nur kurze Zeit. Als wir fertig waren, holten wir ihn wieder rein. Ich sprach: Bernhard Stöwesand, du hast den Exam bestanden! — Dann mußte er uns noch versprechen, das Saufen zu lassen, denn für seine Trinkschulden täten wir nicht aufkommen. Als das fertig war, gaben wir ihm zu essen und zu trinken. Dann ging er hin, und meine Pfeife nahm er gleich mit.

Na, die Herrlichkeit dauerte nicht lange. Nach vierzehn Tagen fing Wieschen an zu reden. Wieschen spricht wenig. Sie sagt: Es ist genug, wenn einer in der Familie redet. Damit meint sie mich. Nein, ihre Zunge ist nicht wie das Schwert Jakobs, das gerne aus- und einging. Wenn sie aber anfängt, dann hat das seine Bedeutung. Sie sprach: Für die Mädchen ist es besser, Strümpfe zu stopfen als zur Schule zu gehen. Und für die Jungs ist es auch besser, wenn sie Stubben brennen und Wurzeln absammeln. Acht Tage weiter, da schickten Karl Diehn und Wilhelm Jahnke ihre Kinder nicht mehr hin. Und Heinrich Folgmann ließ mir eine Botschaft ausrichten von seiner Großmutter und daß sie einen Menschen kannte —.

Daß er in der Schule rauchte, dagegen wollte ich noch nichts sagen, wenn es auch meine Pfeife war.

Aber das Trinken besorgte er auch schon in der Schule. Manchmal war er voll Branntwein bis zu den Zähnen im Leibe, und die Jungs haben ihm mal seine Schnapsbuddel aus der Tasche geholt und ausgegossen und mit Petroleum wieder aufgefüllt. Na, die kriegten ein paar hinter die Ohren, und ich hatte schon vor, ihn mal gehörig zu verkonfirmieren, wo ich ihn doch geprüft hatte. Aber ich kam nicht mehr dazu. Er machte sich schon vorher auf und davon. Ich hab ihn nicht wieder gesehen. Meine Pfeife auch nicht.

Dann kam ein Dicker, so bei 250 Pfund rum. Einen mächtigen Spitzbauch trug er bedächtig vor sich her. Wir dachten: Was muß der Mann dafür ausgegeben haben! Denn umsonst ist so was nicht. Wir hatten uns geirrt. Er aß sich rund auf den Farmen. Aber ein Essen war das nicht mehr. War er voll, dann fing er an zu erzählen. Er wußte alles, er verstand alles, er kannte alles von der Zeder auf dem Libanon bis zum Ysop, der an der Wand wächst. Was er nicht kannte, darüber redete er am sichersten. Er log uns allen ein Loch quer durch den Bauch. Zuerst glaubten wir ihm, weil er so sicher log. Zuletzt wurde es uns zu doll. Es war auf einer Gemeindeversammlung. Da fing er wieder an. Da nahm Schröder ihn sich vor. Er erzählte ihm seinen Kreidekistentraum. Der paßt manchmal ganz gut. Er sprach zu dem Dicken:

Das ist gut, daß du gerade hier bist. Von dir hab ich die letzte Nacht geträumt. — Das bringt Glück, antwortete er. — Abwarten! sagte Schröder. So schön wie Josef kann ich nicht träumen. Mir hat geträumt, du warst gestorben. Du kamst an die Himmelstür. Petrus wollte dich nicht reinlassen. Er sprach: Erst mußt du hier auf der Wandtafel so viel Kreuze machen, als du in deinem Leben gelogen hast. Es ist von wegen der Ordnung. — Du gingst hin und holtest Kreide. Du fingst schnell an, um schnell fertig zu werden. — Ein Jahr nachher starb ich auch. Petrus gab mir denselben Bescheid. Wat sall einer dorbi dauhn! dachte ich und ging hin, um mir auch ein Stück Kreide zu holen. Unterwegs traf ich dich. Du hattest eine große Kiste auf dem Puckel. Ich sprach: Wo kommst du her und wo willst du hin? Und was hast du da in deiner Kiste? — Ach, sagtest du, das ist schon die achte Kiste Kreide, die ich mir aus Chicago kommen lasse. — Ja, und dann wachte ich auf, und der Traum war zu Ende.

Bald nachher packte er seine Sachen. Wir brauchten ihm nicht erst aufzusagen. Wir konnten zu der Zeit noch nicht viel Geld ausgeben. So hatten wir viele Lehrer, dünne und dicke, gerechte und ungerechte. Aber einer war dazwischen, von dem sprechen wir noch oft. Er war nur schmal in den Schultern, aber wie aus Draht. Er war klein von Statur, aber groß in unseren Augen und Herzen. Er brauchte den Stock nicht. Er schalt nicht. Er regierte alles mit seinen Augen. Dem einen hat Gott Macht gegeben durch den starken Arm, dem andern durch die redende Zunge; aber ihm durch die Augen. Die machten ihm offenbar, was im Menschen war. Er sah durch die Kinder hindurch wie unsereins durch Glas. Da muckten auch die wildesten Rangen nicht. Als er kam, sah es in der Schule bunt aus. Als er das erstemal rein kam, da tobten die Kinder auf den Bänken und im Bank. Bloß auf seinem Platz saß keiner. Da hat er sich hingestellt und hat sie bloß angesehen und kein Wort dazu gesagt. Am zweiten Morgen auch, und am dritten Morgen hat er gesiegt. Mit seinen Augen hat er gesiegt. Er regierte die Schüler mit den Augen wie der alte Fritz seine Soldaten mit dem Krückstock. Sein Erzählen half ihm dabei. Damit band er die Schüler an sich. Zu keiner Zeit haben unsere Kinder so wenig in der Schule gefehlt als zu seiner Zeit. Kein Wetter war ihnen zu schlecht. Wenn er zu uns kam, so war das immer eine Ehre für uns. Jetzt ist er Schulsuperintendent im Osten.

Nachher hat der Pastor lange Zeit Schule gehalten. Jetzt haben wir meist junge Lehrerinnen. Davon sind die welchen ja auch noch unbedarwt wie die Gössel und verdammeln die Schulzeit. Aber die welchen sind auch gut und bringen die Schule vorwärts.

*

Wir haben uns ein schönes, neues Schulhaus gebaut. Das Bild schicke ich dir im nächsten Brief. Die Bänke sind zweisitzig und zum Klappen eingerichtet. Es wurde auch Zeit. Das alte Schulhaus wollte zusammenfallen. Es war unsre alte Blockhauskirche. Die Örgel hatten wir runtergenommen und unten aufgeschlagen. Nun wollte die Nordwand umfallen. Sie dachte: Ich habe lange genug gestanden. Ich bin müde geworden. Ich will mich hinlegen und ausruhen. Die andern Wände dachten auch so. Der Fußboden war wackelig. Die Jungs kannten die Stellen, die am besten quiekten und knarrten. Da traten sie nicht vorbei. Das ist so die Gewohnheit von den Jungs in aller Welt. Die Bretter hatten große Löcher. Die Kinder blieben mit den Füßen darin stecken, und der Lehrer mußte sie wieder loseisen. Dazu brauchte er sein Messer, ein paarmal auch die Axt. Davon wurden die Löcher nicht kleiner.

Der Ofen sprach: Mir wird heiß. Ich will meinen Rock ausziehen. Er knöpfte sich auf. Die Steine waren zehn Zoll, aber dazwischen große Ritzen. Das Feuer war neugierig. Es kuckte in die Stube rein, was die kleinen Kinder da wohl machten. Aber der Rauch sprach: Hier ist es mir zu eng; ich muß mich mal ordentlich ausrecken. Er zog in die Schulstube. Sie war ganz blau. Unser Lehrer hatte keine Schuld. Das Holz war naß und qualmte. Es war mürrisch und knackte. Es sprach: Wo kann ich lustig brennen, wenn ich Wasser im Bauch habe. Die Stube war schon morgens voll Rauch und Qualm. Man mußte zweimal ziehen, wenn man einmal Luft holen wollte. Der Lehrer mußte schon um fünf anheizen. Etliche Kinder wohnen fünf bis sechs Meilen ab. Bei nassem Wetter war nicht durchzukommen. Die Wege waren noch schlimmer als auf Schröders Ecke am Lasen, wo der Weg nach dem Püttberg runtergeht. Die meisten Schüler trugen Gummistiefel. Man bloß, sie blieben oft stecken in der Maratz. Manchmal fuhren wir sie auch hin. Sechs Jahre zurück, da war ein Winter, da hab ich unsre Gören ein paar Wochen lang im Schlitten hingezogen. Ich hab mir das als Jung auch nicht träumen lassen, daß ich auf meine alten Tage in Amerika noch mal Pferd spielen sollte. Aber den Kindern gefiel das. Wenn ich keine Zeit hatte, spannte Wieschen sich vor. War nicht durchzukommen, dann blieben sie zu Hause. Das gefiel ihnen auch. Aber nach und nach ist alles anders geworden und besser. Jetzt haben wir auch feste Straßen.

•

Nun kommt das Beste, was ich dir erzählen will. Solche Freude hab ich lange nicht erlebt. Wer trat da in die Tür, und wer saß da an meinem Tisch? — Siehe, das war dein Enkelkind Magdalene. Wat seggst nu? — Nu stopp di man irst de Piep un sett di orndlich fast in'n Lehnstauhl. — So, nu les' man wieder!

Unser Pastor war auf eine andre Stelle verzogen, und sein Nachfolger an Gottes Wort stammt aus dem Priesterhause Serrahn, wo dein Ältester seine Frau her hat. Wie das nun so kommt. Kinder sind wie junge Vögel; wenn sie flügge sind, dann fliegen sie aus dem Nest, und sie ist von Bremen gleich nach Amerika geflogen. Hier hat ihr Onkel sie gleich in der Schule angestellt, und das ist mir extra zur Freude geschehen. Man bloß, ähnlich sieht sie dir nicht. Sie sagt, ähnlich sieht sie bloß ihrer Photographie und ihrem Großvater in Serrahn. Na, das schadet ihr weiter nicht in meinen Augen. Sie ist oft zu uns gekommen, und wir haben viel von der alten Heimat gesprochen und von dir.

Sie ist ein rankes, frisches Mädchen, binnen und buten gesund. An ihren Augen sehe ich das. In der Schule hat sie sich bald in Achtung gebracht, und hinter ihrem Rücken hab ich ihr so'n bißchen dabei geholfen. Was ich so bei fünf Meilen rund an Gören traf, zu denen hab ich gesagt: Gnad' euch Gott, wenn ihr die nicht lieb habt! — Aber das Beste hat sie doch selbst dabei getan, und Heiligabend bin ich richtig stolz auf sie gewesen. Vorher hab ich sie bloß gern gehabt und leiden gemocht.

Von dem Heiligabend will ich dir erzählen, wo du doch der Großvater über sie bist und draußen viel Schnee liegt. Wir fuhren alle zur Kirche. Unterwegs hab ich viel an die Weihnachtsfeier gedacht, die du den Kindern im Dorf all die Jahre her in der Schule machst. Da kamen die Alten auch, und die Schulstube war proppenvoll, und viele standen noch draußen im Garten. Aber inwendig brannte der Tannenbaum.

Als ich das gedacht hatte, da dachte ich noch was: Siehe, da hinter dem Walde, da macht nun sein Enkelkind die Weihnachtsfeier für die Farmerskinder. Es geht doch nirgend sonderbarer zu als auf dieser Welt. Aber sie ist im fremden Lande, und Mädchens sind manchmal bange. So mußt du ihr ein wenig Trost in ihr Herz hineinsprechen.

Als ich das zu Ende gedacht hatte, ließ ich die Pferde laufen und kam vor den andern an. Da war in ihren Augen wahrhaftig etwas von Angst. So hab ich zu ihr gesagt: Wesen Sie man nicht bange, Fräulein Magdalene. Wir sind hier beinah lauter Meckelbörger, und Sie können sich auf uns verlassen. Und wenn ich hier so vor Ihnen stehe, dann denken Sie man, Ihr Großvater steht vor Ihnen und sieht Sie freundlich an. Der hat uns viel Gutes getan; siehe, so tun wir dir wieder Gutes. Und nun mach man wieder deine blanken Augen. Das mit der Feier, das wird grade so schön als wie zu Hause.

Da hat sie mir die Hand gegeben und gesagt: Das ist ein gutes Wort für mich, und bange will ich auch nicht mehr sein. Man bloß zu Anfang ist das nicht leicht. Darauf hab ich ihr auch die Hand gegeben und gesagt: So mag ick di lieden, lütt Dirn, un nu kiek di hier mal bloß üm! Luter Volk ut Meckelborg, un wi stahn nu hier, un ick bunn in de Eldenaer Kirch döfft und du in de Serrahner. Hest du di dat dunn woll drömen laten, dat wi hier noch beid' tausammen stahn würden an'n Heiligabend. — Da kuckte sie mich ganz ernsthaft an; dann lachte sie und sagte: Nein, das hätte sie sich bei ihrer Taufe wirklich nicht träumen lassen, und es täte ihr leid, daß sie damals nicht daran gedacht habe. Da mußte ich auch lachen, und es war alles gut.

Die Kirche war voll von Menschen. Auch aus dem Town waren viele da. Denn am Weihnachtsabend in der Staatsschule, da ist von Weihnacht nicht viel zu merken. Dafür gibt es lebende Bilder mit bengalischer Beleuchtung und viel albernen Kram und Hokus- pokus, der mehr auf den Jahrmarkt paßt und in die Hanswurstbuden. Darum kommen viele zu uns raus, und unsre Feier war eine richtige Weihnachtsfeier. Die Kinder sangen: Ehre sei Gott; Es ist ein Ros' ent- sprungen; O du fröhliche; Vom Himmel hoch — und all die Lieder, die wir bei dir auch gesungen haben. Dazwischen aus der Bibel die Weissagungen und die Weihnachtsgeschichte. Auch Fragen aus der Schrift und aus dem Verstand. Zuletzt noch Gemeinde- gesang und eine kurze Ansprache vom Pastor. Aber die

Kinderfeier war doch das Haupt, und sie antworteten laut und deutlich, daß es man so schallte.

Lieber Freund, ich kann dir mitteilen, dein Enkelkind hat großes Lob und Dank geerntet von allen Eltern, und das ist gut, denn die Weihnachtsfeier ist hier der Exam für die Lehrerin. Das ist so die Gewohnheit in diesem Lande. Taugt die Feier nichts, dann taugt auch die Lehrerin nichts. Hier aber war lauter Lob, und alle haben sich bei ihr bedankt. Aber als sie zurückkam, da riß der Pastor die Tür weit auf vor ihr und machte eine große Verbeugung, als wenn Teddy seine Tochter da reinkäme, und er sagte zu uns: So fein hab ich mir das selbst nicht gedacht! — Dann fuhren wir im Mondschein wieder nach Hause und waren stolz und glücklich. Und das hat der Mensch gern in seinem Herzen, wenn er da glücklich in sein kann. Erst recht am Heiligabend.

*

Nun will ich weiterschreiben. Nun ist sie fort. Sie ist zu einem andern Onkel gereist. Der ist Pastor in Wisconsins. Bis Ostern wollte sie auch man hierbleiben. Es tut mir leid. Denn es ist ein Unterschied, ob man mit einem großen schönen Mädchen spricht, oder ob man sich mit Pferden und Kühen unterhält. Es ist nicht dasselbe. — Zwischen Neujahr und Ostern hat sie uns oft besucht. Abends fuhr ich sie zurück. Ich hab sie bloß einmal umgeschmissen. Der Schlitten kippte um, weil der Weg schlecht war. Da hat sie sich mit Lachen wieder aufgesammelt und mir ein paar

Hände voll Schnee an den Kopf geworfen. Das hat ein alter Mann gern.

Im Schummern saßen wir oft zusammen und erzählten uns was von gestern und heut. Ich am liebsten von gestern. Sie am liebsten von heut. Ich am liebsten von unserm Dorf. Sie am liebsten von hier. So sind wir ganz gut miteinander fertig geworden. So sind wir auch zum Dusagen gekommen, wie das so zu gehen pflegt im menschlichen Leben. Sie hat mich ordentlich Onkel genannt. Sie hat mich dabei angelacht und gesagt: So, nun hab ich ein halbes Dutzend voll. Das sagt sie so, als wenn sie tausend Dollars auf der Sparbank voll hat. — Welches halbe Dutzend? — Das halbe Dutzend Onkels hier in Amerika! — Da haben wir beide gelacht. Sie ist ein verständiges Mädchen und nicht so wie viele im Lande. — Ausbenommen Berti, sagt Wieschen, als ich ihr das vorlese. Das muß wahr sein, Wieschen, sage ich, das will ich ihm gern schreiben. — Es mag auch noch andre geben, aber die meisten haben Flausen im Kopf und warten bloß darauf, daß ihnen ein Mannsmensch in den Weg läuft. Und das kommt bloß von der Liebe, wie sie das so nennen, und da kann kein Mensch was bei tun. Na, unser Herrgott mag die Sorte ja auch wohl gern haben, denn siehe, seine Welt ist bunt.

So haben wir oft über dies Land gesprochen, und ich hab tüchtig gescholten auf dies und das. Da macht sie ihre blanken Augen und meint: Warum bist du denn hergezogen? Es geht dir doch ganz gut auf deiner Farm, und du hast gar nicht nötig zu schelten. Dabei lacht sie mir noch ins Gesicht. So sage ich: Ich will dir mal was sagen, Magdalene. Jeder Deutsche muß was zu schelten haben; sonst fühlt er sich nicht gemütlich in seinem Fell. Sein inwendiger Mensch ist nun einmal so getrachtet. Und warum ich ausgewandert bin, das will ich dir auch sagen. Ich wollte frei werden und eigen Grund und Boden unter den Füßen haben. Nicht bloß ein paar hundert Ruten Pachtland, sondern was zu vererben für die Kinder. Denn es ist dem Menschen eingeboren, daß er eigen Hüsing haben will, und das ist was Gutes, was dem Menschen da eingeboren ist.

Da hat sie nicht mehr gelacht. Sie hat gesagt: Onkel, das ist eine Idee, was du da von der Freimachung sagst, und das gefällt mir. Ich sage: Ob das eine Idee ist, weiß ich nicht. Ich mag die fremden Wörter nicht leiden, wenn ich mir nichts dabei denken kann. Mit einer Idee, wie du das nennst, bringe ich es auch nicht zu einer Farm. Der Weg geht durch viel Arbeit. Aber gerade der kleine Mann, der Tagelöhner, wird hier eher selbständig als drüben. Weil die Deutschen hier scharf arbeiten und das Land hochbringen, darum gelten sie auch was in den Staaten. Wir könnten hier noch mehr gelten; aber da sind etliche, wenn die rüberkommen, dann verachten sie ihr altes Land und wollen nichts mehr von ihm wissen. Es muß wohl erst eine Zeit der Not oder ein Jahr des großen Zorns für die Amerikadeutschen kommen. Dann werden sie sich mehr zusammenschließen. Dann werden sie auch mehr gelten in den Staaten und im Weißen Haus.

Es gibt ja Leute, die gehen leichter durchs Leben, wenn sie ihre Erinnerungen über Bord werfen und ihren deutschen Rock an den Nagel hängen. Mir geht das nicht so. Vielen andern auch nicht. Wir tragen alle etwas Erde aus unserm Heimatdorf in den Stiefeln mit uns. Solange, bis wir sie ausziehen. Der eine Sand, der andre Lehm. Das macht unsern Gang hier nicht leichter; aber ich möchte die Heimaterde an meinen Stiefeln nicht missen.

So ungefähr hab ich zu ihr gesagt, und sie hat ganz nipping zugehört und genickköppt. Das hast du gut gesagt, Onkel; aber darum bist du doch gut vorwärtsgekommen im neuen Lande. — Darum doch? Ne, Kind, grad darum und deswegen. Jetzt geh ich hier auf breiter Erde, aber zu Anfang war es man ein schmaler Steig. Ich bin mein Leben lang durch tiefen Sand und schweren Lehm gegangen, und davon kriegt man einen schweren Schritt und langsame Gedanken. Aber man ackert sein Leben und seine Gedanken auch ganz anders durch, als wenn man so die Chaussee langtrödelt. Hier im Lande ist das Korn ja bloß eine Handelsware. Aber aus der Heimat und aus meinem Anfang her weiß ich, wieviel Schweiß und Arbeit in ein Brot hineingebacken ist. Vom Pflügen und Säen an bis zum Mähen, Dreschen und Backen. Und daß ich das in meinem Herzen weiß, das hab ich der Heimat zu verdanken.

Mit das Beste in meinem Leben ist doch die alte Heimat. Sie war arm und hart für mich, aber der Gedanke daran ist mir wie die Ruhe am Feierabend. Tagsüber bei der Arbeit hab ich keine Zeit dazu, aber für die Schummerstunde ist das gut. Da kann man auch besser in sich hineinsehen als am hellen Tage. — So ungefähr hab ich in den Wochen zu ihr gesagt, und so sage ich es auch zu dir.

256

Sie meinte noch: Onkel, dann wirst du auf deine alten Tage wohl in dein Dorf zurückkehren und dich da zur Ruhe setzen?

Ne, das werde ich darum doch nicht tun, denn das Dorf und die Menschen sind heute nicht mehr die alten. Ich aber will das alte Bild in meinem Herzen festhalten. In die Stadt ziehen will ich auch nicht, wenn ich meine Farm abgebe. Erst recht nicht nach Chicago. Da laufen die Menschen wie verrückt durcheinander. Ich wollte da nicht wohnen. Zu viel Erde an den Stiefeln, das ist nichts für die Stadt. Da ziehen die Menschen alle paar Mond oder alle paar Jahre um in eine andre Straße. Die Häuser, die Gesichter, die Nachbarn, die Handwerker — das wechselt alles, wie wenn der Mensch sein Hemd wechselt. Dabei können auch die Kinder nicht fest werden.

Siehe, das ist auch ein Grund, warum ich am alten Dorf hänge. Wo der junge Diehn heut auf der Guhls mäht, da hat sein Großvater auch schon die Sense geführt, und die Kinder von dem jungen Saß spielen in demselben Strohkaten, in dem schon der Urgroßvater als kleiner Jung in der Wiege gelegen hat. Friels Kinder schütteln die Äpfel von den Bäumen, die der Großvater pflanzte, und die Störche, die nun bald wieder auf Brünings Haus klappern, sind wohl die Nachkommen von dem Adebar, zu dem der Alte sich schon als Kind gefreut hat so bei 1800 rum. Ich hab ihn noch so eben gekannt. Und du — du lehrst heute noch die Kinder in demselben Dorf, in dem schon dein Vater und dein Großvater als Lehrer arbeiteten, und das Amt ist auch schon über hundert Jahre in der Familie.

Ich kann dir das nicht sagen, wie ich das richtig fühlen tu in meinem Herzen; aber du wirst mich wohl auch so verstehen. Das ist es, was uns hier fehlt. Was hier seine zehn Jahre im Lande sitzt, das ist schon eine sehr lange Zeit. Hier wachsen keine Geschichten und Erinnerungen aus alter Zeit, die mit unsern Vätern und mit der Erde unter unsern Füßen verbunden sind. In unsern Städten wachsen sie erst recht nicht. Es mag sein, daß zu viel Erinnerungen auch vom Übel sind, ebenso wie zu viel Ballast. Das gilt auch wohl für ein ganzes Volk. Wer vorwärts will, der muß helle Augen haben, der darf nicht zu viel über den Rücken sehen, der muß sich mal gründlich über die Augen wischen und alten Staub wegwischen. Das gilt auch wohl für ein ganzes Volk. Wer vorwärts will und siegen will, der muß jung sein und Glauben haben. Wenn man alt ist, siegt man nicht mehr. Dann ruht man sich aus bei seinen Erinnerungen. Aber mir sind meine Erinnerungen etwas Schönes und Heiliges.

Siehe, das sind alles solche Gedanken, die im Schummern aus den Winkeln und Ecken der Stuben und des Herzens aufsteigen. Darauf borgt mir hier keiner einen Cent. Man sagt so was auch selten, und wenn man es sagt, dann kommt es verdwas heraus. Mit der Feder geht es auch man ungeschickt. Ja, so sünd de Meckelbörger: dat Best seggen sei meist nich, und wenn sei dat doch seggen, denn is dat gewöhnlich tau lat, odder sei kamen dormit verdwas tau Platz. Meiner alten Mutter sagte ich so was auch mal in den Tagen, als es mit ihr zu Ende ging. Da hat sie mich mit großen und merkwürdigen Augen angesehen. Wenn ich heute daran denke, muß ich sagen: es waren hungrige

Augen. Aber dann stieg mir was in der Kehle rauf, und ich konnte ihr man bloß über ihre Backe straken und über ihre Hand. Na, sie hat mich doch wohl verstanden, denn es war meine Mutter. Es ist eben so: Inwendige Sachen behält der Norddeutsche meist für sich.

Ich mußte das mal auspacken. Das ist alles lebendig geworden durch dein Enkelkind, wo ich nun Onkel über bin. Und weil noch Frost in der Erde sitzt und ich grade beim Auspacken von solchen Sachen bin, die man sonst nicht leicht aus seiner Kommode vorholt, so will ich aus der untersten Schublade auch noch was rausholen. Das sind die alten, frommen Lieder, die wir bei dir in der Schule gelernt haben. Siehe, sie sind mit uns über das große Wasser gefahren. Auf dem Ochsenkarren sind sie mit uns in den Busch gezogen, und im Blockhaus haben sie bei uns gewohnt. Sie sind verdeckt gewesen unter Schweiß und Arbeit, aber sie sind wieder aufgewacht. Sie sind mit uns ins neue Haus gezogen, und jetzt spielen unsre Kinder sie auf der Orgel, und wir singen sie abends zur Andacht: Ach, Herr, laß dein lieb Engelein — weißt du, was so hoch anfängt! Herr, mein Hirt, Brunn aller Freuden. Schreib meinen Namen auf's beste. Laß mich diese Nacht empfinden. Soll diese Nacht die letzte sein — und die andern all'. Und unsere Kinder beten auch die alten Verse, die wir in der Schule gebetet haben.

Lieber Freund, ich kann dir mitteilen, wenn wir das hier so singen und beten tun, dann geht mir das manchmal ganz sonderbar. Dann mach ich bloß die Augen zu, und dann bin ich nicht mehr in Amerika als alter Farmer mit müden Knochen. Dann bin ich wieder ein kleiner Jung, und wir sitzen bei dir in der Schule auf den langen Bänken und singen die Lieder nachmittags vier Uhr, wenn die Winterschule aus ist. Und ich sehe die ganze Schulstube vor mir. Es wird schon dunkel in der Stube. Die Fenster sind beschlagen, daß die Tropfen runterlaufen. Die Wände sind auch beschlagen, und links in der Ecke steht der braune Kachelofen. Hinter dem Pult hängt die schwarze Wandtafel, und du stehst davor und siehst auf uns, und wir sehen auf dich. Aber an den Wänden hängen viele Bilder und die Kränze und Girlanden vom letzten Weihnachten her. Das sehe ich alles ganz genau, als wenn ich das mit meinen Händen greifen kann. Und das ganze Bild wird wieder lebendig bloß von dem Singen der alten Lieder, und es ist doch schon viele, viele Jahre her. Ist das nicht sonderbar?

Wieschen sagt das auch. Sie sagt, ihr geht das grade so. Als sie bei euch diente, da habt ihr die Verse abends zur Andacht gesungen, und wenn wir sie nun hier so singen, dann sieht sie eure ganze Stube: oben rechts auf dem Bücherbort das Andachtsbuch, das sie dann runterholte. Neben dem Sofa steht die große Wanduhr mit den roten Rosen auf dem Zifferblatt. Links der Schrank mit den grünen Gardinen, aber am Fenster dein Schreibtisch. So malen ihr die Verse beim Singen die ganze Wohnstube aus und euch mit euren Kindern darin. Es mag ja sein, daß die Verse heut nicht mehr so recht gelten bei dem jungen Volk, wie es jetzt ist. Aber wir vergessen sie nicht. Wir sorgen auch dafür, daß unsre Kinder sie nicht vergessen, sondern sie lieb und wert halten. — Un nu will ick de Schuwlad' man wedder rinschuwen, und den Slätel stek ick in de Tasch.

Allerlei Lesefrüchte

Jetzt ist ein langer Winter mit wenig zu tun. So will ich meinen Winterbrief wieder anfangen, denn der Sommer ist nicht zum Schreiben da. Darum sind meine Briefe Winterbriefe.

Lieber Freund, in der Schule haben wir immer gedacht: Wenn wir man bloß erst aus der Schule sind. Jetzt wünschen unsre Kinder sich das. Denn sie schlachten nach ihren Vätern. Unter sich reden sie ja meist englisch. Darum müssen wir sorgen, daß sie auch deutsch lernen. Das tun wir auch, und die deutschen Lieder helfen uns dabei. Wenn wir abends fertig sind mit der Arbeit, dann sitze ich im Schummern gern am Ofen, und Wieschen liegt im Schaukelstuhl. Da hinter dem Ofen, das ist eine schöne Landschaft im Winter. Dann singen die Kinder in der Stube oder draußen die Lieder, die wir bei dir in der Schule gelernt haben: Ich hatt einen Kameraden. Ich weiß nicht, was soll es bedeuten. Alle Vögel sind schon da. Der Mai ist gekommen. Und du kannst glauben, die Lieder klingen hier auf der Farm ebensogut und deutsch wie in old Country. Das kannst du mir richtig glauben.

Die Lieder lernen die Kinder hier in der deutschen

Schule. Wir haben hier zwei Sorten Schulen, die Gemeindeschule und die Staatsschule. Wenn ich von der Staatsschule schreibe, das meint die englische Schule. Wenn ich aber von der Gemeindeschule schreibe, das meint immer die deutsche Schule. Die Staatsschule hat bloß etwas Deutsch. Aber die Gemeindeschule haben wir gegründet, damit unsere Kinder deutsch lernen und daß sie gute Christen werden.

In diesem Winter hab ich abends oft in den Lesebüchern der Kinder gelesen. Die werden groß und legen die Bücher aus der Hand. Siehe, so werden wir alt und nehmen die Lesebücher wieder in die Hand. Du mußt aber nicht glauben, daß wir sonst nicht genug zu lesen haben. Wir haben viel Papier im Hause, alles schwarz bedruckt. Aber zu glauben braucht man nicht alles, was da steht. — Da ist die „Germanja", das ist die große Zeitung, mit viel Papier. Dann eine kleine Zeitung mit dem, was so in der Umgegend von Springfield passiert. Du glaubst gar nicht, was da oft für Sachen drin stehen. Ganz andre als in euren Blättern.

So will ich dir aufschreiben, was so in unsern kleinen Zeitungen steht: Fred Miller hat seinem Sohn Charly in Mr. Wilsons Shop eine goldene Uhr zu 70 Dollars gekauft. In unserm Dorf würde der Jung Korl Möller heißen. — Henry Schmidt hat sich die Hand an einem Nagel aufgerissen; heilt gut nach den Umständen. — Mr. Acreman hat seit vorgestern Besuch von seinem Freund mit Tochter aus Virginia. Hatten sich zehn Jahr zurück zum letzten Mal gesehen. Mr. A. hat aus Freude ein Fest angestellt, wo es plenty Wein gab. — Wat seggst nu? Ja, das steht in unsrer Zeitung. Das muß der Zeitungsmann bringen, denn Fred Miller

262

und die andren halten sie und wollen das von sich lesen. Na, so gut ist das auch noch, als wenn im Ludwigsluster Anzeiger steht, daß da achter Grabow ein Stall abgebrannt ist. — Dann halten wir noch die „Abendschule". Das ist ein großes, dickes Heft mit vielen Bildern und schönen Geschichten und Beschreibungen aus Amerika und Deutschland. Sie kommt alle vierzehn Tage.

Aber die Lesebücher nehme ich doch immer wieder in die Hand. Sie riechen mehr nach der Heimat, denn viele von den alten Geschichten von drüben finde ich da wieder auf. Aber ich habe da was auf dem Herzen; darum muß ich dich fragen. Das mußt du mir ausdeuten. Wenn man den Winter über im Hause sitzt, dann macht man sich so seine Gedanken über das, was man liest. In der Jugend tut man das nicht. Aber nun werde ich bei manchen Sachen stutzig und fange an zu denken und muß mit dem Kopf schütteln, und dann sage ich: Das ist doch Unsinn, was da geschrieben steht. So mußt du es mir mal richtig ausdeuten. Wieschen sagt das auch. Sie sagt: Jürnjakob, zu viel denken ist ungesund. Es wird Zeit, daß es wieder warm wird, auf daß du draußen wirtschaften kannst. Jürnjakob, du hast von dem vielen Lesen Mehlwürmer im Kopf gekriegt. Ja, so sagt sie.

Dann stehen schöne Geschichten drin, die ich noch von der Schule her kenne, als da sind: Doktor Allwissend; Die Bremer Stadtmusikanten; Vom Wolf und den sieben Geißlein; Rotkäppchen; Frau Holle; Hans im Glück; Wessen Licht brennt länger? und die lustige Geschichte von den Heinzelmännchen in Köln. Auch die alten Fabeln von Luther lese ich gern wieder. Da

ist Sinn drin, und sie passen noch heute zum Nachdenken. Auch mit den Kindern kann man die Sache
bereden, daß das auch für uns hier paßt.

Auch schöne Gedichte sind in ihrem Lesebuch.

Aber dann sind da wieder Sachen, die sich ganz von
selbst verstehen. So die Katze. Mein Junge liest: Die
Katze hat einen runden Kopf, einen langen Schwanz
und vier Beine. — Und von der Erde. Er liest: Die
Erde ist nicht überall eben, es gibt vielmehr hohe
Berge. Ich sage: Da steck man deine Nase nicht ins
Buch. Kuck man lieber aus dem Fenster raus, da
kannst du schon Berge sehen, und zu Hause war die
Erde auch nicht eben. Da hatten wir den Buchenberg,
den Schnellenberg, den Püttberg und noch andre. Aber
aus Büchern haben wir das nicht gelernt, daß die da
waren. — Er liest: Im Winter friert das Wasser. Ich
sage: Das ist gut, daß das im Buche steht. Woher
sollten wir das bei fünfzehn Grad Kälte sonst auch
wissen. — Er liest: Von großer Wichtigkeit ist für
den Landmann der Mist. Ich sage: Ja, das ist ein
großer Trost, daß der Mist auch im Lesebuch steht.
— Er liest: Das Schaf ist kleiner als der Ochse. Ich
sage: Wo steht das? — Seite 184, Vater. — Die Seite
mußt du dir merken. Wenn du dann in den Stall
gehst, dann brauchst du bloß die Seite aufzuschlagen.
Dann weißt du gleich, ob das Stück Vieh ein Schaf
oder ein Ochse ist.

Dann vom Löwen. Er liest: Wenn der Löwe hungrig
ist, so richtet er seine Mähne in die Höhe und schlägt
mit dem Schwanz auf den Rücken. In einem solchen
Fall wirft er alles um, was ihm in den Weg kommt.
Wedelt er aber nicht mit dem Schwanz, so hat man

nichts zu besorgen. — Lies das noch mal! — Er tut
es. Ich sage: Wenn du draußen also einem Löwen
begegnest, dann schlag man fix noch mal im Lesebuch
nach, und dann mußt du nach dem Schwanz kucken.
Läßt er ihn niederhängen, wie unsre Kühe, dann kannst
du dreist auf ihn losgehen und ihn wegjagen. Wenn
er damit aber auf dem Rücken rumhantiert wie die
Kühe, wenn sie birsen wollen, dann ist es Zeit; dann
kneif aus! Sonst stößt er dich um und Mutters Milch-
kannen und Eimer draußen und alles, was ihm in den
Weg kommt. Er sagt: Ich weiß was Besseres, Vater.
Ich brenne ihm einen mit der Büchse auf den Pelz.

Er liest den Heringsbrief. Da heißt es zuletzt: So-
bald ich wieder einen Hering esse, werde ich mich
lebhaft an alles erinnern, was uns der Lehrer über
den Fang dieses wertvollen Tieres gesagt hat. Nimm
auch Du beim Verspeisen des nächsten Herings meinen
Brief noch einmal vor und vergegenwärtige Dir den
Lebenslauf dieses trefflichen Bewohners des nördlichen
Eismeeres. Schenke auch ferner Deine Liebe Deinem
Freunde Paul. — Ich sage: Das ist eine umständliche
Geschichte. Paß du man lieber auf, daß dir beim
nächsten Hering keine Gräten in den Hals kommen.
Das ist besser, als wenn du dir den trefflichen Eismeer-
bewohner im Brief vergegenwärtigen tust. Er sagt: Ja,
Vater, warum steht es denn da?

Lieber Freund, warum stehen solche Sachen im
Lesebuch? Das versteht sich ja alles von selbst. Wenn
die Jungens ihre Augen aufmachen, dann sehen sie das
so, daß das Wasser im Winter friert und daß das
Schaf kleiner ist als der Ochse. Dazu brauchen sie
kein Buch. Sie wissen das auch lange vorher, eh sie

einen Buchstaben kennenlernen. Die das nicht sehen, das sind Schlafmützen. Die lernen es aus dem Buch auch nicht, so daß sie es brauchen können im Leben. Da kann ich den Mann wieder nicht achten. So geht das hin und her: Achten — nicht achten — achten — nicht achten. Akkurat wie bei Fritz Reuter: Hier geiht hei hen — dor geiht hei hen. Darum mußt du mir das Lesebuch mal auslegen, was du von den Sachen hältst, die ich dir geschrieben habe. —

Nun muß ich noch mal von solchen Sachen anfangen. Ich muß dir von zwei Knaben erzählen. Sie heißen Jakob und Fritz, manchmal auch anders. Aber bloß die Namen sind anders. Die Jungs sind dieselben. Sie leben nicht in diesem Lande. Sie leben bloß in den Sonntagsblättern für die Kinder und im Lesebuch. Sie sind immer böse und unartig. Sie gehen nicht zur Schule und lernen nicht. Sie stehlen dem Nachbarn am Sonntag die schönsten Äpfel vom Baum. Aber als sie reinbeißen, da sind die Äpfel madig, und es kommt ein alter, ehrwürdiger Mann mit einem langen Bart. Der priestert an ihnen rum und sagt ihnen einen langen, schweren Vers vor:

> Das Böse mußt du anfangs gleich vernichten,
> sonst wird's am Ende dich zugrunde richten.
> War's heut noch im Entstehen zu ersticken,
> steht's morgen riesenstark vor deinen Blicken.

Und dann bekehren sie sich. Aber nur für diese Geschichte. An einem andern Tag stehlen sie der Mutter Honig, Marmelade und Candy. Dabei geraten sie über Mausgift her und müssen lange im Bett liegen. Oder sie wollen sich eine Wurst aus des Nachbars Speisekammer holen. Aber da kommt jemand, sie springen aus dem Fenster und brechen ein Bein. Und dann kommt wieder der alte, ehrwürdige Mann mit dem langen Bart und den schweren Versen, und sie bekehren sich. Auf einen andern Tag quälen sie einen großen Hund, der an der Kette liegt; aber der Hund reißt sich los und beißt sie ins Bein. In einer andern Geschichte fahren sie sonntags im Kahn und fischen. Da kommt ein Gewitter auf, und der Blitz schlägt dicht neben ihnen ins Wasser. Aber der ehrwürdige Mann ist auch wieder da. Er rettet sie und sagt ihnen wieder einen von seinen langen, schweren Versen vor. Davon weiß er einen ganzen Posten. Damit bekehrt er sie, und dann trocknet er sie ab.

Sieh, so geht es immer mit den beiden Knaben im Sonntagsblatt. So was wie Äpfel stehlen oder Kahn fahren und Hunde quälen, das hab ich auch schon erlebt. Aber am Ende kam es meist anders als in den Geschichten. Die gestohlenen Äpfel waren nicht madig, der Hund riß sich nicht los, und Mausgift naschten die Jungs auch nicht. Wenn einer Schacht kriegte, dann war das gewöhnlich der, der stehenblieb, weil er ein gutes Gewissen hatte. Die andern kniffen rechtzeitig aus. Daß ein Haus angesteckt wurde, hab ich auch schon erlebt. Ebenso, daß ein armes Kind von einem reichen verachtet wurde. Aber der alte, ehrwürdige Mann mit dem langen Bart und den schweren Versen, nein, der war dann grade nicht da. Daß die Geschichten in den Blättern und Büchern stehen, das mag ja ganz gut sein, denn mancher Unband lernt da am Ende aufmerken. Aber im Leben ist das meist anders als in den Geschichten. Die Geschichten sind ja meist alle erfunden. Paßt nun das Leben, wie es für gewöhnlich ist, nicht zu den Geschichten oder passen die Geschichten nicht zum Leben? Das mußt du mir auch mal ausdeuten, daß ich da einen Klug in kriege.

Mit den Bekehrungsgeschichten für die Großen ist es manchmal auch nicht anders. Da war mal ein armer, alter Mann, der aß sein Brot mit Besenbinden und hieß Mellinger. Der gewann 500 Gulden in der Lotterie. Die Geschichte ist über drei Seiten lang und hört damit auf, daß der Alte sich das Geld für das Los zusammengebettelt hatte, und den Gewinn hat er auch vertrunken, und zuletzt ist er im Armenhaus gestorben. Wo er her war, stand nicht dabei. Aber die Geschichte paßt gar nicht fürs Land Amerika, denn das Lotteriespielen ist hier verboten und kommt selten vor. Dafür werden hier viele Wetten gemacht. Wieschen hat auch schon ein paar Dollars damit gewonnen. Aber das ist lange her. Jetzt wettet sie nicht mehr. Sie sagt: Wetten ist ganz schön; aber es hat den Fehler, daß die Wettmachersleute oft mit dem Gelde auskneifen, und dann hat man das Nachsehen.

Nach meinem Verstand ist Geld auch besser als kein Geld. So wie ich hier nun auf meiner Farm sitze, da könnte ruhig einer herkommen und sagen: Ich will dir viel Geld geben, wenn du dann wieder arm sein willst, — siehe, ich würde das nicht eingehen. Aber das stimmt auch: ich bin durch Arbeit vorwärtsgekommen und nicht durch Lotteriespielen oder Wetten. Die Geschichte ist mir zu unsicher. Aber etwas Unrechtes kann ich da nicht drin finden und Sünde erst recht nicht, wenn der alte Besenbinder seine 500 Gulden auch zehnmal versauft. Na, es wird für den Sonntags geschichtenmann auch wohl schwer sein, es allen Leuten gerecht zu machen. Erst recht, wenn einer davon sich im langen Winter steife Knochen ansitzt und sich einen dicken Kopf anliest, daß er davon Mehlwürmer im Kopf kriegen tut, wie Wieschen sagt.

Ich habe dir von den Fabeln geschrieben und daß sie gut zum Nachdenken passen. Lieber Freund, der Umgang mit Fabeln ist nicht ganz leicht im Land Amerika; denn die Kinder fragen manchmal Dinge, auf die kein Mensch antworten kann. Wieschen ist manchmal auch so. Ich las: Es lief ein Hund durch einen Wasserstrom und hatte ein Stück Fleisch im Maul. Wieschen sagte: Die Frau hätte man lieber die Tür zumachen sollen, daß der Hund ihr nicht in die Küche kam. Ich las weiter, aber bloß mit dem Mund. In meinem Herzen sprach ich: In den Fabeln ist Sinn drin; aber was das Weib da eben sagt, das ist auch nicht ohne Verstand. — Nachher lese ich: Ein Hahn scharrte auf dem Mist und fand eine köstliche Perle. Wieschen spricht: Der Hund trägt das Fleisch aus der Küche, und die Perlen liegen im Mist rum. Das muß eine ganz lotterige Wirtschaft gewesen sein. Da gefällt mir die Frau im Evangelium besser, denn sie suchte ihr Geldstück, bis sie es fand, und das war man bloß ein Groschen. Das war eine ordentliche Frau.

Ich aber war ärgerlich in meinem Herzen, daß sie die Fabeln verachtete. Darum sprach ich: Na, Wieschen, als Muster und Beispiel kann ich die Frau grade nicht achten. Denn als sie den Groschen gefunden hatte, da lud sie alle ihre Freundinnen und Nachbarinnen ein, als wenn sie wunder was gefunden hatte. Da hat es natürlich Kaffee, Kuchen und Candy gegeben, und dabei ist der Groschen drauf gegangen und die andern neun auch und vielleicht noch mehr. — Als ich das gesagt hatte, da merkte ich, daß ich unverständig gesprochen hatte. Aber es war zu spät, denn es fielen alle über mich und sprachen: Das ist eine unchristliche Rede, die du tust, Vater, denn die Frau steht im Evangelium und ist ein Gleichnis. Darauf konnte ich ihnen nicht antworten.

Es kam ein anderer Tag, und ich las: Eine Maus wäre gern über ein Wasser gewesen und konnte nicht. Da bat sie einen Frosch um Rat und Hilfe. Die Kinder sprachen: Vater, warum ist die Maus nicht auf ihrer Seite geblieben? Vater, hatte die Maus einen Bindfaden bei sich oder haben sie das mit dem Schwanz von der Maus gemacht? Vater, wenn der Knuppen ordentlich fest gemacht war, dann konnte der Frosch doch nicht schwimmen. — Da hab ich ihnen die Fabel ausgedeutet: Wer andern eine Grube gräbt, fällt selbst hinein. Aber damit waren sie auch nicht zufrieden und sprachen: Die Maus ist unschuldig gewesen und doch mit gefressen worden. Wo bleibt da die Gerechtigkeit, Vater? Aber ich war müde von ihrem Fragen und sprach: Ein Narr fragt mehr, als sieben Weise antworten können. Damit machte ich, daß ich fortkam. Draußen sprach ich zu mir: Wenn man heut ein Vater ist im Land Amerika, dann muß man bei Luther seinen Fabeln manchmal schwitzen.

Darum habe ich ihnen lange Zeit keine Fabeln mehr erzählt. Darum hab ich mich mehr zu den Sprichwörtern bekehrt. Das ist eine lustige Gesellschaft und ist Weisheit von der Gasse, was über die Sprüche Salomonis zu lesen ist. Aber die Kinder hatten mich

270

mit ihren Fragen angesteckt. Sie sahen den Frosch, die Maus, den Hund und den Hahn mit andern Augen an. Als ich mir die Sprichwörter mit meinen Augen besah, da war da Sinn und Verstand drin wie in den Fabeln. Als ich sie aber mit den andern Augen betrachtete, da waren ihre Wörter oft töricht und unsinnig, und man kann sein Leben keine 24 Stunden lang mit ihnen einrichten.

Zum Exempel. Ich hatte zu den Kindern gesagt: Ein Narr fragt mehr, als sieben Weise antworten können. Aber das hält kein Narr aus, wenn da sieben weise Männer um ihn her sind und auf ihn losreden; denn alle weisen Männer in den Büchern reden viel.

Salz und Brot macht Wangen rot. Schinken und Brot ist sicherer. — Man darf die Katze nicht im Sack kaufen. Das tut auch keiner. Junge Katzen kriegt man meist geschenkt. — Einem geschenkten Gaul sieht man nicht ins Maul. Das tut man auch nicht, weil einem kein Gaul geschenkt wird. Das ist anders als bei den Katzen. Aber im Sprichwort wird die Katze gekauft und der Gaul geschenkt. Wer einmal lügt, dem glaubt man nicht. Es gibt viele Leute, die lügen und betrügen ihr ganzes Leben lang und machen dabei gute Geschäfte. — Geduldige Schafe gehen viel in einen Stall. Das ist ein schöner Trost für die geduldigen Schafe. Aber die ungeduldigen Schafe und die Böcke, die um sich stoßen, die werden bedient wie der Präsident im Geschäft, in der Eisenbahn und im Hotel.

Mit Geduld und Spucke fängt man eine Mucke. Das gilt bloß für Leute, die weiter nichts zu tun haben. Hier auf der Farm geht das schlecht. Im Sommer gibt es Mücken, aber dann hab ich keine Zeit dazu. Im

Winter hab ich Zeit, aber dann gibt es keine Mücken. Wenn ein weiser Mann kommt und mir mit dem Sprichwort einen guten Rat gibt, soll ich mich dann geduldig hinsetzen und spucken und Mücken fangen? Wenn Wieschen oder die Nachbarn das gewahr werden, dann stecken sie mich bei lebendigem Leibe ins Bett und machen mir kalte Umschläge. Und wenn ich das einen Tag lang doch tu und so'n Stücker zehn Mücken zusammenkriege, was soll ich dann damit anfangen?

Ja, so ist das mit den Sprichwörtern, wenn man sie mit den andern Augen ansieht. Dann sind sie unklug, und man kann sein Leben nicht nach ihnen einrichten. Aber weißt du, was Wieschen sagt? Sie sagt: Jürnjakob, es ist ein Glück, daß du übermorgen anfangen willst zu pflügen. — Warum ist das ein Glück, Wieschen? — Weil du dir dabei die andern Augen wieder abschaffst. Die Hantierung mit dem Federhalter ist nicht so gesund als die mit dem Pflugstock. Und den weisen Mann, den kannst du dann beim Meßstreuen anstellen. Das ist mehr wert als sein Rumpredigen, wo er doch immer zu spät kommt mit seinen Sprichwörtern und mit seinen Versen.

Da wunderte ich mich bei mir selbst und sprach: Was das Weib da eben gesagt hat, das könnte ganz gut in einem Buch von der Weisheit auf der Gasse stehen, denn da ist Sinn drin. Sie hat auch andre Augen. Sie sieht Sprichwörter und Fabeln von Haus und Hof aus an. Von da aus sieht sie auch alle Dinge und Menschen. Darum ist ihr Auge auch so sicher und gesund. Ihr Sichersein ist inwendig und kommt nicht von außen. Du bist all die Jahre neben Wieschen hergegangen und hast es nicht gewußt; aber du mußt Ehrfurcht vor ihr haben. Denn siehe, das ist eine ganz andre Nation, die, wo ihre Sicherheit in sich selbst hat und nicht davon abweicht, weder zur Rechten noch zur Linken.

Jürnjakob, das ist Heimweh!

Lieber Freund! Alle meine Briefe waren Winterbriefe. Nun kommt ein Sommerbrief. Der hat einen dünnen Leib. Wenn du ihn siehst, dann wirst du dich wundern und sagen: Der Alte wird doch nicht krank geworden sein? Denn das ist gegen seine Natur und Angewohnheit. — Es ist keine Krankheit von der Sorte, wobei man den Doktor holt. Aber es ist etwas in mir, das hat mich unruhig gemacht und will nicht untergehen. Da ist was sitzen geblieben. Darum muß ich dir davon schreiben.

Am letzten Sonntagnachmittag saßen Wieschen und ich am Tisch und sprachen über dies und das, wie das so zu gehen pflegt. Und es dauerte nicht lange, da waren wir mit unserm Sprechen wieder im alten Dorf, wie das auch so zu gehen pflegt. Da fiel mir was ein, und ich sagte: Was ist das, Wieschen, und woher kommt das, daß wir mit unserm Sprechen immer so bald im alten Dorf sind? Da hörte Wieschen auf mit ihrem Strumpfstopfen und sah mich still an und sprach: Jürnjakob, das ist Heimweh! Was soll das sein? — Heimweh, sagt sie und sieht mich wieder still an, Heimweh nach unserm alten Dorf. —

274

Das soll Heimweh sein? Das haben wir doch nie nicht gehabt. Woher soll das nun mit einmal kommen, wo wir hier doch alt geworden sind? Wie kann das Heimweh sein, wenn wir bloß dann und wann von zu Hause reden tun? — Jürnjakob, sagt sie und sieht mich wieder still an, du hast es all die Jahre gehabt und ich auch. — Und das sagt sie so still vor sich hin, als wenn einer abends sagt: Die Sonne geht auch bald unter.

Ich war so verdutzt und erschrocken, daß ich kein Wort mehr sagen konte. Ich nahm meine Mütze und Vaters eichen Gundagstock und lief ein paar Stunden auf den Feldern rum. Ich sprach zu mir: Jürnjakob Swehn, das soll Heimweh sein? Heimweh ist doch bloß eine Krankheit für die Alten, die hier nicht mehr fest werden können; aber du bist doch bald achtundvierzig Jahre hier. Wie kann einer nach der Zeit und auf seine alten Tage das noch kriegen? — Ich mußte mal stillstehen und mich verpusten. Dann ging ich weiter: Du hast es all die Jahre gehabt und ich auch; so sagt sie. — Da mußte ich wieder stillstehen: Wie kann das Heimweh sein, wo Wieschen doch bei dir ist, und die Kinder sind hier geboren und groß geworden? Du hast hier eigen Hüsung, du hast hier gesät und geerntet auf eigen Grund und Boden. Ich hob meine Augen auf und ging weiter: Wie kannst du da Heimweh kriegen? Du bist hier vorwärtsgekommen und nicht drüben; hier wohnen beinah lauter Landsleute um dich her, und Gottes Sonne scheint hier ebenso gut wie drüben. Wonach sollst du da Heimweh haben? Doch nicht nach dem alten Katen mit seiner Armut oder nach den jungen Gesichtern, von denen du keins mehr kennst?.

So fragte ich weiter, und an dem vielen Fragen
merkte ich, daß doch was an dem war, was sie gesagt
hatte. Und das hatte mit dem Vorwärtskommen hier
und mit der Armut in dem Katen dort nichts zu tun.
Ich habe mich dagegen gewehrt, aber es war stärker
als ich. Das war etwas Inwendiges und nicht in Dollars
umzurechnen.

Ich stand wieder still: An dem alten Tagelöhnerkaten hängst du doch mit deiner Seele. Und dann sind
da noch die alten Leute. Mit denen hast du als Junge
gespielt auf dem Brink, in der Drift, auf dem Plahst
und unten im Dannenkamp. Dann seid ihr größer geworden und habt zusammen die Kühe gehütet auf der
Guhls und in der Strichel. Und nun sitzen sie in ihrem
Dorf hinter dem Ofen oder vor der Tür und schmöken,
und wenn sie dich hier sehen könnten, dann würden
sie sagen: Nu löppt hei as unklauk dor up sin Feld
rüm un trampelt sinen schönen Klewer (Klee) dal.
Hei ded ok beter, wenn hei herkem un en beten bi uns
sitten güng. Denn künnen wi wedder mal von olle
Tieden klöhnen. — Und dann die alten Strohkaten
der Bauern. Die stehen da so breit und behäbig und
gemütlich wie kein Haus in den Staaten. Was wissen
die für Geschichten zu erzählen! Und die Jungen, die
nun da aus und ein gehen, ob die wohl nach den Alten
schlachten? Und dann erst dein alter Lehrer!

Die Strohkaten und die Menschen sind alt geworden,
und du bist auch alt geworden; aber du kannst das
Dorf nicht vergessen. Jahr für Jahr ist es lebendiger
geworden in dir, und du hast dich ausgeruht bei dem
Gedanken an deine Heimat, und manchmal hat es
dich ordentlich wieder jung gemacht auf deine alten

Tage und auf deine müden Stunden. Da ist etwas, das läßt sich nicht mit den Händen greifen; aber es ist doch da. Land Amerika hat sein Gutes, aber das hat es auch nicht. Es hat keine Zeit, sich zu besinnen. Darum ist es dir inwendig fremd geblieben.

Dann stand ich wieder still: Wenn das Heimweh ist, dann ist Heimweh keine Krankheit. Dann ist Heimweh das Beste, was der Mensch mitnehmen kann von Hause. Dann ist Heimat das Beste, was der Mensch auf Erden hat. Und wenn er Flügel der Morgenröte nimmt oder wenn er über die halbe Erde fährt und an die fünfzig Jahre als Farmer in Jowa arbeitet, er reißt sich doch nicht von ihr los. Sie hält ihn fest wie ein starkes Seil, und keine Macht der Erde bindet mehr, als die Heimat bindet.

Ich ging wieder zurück. Als ich meine Farm liegen sah, da kamen die Fragen wieder. Die Sonne war untergegangen, und ich war müde geworden. Wieschen wartete schon an der Fenz. Sie sprach: Es ist man gut, daß du wieder da bist. Es wird Abend, und da macht man, daß man nach Hause kommt. — Ja, sagte ich und nahm sie bei der Hand, es wird Abend, und da macht man, daß man nach Hause kommt. Aber wo ist unser Zuhause? Ich habe geglaubt, hier auf der Farm, wo du bei mir bist. Aber siehe, nun bin ich in Not und weiß den Weg nicht. — Sie sprach: Hans wird in diesen Tagen das Heu allein reinbringen, es sind ja nur noch die paar Fuder unten am Drifthill. Und du bleibst zu Hause und schreibst in den nächsten Tagen an unsern alten Lehrer. Das Grübeln nützt nichts. — Ja, das will ich tun, das ist ein guter Gedanke. Aber vorher will ich noch in der Bibel nachschlagen, ob da was über das Heimweh steht. — Lieber Freund, ich habe nichts gefunden. So mußt du noch einmal unser Lehrer sein, und wir sind deine alten Schüler. Du mußt uns das mit dem Heimweh ausdeuten und uns den rechten Weg weisen.

Es ist am Ende ganz gut eingerichtet im Leben, daß der Mensch manchmal inwendig einen Puff kriegt, wenn er alt wird. Er muß sich dann sowieso öfter hinsetzen und sich verpusten. Er hat dann auch mehr Zeit, nachzudenken über inwendige Sachen. Wieschen und ich haben das auch schon oft getan, und in den letzten Jahren sind wir manchmal dann so sachte dabei eingeschlafen. Aber diesmal ist es eine inwendige Not, und sie ist groß, und unsre Augen sind alt geworden, und wir wandeln im Dunkeln. So mußt du uns den Weg weisen.

Leg den Brief zu Matthäi 5!

Lieber Freund! Wieschen sagt: Dat is en schönen Breif. Du mößt em gliek wedder schriewen un di bedanken. Das will ich gerne tun, denn es ist ein gutes und großes Wort, das du uns geschrieben hast: Selig sind, die da Heimweh haben, denn sie sollen nach Hause kommen. Das ist beinah, als wenn einer von den alten Propheten da abends über die Berge geht und ruft das aus über sein Volk. Ich hab auch gleich in der Bibel nachgeschlagen. Es steht nicht unter den Seligpreisungen, aber es könnte ganz gut dabei stehen. Wieschen sagt: Jürnjakob, da ist noch was drin von einem andern Zuhause, und das schimmert wie der Abendstern durch die Wolken. — Ich denke nach. Ich sage: Da hast du wieder mal recht, Wieschen. Man kann es lesen, wie man will: es gibt immer einen Trost von sich. Es geht etwas von ihm aus, das macht die Menschen ruhig. Und dein Gleichnis mit dem Abendstern, das paßt auch ganz gut für zwei alte Leute, die den Weg nicht mehr recht finden konnten. Nun aber wandeln wir nicht mehr im Dunkeln. Nun ist das Wort ein Licht auf unserm Wege. Nun haben wir wieder einen gewissen Weg. Es ist nicht mehr so enge um uns

und im Herzen nicht mehr so bange. Es ist kein Wort
für den Krammarkt, sondern für das, was verborgen
im Menschen ist. Es ist man ein kurzes Wort, aber du
hast uns damit etwas Großes gegeben. Darum tu ich
mich bei dir bedanken. Mit meinem Herzen tu ich das.

Nun wird alles andre auch seinen Schick kriegen.
Du schreibst: Ihr müßt euch selbst raten, und ihr
werdet euch selbst raten, wenn eure Zeit gekommen
ist. Da hast du wohl recht. — Du schreibst: Ich bin
mit ganzem Herzen bei euch in allem, was ihr vor-
habt und beschließt. Das hat uns fröhlich gemacht. —
Du schreibst: Rate ich zur Rückwanderung, was werden dann eure Kinder sagen? Lieber Freund, ich kann
dir mitteilen, daß mein Zweiter das Farmen lange
schon besser versteht als ich. Er übernimmt die Farm.
Mein Ältester bleibt bei seinen Kranken, und Berti
kommt mit uns, wenn ihr bis dahin noch kein zweck-
mäßiger Mensch zum Heiraten in den Weg gelaufen
ist. — Du schreibst: Rate ich zu, was wird dann euer
Präsident sagen? Wird er nicht sagen: Wie kann der
Alte mir einen von meinen besten Farmern in Jowa
abspannen, abdringen oder abwendig machen? —
Lieber Freund, ich kann dir mitteilen, daß ich ein
ganz gleichgültiger Mensch bin, wenn der Präsident
was meint, wo er gar nichts zu meinen hat. Ich hab
genug gefarmt in meinem Leben. Nun will ich meine
Ruhe haben, und die finde ich bei euch im alten Dorf
besser als hier.

Du schreibst vom Wiedersehen und von der Freude
und von der Überschau über dein langes Leben und
von der langen Reihe alter Schüler, mit denen du
verbunden bist in Leid und Freud, in Zeit und Ewig-

keit. Das hat uns glücklich gemacht in unserm Herzen. — Aber du schreibst auch vom Niederlegen deines Wanderstabes, und daß die Zeit nicht mehr ferne sein wird. Das hat uns traurig gemacht in unserm Herzen. — Ich sage zu Wieschen: Wir wollen wieder nach Hause. Wann es dazu kommt, das können wir heute noch nicht sagen. Aber wir wissen nun, wo unser Zuhause ist. Unser alter Lehrer hat uns wieder mal den Weg gewiesen. Er ist auch einer von denen, die da Heimweh haben und nach Hause wollen. Aber nach dem andern Zuhause, das da durchschimmert. Und das Wort, das er uns davon geschrieben hat, das hat er uns aus seinem Herzen heraus geschrieben. Wenn wir sein Angesicht noch einmal in Ehrfurcht sehen, das wird als wie ein Gnadengeschenk sein, für das wir Gott ruhig danken können. — Und nun leg den Brief man in die Bibel, zu Matthäi 5, auf daß wir ihn immer zur Hand haben.

Wir grüßen dich mit unserer Seele.

Johannes und Theodor Gillhoff
MÖNE MARKOW

JOHANNES UND THEODOR GILLHOFF

Möne Markow
der neue Amerikafahrer

Der Heimat gewidmet

VORWORT

Ja, der Heimat! Der Heimat, die uns von Eltern, Großeltern und Urgroßeltern erblich und eigentümlich angehört. Und zu der Heimat gehört die Liebe, die sie uns zeigt
und die wir lebenslang durch treue Anhänglichkeit zu ver-
gelten suchen. Heimatbild und Heimatliebe nehmen wir
mit, wohin wir gehen.

Ist es nötig, von der Heimatliebe meines Bruders Johannes zu schreiben? Wer sein Buch »Jürnjakob Swehn, der
Amerikafahrer« gelesen hat, der hat ein Hoheslied von
unserer Heimat, der »griesen« Gegend, gelesen. Wo er ging
und stand, immer blieb er der Sohn der Norddeutschen
Tiefebene. Und wo er einen Menschen fand, von dem er an-
nahm, daß er gleichen Sinnes sei, da forschte und grub er
nach mit sorglichem Sinn und in der Hoffnung, zutiefst im
Herzen seines Vertrauensmannes auf eine Goldader zu
stoßen. Johannes fand viel lauteres Gold in der »griesen«
Gegend und hatte seine Freude daran und brachte es in
Umlauf. –

Sein jüngster Bruder Theodor ist jetzt ein alter Mann
und kann länger als achtzig Jahre zurückdenken. Das Sin-
nen und Denken hinein in die Vergangenheit macht sein
Herz froh und warm. Die Gegenwart beschäftigt ihn nicht
oft, sie ist ihm zu wild in Wort und Tat; aber die Jugendzeit und die Heimat breiten ein Märchenbild in den zartesten Farben vor ihm aus, so daß ihm vor lauter Frohsinn
fast die Tränen kommen.

Eins ist ihm und seinem treuen Weib auch in der Fremde
treu geblieben – das Heimweh nach der »griesen« Gegend.

Einmal sahen beide die Heimat wieder. Sie war anders geworden. Die Strohdächer waren nicht mehr da, die Storchnester auch nicht. Kriegsnot und Kriegselend waren auch in diesen stillen Winkel gedrungen. Ja, sie war anders geworden, die Heimat – aber es ist und bleibt die Heimat; sie hatte nur ein anderes Kleid angezogen.

Theo. Gillhoff

ERSTER TEIL

1. DORF WARKENTHIN UND DIE MARKOWS

Dies ist die Geschichte von Möne Markow, dem einzigen und spätgeborenen Sohn des Erbschmiedes Hinnerk Markow im Ausbau Immenkath bei Warkenthin. Er stand an seines Vaters Amboß und lernte ein gut Teil von dem fleißigen und werkkundigen Manne. Später ging er und suchte seinen eigenen Weg, wie Menschenkinder pflegen zu tun. Seines Lebens Wanderstab und seines geistlichen Amtes Hirtenstab legte er nieder in Buffalo Heights, fern im Mittelwesten der Vereinigten Staaten, dort, wo Ahorn, Eiche und Douglasfichte im Nordwinde rauschen. Er ward abberufen aus dieser Zeitlichkeit im Jahre 1918, als in Europa die Ströme roten Blutes versiegten. Sein Weg ging durch viel Arbeit, Mühsal und Unruhe, aber sein Ende war das der Gerechten. Er hatte seine Heimat verlassen; aber er vergaß ihrer nicht im fremden Lande.

Das Dorf Warkenthin liegt in der »griesen« Gegend im Südwesten von Mecklenburg, und in trockenen Jahren geht mehr Wind unter den Kühen durch, als den Bauern lieb ist.

»Hat der Doktor euren Kühen Bewegung verordnet, oder gehen sie doch man so en büschen spazieren auf dem kahlen Dreesch?« Also sprach Lickefett, der Güterausschlächter aus der Hintersandpropstei, zum Schulzen, der ihm am Kreuzweg begegnete, als sich sein Rößlein festgefahren hatte im mahlenden Sand.

Darauf der Schulze gelassen erwiderte: »Wenn di dat hier nich gefällt, denn deihst du am besten, wenn du glieks wedder ümkihrst. Wi bruken di hier nich, un wi denken von de Slag Lüd, tau dei du hürst, grad' so vel as von den Dreck, den wi up de Dörpstrat mit de Schüpp tausamenkratzen.«

So sprach der Schulze, denn er hielt in seinem Dorf auf Sauberkeit »binnen und buten«, und seine Bilder und Gleichnisse entnahm er mit Vorliebe dem Dorfleben – in besonderen Fällen auch dem, was Kühe und Pferde aus purer Unbedachtsamkeit auf die Dorfstraße fallen ließen; darum waren sie auch von sinnfälliger Kraft. Und der Hintersandpropsteier war ein Mann von Verständnis. Er zog den Kopf zwischen die Schultern und verschwand mit seinem braunen Rößlein ohne weitere Bemerkung hinter den Sandhügeln. Nur ein ganz dummerhaftiges Kalb blökte ihm nach. –

Warkenthin liegt auf einer niedrigen Anhöhe, und breite Straßen führen von der Höhe durch ausgedehnte Wiesen und Weiden und Kornfelder nach allen vier Winden bis ans Ende der Welt. Aber die Warkenthiner Bauern blieben meistens zu Hause, denn an den Enden und Zipfeln der Welt hatten sie mit Pflug und Sense nichts zu schaffen.

In festgefügter Hufeisenform liegt Warkenthin von alters her da oben. Niemals in späterer Zeit hat die Norddeutsche Tiefebene Bauwerke hervorgebracht, so eins mit ihr und so voll großer Ruhe wie die Strohdachhäuser der Bauern. Breit und schwer in klobiger Wucht hingelagert, sind sie wie Bauten der Urwelt in ungefüger Kraft dem Schoß der Mutter Erde entstiegen. In den groben Linien herrscht höchste Einfachheit und Wahrheit. Da ist kein Raum für engbrüstige Erkerchen, angeklebte Balkons und unwahren Stuck. Da ruht schlichte Schönheit neben reiner Zweckmäßigkeit. Und um das behäbige Strohdach geht es wie ruhevolles Atmen mütterlicher Liebe, und unter ihm wohnt Güte bei Härte, und sattes Behagen folgt hart zupackender Arbeit.

Abendstille senkt sich auf die breiten Dorfstraßen und

über die müden Bauernhöfe. Im Stall noch das Stampfen eines Pferdes, das behagliche Schnaufen einer Kuh, und vom Dach herab, über den gekreuzten Pferdeköpfen des Sachsengottes, klappert der Storch geruhsam den Abendsegen. Da hebt es unter den altersgrauen, grünbemoosten Strohdächern an zu reden und zu raunen, und um die rauchgeschwärzten Balken geht es wie leises Singen und Klingen aus fernen Tagen. Geschichten, Sagen und Mären werden wach am offenen Herdfeuer, wenn jugendliche Augen zwischen Wachen und Träumen zum runzelvollen Antlitz aufschauen: »Großmudder, nu verzähl' was!« Und was die weißhaarige Alte dann erzählt, was im Herdfeuer flüstert und knistert, was durch die alten Katen summt und singt, das sind die vom Abendsonnenschein verklärten Erinnerungen verdämmernder Jahrhunderte. –

»Warkenthin liegt in Gottes Hand«, sagt Trine Markow, und ihre Augen gleiten wie liebkosend vom Ausbau Immenkath über das Dorfbild hin – wie Augen, die da Abschied nehmen. Möne, der Urenkel, ruft zum Abendessen, und als sie neben ihm ins Haus geht, sieht er aus seinen grauen Augen mit scheuer Bewunderung zu ihr auf. Trine Markow zählt ihres Lebens neunundneunzig Jahre weniger einen Tag, und morgen ist ihr Ehrentag. Ihr Auge ist nicht dunkel geworden und ihr Fuß nicht müde zu gehen seinen Weg. Er wird auch hinfort nicht mehr müde werden. Denn in derselbigen Nacht kam der unsichtbare Bote des Herrn, und an seiner Hand ging sie sicheren Schrittes über die dunkle Brücke, die sich spannt zwischen Zeit und Ewigkeit. – Am Morgen, da die Sonne aufging, trat Möne an ihr Lager, um ihr seinen Glückwunsch zu sagen; aber sie bedurfte keines Glücks und keines Wunsches mehr, denn um ihren Mund lag schon jenes seltsame Lächeln, das denen, die es sehen, nichts mehr verrät von den letzten Geheimnissen zwischen Leben und Tod. So ward aus Abend und Morgen Trine Markows Ehrentag.

Drei Tage später füllte die starke Stimme Pastor Brümmerstädts die engen Räume von Immenkath. Aus der beabsichtigten Dankrede war eine Trauerrede geworden; aber in diese Rede am Sarge des alten Weibleins fiel doch immer wieder ein helles Wort zum Lobpreis dessen, der ein Menschenkind ein langes Leben hindurch gnädig geleitet und vorbereitet hatte zu einer friedlichen und seligen Heimfahrt. – Und dann ging es in langsamem Ton durch die Dorfstraße:

»Wer weiß, wie nahe mir mein Ende . . .«

Die alten Strohkaten schauten aus ihren Eulenlöchern in gelassener Ruhe auf Trines letzte Wanderung, und die hellen Stimmen der Knaben schufen einen seltsamen Gegensatz zu den ernsten Worten des Liedes.

»Es kann vor Abend anders werden . . .«

Für gute Nachrede hatte Trine nicht gesorgt, wenigstens nicht im Leichengefolge. »Dormit hadd sei ok woll noch einen Dag täuwen (warten) künnt!« warf Möller am Ende des Zuges seinem Nebenmann mißbilligend zu.

»Herr, lehr' mich stets mein End' bedenken . . .«

»Un denn all de Ümstänn' un de Kosten von wegen den nien Lehnstuhl tau ehr'n Geburtsdag!« stimmte Hannes Wittkopp vorwurfsvoll bei.

»Laß mich beizeit mein Haus bestellen . . .«

»Acht Daler is'n grot Stück Geld!«

»Mein Gott, ich bitt' durch Christi Blut,
Mach's nur mit meinem Ende gut!«

»Un wo sälen wi nu hen dormit?« – Es klang ungut hinein in die Stille des Zuges, und die Unzufriedenen beruhigten sich erst allmählich, als der Schulze einen bedrohlichen Blick zurückwarf. Sie beruhigten sich ganz, als die starke Mahnung des letzten Liedes über den kleinen Kirchhof hallte:

»Nun lassen wir sie hier schlafen
Und gehn all heim unsre Straßen,
Schicken uns auch mit allem Fleiß,
Denn der Tod kommt uns gleicherweis'!«

Das ernste Grab und das ernste Wort schufen Schweigen. –

Aber schade war es doch, daß Trine das Dorf um ihren neunundneunzigsten Geburtstag gebracht hatte. Trine Markow war zeit ihres Lebens ihre eigenen Wege gegangen. Das lag so in der Familie. Der Großvater war auch so. Warum blieb er nicht einfach Erbschmied wie seine Väter? Aber nein, er legte sich daneben eine Imkerei an. In den ersten beiden Jahren ging es auch ganz gut. Da honigte jeder Zaunpfahl. Dann aber kamen drei heiße und trockene Sommer, und die Heideblüte verbrannte. In den nächsten drei Jahren verregnete sie, und jetzt war von der ganzen Herrlichkeit nur noch der Name Immenkath geblieben und dazu zwei leere Körbe im verfallenen Bienenschauer hinten im Garten am Bach. – Nun mußte die Gemeinde Warkenthin den neuen Lehnstuhl für jemand anders zurückstellen. Für Steinkopp vielleicht? Aber Steinkopp war erst eine kleine Ecke in die Achtziger hinein, und bis er soweit war, konnten die Motten hineinkommen. Steinkopp war überhaupt etwas langsam.

Möne aber ging und nahm zu und wuchs heran zu einem stämmigen Burschen, für den kein Platz so geschaffen schien wie die Werkstatt seines Vaters, breit in den Schultern und Hüften und mit zwei Fäusten am Leibe, die jedem

Gegner bedrohlich erscheinen mußten. Dazu litt er nicht an Hohlheit und Düsternis im Oberstübchen. In der Schule flog es bei seinen Antworten wie leises Verwundern über die Züge des Lehrers, und am Altar in der Kinderlehre tat er es allen zuvor. In des Vaters Werkstatt aber führte er den Hammer mit starkem Arm.

Pink – Punk! Pink – Punk! Pink – Punk! ... Punk! ... Punk! ... Punk! Möne ließ seinen Hammer fallen, und der Alte machte den Wochenschluß mit drei festen Schlägen seines großen Vorhammers.

»Wortau is dat gaud?«

Der Alte legte den Hammer schwer auf den Amboß und sah Möne nachdrücklich an: »Dormit blifft de Düwel för de nächst' Woch ansmäd't (festgeschmiedet). Ob't wohr is, weit ick nich. Äwer dat is en ollen Bruk bi uns Smädlüd, un dorüm holl ick doran fast un frag' nich nah Woso un Worüm.« Er stellte den Hammer in die Ecke, denn nach Grobschmiedsbrauch darf der Hammer nach Feierabend nicht auf dem Amboß liegenbleiben.

Der Junge räumte auf. Dann wusch er sich für den Sonntag und sprang hinaus. Immenkath lag ein wenig höher als das Dorf. Hinter dem Haus, auf der Bleiche, warf er sich ins Gras. Seine Augen glitten über die kahlen Kornfelder und über die Kartoffeläcker. Sie glitten auch über den buschbewachsenen Wall auf die lange Reihe der Büdnereien, wo die Kühe von den Wagen abgesträngt wurden. Sie ruhten eine Weile auf den weiten Wiesenniederungen, durch die das schmale Band der Rögnitz sich trägen Laufes und in vielen Windungen hindurchzog. Fern im Norden stand der schwarz verdämmerte Wald als ernster Rahmen der Niederung. Die Wiesen waren leer, die Frösche verstummt, die Störche nach dem Süden gezogen. Aber die schweigenden Wiesen und der stumme Wald wurden beredt, und vor Mönes Augen standen in lebendiger Kraft die Erinnerungen der Wiese und des Waldes, Erinnerungen, die Urahne Trine am offenen Herdfeuer spann.

Da wachte der schwarze Hund des Mondschäfers auf der Rögnitzbrücke, und der weiße hütete die Brücke über dem Kanal. Sie blieben auch, als fern vom Waldrande her des Wildwächters Horn gedämpft durch den Abendfrieden herübertönte. Die Flügel der Lauckmühle waren längst verschwunden in der Dämmerung, und damit kam wieder die Zeit für die Unterirdischen. In langem Zuge kamen sie hervor aus den Damsker Bergen und führten ihre Schätze über den Fluß, Fracht auf Fracht. Drüben grub der Räuber vom Schnellenberg nach dem goldenen Sarg des letzten Wendenkönigs, aber der Sarg sank bei jedem Spatenstich einen Schuh tiefer. Im Südwesten traten just noch die Reste der alten Wendenburg hervor, und von Rugenkark herüber tönte leise die versunkene Glocke herauf. Auf dem Schlachterberg aber liegt der große Wunderstein mit der lockenden Aufschrift: »Wunder äwer Wunder, wat liggt hier under?« Vor Jahren hatte sich die Jungmannschaft von Warkenthin nachts aufgemacht, den Schatz zu heben. Die halbe Nacht gruben sie im Schweiße ihres Angesichts, und die andere Hälfte brauchten sie, um den Stein mit Hebebäumen aus seiner Lage zu bringen. Als die Sonne aufging, hatten sie ihn richtig umgekippt, und ihr erster Strahl ließ auf der andern Seite wieder eine Inschrift hervortreten, und die lautete so: »Et ward Tied, et ward Tied, dat ick kam up de anner Sied!« Mit unsagbar langen Schafsgesichtern zogen die Schatzgräber ins Dorf zurück, und ihre Mädchen warten noch heute auf die versprochenen goldenen Ketten.

Derweil Möne so die bunten Bilder der Vergangenheit

an sich vorübergleiten ließ, stand die Mutter am Herd und bereitete die Abendmahlzeit mit kundiger Hand und verständigem Sinn. Sie wußte, daß Amboßarbeit Appetit schafft, und sparte darum nicht mit dem, was zur Nahrung und Notdurft des Leibes gehört. Mit blanken Augen trug sie die schmackhafte Hausmannskost auf den Tisch, und sie aßen mit Ernst und Bedacht und löffelten umschichtig aus der großen Schüssel.

›Dat is 'ne gaude Sak mit dat Eten‹, dachte der Großvater, ›wenn einer noch de Arm upstütten kann.‹

›Dat Eten deiht einen gaud‹, sinnierte der Vater, ›wenn man hart arbeit't hett un wenn man för de nächsten Wochen sovel Arbeit vör sich liggen hett, dat man vör Vergnäugen wrägelich (ärgerlich) warden kann.‹

›Ick bün froh‹, ging es der Mutter durch den Sinn, ›wenn keiner murrt un knurrt biet Eten, un wenn ick sei all satt krieg.‹

»Jungedi«, meinte Möne mit vergnügtem Schmunzeln, »dat smeckt gaud, un vör morgen früh giwwt nicks wedder.« Darum fischte er zielbewußt den größten Speckhappen heraus und schob den nächsten Löffelvoll so weit in den Mund, daß die Mutter sich besorgt erkundigte: »Sall ick di ok en Bindfaden an den Läpel (Löffel) binden, dat du em nich mit äwersluckst?«

So saßen sie und aßen, bis daß es alle war. Und gingen nachher ein jeglicher an seinen Ort: der Großvater mit seiner Pfeife in die Ofenecke, der Vater über die Straße zu seinem Freund, die Mutter in die Küche zum Abwaschen; nur Möne blieb am Tisch sitzen und las im Geschichtenbuch.

Als die Mutter mit dem Geschirrwaschen fertig war und die Löffel wieder im Wandbrett steckten, setzte sie sich auf wenige Minuten zum Ausruhen auf die lange Bank an der Fensterwand. Möne war auch fertig geworden mit der Geschichte von der Gründung der Stadt Rom. Langsam las er Zeile für Zeile und bedachte mit Fleiß ihren Sinn. Nur selten, wie gerade in diesem Augenblick, irrten seine Gedanken ab. »Großvadder, wat liggt ünner den Wunderstein?«

Der Alte mochte nicht gern daran erinnert werden, denn in seiner Jugend war auch er unter den Schatzgräbern gewesen. Aber das gute Abendessen hatte ihn milde gestimmt. »Du möst mal nahgraben!«

Mönes Gedanken gingen weiter: »Großvadder, weit Hei (Er = du), wat dat mit Ramm up sick hett?«

Morgen war Sonntag, und das stimmte den Alten religiös. »Dat is mal 'ne grote Stadt west, bannig riek un stolz, un ehr Sünden hebben bet an den Himmel stunken as in Ninive un Babel. De leiw Gott hett dat 'ne Tied mit anseihn. Äwer as de Gestank ümmer stinkiger würd, dunn schickte hei en mächtig groten Bullen, swart mit en witten Bliß. Dei lep drei Dag un drei Nacht üm de Stadt un hett sei ganz mit Sand taukratzt, dat von all de Herrlichkeit nicks nahbleeben is as 'ne Sandbüß mit'n lütt Dörp.«

»Großvadder, wat liggt achter Ramm?«

»Lübtheen!«

»Un achter Lübtheen?«

»Dat weit ick nich«, kam es mit unwilligem Knurren hinter einer Rauchwolke hervor, »du möst nich so vel fragen.«

Mönes Gedanken sprangen von der verschütteten Weltstadt Ramm zum neuerbauten Rom: »Rom liggt woll wiet von hier?«

»Ja.«

»Dor möt'n woll vier Wochen gahn, bet'n henkümmt?«

»Kann wesen.«

»Dor hett Kaiser Augustus lewt.«

»Ja.«

»Dat hebben Romulus un Remus upbugt (aufgebaut).«

»Dummen Snack! Twei Murers känen nich 'ne grote Stadt upbugen.«

»Dei sünd von'n Wulf grotsögt (großgesäugt) worden.«

Da fuhr der Alte auf und wandte sich gegen die Schwiegertochter und den Sohn, der soeben vom nachbarlichen Besuch zurückgekommen war: »Heff ick Jug (euch) dat nich ümmer seggt, Ji (ihr) süllen den Jungen de ollen dummen Bäuker (Bücher) wegnehmen? Biwel, Gesangbauk, Katekism un Klenner – dat sünd genaug Bäuker in'n Hus. Nu hebben wi de Bescherung! Von'n Wulf grotsögt!«

»Na«, meinte der Vater gemütlich, »ut dat Lesbauk hett Hei sick in de letzten Johren doch ok girn wat vörlesen laten.«

»Un wo is dat mit de Zeitung?« fragte die Mutter und nahm das kleine Wochenblatt zur Hand.

»Ach, bliew me dormit von'n Liew. Nicks as Bedreigerie un Füer un Murd un Dodslag! Dat de Welt von Dag tau Dag leger (schlimmer) ward, dat weiten wi ok so. Dortau bruken wi nich in de Zeitung zu kieken.«

»Na, as dor vör vierteihn Dag instünn, dat de Bull in Oll-Jabel de Dochter von minen Swager sin Swester binah ümlopen hadd, dunn hett Möne Em dat doch gliek tweimal vörlesen müßt, un Hei hett seggt: Wo is dat mägelich! Wo is dat mägelich! Hett Hei dat nich seggt?«

»Na ja«, gab der Alte knurrend zu, »wenn dor wat insteiht ut uns' Gegend – ja, dat hür ick ganz girn. Äwer nülich dat grot Füer in Paris – wat gellt dat uns an? Wenn uns' Sprütt (Spritze) dorhen kümmt, denn is dat doch all lang ut. Dat hürt ok gor nich tau unsen Sprüttenverband. Ne, dat best an de Zeitung is noch ümmer, dat man dor wat inwickeln kann. En Smid sall an'n Amboß stahn un nich achter de Bäuker sitten. Isen (Eisen) ward nich mit Pappdeckels breitslagen.«

»Stimmt«, fiel der Vater ein, »Isen ward nich mit Pappdeckels breitslagen. Awer wat twüschen de Deckels steiht, dat makt de Lüd den Kopp doch heller. An'n Amboß deiht de Jung sien Schülligkeit, hei hett all en gauden Slag in'n Arm. Äwer so'n Bengel möt rut ut'n Hus un rut ut't Dörp, süß blifft hei en Nachtmütz, un wenn hei hunnert Johr olt ward. Wenn hei neben sien Arbeit flietig lest, denn kümmt em dat nahst ok taupaß. Un wenn hei mihr Lust hett tau de Bäuker as tau'm Hamer – wi dwingen em nich. Kopps hett hei, un lihren mag hei ok, un wenn hei will, kann hei minetwegen den Hamer dallegen un sick annerswo wedder up de Schaulbänk setten un wieder lihren. Äwer dat hett noch gaud Tied, hei is irst Ostern konfirmiert worden, un wi känen doräwer noch ruhig utslapen – un morgen is Sündag.« Wuchtig hob er die schweren Arme, so daß dié Hemdärmel zurückfielen und harte Muskelstränge sichtbar wurden. Dann ging er mit langen Schritten in die Schlafkammer.

Derweil die Insassen von Immenkath nach harter Wochenarbeit der wohlverdienten Ruhe pflegten, führte der Abendwind breite Nebelschwaden durchs Wiesental. Das ist die Zeit, da die alten Katen anheben zu reden von Saat und Ernte, von Sommer und Winter, von Tag und Nacht, von Lachen und Weinen, von blitzblanken Augen der Jungen und verwitterten Zügen der Alten. Am liebsten aber von fernen Zeiten.

Jugend ist vorlaut. Der zweite Katen links beginnt zu erzählen. Er hätte wohl noch warten können, weil er über dem großen Einfahrtstor eigentlich ungeziemend viel Balkenwerk, in Dreiecke zusammengestellt, zur Schau trägt und erst zwei Jahrhunderte auf dem First hat. Aber seine Nachbarn hören ihm zu mit ruhiger Nachsicht, wie es ehrbaren Alten wohl ansteht. Und er erzählt von den Franzosen, die durchs Dorf schwadronierten, daß kein Mensch sie verstand. Und von dem Kosakenoberst, der sie verjagte und sich dann ganz unkosakisch zu Tode trank an kochend heißer Hühnersuppe, weil er, fern von Don und Kuban, kein Plattdeutsch gelernt hatte und den warnenden Zuruf der Bäuerin nicht verstand. Die Seinen banden ihren toten Hetman aufs struppige Rößlein und führten ihn unter schwermütigen Klageliedern zum Dorf hinaus. Draußen begruben sie ihn – wer weiß wo!

Bedachtsam setzt der Nachbar ein. Aus schweren Blökken schwarzbraunen Raseneisensteins, gemeinhin Klump genannt, ist er aufgeführt. Den hat der Bauer in seinen Wiesen gebrochen. Dort läßt der Klump nur saures Gras wachsen, im Hause gibt er trockenes Wohnen. Klump überdauert die Jahrhunderte. Störche kommen und gehen; Menschengeschlechter wachsen heran in frohem Jugendlachen, gehen in harter Arbeit durchs Leben und sinken in müdem Schweigen ins Grab; aber für den Raseneisenstein sind hundert Jahre eine kurze Zeitspanne. – Die Stimme des alten Baues ist während der letzten hundert Jahre etwas rauh geworden. Der Rauch, der vom offenen Herdfeuer langsam unter dem Strohdach der großen und hohen Einfahrt zustrebt, hat sie heiser gemacht. – »Franzosen und Kosaken?« Es knackt im alten Gebälk, und das Knacken ist wie verächtliches Lachen darüber, daß man so junges und neumodisches Volk wie Franzosen und Kosaken überhaupt nennen mag. – »In meiner Jugend sah ich die Wallensteinschen. Sie zogen draußen auf der großen Heerstraße am Dorf vorbei. Nur ein paar Schweine hießen sie mitgehen und was sonst zu des Lebens Notdurft gehört. Hernach aber kam wildes, hergelaufenes Volk, ein verlorener Hauf', der im Dreiböhm und Hornwald sein Lager aufschlug und nachts das Dorf heimsuchte. Der Rote Hinnerk führte sie. Nach mancher Mordtat und gründlicher Plünderung zündeten sie die Häuser an. Aber in schweren Regengüssen hatte das Moos auf den Strohdächern sich vollgesogen wie ein Schwamm und schützte die Wohnstätten. Die Bande hatte sich voll- und tollgesoffen und lag bei den Feuern mitten im Dorf. Da brachen die Bauern hervor. Mit Knüppeln, Forken und Äxten fielen sie über sie her; es war solide und gründliche Arbeit. Der Rote Hinnerk kroch hier bei mir im Schweinestall unter. Da fand der Bauer ihn und machte kurzen Prozeß. Seitdem war Ruhe.«

»Hm, ja – Ruhe!« knarrte es von der andern Seite der Straße mit eingerosteter Stimme herüber. Müde und versackt stand der alte Bau da. Ein sechsjähriger Junge konnte ans Dach reichen. Aber da war viel eisenfestes Eichenholz hineingearbeitet, wie man es heute in der ganzen Gegend nicht mehr findet. – In abgerissenen Sätzen, wie ein Alter, dem die Luft knapp wird, holte er hervor, was er in seiner Jugend von längst versunkenen Nachbarn erlauscht hatte: von Bärenjagden in weiten Eichenwäldern; von dem großen Kampf mit den schlitzäugigen, schwarzhaarigen Männern mit gelben Gesichtern; von dem einsamen Grab in der Heide, wo dieselben Männer die Asche ihres Sippenältesten beisetzten, und von den runden Mahlsteinen, die man hernach dem Eisensteinernen unter den Süll legte.

Und dann hallen zwölf Schläge langsam und gewichtig

vom Turm. Still wird's im Rund. Nur der Mond wacht, und der Nachtwind spielt mit grauen Nebelstreifen und fallenden Blättern. – Und morgen erzählen andere.

2. DER VERLORENE SOHN IM EVANGELIUM UND DER VERLORENE SOHN IN WARKENTHIN

Es gärte unter den jungen Burschen in Warkenthin. Das Großherzogliche Amt hatte ihnen eine zweite Tanzmusik im Jahr abgeschlagen. Nun redeten sie sich im großen Gastzimmer des Dorfkruges die Köpfe dick, einige zwanzig Mann, lauter gesundes, starkknochiges Volk. Sie wollten nicht mehr beim Bauern dienen. Sie wollten nach Hamburg. Dort waren sie frei. Dort hatte ihnen kein Bauer, kein Amt und kein Pastor etwas zu sagen. Jeden Abend konnten sie dort tanzen, soviel sie mochten. Das Getöse ward groß; selbst Hund und Katze zogen sich hinter den Ofen zurück.

Da ging die Tür, und Pastor Brümmerstädt trat herein, er, des Dorfes gebietender Herr, eines Hauptes länger denn alles Volk, des Wortes mächtig und stark in der Kraft seines Willens. In schweren Fällen verlieh der Handstock seinen Worten Nachdruck; denn es war zu Anfang der sechziger Jahre im vorigen Jahrhundert. Mit weitausgreifenden Schritten kam er durch das lange Zimmer. Hinter dem letzten Tisch machte er halt. Ein langer Blick glitt über die Köpfe. Bedachtsam legte er seinen Stock vor sich auf den Tisch. Dann hob er an:

»Setzt ohne Bedenken die Mützen auf, meine jungen Freunde, und holt eure Pfeifen getrost wieder aus der Tasche, denn ich will heute von landwirtschaftlichen Dingen zu euch reden, von Erbschaftsangelegenheiten, von Schweinezucht und von dem faulen und frechen Sohn eines alten Bauern.

Es war ein Mensch, der hatte zween Söhne, und der jüngste unter ihnen sprach zum Vater: Gib mir, Vater, das Teil der Güter, das mir gehört! – Und er teilte ihnen das Gut.

Das hätte der Alte nicht tun sollen, denn er kannte seinen Jungen. Zum Krug ging der Bengel lieber als hinterm Pflug, vom Meiden kriegte er Rückenschmerzen und Schwielen nachts im Traum, und sein Schweiß – das war im ganzen Jahr nicht mehr, als in einen Fingerhut geht. Aber im Sonntagsrock und in der Hand den schönen Spazierstock, mit weißem Kragen und die Uhrkette breit überm Magen, und dann auf der Straße dicktun – das gefiel ihm besser als Mistaufladen und Holzhacken.

Aber nun laßt uns hören, was weiter geschah. Eines Tages, es war mitten in der Woche und gleich nach dem Essen, und die Fliegen krabbelten noch auf dem Tisch rum, da kam er in seinem besten Anzug zur Stube rein und stellte sich ganz patzig vor seinen Alten hin und sagte: ›Ich wollte dir bloß sagen, daß ich jetzt meinen Anteil an dem Hof haben will. Einmal muß mir das Geld doch ausbezahlt werden, und ob das nun heute geschieht oder später, bleibt sich ja gleich. Hier bleibe ich nicht, ich will was von der Welt sehen.‹ Er hätte sich dazu wohl eine andere Zeit aussuchen können, denn der Alte saß im großen Lehnstuhl und wollte grad ein Auge voll Schlaf nehmen. Das hatte er auch wohl verdient, denn er hatte den ganzen Morgen hinten in der Wiese gemäht, die pralle Sonne über sich, den ganzen Schnitt vor sich und seine Sorgen in sich. Ein krummer

Rücken trachtet nach dem Sorgenstuhl, und ich, euer Pastor, verstehe das.

So hätte der Bengel in unserer Geschichte auch wohl ein bißchen warten können. Aber er hatte keine Achtung vor dem vierten Gebot und kam gerade, als sein Vater eben beim Einschlafen war. Da seht ihr wieder, daß er ein ganz heilloser Schlingel war. Der Alte kriegte keinen kleinen Schreck, als der Junge mit einmal sein Geld forderte. Und ich muß auch sagen, ich hätte es nicht getan. Wollt ihr wissen, was ich getan hätte? Meinen Stock hätte ich genommen, und dann hätte ich an ihm gehandelt nach dem Wort der Schrift: Wer sein Kind lieb hat, der hält es unter der Rute. – Aber dazu war es jetzt zu spät. Der Junge war mündig, und der Alte war nach dem Tode seiner Frau noch stiller geworden als sonst. Ruhig und ordentlich besorgte er seine Wirtschaft, und am liebsten redete er mit sich selbst.

Das Schimpfen und Schelten für die ganze Wirtschaft besorgte Thias-Ohm. Thias-Ohm war so ein altes Erbstück auf dem Hof. Seine Arbeit hatte er hinter sich. Mit seinen Beinen wollte es nicht mehr recht, aber die Zunge war noch ganz geschmeidig. Nur schade, daß keiner nach ihm hinhörte. Nun saß er am Tisch und schlug nach den Fliegen. Aber sie kümmerten sich nicht viel um ihn, denn er schlug meistens vorbei. Thias-Ohm fing denn auch gleich an zu schimpfen: ›Dein Geld? Und dann in dieser Jahreszeit? Du verungenierst ja den ganzen Hof, du Drauß!‹ – Aber der Junge ließ ihn schimpfen und sagte bloß: ›Meinen Anteil will ich haben. Nu man her damit! Und bleiben tu ich auch nicht.‹ Der Alte kuckte ihn lang und still an, aber der Junge kuckte an ihm vorbei. Was sollte der Alte tun? Er schloß den Schrank auf und holte den großen Beutel mit Silbergeld heraus und aus der Lade den kleinen mit Gold.

Und der Junge nahm erst den großen Beutel und fing an zu zählen, und Thias-Ohm half ihm dabei. Aber sein Vater stand am Fenster und sah durch den Obstgarten nach dem Kirchhof hinüber, und das Kinn bebte ihm.

›Eins – zwei – drei – fünf – zehn – zwanzig – vierzig – fünfzig –‹ zählte der Junge die Taler. – Thias-Ohm machte seine Bemerkungen dazu. ›Wenn die Taler doch bloß Haken hätten, daß man sie anhängen könnte.‹ – ›Sechzig, achtzig, hundert – hundertzwanzig!‹ – ›Aber du gehst mit dem Geld um wie die Sau mit dem Stroh!‹ – ›Hundertfünfzig – zweihundert – zweihundertfünfzig! So, das war das Silbergeld, jetzt kommen die Füchse!‹ – ›Du sollst mal sehn, dich beißen die Läuse auch noch mal.‹ – ›Laß sie beißen!‹ Und er kriegte den lütten Beutel her und schüttete die Goldstücke auf den Tisch. – ›Wenn das Gold verschimmelt, dann hast du keine Schuld.‹ – Und als der Junge im ganzen rund vierhundertfünfzig Taler zu Ende gezählt hatte, da war auch Thias-Ohm mit seiner Weisheit am Ende und sagte bloß noch: ›Denk wenigstens daran: Wenn die Karten auf dem Tisch liegen, dann sitzt der Teufel darunter!‹ – ›Laß ihn sitzen!‹ sagte der Junge, steckte sein Geld weg und ging fort.

Der Alte stand an der Eingangstür und sah ihm nach und sagte kein Wort, und Thias-Ohm schob sich durch die Hintertür und schalt hinter ihm her: ›All das Geld, das schöne Geld! Und das soll nun alles verhunn'ast werden! Du Sadrach! Du Abednego!‹ – ›Laß das Fluchen sein‹, sagte der Alte, ›auf unserm Hof wird nicht geflucht.‹ Er hielt die Hand über die Augen, daß ihn die Sonne nicht blendete, und so stand er und sah still seinem Jungen nach. Aber der Junge hatte sich nicht einmal umgesehen; das hätte er wohl tun sollen.

27

Ein Vater muß oft stillstehen auf seinem Wege und muß sich umsehen nach seinen Kindern, daß sie nachfolgen seinem Wandel. Also sollen wiederum die Kinder fleißig schauen auf ihren Vater, dieweil er noch bei ihnen ist im Lande der Lebendigen. Sein Weg windet sich hindurch zwischen Sorgen und Särgen, und er muß oft niedersitzen und ausruhen zwischen Kränzen und Kreuzen, und der Totengräber fängt an, ihn sich zu betrachten. Das sollte das junge Volk wohl bedenken.

Der Junge ging geradewegs nach der Stadt. Die Kinder spielten auf dem Dorfanger und sangen: ›Es geht ein Bauer ins Feld, es geht ein Bauer ins grüne Feld.‹ Die Hunde bellten, die Hähne krähten, die Vögel sangen, die Immen summten, und alle Welt machte Musik, und er auch. Er flötete sich eins und klimperte dazu mit einer Handvoll Taler in der Hosentasche. Er ging an Drusenhorst vorbei. Er kehrte nicht mal bei Kopmann Renner ein – gleich hinterm Hamburger Tor, rechts um die Ecke. Er ging nicht mal die Schloßstraße und die Kanalstraße lang. Nein, er hatte es eilig, und darum ging er einen Richtweg hinten rum – am Schloß vorbei und über die Koppel. Und auf dem Bahnhof kaufte er sich eine Karte für die dritte Klasse, die vierte wäre auch wohl gut genug gewesen.

Der Alte aber setzte sich nicht wieder in seinen Sorgenstuhl. Er blieb vor seiner Tür stehen. ›Lütt Kinner trampeln einen up'n Schot, de groten up't Hart. Er weiß noch nicht, wieviel Schweiß und Schwielen dazu gehören, bis das Brot auf den Tisch kommt und die Taler in den Schrank. Und wenn es noch das allein wäre! Wenn er wiederkommt, dann wird er wohl Flecken haben. Na, das läßt sich mit Arbeit abscheuern und mit Schweiß abwischen. Wenn er mir bloß nicht wurmmadig wiederkommt! – Wo er wohl abbleibt? Die Welt ist rund, sagt der Schulmeister, und der muß es wissen. Aber der Bengel kommt mit seiner Dummheit doch nicht rum. Wenn er sich die Hörner abgestoßen hat und wenn sein Geld alle ist, dann wird er wohl wiederkommen. Woll'n mal rechnen: so wie er mit dem Geld umgeht, geb' ich ihm bis Martini Zeit. Wenn er dann wieder da ist, soll mir das Geld nicht leid tun. Man gut, daß Mutter das nicht mehr erlebt hat.‹

Er führte die Kälber und die Kühe aus dem Stall. ›Solange Mutter noch lebte, hat sie nach ihm gesehen; aber genützt hat das nichts. Nachher ich; aber genützt hat das auch nichts.‹ Er blickte nach oben. ›Jetzt bist du an der Reihe! Nu nimm du ihn mal vor. Und bring ihn zurück; er ist ja doch mein Jung', mein lieber Jung'. Im Kalender hat er öfters geblättert, und bei Lukas, Kapitel fünfzehn, war das Blatt an der Ecke schon ganz schwarz.‹

Sein Junge aber fuhr nach Hamburg. Lasset uns in Gedanken mit ihm fahren, damit wir sehen, wo er bleibt. Ein Gasthaus war nicht vornehm genug für ihn. Nein, im Hotel ›Zur Krone‹ mietete er sich ein Zimmer. Das lag in der Gegend von Sankt Pauli, und dort besuchte er jeden Abend die ›Singspielhallen‹. Ihr müßt aber nicht glauben, daß die Gegend da viel zu tun hätte mit dem heiligen Apostel Paulus. Und was in den Hallen gesungen wird, davon steht nichts in unserem Gesangbuch. Und was da gespielt wird, das ist auch kein unschuldig Kinderspiel. Das sind überhaupt keine Hallen – nein, Höllen sollten sie heißen. Da sitzt der Teufel auch nicht unterm Tisch, wie Thias-Ohm gemeint hat; nein, da sitzt er breit und massig oben am Tisch und kommandiert das Ganze. – Und nun woll'n wir mal durch das Fenster kucken, und sieh, da sitzt unser dummer Junge mitten am Tisch, als ob er dazugehörte. Und die bei ihm sitzen, das sind seine Saufgenossen; die haben alle dieselbe Krankheit: sie können ihren eigenen Schweiß nicht riechen. Und nun schaut mal! Nun da sie sehen, daß er die Taler springen läßt, nun trinken sie alle Brüderschaft mit ihm. Und sieh, jetzt zieht ihn hier einer in die Ecke und leiht sich einen Taler von ihm. Und da zieht ihn ein anderer in eine andere Ecke und leiht sich gleich ein halbes Stieg-Stück von ihm: ich möchte wohl wissen, wieviel Schweißtropfen von seinem Vater an diesen zehn Talern kleben. Aber je mehr sie ihn loben, was für ein Kerl er sei, um so toller springen die Taler. Und nun fliegen die schmierigen Karten auf den dreckigen Tisch.

Und nun kuckt mal erst die Dirns an, wie die sich an ihn drängen. Das sind doch feine Damen, für die muß er doch Wein kommen lassen. Das Takelzeug von Dirns sollte besser zum Bauern gehn und beim Kartoffelaufnehmen helfen! – Was sie da aßen, das war auch keine Kohlsuppe und kein Eintopf; nein, Braten mußte es sein. Und wenn sie mal aus Hamburg raus wollten, dann mußte das 'ne Kutsche sein, oder sie fuhren mit dem Dampfer. Und dann hatten sie zufällig kein Geld bei sich, und unser lieber Bauernjunge bezahlte, und dafür ließen sie ihn hochleben. So schickte er seine Taler auf Reisen. Einer lief immer hinter den andern her und wollte sie einholen, aber keiner kam zu ihm zurück. So lebte er alle Tage herrlich und in Freuden.

Zu derselben Zeit schlossen die Sorgen Brüderschaft mit seinem Vater. Sie saßen bei ihm auf dem letzten Heuwagen, der von der Bruchwiese kam. Sie blickten mit ihren griesen Gesichtern über den gelben Roggen, als er auf dem Kamp mähte, und sie sahen ihm über die Schulter, als er die letzten Garben wegpackte.

Und als das Feld leer war, da war der große Beutel in Hamburg auch leer. Erst wunderte der Junge sich noch, als der letzte Taler ihm weglief, und es ging ihm durch den Sinn: ›Ja, wenn die Taler Haken hätten!‹ Aber dann ging es auf die Füchse los, und die konnten noch besser laufen als die vier Füchse in seines Vaters Stall. Und dann kam ein Abend – sieh, da war sein Geld alle.

Da ging er zu seinen Freunden und Duzbrüdern. Aber der eine war nicht zu Hause, der andere sah ihn traurig an und bedauerte ihn, der dritte hatte grad kein Geld, der vierte hatte ein Loch in der Hosentasche, und der fünfte sah ihn von oben herab an und drehte ihm den Rücken. Und er zog aus der ›Krone‹ in den ›Eisernen Mann‹, und als er dort auch nicht mehr bezahlen konnte, in den ›Letzten Heller‹; da setzten sie ihn nach ein paar Tagen auf die Straße.

Darauf sagte er Hamburg Atschüs und ging nach dem Holsteinischen hinüber. In einem großen, schönen Bauerndorf fragte er nach Arbeit, aber keiner wollte ihn haben. Zuletzt fand er einen, der kuckte ihn erst scharf an und sagte dann: ›Du kannst nach den Schweinen sehen, daß sie nicht in den Kohl gehen.‹ – Die Schweine hatten ihren Schick; aber sie kriegten auch morgens und abends soviel Seie, wie sie wollten, und er kriegte morgens Buchweizengrütze und mittags Grütze und abends Grütze, aber ohne Speck und Fett. Die Seie, die die Schweine kriegten, war viel besser als seine Grütze. Aber niemand gab sie ihm. Denn die Schweine brachten was ein, und er brachte nichts ein.

So saß er hinter dem Knick am Deich, nichts im Leib und nichts auf dem Leib. Es war ein kalter, nasser und rauher Herbst, ihm wurde wind und weh, und Fieber hatte er auch. Der Kopf sackte ihm auf die Brust, und es dauerte nicht lange, da war er eingeschlafen. Als er wieder zur Be sinnung kam, da standen seine Schweine um ihn herum und grunzten ihn an, als wollten sie sagen: ›Ja, wir kriegen heut abend wieder schöne, fette, warme Seie, und du kriegst nichts als deine steife, kalte Buchweizengrütze.‹ Und die alte graue Sau wühlte am Knick in einem Haufen Stroh, bis sie alles untereinandergestreut hatte, wie das so Schwei neart ist in allen Ländern. Und als sie das besorgt hatte, zwinkerte sie ihn aus ihren lütten Schweinsaugen vergnügt an, als ob sie fragen wollte: ›Kannst du das auch?‹ Dazu hörte er durch den dichten Herbstnebel eine Stimme: ›Du gehst mit dem Geld um wie die Sau mit dem Stroh!‹ Und zwei blanke Augen kuckten ihn aus der Ferne still und fest an, und er kuckte an ihnen vorbei. Die Augen, die Augen!

Er fuhr in die Höhe. Was war das? Was hieß das? Und was bedeutete das? Und seine Seele antwortete und sprach: ›Das ist, daß du das Deinige verlumpt hast und selbst ein Lump geworden bist. Das heißt, daß du so weit herunter gekommen bist, daß schon die alte Sau dir eine Predigt hal ten muß. Und das bedeutet, daß es hohe Zeit wird, wenn du den Weg nach Haus noch wiederfinden willst.‹ – Da schlug er in sich, und seine Augen wurden aufgetan. Er be sah sich von innen und von außen: ›Was? Du sitzt hier hin term Knick und hütest Kohlköpfe und Schweine, die dich nichts angehen, und da muß die olle dämliche Sau kommen und dir eine Lektion halten? Das hättest du zu Haus billi ger haben können. Du bist ja so dumm wie ein Zaunpfahl. Und schlecht bist du auch. Dein Alter hat die Herbstarbeit allein machen müssen, und du sitzt hier mit deinen jungen Knochen hinterm Knick. Und nun erst das schöne Geld! Was ist eigentlich in dich gefahren? Vater, Vater!‹ – Ich will mich aufmachen und zu meinem Vater gehen.

Er trieb seine Schweine auf den Hof und sagte dem Bauern Bescheid. Der sah ihn fest an und sagte: ›Da hab' ich die ganze Zeit darauf gewartet. Dein Vater auch wohl. Komm gut nach Haus!‹ Er holte einen Taler aus der Tasche, und der Junge ging davon. Zu packen und mitzunehmen hatte er nichts.

Lasset uns mit ihm gehen, auf daß wir sehen, was er nun treibt! – Auf der Straße spielten keine Kinder, die Hähne krähten nicht, die Vögel waren still, er flötete nicht, und zum Klimpern hatte er auch nichts in der Tasche. Das ging diesmal ganz ohne Musik. Er fuhr nicht mal vierter Klasse. Er machte die sechzehn Meilen zu Fuß, aber er brauchte fünf volle Tage dazu, so hinfällig war er geworden bei all seiner Buchweizengrütze, und am letzten Nachmittag blieb er im Dannenkamp unten vorm Dorf, weil er sich in seinem Zustand und mit seinen Lumpen bei Tag nicht im Dorf sehen lassen wollte. Als es Abend wurde, schlich er sich hinten durch den Hofgarten. Bloß einmal schlug Karo an.

Er schaute vom Garten durch das Fenster in die Stube. Da saß der Alte am Tisch, Bibel und Kalender lagen vor ihm, und das Licht blakte. Er war doch etwas krummer geworden mit der Zeit. – Und nun lasset uns leise vom Fenster weggehen, meine jungen Freunde; denn das, was die beiden miteinander abzumachen haben, hört am besten nur einer, von uns keiner. –

Als aber der Alte nachher zu Bett ging, da saßen die Sorgen nicht mehr zu seinen Füßen und sahen ihn nicht mehr aus ihren grauen Gesichtern an. Und am nächsten Sonntag warf er einen blanken Taler in den Klingelbeutel. Für gewöhnlich gab er nur einen Dreier.

Es war ein paar Wochen später, da war der Junge beim

Mistaufladen, und Bauer Markwardt nebenan hatte schon Feierabend gemacht und rief übern Zaun: ›Laß dir man Zeit! Du arbeitest ja wie im Akkord.‹ – Der Junge wischte sich den Schweiß ab und sagte zwischen zwei Forken voll: ›Zeit lassen? Ja, wenn man die Zeit auf die hohe Kante legen könnte! Wir wollen noch ein paar Stücke Roggen auf'm Kamp einbringen.‹ – Und er fuhr fort zu arbeiten. Markwardt kopfnickte; seine Tochter Stine stand hinter der Eingangstür und kopfnickte auch, und dem Jungen sein Alter stand auf der großen Diele vor seinen Pferden und kopfnickte ebenfalls. ›So laßt ihn mal dabeibleiben. Das Geld ist weg, aber meinen Jungen hab' ich wieder, und wurmmadig ist er in der Fremde auch nicht geworden. Lieber Gott, ich bedanke mich auch! Man schade, daß unsere Mutter das nicht mehr erlebt hat.‹

Meine Geliebten! Hört zum Beschluß noch ein Wort ohne Gleichnis und ohne Handschuhe! Euch hat der Geist des Aufruhrs und der Empörung wider eure Obrigkeit und Herren heute hergetrieben. Das Amt hat euch kein zweites Tanzvergnügen im Jahr freigegeben. Der Krüger sagt auch, daß es genug ist, wenn ihr euch einmal im Jahr die Köpfe blutig schlagt, und der Krüger ist ein verständiger Mann. Ihr aber seid allzumal unverständig. Ihr wollt nach Hamburg. Ihr wollt dort freie Herren sein. Vormittags schlafen, nachmittags ausruhen, und abends und nachts tanzen – so denkt ihr euch das Leben in Hamburg. Und wenn Pastor oder Bürgermeister euch dort begegnen, dann wollt ihr die Hände in die Taschen stecken und ausspucken. Meine geliebten Kinder! Ihr seid allzumal dreigedoppelte Hornochsen. Ihr habt wie die Ochsen kräftige Knochen, aber in eurem Verstand seid ihr gleich den nüchternen Kälbern. Eure kräftigen Knochen gehören ins Dorf, aber nicht nach

Hamburg. Wir lassen unsere junge Mannschaft nicht aus dem Dorf. Wenn ihr geht, dann lassen wir euch durch den Landreiter zurückholen, und wenn es nötig ist, komme ich selbst, und mein Stock kommt über euch und eure Narreteien. Solches aber wird geschehen zu eurem Besten, um die unsauberen Geister von euch auszutreiben. Darum sage ich: Dämpfet die Geister, bleibt im Dorf, und lasset ab von euren Dummheiten! Es ist genug an der *einen* Geschichte vom verlorenen Sohn. Und nun macht, daß ihr nach Hause kommt und ins Bett. Guten Abend!«

Mit langen Schritten ging er hinaus.

3. PASTOR BRÜMMERSTÄDT

Pastor Josias Brümmerstädt war ein gewaltiger Prediger vor dem Herrn. Am 20. Sonntag nach Trinitatis sah er wie immer eine volle Kirche. Auch aus den Nachbardörfern waren sie gekommen, und der rundliche Schulze aus Radow saß wie gewöhnlich oben, die Hände auf der Chorbrüstung gefaltet. Unverwandt sah er auf den Pastor. Erst wenn das Amen von der Kanzel gefallen war, löste er Hände und Augen. Einer von den beiden Lehrern unten im Lehrergestühl sah nach der Gesangstafel, nickte dem andern bedeutsam zu und warf einen bedauernden Blick hinauf zum Küster, der groß und breit auf dem West-Chor lehnte, wo die Orgel noch immer fehlte. »Mein Salomo!« seufzte er. An der Tafel stand Nr. 340: »Mein Salomo, dein freundliches Regieren.« Neben der fettgedruckten Nummer im Gesangbuch las man: »Nach eigener Melodie.« Er kannte die Bedeutung. Nr. 340 stand immer dran, wenn der da oben sich eines Fehls wider den Pastor oder in seinem Amt schuldig gemacht hatte.

Herrn Anton Iserloth hatte Gott im Grimm zum Küster gemacht. Er sang jeden einzelnen Vers nach eigener Melodie, aber mit Überzeugung und großer Kraft. Stiermäßige Töne warf er wahllos in die Kirche hinein; sie brachen sich an den Wänden und fielen mit hartem Gepolter zu Boden. Von der Gemeinde machte keiner den Versuch, mitzusingen, von den sieben Schulkindern da oben nur drei, von den beiden Lehrern nur einer, und der tat es aus Mitgefühl; aber schon am Schluß des ersten Verses wischte er sich den Schweiß von der Stirn und gab es auf.

Der Pastor stand wie gewöhnlich in der offenen Sakristeitür, das Gesangbuch geöffnet in der Hand, doch sang er nicht mit. Pastor Brümmerstädt war ebenfalls kein Sänger von Gottes Gnaden. Jeder Ton, wenn er auch noch so warm und klar aus seinem Herzen quoll, wurde unterwegs in der Kehle zu einem heiseren Bellen. Bei beiden, Pastor und Küster, war die Weise grundfalsch, aber das Herz war richtig. Der da oben wühlte sich unverzagt und mit großem Ernst durch die acht Verse des Liedes hindurch, denn der neunte kam in der Mitte der Predigt, und der zehnte wurde für den Schluß aufgespart. Als er zu Ende war, nickten die Warkenthiner Bauern und Büdner, Häusler und Tagelöhner vor sich hin: »Dat sall em irst einer nahmaken!« Es lag viel Anerkennung in dem bedächtigen Nicken. Im Umgang mit Ochsen, Kühen und Pferden hatten sie den Wert starker Töne schätzen gelernt.

Pastor Josias Brümmerstädt trat auf die Kanzel. Seine langsamen Bewegungen zeugten von Würde und zugleich von verhaltener Kraft. Aus den gebietenden Augen ging sein Blick in strenger Musterung über die Gemeinde. Dann verlas er die Epistel des Sonntags, wie sie geschrieben steht Epheser 5, 15–21: »Sehet zu, wie daß ihr vorsichtiglich wandelt!« Und darauf begann er: »Wir betrachten auf Grund des Textes, wie ein Christenmensch anständig wandeln und verständig handeln soll.« Und gleich hinterher gab er, wie er zu tun pflegte, die Dreiteilung in handfesten Reimen:

»Zum ersten: Meidet das Trinken! Der Branntewein
              Machet den Menschen zu einem Schwein.
Zum andern: Fürchtet und liebet zu aller Zeit
              Eltern, Pastoren und Obrigkeit!
Zum dritten: Lobet Gott in vollem Ton,
              So wird es wohl im Hause stohn!

Meine lieben Mitchristen! Wir wollen an der Hand des Textes zuerst hören vom Trinken und vom Unverstand. Beide Dinge gehören zusammen, denn vom Trinken kann nur Unverstand kommen. Meidet das Trinken! Ja, das leidige Trinken! Als ich gestern von meinem Gang in die Stadt zurückkam, sah ich vor mir auf der Chaussee zwei Männer gehen. Nein, sie gingen nicht, sie torkelten. Bald waren sie mitten auf der Chaussee und bald wieder auf dem Seitenweg für Fußgänger. Manchmal gingen sie Arm in Arm wie die besten Freunde, und gleich darauf schimpften sie sich mit unflätigen Reden, die kein anständiger Mensch in den Mund nehmen mag. Und als ich an ihnen vorüberging, glotzten sie mich dumm und blöde an wie zwei neugeborne Kälber, und der eine, der es meinem Rock wohl ansehen mochte, daß ein Pastor in ihm steckte, schrie mir mit heiserer Stimme zu: ›Ja, Herr Pastor, ich bin auch einmal zur Kirche gegangen und war ein braver Bursch, und meine Mutter war eine herzensgute Frau, die mich zu Kirchgang und Schulbesuch anhielt, und was bin ich jetzt?

Ein versoffener Kerl!‹ Aber unmittelbar darauf flüsterte er mir zu: ›Pastor, gib uns einen Groschen, wir haben Durst!‹ – Ich hatte nicht übel Lust, ihnen eine Predigt zu halten, kurz und verständlich; aber ich wußte, ebensogut könnte ich eine Herde dummeriger Schafe mit harten Worten zur Besserung ihres Wandels ermahnen, und darum ging ich weiter, ohne ein Wort zu sagen, und sie fluchten hinter mir her.

Seht, ihr lieben Warkenthiner, das macht der Trunk aus dem Menschen: in der Jugendzeit ein braver Bursch, in späteren Jahren ein versoffener Kerl! Wohin gehört der Mensch? Der Mensch gehört ins Himmelreich. Aber die zwei, von denen ich euch erzählte, gehören in den Schweinestall. Das Trinken macht den Menschen zu einem sinnlosen und wütenden Tier, so daß er um sich schlägt und, wenn er nicht vorher im Rinnstein liegenblieb, zu Hause sein eigen Fleisch und Blut nicht verschont. Das Trinken macht es, daß die jungen Burschen sich im Dorfkrug, wenn sie des Guten zuviel getan haben, gegenseitig die Rippen eindrücken und die Köpfe blutig schlagen, und es würde noch schlimmer sein, wenn nicht unser Krüger und seine Frau vernünftige Leute wären und beizeiten sagten: ›Nun macht, daß ihr nach Hause kommt! Unser Haus ist kein Saufhaus!‹ Duldet keine Schnapsflasche in eurem Haus! In der Flasche steckt ein böser Geist, und er fließt aus der Flasche in das Glas und aus dem Glas in eure Kehle und aus der Kehle in den Kopf, und da richtet er nur Unheil an, daß ihr nicht mehr wißt, was ihr sagt und tut und was gut und böse ist.«

Und zum andern erhob er seine Stimme und sprach vom Gehorsam gegen Eltern, Pastoren und Obrigkeit:

»Ihr jungen Mitchristen da oben auf dem Chor! Ihr

wißt, daß ich euch oft ermahnt habe. Das ist zu eurem Besten geschehen. Ich habe es vor Gott gelobt, ich will kein schwächer Eli für euch sein. Seid untertan! Und wenn ihr fragt, wem ihr untertan sein sollt, so antworte ich: zunächst unserm Herrgott! Das hat er im ersten und zweiten Gebot gesagt, denn die beiden Gebote handeln von ihm. Darauf komme ich, euer Prediger und Seelsorger, im dritten Gebot, das da handelt von der Predigt und vom Wort Gottes. Das Predigen ist meine Sache, und eure Sache ist es, daß ihr das Wort Gottes und Predigt und Prediger nicht verachtet, sondern in Ehren haltet. Was geschehen wird, wenn ihr Gottes Wort verachtet, das könnt ihr fast auf jeder Seite eurer Bibel lesen. Aber ihr sollt auch Gottes Diener nicht verachten. Wir alle sollen Gottes Diener sein; aber euer Prediger ist es in besonderer Weise, und wenn ihr ihn verachtet und nicht einmal die Mütze vor ihm her-unterziehen mögt, oder euch versteckt, wenn er des Weges kommt, damit ihr ihn nicht zu grüßen braucht, so ist das keine Ehre für euch. – Seid untertan den Eltern, damit die Verheißung des vierten Gebots auf euch ruhe: ›daß dir's wohl gehe und du lange lebest auf Erden!‹ Und wenn ihr Großeltern im Hause habt, die vielleicht den Rest ihres Lebens hilflos in der Ofenecke zubringen müssen, so ehrt und achtet sie doppelt, denn wenn ihr sie verachtet und ihnen nicht einmal ein Glas Wasser bringen oder den Fuß-schemel zurechtrücken mögt, so hat der Teufel ein Wohl-gefallen an euch, aber an den ehrwürdigen Alten macht ihr euch schuldig, und vor Gott ist euer Wesen ein Greuel.«

Die jungen Mitchristen auf dem Chor duckten sich und wagten erst wieder aufzusehen, als er sich mit starken Wor-ten an die Alten wandte:

»Ihr Eltern sollt euren Kindern ein Vorbild geben, wie

man vor Gott recht leben soll. Aber wandelt ihr alle Gottes Wege, und erzieht ihr eure Kinder nach Gottes Wort und Willen? Euren Acker bestellt ihr recht und gut, und euer Vieh pflegt ihr, wie es sich gehört; aber achtet ihr auch darauf, daß in den Herzen eurer Kinder kein Unkraut hochkommt? Ihr gebt euren Kindern Brot, soviel sie verlangen, und ihr tut wohl daran, denn das Brot ist eine gute Leibesnahrung für sie; aber wißt ihr denn nicht, daß der Mensch nicht vom Brot allein lebt, sondern von einem jeglichen Wort, das durch den Mund Gottes geht? Wie geht ihr mit Gottes Wort um? Brot eßt ihr jeden Tag; aber gebraucht ihr auch Gottes Wort jeden Tag für euch selbst? Haltet ihr eure Kinder an, es in kindlicher Einfalt zu hören und zu lesen? Habt ihr vergessen, was in eurem Gesangbuch steht: ›Dein göttlich Wort, das helle Licht, laß ja bei uns auslöschen nicht?‹

Seid untertan eurer Obrigkeit, ihr Alten, und zahlt eure Abgaben, die sie von Gottes und Rechts wegen von euch fordern kann, weil sie euch schützt vor Gefahr und Unrecht! Seid untertan der Obrigkeit, ihr Jungen, und muckt nicht gleich auf, wenn sie euch die zweite Tanzmusik versagt zu eurem eigenen Besten! Vergeßt nicht: die Obrigkeit ist Gottes Dienerin!«

Pastor Brümmerstädt warf den Seinen kraftvolle Ermahnungen ins Gewissen, schlug ihnen ihre bösen Geister nachdrücklich und mit allem Ernst um den Kopf und klopfte ihrem inwendigen Menschen mit dem Stab Wehe die Hosen aus, daß dem Alten Adam der Staub um die Ohren flog, wobei er die Hoffart und Zuchtlosigkeit in besonderer Weise geißelte. Seine Worte waren kernig und lebensvoll, seine Gleichnisse stark und handlich, und von den plattdeutschen Kernworten, die er einstreute, fiel keines auf die Erde. – Und er unterließ es nicht, ihnen mit gewaltiger Stimme und gewaltigen Worten den Weltuntergang und das Jüngste Gericht vor Augen zu stellen, den Tag, von dem keiner weiß, wann er kommen mag, und an dem ein jeglicher Rechenschaft von seinem Haushalten geben muß, sei es Herr oder Knecht, Frau oder Magd, alt oder jung.

Und manch Weiblein unten im Kirchenstuhl ließ den Kopf auf die Brust sinken und flehte inbrünstig: »Leiw Gott, blot morgen noch nich; ick wull doch morgen waschen!«

Und dann stand auf einmal ein ganz anderer Pastor Brümmerstädt auf der Kanzel. Das war nicht mehr der gebietende, mahnende, strafende Mann, dessen Stimme dem Gerichtsdonner glich. Von seiner Stirn waren die dräuenden Wolken gewichen, das Gewitter hatte sich verzogen, und nun kam der sanfte, stille Regen hinterher. Es lag ein rührend warmer Ton in seiner Stimme, und es ging eine große Freudigkeit und Freundlichkeit von dem Manne aus, als er nun begann, in beweglichen Worten vom Lobe Gottes zu sprechen:

»Ihr Männer und Frauen, ihr Jünglinge und Jungfrauen, ihr Kinder allzumal: Lobet den Herrn, und vergeßt nicht, was er euch Gutes getan hat! Wenn ihr des Morgens zur Arbeit aufs Feld zieht oder bei offenen Fenstern und Türen in Haus und Scheune schafft oder euch auf den Schulweg begebt – hört ihr da nicht die Vöglein, wie sie ein Loblied nach dem andern anstimmen, wie sie von früh bis spät lobsingen in eigener Melodie und nimmer müde werden des Lobens? Und wen loben sie? Den, der sie und uns erschaffen hat und noch erhält; den, der ihnen und uns unzählig viel zugut und noch jetzund getan. Und seid ihr nicht viel mehr denn sie? Tut Gott nicht viel mehr für euch als für sie? Darum: Lobet Gott mit lautem Schall! Und wenn eure Stimme auch vielleicht rauh klingt wie mißtöniges Rabengekrächze und heiseres Hundegebell – schadt nicht! Unsern Herrgott beleidigt das nicht, und wenn er aus allem Gebrumm und Geknurr den reinen, vollen Herzenston heraushört, dann ist er zufrieden und nickt mit dem Kopf und sagt: ›So hab' ich's gern!‹

Und seht ihr nicht, wo ihr geht und steht, wo ihr arbeitet und ruht, die lieblichen Blumen in Feld und Wald, in Wiese und Garten? Wer hat sie so schön gemacht? Du nicht, ich auch nicht. Das ist Gott in seiner Kraft, der die lieben Blumen schafft. Und so schön hat er sie gemacht, daß auch Salomo in seiner Herrlichkeit nicht gewesen ist wie derselben eins. Darum loben sie ihn auch und wenden ihr Antlitz nach oben und schicken ihr stummes Dankgebet hinauf zu ihrem und unserm Schöpfer. Ihr wollt doch nicht undankbarer sein als die unvernünftige Kreatur? Ihr habt doch nicht nur Kleidung und Nahrung von Gott empfangen, sondern auch ein Herz, wovon ihr in der Schule gelernt habt: ›Und wißt ihr, wo ich das Herz hab' her? Das hat mir der liebe Gott gegeben, das Herz, die Liebe und auch das Leben!‹

Wohin ihr auch seht, da seht ihr Gottes Segen, in Feld und Garten, in Haus und Scheune, in Küche und Keller, im Stall und auf dem Herd – nichts als Segen und wiederum Segen! Darum: Lobet Gott mit vollem Ton, so wird es wohl im Hause stohn! Dazu verhelfe Gott uns allen in Gnaden! Amen!«

Nach dem Gottesdienst standen die Bauern vor der Kirchentür und besprachen die Predigt, und Diekhoff meinte: »Nahwer, wenn dat mit den Weltünnergang so ielig is, denn möt ick man maken, dat ick minen letzten Roggen noch in de Ierd bring.«

Darauf der andere: »Wat nützt dat, wenn de Welt morgen odder äwermorgen ünnergeiht! De Hauptsak is woll, dat nich wedder so'n grot Water kümmt; ick bün nich för Water. Äwer glöwst du würklich, dat dat so ielig is?«

Diekhoff schüttelte den Kopf. »Ick weit dat ok nich. Ick weit blot, dat hei uns hüt mal wedder düchtig de Leviten lest hett.«

»Ja, Nahwer, doran hett einer bet Wihnacht naug. Äwer wat meint hei mit dem Teufel der Freßsucht?«

»Dat is Jochen Bohnsack. Dei hett vör acht Dag irst en gaud Pund gekochten Schinken tau Abend eten un nahst noch teihn hartgekochte Eier. Äwer in de Nacht is hei dodkrank worden un hett den Preister halen laten. Dei hett em en scharp Middel ingeben, äwer hulpen hett dat bannig; hei hett de ganze Nacht lopen müßt.«

»So, so, also Bohnsack! Un der Teufel der Hoffart, dat ward woll Möller sin. Dei hadd sick en Kinnbort wassen laten, un denn het de Preister em sick vörnahmen un em seggt, de Kinnbort paßt sick blot för de Zegen.«

»Ja, hei höllt bannig up Ordnung, un dat is gaud. So einen giwwt dat in't ganze Land nich wedder!«

»Dat mein ick äwer ok«, sagte die alte Witwe Stolt, die nichts auf ihren Pastor kommen ließ, »is wohr, hüt hett hei schullen, äwer hei is ja nu in sin Episteljohr, un dat is ümmer en hart Johr. Noch drei Wochen, denn is de irst Advent, un denn fangt dat Evangelienjohr an, un dat is wedder sin weich Johr, un wi Frugenslüd freu'n uns all dortau. Hei is en ganzen Mann von Kopp bet tau Fäuten, un mihr Achtung würd de Großherzog ok nich hebben, wenn hei up de Kanzel stünn un de Predigt ded.«

Dann gingen sie alle nach Hause, die einen nachdenklich betrübt, die andern nachdenklich froh, aber keiner gedankenlos. Und alle lobten ihren Pastor, und alle lebten wie zuvor. –

Nur einmal, vor vielen Jahren, hatte Pastor Brümmerstädt einen Fehler gemacht, an den er nicht gern von anderen erinnert werden mochte, an den er aber bis hin zu seiner letzten Predigt sich selber erinnerte wie an ein Schreckgespenst. In der Kirche war eine Uhr angebracht, der Kanzel gerade gegenüber. Der Pastor hielt nichts von zu langen Predigten und predigte darum nur eine und eine halbe Stunde. Er hatte es sich zur Regel gemacht, in demselben Augenblick, da die Uhr elf schlug, seine Predigt zu schließen mit den Worten: »Dazu verhelfe Gott uns allen in Gnaden!« Nun hatte er einmal wieder gewaltig gewettert über die Sündhaftigkeit der Menschen im allgemeinen und die der Warkenthiner im besonderen, und er hatte guten Grund dazu; denn in seiner Gemeinde war allerlei vorgekommen, was nicht lieblich war und nicht wohl lautete. Am Ende seiner Predigt hatte er noch ein besonders ernstes Wort zu sagen: »Wir können Gott dem Herrn und seinen Geboten nicht widerstreben, und wenn wir's doch immer und immer wieder versuchen, so werden wir wie die Spreu vor dem Wind und enden in Verderben und Verdammnis!« – Da schlug die Uhr elf, und Pastor Brümmerstädt klappte die große Kanzleibibel zu und schloß mit gewohnter Gewissenhaftigkeit, ohne sich Gutes oder Ungutes dabei zu denken: »Dazu verhelfe Gott uns allen in Gnaden! Amen!« –

Herr Anton Iserloth zog den Schlüssel zur Turmtür ab und ging zur Pforte, wo seine beiden Kollegen aus den

Nachbardörfern auf ihn warteten. »Was hast du mit dem Alten gehabt?«

»Ach, ich hatte die Unterrichtspause etwas verlängert, und die Knaben trugen mein Holz vom Hof in den Stall, und die Mädchen halfen ein wenig in der Küche. Da kam der Pastor und fragte, ob das in der Ordnung sei. Ich wies hin auf die Holzhauer und Wasserträger am Heiligtum, von denen Josua im 9. Kapitel erzählt. Aber davon wollte er nichts wissen. ›Ihr alter Schulkaten ist gerade kein Heiligtum, wie Josua es meint, sondern eine Schande fürs ganze Dorf. Auch haben Sie hier Schulkinder vor sich und keine betrügerischen Gibeoniter oder die da wohnen zu Kiriath-Jearim.‹ – Na, das ging noch gnädig ab. Aber einige Tage später hatte ich Lesen in der Schule und wollte gerade ein paar Züge aus der langen Pfeife tun; beim Lesen schadet es ja nicht. Da kam er wieder. Ich hatte noch eben Zeit, die Pfeife hinter den Ofen zu stellen. Aber sie war lange nicht gereinigt, und so hatte er es bald herausgeschnüffelt. – ›Sie haben geraucht, Herr Iserloth!‹ – ›Nein, Herr Pastor, ich habe nicht geraucht. Ich habe die Pfeife im Munde gehabt, aber geraucht habe ich darum doch nicht. Fassen Sie die Pfeife an: der Kopf ist kalt.‹ – Da war er geschlagen und mußte abziehen. Aber beim Hinausgehen sagte er: ›Die lange Pfeife gehört nicht zu den Lehrmitteln, auch wenn sie nicht angezündet ist.‹ Und den Ton, in dem er das sagte, kenne ich; das bedeutet immer für den nächsten Sonntag Nr. 340 im Gesangbuch: ›Mein Salomo, dein freundliches Regieren.‹«

Auf den Feldern und über den Wiesen lag sonnenklare Herbstesruh' und flimmerndes Leuchten; der Altweibersommer zog seine seidenweichen Fäden geruhsam über die

Breiten. Unsere Dichter haben die Gewohnheit, zu dieser Jahreszeit einige wehmütige Reime an die bleichen Fäden zu knüpfen. Aber von dieser angenehmen und mitunter auch sehr nützlichen Sorte Menschen war just keiner da, und Pastor Brümmerstädt, der eben des Weges kam, war mehr für handfeste Verse als für blasse, hatte sich heute auch mit andern Dingen zu tragen als mit gereimten Betrachtungen über die Vergänglichkeit von Blumenduft und Vogelsang oder sonstige Sachen mit geringem Nährwert.

Seine schwarze Umhängetasche war einzig in ihrer Art, und schon zu seinen Lebzeiten ging die Sage, einst habe er in ihr einen Schinken von 25 Pfund, sechs Mettwürste, sechs Leberwürste, einen ungefügen Preßkopf und ein gewichtiges Schwarzbrot nach Ludwigslust getragen. Wobei jedoch zu bemerken ist, daß das Gewicht des Schinkens und die Zahl der Würste beim Erzählen von Jahr zu Jahr wuchsen, und Brot und Preßkopf waren überhaupt erst nachträglich hinzugedichtet worden. Aber noch zwanzig Jahre nach seinem Tode suchten Warkenthiner Mütter ihre schreienden Kinder mit der Drohung zu beruhigen: »Na, täuw man, bet de Preister kümmt, dei steckt di in sin grot Tasch un bringt di nah Ludwigslust un verköfft di dor an'n Juden!« –

Heute hing ihm das Schreckgespenst friedlich und schwer zur Seite. Dazu schlugen die Taschen des langen Rockes nachdrücklich gegen die hohen Stiefelschäfte, in denen die Hosen steckten. Die hochgeschlossene Weste, das weiße Halstuch als Kragen, die dunkelblaue Tuchmütze mit dem weit vorspringenden, glänzendschwarzen Lederschirm: das war die ungeschriebene Warkenthiner Kleiderordnung, und zu seiner Zeit wagte sich im ganzen Dorf kein Vorhemd hervor. Ein rundliches Flöckchen Bart unter jedem Ohr: das war die Warkenthiner Bartordnung. Ein Mehr am Kinn oder sogar unter der Nase war nicht erlaubt, und darum gab es an jedem Sonnabend, Haus bei Haus, ein säuberlich-schmerzhaftes Kratzen und Schaben. So trug sich der Pastor. So ordnete er es an. Und also geschah es. Er trug die Mütze gern etwas zurückgeschoben. Die starken Stirnwülste über den Brauen, die stahlblauen Augen, die schmale, lange Nase, das feste, vorspringende Kinn: alles kündete Herrschernatur und Gewohnheit des Herrschens. So kam er, in der Hand den schweren Eichenstock, das Haupt leicht zurückgeworfen, groß, breit und wuchtig, mit riesigen Schritten daher: Josias Brümmerstädt, der Mann Gottes, der Hirt seiner Herde, der gebietende Herr von Warkenthin.

Und heute hatte er wie ungefähr alle zwei Wochen seinen Botengang für Warkenthin getan. – »Gu'n Dag, Fru Dreyer!« – »Gu'n Dag, Herr Pastuhr! Na, Sei bringen mi woll de Semmel!« – Sie wischte den Brettstuhl ab und nötigte ihn zum Sitzen. Aber er wies lächelnd abwehrend auf die volle Tasche und holte die vier Semmeln hervor, die sie bestellt hatte. – »Ick bedank mi ok, Herr Pastuhr, dat Sei doran dacht hebben.« – Sie suchte in der Tischlade und gab ihm zwei Schilling. Darauf, mit etwas unsicherer Stimme: »Ach, Herr Pastuhr, uns' Jochen mag so girn Bodderpluzen; wenn Sei dat nächst Mal ...« – Er warf den Kopf in den Nacken und wurde hochdeutsch: »Bodderpluzen? Nein! – Semmeln? Ja! – Streichen Sie ihm meinetwegen etwas Butter darauf. Das ist mehr wert, als was der Bäcker daraufwischt.« Da gab sich die Frau zufrieden. »Dat segg ick den Jungen ja ok ümmer, Herr Pastuhr. Äwer nu will ick em seggen, dat Sei dat ok meinen; denn ward hei dat woll glöwen. Un denn dat nächst Mal wedder vier Semmeln, nich wohr?« –

Er bog hinüber zu Bauer Döscher. Der Alte lachte über das ganze Gesicht, und alle die zahllosen Falten und Fältchen lachten mit, als der Pastor ihm ein Pfund Tabak und seine Semmeln auf den Tisch legte. »Dat is man schön, Herr Pastuhr; ick heff de letzten Dag' all de drögen Bläder von unsen Kastanienboom smökt. Äwer min Fru schellt denn ümmer un kriegt dat Hausten un makt da Finster up.« Und nach einer Pause: »Woans wir dat (wie wär's), Herr Pastuhr, wenn Sei mi dat nächst Mal 'nen lütten Priem mitbringen müchten, blot 'nen ganz lütten!« – »Nein, Sie haben einmal in der Kirche gepriemt, und ich habe Sie von der Kanzel herab vermahnen müssen. Wie kann ein Christenmensch seinem Gott in der Kirche was vorpriemen!« – Döscher suchte zu retten, was zu retten war: »Dat wir de oll Adam, von den Sei ümmer so schön predigen, Herr Pastuhr!« – »Ach was, bleiben Sie mir mit Ihrem alten Adam vom Leibe! Das war nicht der alte Adam, der da priemte; das war der alte Döscher!« – Wenn der Pastor hochdeutsch wurde, dann war nichts mehr zu machen. – »Na, denn nehmen Sei mi dat man nich für ungaud, Herr Pastuhr. De Rippentabak von Saniter un Weber in Rostock ist würklich schön, dei steiht ok gaud in de Piep!« Er zahlte vier Schilling, zwei für den Tabak und zwei für die Semmeln.

Der Pastor verteilte weiter seine Gaben. Mutter Rathsack freute sich über ihren Gast, weil sie morgen zum Besuch ihrer jüngsten Schwiegertochter backen wollte, und ihre Nachbarin, die alte Düffert, hatte schon das Geld auf den Tisch gelegt für die Schuhbänder und die Rolle Garn, weiß, Nr. 60, die ihr der Stadtbote im schwarzen Rock brachte.

Hier holte er ein Stück Seife hervor, dort eine große Tüte mit Zucker; auch eine Kruke mit Essig tauchte aus der unergründlichen Tasche auf. Der Pastor heimste vielen Dank und viel Kleingeld ein, und allmählich ward seine Tasche leichter.

Jetzt ging er hinüber nach Rehms Tagelöhnerkate, wo die gichtisch verkrümmte Witwe Holtz hinter dem Ofen saß. Auch für sie fanden sich noch einige Semmeln, und sie hatte doch keine bestellt, dazu ein Fläschchen mit grünen Tropfen zum Einreiben, und sie konnte sie doch ebensowenig bezahlen wie das Päckchen Tee gegen den Husten, das er daneben legte. Und noch etwas legte er dazu: manch freundliches und tröstliches Wort, und jedes seiner Worte war ihr mehr wert als grüne Tropfen und Hustentee. – Es gab nichts Gröberes als Pastor Brümmerstädts Hand; sie war rot und haarig, hart und breit. Es gab nichts Schöneres als Pastor Brümmerstädts Hand; es war, als ob von ihr ein Strom von Kraft und Genesung überginge auf die verkrümmten Finger des armen Weibleins. Des Pastors Hand lag wie ein Gottessegen auf ihren gichtischen Händen, und als er ging, blieb viel Sonnenschein im dürftigen Stüblein, und der blieb dort und war Trost und Zehrung für die langen Tage und die noch längeren Nächte der Einsamen.

Nur kurze Zeit hielt er sich bei Vielanck auf. Dem war beim Stämmeroden die Axt abgeglitten und ins Bein gefahren. Die Wunde eiterte, und Vielanck mußte ins große Krankenhaus Stift Bethlehem in Ludwigslust. Als der Arzt sich an die Arbeit machen wollte, faltete Vielanck die Hände: »Na, denn mit Gott!« – Der Doktor sah auf: »Sie gehören wohl zur Geistlichkeit?« – »Ja, ick haug immer dat Holt för unsen Pastuhr.« – Vor acht Tagen war er dort entlassen worden.

Brümmerstädt sah die Wunde, erneuerte den Verband und nickte der Frau zu: »Sei hebben Ehr Sak gaud makt.« Dann stand er auf und legte beim Hinausgehen ein Stück Speck und eine Wurst auf den Tisch. – »Oh, Herr Pastuhr, wo sälen wi dat wedder gaudmaken!« – »Dorüm sorgen Sei sick man nich. Äwer ümmer de Wunn' hübsch waschen mit warm Water un denn en Arnika-Lappen up.« Dankbar sahen ihm die beiden nach.

Hinter der zweiten Tür des langen Katens lag Suhrbier an Lungenentzündung. »Was ist das hier wieder für eine Luft!« Er stieß das Fenster auf, setzte sich dann ans Bett und befühlte den Puls. »Bringen Sie mir mal zwei reine Tassen mit Wasser!« – Die Frau brachte das Gewünschte. – »Sind das *reine* Tassen?« Es lag starker Unwille in seiner Stimme, und die Frau wurde rot. »Ach, ick heff de verkihrten Tassen nahmen.« Sprach's und brachte nun endlich reines Wasser in reinen Tassen. Er holte zwei Fläschchen mit weißen Kügelchen aus der Westentasche. »Nun passen Sie gut auf! Hier steht Aconit drauf und hier Pulsatilla.« Er schüttete aus jedem Glas zwanzig weiße Kügelchen in die Tassen, rührte um und gab dem Kranken Aconit. »Nach zwei Stunden geben Sie Ihrem Mann aus der andern Tasse einen Schluck zu trinken, und so immer im Wechsel. Aber immer gut umrühren und die Tasse gut zudecken. Den Teelöffel legen Sie immer auf die Tasse, die an der Reihe ist. Die Fläschchen lasse ich hier. Was es kostet? Nichts kostet es. Daß ihr es aber nicht wieder weggießt wie vor vier Wochen und dann für teures Geld eine große Pottflasche voll stinkiger Medizin von Schäfer Hinrichs holt!« Mit verhaltenem Drohen in Wort und Blick verließ er die Stube.

So regierte Pastor Brümmerstädt mit fester Hand alle Bewegungen und Regungen des Warkenthiner Lebens bei Gesunden und Kranken. So suchte er allen zu helfen, Gesunden und Kranken. So fanden die einen Gnade vor seinen Augen, und so ging er an den andern vorüber im Unwetter.

Dann saß der Pastor noch eine kleine Weile beim Lehrer und sprach mit ihm über Schul- und Dorfangelegenheiten, und für sein Patenkind, die kleine Anna, holte er ein rotes Haarband, säuberlich in Seidenpapier gewickelt, hervor. Darauf erhob er sich. »Ich muß gehen, die Kleinen warten schon auf mich.«

Die Kinder standen wie gewöhnlich in zwei Reihen auf dem Spielplatz, hinten die großen, vorn die kleinen. Die Mützen der Buben flogen von den Köpfen, die Mädchen machten einen Knicks. »Gun'n Abend, Herr Pastuhr!« – »Gun'n Abend, Kinder!« Ein Leuchten, das den ganzen Mann verschönte, ging über sein Gesicht.

»Na, Siken, du hest ja woll orndlich 'ne nie Schört vör!« – »Ne, Herr Pastuhr, dat is min oll, dei hett uns' Mudder mi wascht un plätt't. De nie liggt in de Lad', dei krieg ick blot Sünndags.« – »Is recht so, min Döchting!«

»Fritz, du hest dinen lütten Brauder de Näs' nich orndlich putzt!« – »Ja, Herr Pastuhr, hei fangt denn ümmer glick an tau bölken.« – »So en groten Jung un denn weinen?« – Fritz griff in die Tasche und holte einen nicht ganz einwandfreien Lappen hervor, mit dem er in praktischer Anwendung an der kleinen Stumpfnase seines Brüderchens anfing zu arbeiten. – »Na, sühst du woll, dat deiht doch gor nich weih!« Liebevoll strich er dem Kleinen über den Struwwelkopf.

»Unkel«, platzte der Kleinste der ganzen Gesellschaft heraus, »ick kann all mit'n Diffel up de Dafel schieben (schreiben)!« Seine Augen leuchteten. – »Wat du seggst! Na, denn möst du ok woll en Appel hebben?« Er griff in die Rocktasche, und da war's aus mit der geordneten Aufstellung; alle umdrängten ihn, und er teilte aus, bis die Taschen leer waren. – »Ick bedank mi ok, Herr Pastuhr!« – »Ick ok!« – »Ick ok!« – Fröhlich klapperten sie in ihren Holzpantoffeln nach Hause und riefen schon in den Haustüren: »Ick heff en groten Appel kregen!« – »Mi hett hei 'ne Beer geben!« – »Etsch! Ick heff drei Plumen!« – Der Pastor aber ging mit weitausgreifenden Schritten hinüber nach Immenkath.

4. LEHRMEISTER UND LEHRLING

Schmied Markow hatte Bauer Diehns Braunem ein neues Eisen aufgelegt und war eben mit dem Vernieten fertig geworden. Mit fester Hand hielt Möne das Bein. Da trat der Pastor in die Schmiede und warf einen prüfenden Blick auf die Arbeit. »Was nun noch zu tun ist, kann Möne wohl allein besorgen«, meinte er, und Markow nickte, und Möne nickte auch.

Die beiden Männer betraten das Haus, und der Pastor ging geradeswegs auf sein Ziel los: »In Möne steckt ein tüchtiger Schmied, aber es steckt mehr in ihm als ein Schmied. Er hat einen guten Kopf und ein gutes Gedächtnis; meine letzte Predigt hat er mir in der Kinderlehre beinahe Satz für Satz wiedererzählt. Und vor allem: es ist Verlaß auf ihn. Auch in der Schule ist er immer der Beste gewesen. Sie sind noch rüstig. Lassen Sie mir Möne. Ich unterrichte ihn mit meinen Söhnen, und dafür hilft er in seiner freien Zeit in der Wirtschaft, besonders im ersten Jahr. Denn es taugt nicht für ihn, nun sofort den ganzen Tag über den Büchern zu sitzen. Meinen vier Jungs ist es auch gut, wenn sie einen zuverlässigen Kameraden haben, der ihnen bei den Schularbeiten ein Vorbild ist. Ich will, wenn möglich, einen tüchtigen Lehrer aus ihm machen. Meine Frau ist einverstanden. Im ersten Jahr kann er jeden Abend zu Ihnen zurücklaufen, morgens stellt er sich wieder ein bei mir. Bei schlechtem Wetter bleibt er im Pfarrhaus. Im zweiten Jahr kommt er nur noch sonnabends über Sonntag zu Ihnen. Nächsten Montag kann er bei mir antreten.«

Es entstand eine geraume Pause. Der Schmied sah lange vor sich nieder. Dann machte er sich gerade und ging einen Schritt auf den Pastor zu. Sein Entschluß war gefaßt. »Herr Pastor, meine Frau und ich, wir haben schon oft über den Jungen gesprochen. Wir haben uns immer gefragt, ob das wohl recht wär', ihn für Lebenszeit an den Amboß zu schmieden. Nicht daß wir denken, er ist zu gut für einen Schmied, aber wenn der liebe Gott ihm so schöne Gaben gegeben hat, dann ist es doch gewiß sein Wille, daß er die Gaben auch anwendet. Wir sind einverstanden, Herr Pastor. Machen Sie aus dem Jungen, was Sie für richtig halten, aber machen Sie was Gutes aus ihm. Wir halten viel von unserm Möne, Herr Pastor!« – Die beiden Männer gaben einander die Hand und blickten sich fest an.

Also zog Möne am nächsten Montag ins Pfarrhaus ein. Am ersten Abend fragte die Pastorin ihre zwölfjährige Tochter: »Wie gefällt dir denn unser neuer Hausgenosse?« – »So ziemlich!« lautete die Antwort. Es lag weder Lob noch Tadel in dem Bescheid. – Seinen ersten Aufsatz

brachte der Pastor eines Abends zu seiner Frau und las
ihn vor:

>Des Sängers Fluch

Die Sänger waren meist arme Ritter. Eine eigene Burg
hatten sie nicht, nicht einmal eine Häuslerei mit hundert Ruten Gartenland für Roggen und Kartoffeln. Der älteste Bruder mußte sie durchfüttern, und wenn sie zu frech wurden,
schmiß er sie hinaus. Darum zogen sie lieber mit Gesang
umher, und dafür kriegten sie bezahlt. Oft waren es alte,
ehrbare Gestalten mit langem Bart. Oben schmückte
schneeweißes Haar ihr Haupt. Der alte Sänger trug gewöhnlich eine Harfe über die Schulter gehängt, der junge
eine frische Stimme in der Brust. Dazu kam ein Pferd und
eine notdürftige Kleidung. Das war ihre ganze Ausrüstung.
Sie suchten gern die Burgen der Ritter auf, denn da gab es
Braten zu essen und Wein zu trinken. Dafür sangen sie
schöne Lieder, z. B.: Wer will unter die Soldaten. Damit
machten sie die jungen Ritter begeistert, und wenn sie begeistert waren, zogen sie in den Krieg und schlugen viele
tot oder wurden selber totgeschlagen. Wie's trifft!
Manchmal kamen die Sänger auch zu einem König. Wenn
sie in den Saal traten, nahmen sie die Mütze ab und machten einen tiefen Diener. Denn der König saß auf seinem
goldenen Thron und machte ein wütendes Gesicht, so wie
Bauer Erdmann sein Hund, wenn der Briefträger kommt,
und eine goldene Krone trug er auf seinem finsteren Haupt.
Aber neben ihm saß die Königin, die sah schön aus wie ein
Vollmond, und an den Wänden standen die Ritter entlang.
Der Alte wollte sich erst verwundern über die Pracht im
Saal. Aber der König rief mit schrecklicher Stimme: Nu
man los! Da klimperte der Alte auf seiner Harfe rum, und

der Junge sang von den Taten des Königs und seiner Ritter. Das hörte der König gern, und die Ritter rollten mit ihren Augen wild umher. Aber sie sangen auch, was die Damen gern hören mochten, nämlich von Liebe. Für ihren Gesang erhielten sie goldene Ketten und einen Schluck Wein. Meist kamen die Sänger dem König gut zupaß, denn sie brachten Leben in die Bude. Der König ließ ein Faß Wein vom Kaufmann holen und trank, und die Ritter tranken auch, und wenn sie abends nach Hause gingen, dann hakten sie sich unter, und einer sagte zum andern: Das war wieder mal ein gemütlicher Abend!

Manchmal kam es aber auch vor, daß der Sänger falsch verstanden wurde, und dann schlug der König ihn tot, und dann war es gar nicht gemütlich. Als der Jüngling seinen Geist bei Uhland aufgegeben hatte, band der alte Sänger ihn auf sein Pferd und ritt davon. Dabei verfluchte er den König und sein Schloß. Als nach hundert Jahren ein Mann daherkam, da war von dem Schloß nur noch eine hohe Säule zu sehen; die wackelte aber auch schon. Und als er die Leute nach dem König fragte, sagten sie: ›Nein, wir können uns nicht besinnen, daß so einer hier herum gewohnt hat. Da mußt du mal beim Herrn Pastor anfragen, daß er im Kirchenbuch nachschlägt.‹

Das ist das Leben der Sänger in der alten Zeit. Heute ist das alles anders geworden. Mir gefallen die alten Sänger nicht besonders. Nicht jeder Mensch kann eine Ritterburg haben. Aber dann sollten sie lieber ein ordentliches Handwerk lernen und nicht so im Lande herumzigeunern. Oder sie konnten sich für die goldenen Ketten eine Bauernstelle kaufen. Mir gefällt Siegfried besser. Der lernte zuerst schmieden, und als er ausgelernt hatte und Gesell geworden war, da zog er mit Gesang auf die Wanderschaft: Nun hab' ich geschmiedet ein gutes Schwert! Das gefällt mir an Siegfried, denn ein guter Schmied findet überall sein Brot. Wenn ich nicht auf Möne getauft wäre, wollte ich wohl Siegfried heißen. Aber das geht nun nicht mehr.«

»Ehrliche Grobschmiedsarbeit!« meinte der Pastor mit behaglichem Schmunzeln, legte das Heft nieder und hielt den Fidibus in die Kerzenflamme. Die Pastorin hatte den durchlöcherten Strumpf ihres Jüngsten schon lange in den Schoß sinken lassen. «Aber was hat der Grobschmied bloß aus dem schönen Gedicht gemacht!« seufzte sie. »Die Königin mit einem Vollmond zu vergleichen! Ich habe sie mir immer jung und schlank gedacht. Das ist ja ein unglaublicher Aufsatz!« Unwillig nahm sie den Strumpf wieder vor.

»Ja«, entgegnete der Pastor mit breitem Lachen, »ungelenk und tapsig springt er mit den Gedichten um. Eigentlich müßte man den Aufsatz an Fritz Reuter nach Eisenach schicken. Für den wäre das etwas.«

»Ob aus dem Jungen überhaupt etwas zu machen ist?«

»Ich glaube doch«, versetzte der Pastor mit Überzeugung. »Hauptsache ist, daß er eigene Gedanken und Anschauungen hat, wenn er auch verdreht damit zu Platz kommt. Wir dürfen nicht vergessen, daß er Schüler einer einklassigen Dorfschule war und am Amboß stand. Er ist durchaus nüchtern und sieht die Dinge mit hellen, wachen Augen von heute. Vom Schimmer der alten Zeit und ihres Sängertums sieht er nichts. Daß er zu Siegfried hält und das Handwerk ehrt, das ehrt auch ihn. Er geht seinen eigenen Weg; eigentlich ist er schon heute innerlich fertig, und uns bleibt nichts übrig, als seitwärts zu stehen und zu versuchen, hie und da seine Schritte zu lenken. Ich möchte nur, daß unser Georg diesen Aufsatz geschrieben hätte; aber bei dem kehrt es ermüdend und eintönig immer wieder: Mutigkeit,

Wütigkeit, Prächtigkeit, Großheit, Schönheit etc... Nur die Dummheit fehlt, aber die ist in jeder Zeile zu lesen. Er schreibt hölzernes, papierenes Deutsch, und der andere mündliches Deutsch. Das ist der große Vorzug derer, die vom Felde oder aus der Werkstatt kommen.«

»Georg wird auch noch. Er ist langsam, ja; aber was er einmal in sich aufgenommen hat, das ist und bleibt sein Eigentum für Lebenszeit. Übrigens, um wieder auf Möne zu kommen: bei Tisch gewöhnt er sich allmählich andere Manieren an. Zu Anfang war das ja kein Essen, sondern ein Stopfen. Und was mir gefällt, ist, daß er nicht nach uns schielt. Nein, er sagte mir in seiner ruhigen Gewissenhaftigkeit: ›Ich will auch so essen lernen!‹ Ja, das gefällt mir an ihm. Am schlimmsten ist es mit ihm und Grete. Sie treibt es manchmal etwas arg mit ihm. In seiner Bärenhaftigkeit tut es ihm aber gut, wenn sie ihn ein wenig poliert.« Sie lachte still vor sich hin. »Er hat ja noch immer seinen schweren, schiebenden Gang. Das ist, als ob er noch sein steifes, ledernes Schurzfell trüge. Das hatte Grete ihm nachgemacht, und da beobachtete ich den Jungen gestern, wie er hinter der Scheune wahrhaftig einen leichteren Gang übte. Es war, wie wenn ein junger Elefant einen Walzer versuchte. Und dabei immer die gleiche todernste Miene. Aber ich glaube, für heute abend machen wir Schluß. Nur gut, daß Grete nichts weiß von diesem Aufsatz.«

Der Pastor erhob sich. »Nein, die darf natürlich nichts davon wissen. Ich glaube übrigens, daß sie bei all ihrem Necken im Grunde doch etwas Respekt vor seinem geraden und ehrlichen Wesen hat. Aber den Aufsatz darf sie nicht lesen. Das Kind schläft ja auch längst.«

Das Kind lag unterdes im Nebenzimmer mit aufgestütztem Arm im Bett und hatte den Zipfel des Deckbettes in den Mund gesteckt, um nicht loszuplatzen. Das Kind hatte den Aufsatz Wort für Wort mit angehört und bewahrte ihn in seinem Gedächtnis. Am nächsten Tage, als sie Möne beim Herausziehen der Erbsensträucher half, deklamierte sie »Des Sängers Fluch« mit großer Inbrunst, und Möne nickte sachverständigen Beifall. Als sie aber an die Stelle kam: »Nur eine hohe Säule zeugt von verschwundener Pracht«, brach sie plötzlich ab und fuhr in trockenem, lehrhaftem Ton fort: »Die wackelt aber auch schon.«

Über des Jungen Gesicht flog jähe Röte, und seine Mundwinkel senkten sich in gröblicher Weise. Aber nur für einen Augenblick. Dann sprach er mit singender Stimme: »In der Schlacht bei Leipzig flogen die Kugeln so dicht, daß Tausende den Atem anhalten mußten. Auch sah man in der Schlacht einen Mann und einen Bräutigam zu Boden fallen. Hinter der Schlacht aber standen die Bräute und Mütter. Sie wollten sehen, ob ihr Bräutigam oder ihr Sohn noch lebte. Wenn er fiel, schrien sie laut auf und wurden ohnmächtig, und dann kamen die Krankenträger und gaben ihnen Hoffmannstropfen und trugen dieselben nach Hause. Wenn er nicht fiel, freuten sie sich. Oh, es war ganz gräßlich! Unterdessen aber tobte die Schlacht immer doller, bis sie zu Ende war. Als sie zu Ende war, sangen die Deutschen: So leben wir, so leben wir, so leben wir alle Tage! – Die Franzosen aber schrieben das Panier des Hasen auf ihre Fahne, und dann trabten sie der lieben Heimat entgegen und sagten zu ihren Müttern: Hier bei euch lebt es sich doch angenehmer als bei Leipzig. – Daraus schließen wir, daß sie die Schlacht verloren hatten.«

»Pfui! Wie kann man nur so in den Aufsätzen anderer Leute herumschnuckern! Du bist ein gräßlicher Junge!« Sie stampfte mit dem Fuß auf, und zur Bekräftigung ihres

Abscheus streckte sie die Zunge heraus, und die Herbst-sonne sah dem züngelnden Spiel mit behaglichem Schmun-zeln zu.

Möne aber fuhr mit todernstem Gesicht fort: »Daraus schließen wir weiter, daß Grete Brümmerstädt diesen Auf-satz gemacht hat.«

»Pöh! Bitte, das war schon vor einem Jahr, damals war ich noch klein. Deswegen bleibe ich doch immer eine Dame, du Grobschmied, du!« Die Zunge kam noch einmal zum Vorschein. Grete reckte sich in ihrer zierlichen Schlankheit auf, und heller Zorn sprühte aus ihren Augen, als sie rief: »Hebe dich weg von mir, du Ungeheuer!«

Er faßte aber seine Seele in beide Hände und antwortete und sprach: »Der Gerechte muß viel leiden!«

Dann fuhr es ihm plötzlich durch den Sinn, daß er es sei, der das Spiel gewonnen habe. Darum nickte er zufrieden vor sich hin und sagte in der Stimmung des versöhnlichen Siegers: »Nicht jeder Grobschmied und nicht jede kleine Dame kann gleich einen Aufsatz ohne Fehler schreiben. Hammer und Besen sind leichter zu handhaben als die Fe-der. Ohne Fehler geht es nicht ab. Wenn sie nicht gemacht werden, dann hat der Herr Pastor seinen großen Bleistift umsonst gekauft, und das wäre doch auch man schade. Nein, Fehler müssen sein. Das geht da nicht ohne. Aber blei-ben müssen sie nicht. Nachher geht das auch immer besser mit der Feder; das ist dann ebenso wie mit dem Hammer und dem Besen. Und«, fügte er vorsichtig hinzu, »wenn du meine Ritter in Ruhe läßt, dann sollst du auch nichts mehr von der Leipziger Schlacht hören.«

Sie warf ihm eine Handvoll reifer Erbsen an den Kopf, strich das plusige Haar ein wenig zurück und sprang durch den Garten ins Haus. Er nahm's als Zeichen der Zustimmung und sammelte die Erbsen bedachtsam auf.

Möne aber nahm zu an Wissen und Erkenntnis und freudiger Kraft und fand Wohlgefallen bei seinem geistlichen Lehrherrn. Ein verständiger Mann, Raphael Kühner geheißen, hatte die lateinischen Vokabeln und Übersetzungsaufgaben mundgerecht zugeschnitten, damit auch eine kleine Kraft sie ohne sonderliche Beschwer aufnehmen und verdauen könne. Aber für Mönes Hunger waren die täglichen Aufgaben wie dürftige Brosamen von des reichen Mannes Tisch. Er begehrte, am vollen Tisch des Lebens und des Lernens zu sitzen und zu schmausen. Was anderen für eine Woche reichte, schlang er an einem Tage in sich hinein, wischte den Mund und sah sich um nach mehr.

Er geriet über den ersten Band von Immanuel Schullers großem Wörterbuch der lateinischen Sprache. »Dat is en anständigen Happen!« brummte er beifällig nach den ersten 49 Seiten und fraß dann auch gleich die weiteren Seiten bis auf den letzten Buchstaben. Als er unten auf Seite 390 bei »devoro – ich verschlucke, verschlinge« angelangt war, kam der Pastor dahinter und machte dem Greuel des Verschlingens ein Ende. Worauf Möne sich den ledernen Eutrop einverleibte, als wäre er eine der süßesten Früchte am Baum der Erkenntnis. Er nahm den braven Cornelius Nepos und seine 25 Vitae zu sich, wie wenn man ein Dutzend Pflaumen im Vorbeigehen abstreift und verspeist.

Ohne Säumen kam er zu Cäsars Kommentaren über den Gallischen Krieg, und hier las er zum erstenmal langsam und mit Bedacht. Die klare Einfachheit der Darstellung, die unmittelbare Kraft des Ausdrucks, die gedrungene Sachlichkeit ließ ihn den Gallischen Krieg gleich zweimal lesen, einmal vor der Roggenernte, einmal nachher. Das lange, ernste Gesicht rötete sich, und ein Ahnen von der Größe des Römers ging durch die Seele des jungen Niedersachsen. Als die Zeit des Dreschens kam, griff er zu Ovids »Verwandlungen«. Aber als er das Buch zuklappte, rief er ganz respektlos-nüchtern: »Verdrehte Gesellschaft!« Das respektlose Wort ging auf des Dichters Götter und Menschen; nur einigermaßen söhnte er sich mit ihnen aus, als er den Virgil vornahm und die Schicksale und Irrfahrten des Äneas las. In allem schlug er ein Tempo an, in dem ihm keiner seiner Mitschüler zu folgen vermochte. – »Der reine Moloch!« meinte der Pastor zu seiner Frau, und es lag viel ehrliche Anerkennung in dem Wort. So pflegt der Wärter im Zoologischen Garten seinem jungen Elefanten einen freundlichen Schlag mit der Hand zu versetzen, wenn er ihn fressen sieht.

Daneben arbeitete Möne gleich gewalttätig mit Säge, Axt und Beil an des Pastors 60 Raummetern buchen Kluftholz. War es schieres Blankholz, dann labte er sich während der ruhigen Arbeit mit Tacitus und Cäsar oder mit langen Reihen von Vokabeln, daß ihrer keine entrann. Kam er an einen schweren Knorren, dann rief er ihm ein machtvolles »Quos ego« zu und zerschmetterte den Widerspenstigen mit wuchtigem Hieb.

Es geschah, daß etliche junge Warkenthiner Burschen sich des Abends an ihm zu reiben versuchten. Er aber rief seinen Schlachtruf »Quos ego!«, und ohne weitere Bemerkung flog einer von ihnen in den Wassergraben zur Rechten, und bevor der Ruf zum zweitenmal ertönte, sprangen die andern über den Zaun zur Linken und entwichen der Eisenfaust. »Jungedi, wat flucht de Kirl!« erzählten sie hernach im Dorf, als sie sich beruhigt hatten.

»Möne, mein Sohn«, nahm Herr Iserloth ihn einige Tage später vor, »das ist nicht ein gutes Geschrei, das ich von dir höre. Du hast dir das Fluchen angewöhnt! Und lebst im Pastorhaus!«

»Woso, Herr Iserloth?«

»Was hast du neulich abends dem Fritz Drefahl zugerufen, als er in den Wassergraben flog?«

Über das ernste Gesicht des Jungen glitt ein heller Schein. »Oh, bloß: Quos ego! Herr Iserloth«, versetzte er treuherzig, »und das ist kein Fluch. Das heißt bloß: Na, täuw man; jug will ick woll kriegen!«

»Na, dann ist es gut. Fritz Drefahl schadet das Wasser nicht. Schon in der Schule mochte er sich nicht waschen, und seine Mutter hat mir mal erzählt, daß er sich die Füße zum Sonntag lieber mit Sandpapier abrieb. Am besten aber ist, wenn du dich mit der Gesellschaft gar nicht abgibst. Ehre hast du nicht davon.«

»Ich gebe mich auch nicht mit ihnen ab; aber sie geben sich manchmal mit mir ab und passen mir abends auf, und wenn sie dann aus Versehen gegen meine Faust laufen, dann wische ich sie bloß vom Wege runter. Fluchen ist dabei gar nicht nötig. Ich halte auch wenig davon. Nur als vor drei Wochen mal so ein halb Dutzend solcher Lausbuben mit mir anbinden wollten, da lief mir auch eine Laus über die Leber, und ich rief: Dunner un de Kamerdör! Aber den Fluch habe ich von meinem Vater her, und der hat ihn vom Großvater geerbt. So auf diese Weise kann ich doch wohl mal fluchen?«

»Na, dagegen läßt sich ja gerade nicht viel sagen«, schloß Herr Iserloth die Unterredung und ging befriedigt von dannen.

Möne kam hernach auch nur selten in Versuchung auf

deutsch oder lateinisch zu fluchen. Nach etlichen Abküh-
lungen im Wassergraben und wiederholtem Wischen vom
Wege runter ließen ihn seine Widersacher in Ruhe, und
wenn er am Sonnabendabend seine Wäsche nach Immenkath zur Mutter trug, konnte er ohne Störung die Balladen
abtreten. Er zählte dabei nur die Hebungen. Mit »Des
Sängers Fluch« kam er bis zum großen steinernen Wegweiser. Die »Bürgschaft« hielt etwas länger vor, denn zwi-
schendurch mußte er sich immer wieder wundern über den
dämlichen Damon, der eben noch so just dem Tode des
Ertrinkens entronnen war und in der zweitnächsten
Strophe schon wieder vor Durst umkommen wollte. Zu
den Balladen tat er ein Dutzend der Psalmen und auch eine
Reihe von Kirchenliedern, die er in der Schule gelernt
hatte, und so war sein Bedarf für die Gänge zwischen Warkenthin und Immenkath völlig gedeckt.

Hernach hob ihn der »Tell« zu weitem und klarem Aus-
blick. Die Greueltaten der Landvögte begleitete er mit
einem nachdrücklichen: »So'n Schinnerknecht, so'n Aas!«,
und als Grete Brümmerstädt ihn nach seiner Ansicht über
Tells Tat befragte, meinte er: »En Flitzbagen – ne, dat
wir nicks för me. Ick hadd em mit'n Hammer einen vör'n
Bregen geben.«

»Ja, das sieht dir Grobschmied ähnlich! Aber Rudenz
gefällt mir. Rudenz ist ein Herrensohn.«

»Un'n Waschlappen«, fügte er gleichmütig bei.

»Ruhm und Liebe treiben ihn«, gab sie entrüstet zurück,
»aber was versteht so ein Grobschmied davon!«

»En groten Waschlappen!« bestätigte er noch einmal,
holte den abgegriffenen Atlas hervor, schlug auf und nahm
sich die Karte von Amerika vor. Amerika! In seinem Geist
war es wie Landhunger und Landnot aus alter Zeit. Ein

Mensch der Erde stand in ihm auf, unverbildet und von starkem Verlangen.

Dazu wuchs er und ward wie Saul, der Sohn Kis, eines Hauptes länger denn alles Volk. Seine Haltung straffte sich. Aber der schiebende Gang blieb ihm eigen; es war der Gang der langen Reihe seiner Vorfahren, die – den Lederschurz vor sich – durch die Erbschmiede gegangen waren. –

Pastor Hagen aus Krenzlin lenkte seine beiden klapperdürren Dunkelbraunen aus dem mahlenden Sand der Dorfstraße auf Brümmerstädts Hof. Möne sah aus ruhigen Augen zu ihm auf. Aber der hagere Mann stieg von dem alten Kastenwagen, warf dem Jungen ohne ein Wort die Zügel zu und ging ins Haus. ›De Tied hadd hei einen ok woll beiden (die Tageszeit bieten) künnt; in sin Jungensjohren hett hei ok de Käuh hött‹, dachte Möne. Als er Pferde und Wagen über den schmalen Steindamm leitete, der vom Wohnhaus zur Scheune führte, war es, als klapperten den beiden Braunen sämtliche Rippen im Leibe. Der Wallach lehnte sich lebensmüde gegen die Wand; die Stute brütete hoffnungslos vor sich hin und wackelte nur dann und wann wehmütig mit den Ohren, wenn die Fliegen ihr zu dreist wurden. In solchem Zustand mußten nach Mönes Meinung die sieben mageren Kühe in Pharaos Traum gewesen sein, die nach Herrn Iserloths Schilderung so dünn waren, daß sie selbst in der Nachmittagssonne von Ägyptenland keinen Schatten warfen.

Pastor Brümmerstädt und sein Amtsbruder standen vor dem Fenster, von wo aus sie in die geöffnete Scheune sehen konnten. »Du mußt deinen Pferden mehr Hafer geben, lieber Bruder«, sagte Brümmerstädt, »der Wallach fällt ja beinahe um in der Scheune. Zwölf Pfund pro Tag, dann verkriechen sich die Rippen.«

»Wir sind nicht zum Wohlleben auf der Welt, meine Tiere auch nicht.« Und dann, als drüben im Pferdestall einer der spiegelblanken Füchse wieherte, mit einem mißbilligenden Blick: »Noch immer die Füchse? Die Farbe paßt nicht zu unserem Stande. Wir tragen dunkle Kleidung, die dem Ernst unserer Aufgabe angemessen ist, und –«

»Und darum müssen wir auch dunkle Pferde haben?« Brümmerstädts lautes und herzliches Lachen füllte die Stube. »Nein, lieber Bruder, wenn wir Schwarzröcke sind, das genügt. Unsere Pferde brauchen's darum doch nicht zu sein. Ich will aber hoffen, daß der liebe Bruder Hagen, wenn seine Braunen das Zeitliche gesegnet haben, zwei Schwarze findet, zwei gnittergnattergnagenswarte und extra mit weißen Bäffchen.«

Dem lieben Amtsbruder behagte diese derb-zufassende Art nicht, und als Möne mit dem Gemenge von Wasser, Häcksel und Hafer über den Hof nach der Scheune ging, brach er ein anderes Kapitel an: »In der ganzen Gegend regt man sich darüber auf, daß der Schmiedesohn sich hier im Pfarrhause das Fluchen angewöhnt hat.« Er sprach's mit amtsbrüderlichem Vorwurf.

Und wieder lachte Pastor Brümmerstädt. Sein Lachen war wie eine Gabe Gottes: laut, gesund und köstlich wie alles Lachen, das aus der Tiefe des Herzens kommt. Pastor Brümmerstädt lachte heute mit Getöse. Die Krenzliner Braunen spitzten verwundert die Ohren, und Möne hinten im Hof nickte stillvergnügt vor sich hin. Dann aber erzählte Brümmerstädt die Geschichte von Mönes Fluchen und schloß seine Erzählung mit den Worten: »Die ganze

Gegend soll davon den Mund halten. Gegen das, was auf manchen Dörfern zusammengeflucht wird, ist Mönes Fluchen der reine Lobgesang.«

Der andere hatte mit steinernem Ernst zugehört. »Was willst du aus ihm machen?«

»Ich? Nichts! Er soll sich den Weg selbst suchen, und er wird ihn finden. Aber ich habe daran gedacht, daß er mal ein tüchtiger Lehrer werden könnte.«

»Dazu ist kein Latein nötig.«

»Nötig nicht, aber es schadet ihm auch nicht, wenn er's lernt; und er lernt es nicht nur, er hat auch innerlich etwas davon. Aber es mag sein, daß er über den Lehrer hinauswächst. Er hat eine Vorliebe für Amerika, weil vor langen Jahren Verwandte von ihm hinübergezogen sind. Vielleicht hat er Lust, später in einer der Lutherischen Freikirchen in den Vereinigten Staaten Pastor zu werden. Es fehlt dort an deutschen Pastoren!«

»Es taugt nicht«, eiferte sich der andere, »wenn man über seinen Stand hinausstrebt. Gott hat in seiner Weisheit die einzelnen Stände gesetzt, und es ist am besten, wenn jeder in seinem Stande bleibt. Die erschreckende Unzufriedenheit der unteren Stände, die wachsende Gärung unter den Arbeitern, das Verlangen nach mehr Lohn, das Hinaufstreben in höhere Stände, das gottfeindliche Aufbegehren gegen Thron und Altar – das sind bedenkliche Zeichen der Zeit. Wir sind die berufenen Hüter der Ordnung und der festgefügten Stände, und es scheint mir, lieber Bruder, daß du in dem, was du mit dem Schmiedesohn vorhast, die feste Ordnung der Natur und der Geschichte durchbrichst. Ist das nicht gefährlich? Wäre es nicht besser, wenn du ihn zu seinem Amboß zurückschicktest?«

Er hätte klüger getan, seine Ansichten diesmal für sich zu behalten; denn Brümmerstädt konnte, wenn er eine verschrobene oder überhebliche Äußerung hörte, unangenehm rücksichtslos sein.

»War dein lieber Vater nicht Flickschuster in Hagenow?« fragte er. Weiter nichts.

»Der Herr führt die Seinen wunderbar«, entgegnete der Krenzliner scheinbar ruhig; aber er hätte lieber eine Büchse mit Pfeffer verschluckt als diese Erinnerung.

Da erschien die Pastorin mit einer Flasche Johannisbeerwein, Grete folgte ihr mit einer Schale voll Gebäck, und das Gespräch nahm eine andere Wendung. Aber die rechte Stimmung wollte nicht mehr aufkommen. Pastor Hagen brach denn auch bald auf; Brümmerstädt nötigte zum Bleiben, aber er nötigte mit Maßen.

Als der Besucher abgefahren war, meinte Brümmerstädt zu seiner Frau: »Der alttestamentliche Krenzliner hätte meinetwegen heute auch fortbleiben können. Er ist ebenso freudlos wie seine beiden Braunen.«

»Dem Hause fehlen die Kinder. Kinder sind Sonnenschein«, sagte sie.

»Und davon haben wir einen ganzen Posten; fünf Sonnenstrahlen! Aber neulich mußte ich mich trotzdem schämen. Ich kam durch Laupin, und auf dem einen Büdnerhof wimmelte es von Kindern, und die Mutter trug das jüngste auf dem Arm und stand am Heck. ›Wovel Kinner hebben Sei denn eigentlich?‹ fragte ich. – ›Oh, so as de meisten Lüd', teihn Stück. Un Sei, Herr Pastuhr?‹ – ›Man fief!‹ mußte ich beschämt zugeben.« Und damit war der Krenzliner Schatten von ihnen gewichen.

Möne saß in der Laube vor seinem alten Schulatlas. Heute schweifte sein Auge weit über den Atlantischen

Ozean hinaus. Er besuchte für einen Augenblick seinen Landsmann, den wohlhabend gewordenen Färber Rehmer in Chicago. In Milwaukee sagte er dem jungen Stallbohm guten Tag und guten Weg. Die fünf Farmer in Wisconsin hatten noch mit der Frühjahrsbestellung zu tun; darum hielt er sich allda nicht lange auf, sondern fuhr von dannen und gelangte mit gutem Wind über den Oberen See. Seine Schritte wurden länger, und bald stand er an der Hudsonbai. Aber die ganze obere Hälfte der Bai war nicht mehr vorhanden. Dazu fehlte alles Land, das von Gottes und Rechts wegen nördlich davon liegen sollte. Die Katze hatte sich als Bilderstürmer betätigt und ein großes Loch in Amerika gerissen.

Mit kühnem Satz übersprang Möne die Lücke. Es war ein gewagtes Unternehmen. Erst im Nordwesten von Grönland fand er wieder festen Boden unter seinen Füßen. Dann machte er eine Pause in der Beobachtung vom Land Amerika und ließ den Blick über die Tischkante, die Buchsbaumeinfassung und die kleine Stechpalme zur Lücke im Fliedergebüsch wandern, durch die er über den Dorfteich hinübersehen konnte. Dort spielten die Kinder am großen Stein. Die hellen Stimmen klangen klar zu ihm herüber: »Ick seih, ick seih, wat du nich sühst.«

Da trat Pastor Brümmerstädt in die Laube und setzte sich zu dem Jungen auf die Gartenbank. »Warum schlägst du niemals einen andern Erdteil auf? Asien ist so groß und gewaltig und Afrika so heiß und geheimnisvoll.«

»Da habe ich nichts zu suchen, Herr Pastor.«

»Was suchst du denn in den Vereinigten Staaten?«

»Meine Verwandten und alle die andern, die in den letzten fünfzehn bis zwanzig Jahren aus unserer Gegend hinübergewandert sind.«

»Die findest du nicht im Atlas, mein Junge.«

»Herr Pastor, ich habe sie schon alle gefunden, hier in Iowa und dort in Wisconsin.« Er tippte mit dem Bleistift auf einige Punkte der Staaten. »Und ich sehe sie alle, wie sie leben und arbeiten, und daß sie hart schaffen müssen. Ich habe mir schon lange ein Bild von ihnen gemacht – schon als ich noch klein war«, setzte er zögernd hinzu, und sein Blick glitt wieder durch die Lücke im Fliederbusch hinüber zu den spielenden Kindern.

»Ein Bild? Und als du klein warst? Aber das kannst du mir draußen erzählen. Wir wollen die Maulwurfshaufen auf dem Dreesch auseinanderwerfen.«

Beide gingen, den Spaten auf der Schulter, nach dem unfern gelegenen Ackerstück. »Also was war es mit dem Bild?«

»Wir haben das da« – sein Auge deutete über den Teich hinüber – »früher auch oft gespielt, so gegen Abend.«

Der Pastor nickte. »Ich kenne es von meiner Kindheit her. Wir spielten es in der Stube, wenn wir sonst nichts anzufangen wußten. Weiter!«

»Ich stand dann auf dem Brink am Spritzenhaus, und die andern Kinder standen vor mir, und ich sagte: Ick seih, ick seih, wat du nich sühst. – Wat sühst du denn? – Ick seih en Dack! – Dat is Holten sin Dack. – Kolt, kolt, du verfrierst jo. – Dat is Buckenthin sin Dack. – Nu ward't warmer. – Dat Kirchendack! – Dat brennt! – Weiter kamen sie nicht, und ich mußte ein wenig nachhelfen, um sie dahin zu bringen, wo ich sie haben wollte. Darum fing ich wieder an: Dat is Sündag, un de Köster singt. – Wat singt hei? – Ji möt still wesen, dat ick orndlich tauhören kann. So! Hei singt: Eins ist not, ach Herr, dies Eine! Un nu stiggt de Pastor up de Kanzel un predigt. – Woräwer predigt hei? – Ji möt nich son'n Larm maken; ick kann dat süß nich hüren. Man larmt buten nich, wenn binnen predigt ward. Nu kann ick't hören, hei predigt äwer Lukas, Kapitel sößteihn: Der reiche Mann und der arme Lazarus. Un de Buren hüren andächtig tau, un am andächtigsten sünd dei, dei drei odder vier Stunnen wiet führt sünd. Sei hebben dor wenig Pasturen. – Oh, nu büst du all wedder in Amerika! – Ja, äwer dat Dack, wat ick mein, dat hefft ji doch nich rad't. Dat is dat Dack äwer de Kanzel. – Und dann spielten wir etwas anderes.«

»Habt ihr nie Erbschmied von Immenkath gespielt?«

Der Junge sah ihn an mit Verwunderung. »Nein, davon brauchten wir uns doch kein Bild zu machen; das hatten wir ja alle Tage.«

»Oder Schule halten?«

»Nein, das spielten bloß die ganz Kleinen. Wir andern hatten das auch jeden Tag, und dazu kam noch, daß keiner ein Schüler sein wollte, sondern jeder der Lehrer – mit dem Stock in der Hand.«

»Und dein Bild vom Sonntag drüben – weißt du, ob es richtig ist?«

»Ja, Herr Pastor, ich weiß es. Die Briefe von drüben reden davon und die Bücher über Amerika, die Sie mir gegeben haben, und in dem Lesebuch, das wir in der Schule gebrauchten, steht ein feines Stück darüber, wie die deutschen Auswanderer ihren Sonntag in Amerika feiern.«

»Aber warum bist du so oft beim Bilde von deutschen Pastoren und Kirchen in Amerika?«

Der Junge sah ihn aus seinen hellen Augen ruhig an und zögerte ein wenig mit der Antwort. Dann zog ein leichtes Rot über seine Stirn. »Ich male mir immer aus, wie es sein wird, wenn ich drüben bei unsern Leuten auf der Kanzel stehe und was ich ihnen dann predigen werde.«

Der Pastor schwieg eine Weile. Dann fragte er: »Wie ist es mit dem Lehrerwerden?«

»Daran denke ich nicht mehr.«

»Aber der Weg auf die Kanzel in Amerika ist weit und wird nicht leicht für dich sein. Wirst du die Kraft haben, ihn zu gehen?«

»Ja!« antwortete Möne und zog den Atem tief aus der Brust.

»Wirst du die Ausdauer haben, ihn bis ans Ende zu gehen, und Mut genug, Enttäuschungen zu überwinden? Es ist da drüben auch nicht alles Gold, was glänzt.«

»Nach Geld und Gold frag' ich nichts.«

»Und deine Eltern?«

»Vater sagt, die Fremde müsse mich zurechthämmern und polieren; die Hauptsache sei, daß innen alles sauber bleibe und daß man sich immer den Staub und Ruß aus den Augen wasche, damit man einen klaren Blick behalte. Mutter will noch nicht recht, weil es so weit dahin ist und weil der Weg über das tiefe Wasser geht. Aber Vater sagt ihr dann, daß sie mich doch nicht immer am Schürzenband halten kann. Zuletzt wird sie sich auch wohl zufrieden geben.«

Mit dem Auseinanderwerfen der Maulwurfshaufen war es wenig vorwärts gegangen. Jetzt flogen die schwarzen Häuflein von Mönes Spaten über das Feld. Der Junge hatte ausgesprochen, was ihn schon lange bewegte. Er sah seinen Weg vor sich. Der Pastor blickte ihn fest an und sagte mit großem Ernst: »Ein bis zwei Jahre bleibst du noch hier; dann können wir weiter sehen.«

Worauf Möne klar und bestimmt antwortete: »Ich schaffe es in einem Jahr, und dann gehe ich.«

Am späten Abend desselben Tages, als sich der Pastor zur Ruhe begeben hatte, faltete er noch einmal seine großen Hände und betete in herzlicher Liebe für seinen Möne-Jungen: »Der Wolken, Luft und Winden gibt Wege, Lauf und Bahn, der wird auch Wege finden, da dein Fuß gehen kann.« Zwei Minuten darauf tat Pastor Josias Brümmerstädt zu Warkenthin seinen ersten Schnarcher.

5. UND MÖNE GING DEN WEG, DEN SEIN FUSS GEHEN KONNTE

Und Möne ging seinen Weg. Mit den Söhnen des Pastors hatte es von Anfang an ein gutes Vertragen gegeben. Unbewußt halfen sie ihm, allerhand Ungeschliffenheit abzulegen, und bewußt half er ihnen bei ihren Schulnöten, von denen der älteste der Pastorensprößlinge behauptete, daß Luther in der Erklärung zur siebenten Bitte vergessen habe, sie den vier angeführten Übeln als fünftes hinzuzufügen. – Mönes Verhältnis zu Grete war langsam und stetig besser geworden, und nur noch selten fanden kleine Scharmützel statt, nur noch selten wurden ehrenrührige Bezeichnungen wie »Grobschmied« und »kleine Dame« gewechselt, und nur in besonderen Ausnahmefällen wurde Möne an »Des Sängers Fluch« und Grete an die »Leipziger Schlacht« erinnert. Die kleine Dame hatte Respekt vor dem Grobschmied bekommen und der Grobschmied vor der kleinen Dame.

Nun lagen Mönes Lehrjahre, mit Pastor Brümmerstädt als Lehrmeister, hinter ihm. Ein schriftliches Abgangs-

zeugnis gab der Pastor ihm nicht, und Möne verlangte auch
keins. Aber nach der letzten Unterrichtsstunde legte Brümmerstädt seine Hand auf Mönes Schulter, sah ihm fest ins
Auge und sagte: »Ich bin mit dir zufrieden, mein Junge!«
Wenn Pastor Brümmerstädt das sagte, so konnte der Empfänger dieses mündlichen Zeugnisses zufrieden sein, und
das war er auch, denn er antwortete prompt: »Ich war
auch immer zufrieden mit Ihnen, Herr Pastor.« Worauf
der Pastor mit einem kaum merkbaren Lächeln meinte:
»Dafür danke ich dir, Möne.« Aber Möne wollte absolut
das letzte Wort in dieser letzten Stunde haben; auch
meinte er, dem Pastor an Höflichkeit nichts nachgeben zu
dürfen, und deshalb lautete seine Antwort: »Ich Ihnen
auch, Herr Pastor.«

Als Pastor Brümmerstädt am Abend desselben Tages
nach getaner Arbeit bei seiner Frau in der Wohnstube saß
und dicke Rauchwolken aus seiner langen Pfeife in mächtigen Schwaden über die niedrige Tischlampe zogen, gab
er Möne noch ein zweites und ausführlicheres Zeugnis: »Es
ist selten, daß sich soviel Begabung bei einem Menschen
findet wie bei Möne, und es ist noch seltener, soviel an-
dauernden und ungehemmten Fleiß zum Studieren bei
einem Burschen zu finden, der frisch vom Amboß kommt,
ganz abgesehen davon, daß seine Begabung und sein Fleiß
einander nicht stören, sondern Hand in Hand gehen. Das
beste aber ist, daß Möne gar nicht weiß, wie fleißig und
strebsam er ist und wie herrliche Gaben ihm zu eigen gegeben sind. Ich werde ihn vermissen, den Jungen.«

»Ich auch«, sagte die Frau Pastorin, deren anfängliche
heimliche Abneigung gegen Möne längst in mütterliches
Wohlwollen umgeschlagen war. »Bei aller Steifheit und
Ungelenkigkeit, die hin und wieder noch zum Vorschein

kommt und mitunter zu recht groben Verstößen gegen die gute Sitte führt, kann ich ihm doch nicht ernstlich böse sein, wenn er dann so ehrbar vor mir steht und sagt: ›Entschuldigen Sie, Frau Pastorin; der alte Adam – Gott strafe ihn – ist noch nicht ganz ersäuft und erstorben!‹ Und immer ist er willig zu helfen und immer ehrlich in Wort und Tat. Und weißt du, Josias, zuweilen habe ich den Eindruck, daß er den ehemaligen Grobschmied mit Fleiß zeigt, als wolle er sagen: Ich schäme mich meiner Herkunft nicht, und ich habe keine Ursache, mich ihrer zu schämen; Talar und Schurzfell sind beide ehrenwert. – Sieh, das gefällt mir an ihm.« –

Und dann kam der Tag, an dem Möne Abschied nahm von Warkenthin und Immenkath, um in einer größeren Stadt ein weiteres Feld der Wissenschaft abzugrasen und die Vergangenheit im Licht der Gegenwart und die Gegenwart im Licht der Vergangenheit zu betrachten. Der Abschied war kurz und gut. Im Pfarrhause steckte er neben mehreren guten Büchern aus der Bibliothek des Pastors einige nicht weniger gute Ermahnungen für Leben und Studium ein, und Herr Iserloth warnte ihn vor dem Fluchen. Großvater Markow sagte gegen seine Gewohnheit gar nicht viel, sondern brummte nur leise und unverständlich vor sich hin wie einer, der untätig etwas Verkehrtes geschehen lassen muß. Nur als Möne ihm die Rechte reichte, ergriff der Alte sie mit beiden Händen, die schon etwas zitterten, ließ darauf drei harte Taler in die Westentasche des Jungen gleiten und sagte: »Help Gott!« Dann aber wandte er sich schnell ab, als hätte er etwas Unrechtes getan, und humpelte der Stubentür zu: »Dunner un de Kamerdör! Ick heff de Häuhner ganz vergeten; sei raupen all!« – Vater und Sohn wechselten einen Händedruck, bei dem jeder andere ach und weh geschrien hätte, und der Vater sagte: »Büst ümmer en gauden Jung west, Möne! Nu bliew ok gaud!« – »Ja, Vadder, ick will!« war die Antwort des Jungen. – Und zuletzt kam die Mutter an die Reihe. Sie weinte nicht. Die Leute der griesen Gegend weinen selten. Aber sie tat etwas, was sie in vielen Jahren nicht mehr getan hatte. Sie strich ihm mit der Hand über das Haar und sagte: »Min leiw Jung!« Mehr sagte sie nicht. Aber als Möne dann gegangen war, stand sie, die Hände unter der Schürze, an der Hofmauer, die das Grundstück von der Landstraße trennte, und sah ihm nach, solange von ihm etwas zu sehen war, und in ihrem Blick lag etwas, was deutsche Frauen zeigen, wenn sie ihr Liebstes hergeben müssen.

Möne war nun in der Fremde, zuerst auf dem Gymnasium und dann auf dem Predigerseminar. Die Zeit verging ihm wie im Fluge. Aber mitten im schnellen Vergehen der Wochen und Monate saß Möne bedachtsam am Tisch der Wissenschaft und tat sich gütlich an dem, was er für wahrhaft gut hielt, und ließ daneben ohne Bedenken alles auf die Erde fallen, was sein scharfes Auge als schädlich und irreführend erkannte.

Zu Anfang kam still und heimlich das Heimweh über ihn. Dann ging ihm ein Verslein durch den Sinn, das er früher gelernt hatte, weil es ihm besonders gefiel:

> »Und meine Seele spannte
> Weit ihre Flügel aus,
> Flog durch die stillen Lande,
> Als flöge sie nach Haus!«

Dann sah er die weite Rögnitz-Niederung vor sich und die stille einsame Immenkath und das Dorf in seiner behäbigen Beschaulichkeit. Er sah den Vater am Amboß stehen und die Mutter in Haus und Garten wirtschaften und den Großvater die Gänse und Hühner füttern. Er sah auch wohl den Pastor Brümmerstädt von seinem Botengang für das Dorf zurückkehren und hörte die Stimme der Pastorin, wie sie halb vorwurfsvoll und halb scherzhaft sagte: »Aber, Möne, was hast du nun wieder angestellt?« Meistens überkam ihn die Sehnsucht nach dem stillen Frieden der Heimat, wenn er sich am späten Abend, nach fleißig ausgenutzten Tagesstunden, müde an Leib und Seele, zur Ruhe begab. Dann konnte es geschehen, daß er ins Träumen geriet wie vor Jahren auf der Bleiche in Warkenthin. Aber seine träumerischen Anfälle und Einfälle waren selten und von kurzer Dauer. Mit einem Ruck warf er sich auf die andere Seite und hielt Möne Markow, gebürtig in Warkenthin, eine kurze Standrede: »Wat föllt di in, Möne! Büst du nu ganz rappelig worden? Wist du hier anfangen tau hulen as'n jungen Hund, dei tau'm irsten Mal allein is? Dat helpt di nich un din Mudder irst recht nich!« Einige Minuten später – und er schlief den festen Schlaf der Jugend.

Die jungen Mädchen hielt er sich mit Absicht und gutem Erfolg drei Schritt vom Leib. »Ich mag die Serie nicht«, schrieb er einmal an Herrn Iserloth, »entweder sind sie hübsch und dumm; oder sie sind klug und häßlich.« Die Anzahl seiner Freunde war gering. Die meisten der jungen Studenten nahmen Anstoß an seinem linkischen Wesen, hielten seinen Fleiß für Strebertum und fühlten sich durch seine lautere und ehrliche Gesinnung, die Schwarz Schwarz und Weiß Weiß nannte, unangenehm berührt. Nur wenige erkannten den inneren Wert des jungen Schmiedesohnes und wußten seine aufrechte und sichere Haltung in zweifelhaften Fragen zu schätzen. Sie waren und blieben seine Freunde bis lange über die Studienzeit hinaus.

Wie mit den jungen Leuten, so erging es Möne auch mit seinen Professoren. Es war keiner unter ihnen, der jemals gewagt hätte, an seinem gewissenhaften Wesen, seinem eisernen Fleiß und seiner ungewöhnlichen Begabung zu zweifeln. Aber seine Unbeholfenheit, seine reckenhafte Gestalt und seine unbestechliche Wahrheitsliebe forderten doch zuweilen die Spottlust einzelner dieser Herren heraus. Es geschah, daß Professor Eichbohm, ungewöhnlich klein von Person und dabei dürr wie eine Bohnenstange, eines guten Tages während seines Vortrages im Hörsaal vor seinen Zuhörern auf und ab ging und dabei beinahe gestolpert wäre über Mönes polizeiwidrig große Füße, die er, in der ersten Reihe sitzend, seiner Gewohnheit nach weit vorgestreckt hatte.

Verwundert schaute der gelehrte Herr seinen Studenten an. »Herr Markow, ich höre, daß Sie nach Amerika gehen wollen, um dort als Pastor angestellt zu werden.« – »Ja, Herr Professor, das ist meine Absicht.« – »Aber, Herr Markow, das geht doch nicht. Was werden die Amerikaner sagen, wenn sie Ihre großen Füße sehen! Es heißt doch in der Heiligen Schrift: Wie lieblich sind auf den Bergen die Füße der Boten, die den Frieden verkündigen, Gutes predigen, Heil verkündigen.« – Spöttisch und voller Bewunderung über seinen eigenen Witz stand der Herr Professor, geschniegelt und gebügelt, vor dem jungen Mann, der unverschämt genug gewesen war, sich so große Füße wachsen zu lassen. Möne erhob sich von seinem Sitz. Das war für ihn eine umständliche Sache, denn die Sitze waren eng. Aber nach und nach gelang es ihm, sich in seiner ganzen Länge aufzurichten, und als er dann von oben herabsah auf das kümmerliche Gewächs zu seinen Füßen, fragte er ganz bescheiden: »Herr Professor, darf ich einmal Shakespeare zitieren?« – »Aber gewiß, lieber Freund; zitieren Sie Shakespeare!« – Und Möne zitierte: »The devil can quote Scripture to his purpose.« (Selbst der Teufel kann die Heilige Schrift für seinen Zweck anführen.) – Ein leises Gekicher lief durch die Reihen der Sitze im Hörsaal. Der Herr Professor machte eine Kopfbewegung, als wolle er eine lästige Fliege abschütteln, und setzte seinen Vortrag mit verdoppelter Würde fort. Nach der Vorlesung drängten sich die jungen Leute um Möne. Einer klopfte ihm zustimmend auf die Schulter, ein anderer drückte ihm beifällig die Hand, und ein Sachsenbürschlein krähte mit heller Stimme dazwischen: »Na, das hamm Se'm awwer gut gegäm!« – Aber Möne antwortete in gewohnter Ruhe: »Nein, ich habe nur eine Quittung ausgeschrieben.«

Andere Professoren sahen Möne, wie er in Wirklichkeit war: eckig und scharfkantig, aufrichtig und ehrlich gegen sich und andere, langsam im Reden und langsam im Zorn, hart gegen sich und weich gegen seine Mitmenschen, heißhungrig nach immer tieferer Erkenntnis und begierig, seinen Durst zu löschen an den rechten Quellen des Wissens.

Wenn es sich um einen harmlosen Jugendstreich handelte, dann war Möne ein williger und gern gesehener Teilhaber und konnte für eine Stunde oder noch länger Hörsaal und Studium vergessen und war nichts weniger als ein Spielverderber.

Zwei Studenten hatten sich ihm in besonderer Freundschaft angeschlossen. Sie hörten auf die nicht ganz ungewöhnlichen Namen Schulze und Schmidt. Schulze war ein reicher Jüngling, Schmidt arm wie Möne. Schulze war nicht immer reich gewesen; er war es erst gestern geworden, als der Briefträger ihm eine Postanweisung über zehn Mark von seinem Vater brachte. Zehn Mark! Jungedi! Gar nicht auszudenken! Aber Schulze war nicht nur reich. Obgleich er kein »von« vor seinen Namen setzen durfte, war er doch ein Edelmann im wahrsten Sinne des Wortes. Ob man ihn vom Kopf bis zu den Füßen musterte oder von den Füßen bis zum Kopf – ganz gleich, immer sah man den Edelmann vor sich. Was sollte er mit seinem Reichtum anfangen? Es mußte etwas Ungewöhnliches getan werden, und es wurde getan.

Als er am Tage darauf mit seinen beiden Freunden einen Spaziergang durch die Stadt machte, teilte er ihnen als erste und größte Tagesneuigkeit den Empfang der Postanweisung mit und fügte dann hinzu: »Nun will ich euch einen Vorschlag machen. Wir wollen etwas tun, was wir bisher noch nie getan haben. Wir wollen zusammen ein Lotterielos kaufen, das heißt: wir drei kaufen das Los, und ich bezahle es. Gewinnen wir – und selbstverständlich gewinnen wir – so teilen wir uns den Gewinn. Verlieren wir, so trage ich den Verlust allein. Einverstanden?« – Ja, sie waren sofort und ohne Bedenken einverstanden. – »Aber«, fuhr Schulze fort, »ihr wißt, wenn die Gewinnliste in den Zeitungen veröffentlicht wird, dürfen unsere Namen unter keinen Umständen genannt werden, denn das würde keinen guten Eindruck bei den Professoren machen. Deshalb ist es nötig, daß wir andere Namen angeben und andere Adressen dazu. Einverstanden?« – Ohne Zittern und Zagen und Zaudern ging es nach der alten Regel: vorgeschlagen, unterstützt, angenommen! Sie kehrten auf der Stelle um und gingen in die nächste Lotterie-Agentur.

Dort saß an einem großen Schreibtisch ein älterer Herr, der zu allen Tagesstunden über ein gönnerhaftes Wohlwollen in seinen Zügen verfügte. »Womit kann ich Ihnen dienen, meine Herren?«

Schulze übernahm die Führung: »Wir möchten ein Los kaufen, aber natürlich eins, das mit einem Gewinn herauskommen wird.«

»Sehr gut!« Und nach einigem Nachdenken: »Ich empfehle Ihnen Nr. 72 154.«

»Warum empfehlen Sie gerade diese Nummer?«

»Weil ich denke, daß sie einen Gewinn bringen wird.«

»Warum denken Sie das?«

»Ja, mein lieber Herr, über die Möglichkeit des Gewinns kann ich selbstverständlich keine Berechnung anstellen, aber ich habe es im Gefühl, daß –«

»Also gut, wir nehmen Nr. 72 154.«

»Sehr wohl! Darf ich um Ihren Namen bitten?«

»Bim«, sagte Schulze.

Der Herr am Schreibtisch guckte über die Brille hinweg auf den jungen Mann. »Bim?«

»Ja, Bim! B – i – m! Adresse: Ulmenstraße 72.« (Die Ulmenstraße lag am andern Ende der Stadt mit drei Häusern an der einen und vier an der andern Seite.)

»Und Ihr Name, bitte?« wandte der Agent sich an Schmidt.

»Ich heiße Bam.«

»Bam, sagten Sie?« Der wohlwollende Herr drückte seine Brille noch ein wenig tiefer herunter auf die Nase, und sein Wohlwollen mischte sich mit Erstaunen, 50 Prozent Wohlwollen und 50 Prozent Erstaunen.

»Ja, Bam! B – a – m! Ich wohne Sackgasse 34, Hinterhaus, vier Treppen hoch, links.«

Der Herr schrieb: vier Treppen hoch, links. Aber er wurde nur langsam damit fertig. Dann, nach einigem Überlegen und Räuspern, sah er Möne fragend an. »Und Sie?«

Ja, was sollte Möne anderes tun, als in die Fußtapfen seiner Vorgänger treten. »Bum!« entfuhr es ihm wie ein Kanonenschuß. »B – u – m! Dunkelsteig 4, Kellerwohnung, mit weiter Aussicht.«

Da legte der Herr am Schreibtisch seine Feder nieder und brach in ein schallendes Gelächter aus. »Sehr gut, meine Herren, ich verstehe!«

Er gab Schulze das Los, Schulze zahlte, und das Kleeblatt verließ das Lokal. – Vier Wochen später kam die Gewinnliste heraus. Nr. 72 154 war nicht darin zu finden. Schulze war schwer enttäuscht, fand sich aber bald in den Verlust, und Möne zitierte Spr. Salomos, Kapitel 13: »Reichtum wird wenig, wo man es vergeudet; was man aber zusammenhält, das wird groß!«

Die Ferien verbrachte Möne immer daheim und stand in der Warkenthiner Schmiede und schwang den Hammer und sang sein Lieblingslied: Jung Siegfried war ein stolzer Knab'. Manchmal fiel das verkehrte Wort auf den richtigen Ton und manchmal der verkehrte Ton auf das richtige Wort. Aber das bekümmerte ihn nicht und die Spatzen auch nicht, die sich gern um die Schmiede her zu tun machten. Er sang sein Lied vom ersten bis zum letzten Vers, und er sang es so laut, daß es durch das ganze Dorf schallte, nicht immer zum Ergötzen der Warkenthiner; denn seine Stimme paßte zu seinem Gehör, und beides war minderwertig. Das hatte Herr Iserloth ihm schon in der Schule gesagt. Sein Singsang schallte sogar hinein in die Studierstube von Pastor Brümmerstädt. Der ließ sich nicht dadurch stören, sondern nickte dazu und sagte vor sich hin: »Sing' du nur, mein lieber Möne! Bist ja selber ein stolzer Knab' und weißt es nicht einmal!«

ZWEITER TEIL

1. AUSWANDERUNG UND EINWANDERUNG

Ein Herzenswunsch war in Erfüllung gegangen. Der Traum, den ein junges Menschenkind immer wieder geträumt hatte, war zur Wirklichkeit geworden. Möne sollte Pastor in Amerika werden. Eine deutsche Landgemeinde zu Springdale im Staat Iowa hatte ihn gerufen: »Komm herüber, und predige uns! Wir geben dir, was du wert bist.« Das war klares Deutsch und verriet zugleich den praktischen Amerikaner, und das gefiel Möne. Dazu kam, daß sie sich in ihrem Berufungsschreiben mit Recht seine Landsleute nannten. Ihre Eltern oder Großeltern hatten fast ausnahmslos als Dienstknechte und Dienstmägde oder als Tagelöhner für die Bauern in der »griesen Gegend« hart gearbeitet bei kargem Tagelohn und dünnen Speckseiten. Hin und wieder war magere Kunde in das einsame Warkenthin gelangt von den Reichtümern Amerikas und von weiten, unbebauten Landstrecken, die nach Pflug und Egge und nach Saat und Ernte schrien. Zuweilen war auch ein Brief ins Dorf gekommen von einem Freund oder Verwandten, der schon jahrelang drüben war und nun von eigenem Grund und Boden und von einem eigenen Haus schrieb. Jede Kunde und jedes geschriebene Wort wurde zehnmal auf die Waagschale gelegt und mit niederdeutscher Gründlichkeit bedacht und erwogen, und endlich hatte es festgestanden für manchen stämmigen Burschen und für manches arbeitsfähige und arbeitsfrohe Mädchen: ich gehe! – Und sie gingen, einzeln, gruppenweise, familienweise, zu verschiedenen Jahren und Jahreszeiten. Sie gingen nicht leichten Herzens. Der Mensch hat es nicht gern, aus seinem Vaterlande und von seiner Freundschaft und aus seines Vaters Hause zu gehen, und für einen deutschen

Menschen ist es zwiefach schwer, seine Heimaterde zu verlassen; denn er hängt mit ganzem Herzen daran, und sie ist seine Mutter.

Es kostete manches gute Wort und manchen Silbertaler, bis sie ihr Ziel im Mittelwesten der Vereinigten Staaten erreichten. Dieser und jener bröckelte ab unterwegs. Der Schlamm der Großstadt verschlang ihn, oder er fiel einem menschlichen Geier zum Opfer, einem Seelenverkäufer, der den naiven Neuling irgendwohin verschleppte und ihn durch Drohungen oder durch leere Versprechungen, durch Lug und Betrug und oft genug auch durch brutale Gewalt auf Lebenszeit zu seinem willenlosen Sklaven machte. Mancher ehrliche deutsche Junge ist auf diese Weise in der Fremde untergegangen. Geld bekam er nie in die Hände, schreiben durfte er nicht, aber schuften durfte er am Werktag und am Sonntag vom frühen Morgen bis zum späten Abend, und wenn er endlich nach langen Elendsjahren zusammenbrach, wurde er wie ein Tier verscharrt. Verdorben – gestorben! Niemals hat die Kunde seines Schicksals diejenigen erreicht, die ihm einst lieb waren in der Heimat. Über sein Grab ist Gras gewachsen, niemand kennt seine Stätte, und Gras ist auch gewachsen über die alten Geschichten von wunden und wehen Menschenherzen.

Glücklichere Reisekameraden aber erreichten ihren Bestimmungsort und wurden von den früher ausgewanderten Landsleuten mit großer Freude, mit Lachen und Zuruf und festem Handschlag begrüßt und willkommen geheißen, und dabei ließen sie es nicht bewenden, sondern halfen den Neulingen mit Rat und Tat über die erste schwere Zeit hinweg. Für ein Billiges, für ein »Butterbrot« erwarben sie einen weiten Landstreifen, und damit hatten sie das erreicht, wozu sie in der Heimat nie gekommen wären – nämlich eigenen Grund und Boden unter den Füßen.

Ein Paradies war es nun gerade nicht, was sie jetzt mit Fug und Recht ihr Eigentum nennen konnten, sondern ein Stück Land, voll vom einen Ende bis zum andern mit Gestein und Bäumen und Busch und Dorn. Bedenklich kratzten sie sich hinter den Ohren und schoben die Mütze von einer Seite auf die andere; aber nicht lange. Dann griffen sie mit arbeitsgewohnten Händen zu, und es war eine Lust zu sehen, mit welchem Wohlbehagen sie nach dem Müßiggang der langen Reisewochen mit Säge und Axt und Spaten hantierten, um die Wildnis in Ackerland zu verwandeln. Es kostete viel Schweiß und nahm viel Zeit in Anspruch, aber sie ließen nicht nach, und endlich stand das erste Haus da.

Ein Haus? Eine elende Blockhütte war es, aus rohen Baumstämmen aufgeführt, mit einer Tür und einem Fenster, wie die Arche zur Zeit der Sündflut. Dagegen war die jämmerlichste Tagelöhnerkate in Warkenthin ein wahrer Palast gewesen. Aber was und wem schadete das! Karl Fründt, der glückliche Besitzer des Neubaues, nickte seiner jungen Frau zu, die beim Anblick ihrer zukünftigen Wohnung nicht wußte, ob sie lachen oder weinen sollte, und rief: »Lat man sin, min Deern! Eigen wat, wo gaud is dat!« Wohl ein dutzendmal des Tages ging er um sein Haus herum und prüfte es mit Auge und Hand, und immer wieder fand er Wohlgefallen an dem Werk seiner Hände, und was er dachte, konnte man ihm an den Augen ablesen: ›Lütt, äwer nüdlich!‹ –

Allmählich, ganz allmählich legte sich neben den ersten gerodeten Landstreifen ein zweiter, ein dritter und viele andere. Nach und nach wurden einige Kühe in den Schup-

pen gestellt, und mit der Zeit fanden sich auch Absatz-
gebiete für den Überfluß in Ackerbau und Viehwirtschaft.
Es kamen Zeiten, da es auf den vergrößerten Farmen so viel
Arbeit gab, daß die Farmersleute sie nicht allein bewälti-
gen konnten. Sie sahen sich nach Hilfe um, und mitunter
kam auch ein Helfer, ein »Bruder von der Landstraße«, mit
wochenaltem Stoppelbart und mit Kleidungsstücken, die
oben und unten, links und rechts, hinten und vorn dem
Wind reichlich Gelegenheit zur Durchfahrt boten. Diese
Landfahrer brachten weiter nichts mit als einen gewaltigen
Hunger und allerlei Getier in Haut und Haar und Kleidung, so daß es keiner wagte, ihnen zu nahe zu kommen.
Meistens blieben sie nicht lange. Die einen blieben nicht,
weil sie bei allem guten Willen, ehrliches Geld durch ehrliche Arbeit zu verdienen, von der Farmarbeit so wenig
verstanden wie der Regenwurm vom Klavizimbel. Die
andern zogen bald weiter, weil sie von Jugend an eine unüberwindliche Abneigung gegen jede dauernde Beschäftigung hatten und die Arbeit haßten wie den Teufel.

Es kamen noch andere, die an die Tür des Farmers klopf-
ten, junge Leute und Männer von mittlerem Alter; sie
waren recht gut gekleidet, und ihre Hände sahen aus, als
ob niemals Schwielen daran Platz gefunden hätten. Sie
waren nach Amerika gekommen in der Meinung, daß sie
hier mit Spazierengehen ihren Lebensunterhalt verdienen
könnten. Weil es sich dann aber gezeigt hatte, daß so ein
ständiger Spaziergang weder mit Brot noch mit Butter oder
gar mit einem saftigen Stück Speck belohnt wurde, ließen
sie sich von Zeit zu Zeit dazu herab, nach »Anstellung« zu
fragen. Wenn aber der Farmer ihnen Spaten oder Axt in
die Hand gab und eine entsprechende Gebrauchsanweisung
dazu, dann sahen sie in Stolz und Empörung zu ihm auf,

und in ihrem Blick war zu lesen: Was denkst du dummer Farmer eigentlich von uns? Denkst du, unsere Mutter hat uns zur Welt gebracht, um für dich zu arbeiten? Meinst du, daß wir die schönen Bügelfalten in unserm Anzug ruinieren wollen, bloß um für dich einen Klafter Holz zu spalten? Wenn du das glaubst, dann hast du eben einen Mißglauben. Fürs Arbeiten sind wir nicht dumm genug. Arbeit ist das Laster des Sklaven; sich amüsieren ist die Tugend des freien Menschen.

Jedenfalls waren diese hohen Herrschaften der Ansicht, daß die Gebote, so sich in Bibel und Katechismus finden, zu zahlreich und zu veraltet seien und außerdem zu hohe Forderungen stellten. Deshalb hatten sie mit größter Rücksicht auf sich und auf ihre Abneigung gegen alle körperliche Arbeit ein neues Gesetzbuch geschaffen, das nur acht Gebote enthielt und mehr dem neuzeitlichen Leben entsprach. Es ist nie im Druck erschienen; aber sie bewahrten es in einem der Neuzeit angepaßten Herzen, und sie – das mußte man ihnen lassen – richteten ihren ganzen Lebenswandel mit bewundernswerter Gewissenhaftigkeit danach ein.

Die neuen Gebote aber lauteten folgendermaßen:

1. Du sollst nie heute eine Arbeit tun, die sich bis morgen aufschieben läßt.

2. Du sollst während der Sommerzeit die Betrachtung des Sonnenaufgangs vermeiden.

3. Du sollst den Sonntag feiern durch gründliches Ausschlafen und ungestörtes Nichtstun vom Aufgang der Sonne bis zu ihrem Untergang.

4. Du sollst deines Leibes pflegen durch eifrige Betätigung an reichen Mahlzeiten.

5. Du sollst den Farmer an jedem Sonnabend an Erhöhung des »Gehalts« erinnern und an jedem Monatsende an verminderte Arbeitszeit.

6. Du sollst dich sorgfältig vor Schweiß hüten, denn der Schweiß ist eine Einrichtung für die Dummen.

7. Du sollst deinen Nächsten lieben und ihm dienen, indem du ihm zeigst, mit wie wenig Arbeit ein Mensch auskommen kann.

8. Du sollst fleißig Ausschau halten nach dem Erfinder der Arbeit, und wenn du ihm begegnest, sollst du ihn strafen nach Gebühr; denn er ist ein Feind der Menschheit.

Leider hatte der Farmer für solche Lebensanschauung absolut kein Verständnis und ließ den Stellungsuchenden bald und leichten Herzens seines Weges ziehen. Es war wenig Unterschied zwischen dem »Bruder von der Landstraße« und dem Bügelfalten-Mann. Das Ende ihres irdischen Daseins war meistens dasselbe – in einem Graben an der Landstraße, hinter einer Scheune, unter einem hohen Baum, und kein Kirchenbuch gab die Zahl der Jahre ihres Lebens an.

Nach zehn Jahren baute als erster Jochen Hinrichs aus Ließow, eine Stunde von Warkenthin entfernt, an Stelle der Blockhütte ein ansehnliches Wohnhaus mit drei geräumigen Stuben und einer richtigen Küche, so daß seine Frau Lieschen voll Freude und Erstaunen ausrief: »Nu hebben wi so vel Platz, dat wi dorin verbiestern (verirren) känen!« Für das Vieh wurde ein großer Stall gebaut, und wenn Jochen im Sommer frühmorgens um vier Uhr mit beiden Beinen zugleich aus dem Bett sprang, weil ihn das Brüllen und Grunzen und Schnattern und Gackern geweckt hatte, so ließ er sich keine Zeit für Augenreiben und lautes Gähnen, sondern dachte zufrieden und glücklich: ›Wenn Lieschen sick ok in uns' Hus verbiestert, ick kann mi in'n Stall nich verbiestern, denn ick weit doch, dat de Käuh nich in'n Häuhnerstall up'n Wiemen sitten un dat de Häuhner nich mit'n lang un dick Käd' üm den dünnen Hals in'n Kauhstall stahn.‹ –

Wiederum zehn Jahre später konnte man daran denken, modernes Ackergerät anzuschaffen. – Kinder kamen und wuchsen heran in sommerlichem Sonnenbrand und winterlicher Eiseskälte, ein gesundes und starkes Geschlecht, unverweichlicht durch großstädtische Bequemlichkeiten, aber von klein auf darin unterwiesen, das Leben in die eigne Hand zu nehmen und feste und sichere Schritte zu tun. Es dauerte nicht lange, bis sie den Eltern eine große und zuverlässige Hilfe geworden waren in Haus und Hof, im Viehhaus und auf dem Ackerfeld.

So wuchs die Familie, und so wuchs der Wohlstand, und es geschah nicht selten, daß dieselben Leute, die nichts anderes als einen eisernen Willen und ein Paar derbe Fäuste und einige Dollars in der Hosentasche mit ins Land gebracht hatten, am Abend ihres Lebens eine Großfarm vor sich liegen sahen mit wogenden Kornfeldern und reichem Viehbestand. Das machte sie nicht stolz und steifnackig; aber wenn Mann und Frau, grauhaarig und etwas gebückt, am Sonntagnachmittag über das Land gingen, über *ihr* Land, und sahen den Gottessegen in reicher Fülle um sich her ausgebreitet und konnten sich erinnern, wie ein Stück ihres Besitzes nach dem andern entstanden war, dann ging ein stillzufriedenes Lächeln über ihre Züge. »Ja, Vadder«, sagte die Frau und stand still, »du hest hart arbeit't.« – »Ja, Mudder, dat heff ick«, erwiderte er und legte ihr die Hand auf die Schulter, »äwer du hest mi düchtig hulpen«, und in den Herzen der beiden Alten hieß es gleichstimmig: »Hart is dat west, äwer wi hebben't schafft. Gott sei Dank!« – Männer und Frauen aus der griesen Gegend lieben es nicht, ihren Dank gegen Gott mit vielen Worten auszuklingeln. Was sie zutiefst im Herzen empfinden, das sagen sie kurz und knapp, und sie meinen, was sie sagen.

2. HEILIGABEND IN WARKENTHIN UND HEILIG-ABEND IN SPRINGDALE

So waren die Jahre vergangen. Für Festlichkeiten ließ die tägliche Arbeit wenig Raum, und wenn man sechzehn Stunden schwer gewerkt hatte, stand einem der Sinn nicht mehr nach Vergnügungen und Lustbarkeit, sondern nur nach gesundem und festem Schlaf, der sich auch regelmäßig einstellte, ohne erst eine Einladung abzuwarten. Nur einmal jedes Jahr wurde eine Ausnahme gemacht, und das war der Abend vor Weihnachten, Heiligabend. –

Der Vorgänger von Lehrer Iserloth in Warkenthin, F. Fohllig, war ein Mann wie Hiob gewesen, von dem geschrieben steht: »Derselbe war schlecht und recht, gottesfürchtig, und mied das Böse.« Das ganze Dorf hatte zu seinen Füßen gesessen und sich wohl befunden unter seiner Leitung. Zu seinen Lebzeiten wurde kein Prozeß im Dorf geführt. An den Krankenbetten ward er gern gesehen, und keiner starb, ohne daß er ihm das rechte Wort mit auf die letzte Reise gab. Die Jugend regierte er mit großer Gewissenhaftigkeit. In der Schule verlangte er viel und gab viel. Und sein Bestes gab er im Religionsunterricht, von dem die Leute noch nach Jahrzehnten behaupteten, es sei ihnen dabei immer gewesen, als ob ein Engel mit ausgebreiteten Segenshänden durch die Schulstube ginge.

Am allerschönsten in der Schule aber war doch immer der Heiligabend gewesen mit dem Tannenbaum, mit Gesang, mit einer Ansprache des Lehrers und mit Aufsagen von Liederversen und Bibelsprüchen. Eingeleitet wurde die Feier dadurch, daß die Konfirmanden vollzählig in der Wohnstube des Lehrers erschienen und ihre kleinen Geschenke brachten, für ihn eine Pfeife oder Zigarren, für seine Frau eine Zuckerdose oder ein paar Tassen, für den jüngsten Sprößling ein Spielzeug. Bevor aber diese Herrlichkeiten auf den Tisch gelegt wurden, trat eine der Konfirmandinnen einen Schritt vor und sagte ihren Weihnachtswunsch: »Wir wünschen euch Friede und Freude für lange Zeit und hernach die ewige Seligkeit!« Es war jedes Jahr derselbe Wunsch, und jedes Jahr kam er aus treuen Herzen, und jedes Jahr ging es dem Lehrer warm durch die Seele, wenn er sah, wie die Kinder mit unbedingtem Vertrauen zu ihm aufblickten, als wollten sie sagen: Du und wir, wir gehören zusammen! – Und dann gingen Lehrer und Konfirmanden zur eigentlichen Feier in die Schulstube.

Das ganze Dorf freute sich wochenlang auf diese Feier, und das ganze Dorf erschien dazu. Die Alten füllten die freien Schulbänke, und die jungen Leute standen in den Gängen und im Vorraum und bei gutem Wetter im Garten vor der offenen Haustür, und jeder lauschte, und keiner störte. Über der ganzen Feier lag neben herzwarmer Weihnachtsfreude ein heiliger Ernst, der Alten und Jungen guttat. –

Es darf aber auch nicht vergessen werden, daß Warkenthin seine Weihnachtsausstellung hatte, die für die Jugend genau von derselben Anziehungskraft war wie jedes große Schaufenster in der Großstadt.

Allerdings gab es nur ein einziges Kaufmannsgeschäft in Warkenthin, aber es genügte für den Bedarf des Dorfes. Kaufmann Schneider hatte einen großen Vorrat von Holzpantoffeln für jung und alt und einen noch größeren von Streichhölzern für Lampen und Laternen in Stube und Küche und Stall, gar nicht zu reden von Mehl und Zucker und Salz, womit die weiten und tiefen Schiebladen bis an den Rand gefüllt waren. Peitschenstiele hingen an der Wand, und in der Ecke am Ladentisch standen Spazierstöcke, derbe und zierliche, und beides, Stiele und Stöcke, lud ein zum Beschauen und Prüfen und Kaufen. Stahlfedern, Schreibpapier und Tinte wurden selten angefordert. Fürs Schreiben war man in Warkenthin im allgemeinen nicht begeistert. Tinte macht das schöne weiße Papier schwarz, und die meiste Tinte bleibt ja doch an den Fingern sitzen.

Zur Weihnachtszeit aber waren im Kaufmannsladen beide Fenster, nicht größer als andere Fenster in anderen Häusern, märchenhaft dekoriert. In jedem Fenster hing ein Puppenmann, den man nach Belieben für einen Bajazzo oder für einen Stierkämpfer halten konnte. Seine Gewandung oder Rüstung, oder was es nun sein mochte, war von reinstem Silberpapier, und seine Gesichtszüge strahlten von Wohlwollen für die übrige Menschheit. In jeder Hand hielt er einen blitzblanken Blechteller, und wenn ein Kind etwas gekauft hatte und der Kaufmann bei besonders guter Laune war, so durfte es diesem Wundermann im Fenster einmal auf den Magen drücken, aber nur einmal wegen der Abnutzung, und dann – ja, dann quiekte der Mann und schlug die beiden Blechteller mit großem

Getöse zusammen, daß es nur so schallte. Es war großartig! – Und hatte man nicht den Auftrag, etwas zu kaufen, so konnte man doch draußen vor dem mit Eisblumen bedeckten Fenster stehen und die Nase dagegenpressen, bis das Eis geschmolzen war und das Näslein beinahe einem kleinen Pfannkuchen glich; aber dafür konnte man dann auch wenigstens einen Zipfel der schimmernden Rüstung sehen, und das allein war schon Goldes wert. – So gestaltete sich die Weihnachtsausstellung zu Warkenthin.

Den Warkenthiner Heiligabend vergaßen die Ansiedler in Springdale nicht, solange sie lebten, und sie erzählten davon ihren Kindern und Kindeskindern, die mit blanken Augen dastanden und immer wieder die Geschichte hören wollten von dem einsamen Dorf da drüben mit den tief herabhängenden Strohdächern, von dem Schulhaus mitten im Dorf, von den Tannenbaumkerzen, die einen so hellen Schein gaben wie keine anderen Kerzen in der ganzen Welt, von dem alten Lehrer mit dem strengen Gesicht und dem weichen Herzen, der es wie kein anderer verstand, zu den Alten und den Jungen zu reden von dem großen Weihnachtswunder, geschehen im Stall zu Bethlehem. – Es wird den Leuten aus der griesen Gegend schwer, etwas zu vergessen. Ein Unglück oder ein schweres Gewitter vergessen sie jahrelang nicht; aber etwas Gutes und Schönes, das einmal ein helles Licht in ihr arbeitsreiches Leben geworfen hat, vergessen sie nie.

Und weil sie nicht vergessen wollten und konnten, kamen die Leute in Springdale am Heiligabend zusammen, um den Auftakt des Weihnachtsfestes nach Warkenthiner Weise zu feiern. Sie wählten dazu das größte und geräumigste Farmhaus, und sie kamen alle, klein und groß, auch

wenn es so kalt war, »dat einen de Seel in'n Liew piept«.
Der Tannenbaum stand mitten in der Stube, und langsam
und feierlich wie in einer Kirche zündete die Hausmutter
die Kerzen an, und keiner brachte es über sich, sie in ihrer
stillen Weihnachtsfeierlichkeit zu stören. Es war, als ginge
der Warkenthiner Engel durch den Raum. Und dann nahm
der Älteste unter ihnen, Farmer Jürnjakob Swehn, mit großem Bedacht und großem Ernst die alte Hausbibel zur
Hand, die die Hausmutter draußen im »Alten Land« zu
ihrer Konfirmation geschenkt bekommen hatte, schob die
Brille um ein Weniges nach Norden und las das Weihnachtsevangelium, diesen einzig schönen Liebesbrief des
himmlischen Vaters an seine Kinder in der Fremde: »Es
begab sich aber . . .« Jürnjakobs Stimme zitterte ein wenig
dabei; aber er war ja auch ein alter Mann.

Es folgte ein tiefes Schweigen, bis endlich die Kinder
mahnten: »Singen, singen!« Und dann erklangen die alten
Weihnachtslieder: O du fröhliche, Es ist ein Ros ent-
sprungen, Ihr Kinderlein kommet, und wie sie alle heißen.
War es nicht merkwürdig, wie diese Farmersleute nach
jahrzehntelanger Abwesenheit von der Heimat Vers nach
Vers ohne Fehler und ohne Stocken sagen und singen
konnten? Nein, gar nicht merkwürdig! Was der Mensch
in seiner Jugend in sich aufgenommen hat, das behält und
bewahrt er bis an seinen Sterbetag.

Je mehr sie sangen, desto blanker wurden die Augen
und desto eilfertiger wanderten die Gedanken zurück in
die alte Schulstube in Warkenthin mit ihren ungefügen
Bänken und ihrem Christbaum in seinem märchenhaften
Glanz. Ja, wie ein Märchen stand die gottgesegnete Weihnachtsfeier daheim vor ihren Augen da. Und wie ein Märchen war es, daß sie, durch Land und Meer von der Hei-

mat getrennt, hier in Springdale dieselben Lieder sangen wie einst in Warkenthin. Beide, Lieder und Menschen, waren echte Kinder der Heimat.

Bei allem frohen Singen der frohen Lieder wurden die Gesichter der Männer immer ernster, und dieser und jener Frau rann trotz der frohen Stunde ein Tränlein über die Wange. Woher kam das? War es stilles Heimweh, das selbst bei den frohesten Liedern, die die Christenheit kennt, ungestillt bleiben mußte? Oder war es das Weihnachtsevangelium, das die Herzen in Warkenthin sowohl wie in Springdale weich und warm machte? Oder war es der Gedanke an diesen und jenen daheim, der ihnen lieb und wert gewesen war und von dem sie während des letzten Jahres Kunde erhalten hatten, daß er nicht mehr im Lande der Lebendigen weilte und daß man ihn unter den grünen Rasen gebettet hatte? Was war es? Es war schwer zu sagen. Wahrscheinlich war es dies, daß alle Erdengedanken und Ewigkeitsgedanken in ihnen in dieser Feierstunde zusammenklangen zu einem großen Halleluja, das wohl mit Heimwehtränen begann, aber doch wie ein Lied im höhern Chor nach oben stieg nach der Melodie: »Dann wird unser Mund voll Lachens und unsere Zunge voll Rühmens sein.«

Dann aber wischte die alte und doch noch immer rüstige Hausmutter das letzte Tränlein weg, gab ihren Töchtern einen Wink, und bald standen dickbauchige Kaffeekannen selbstbewußt und selbstzufrieden auf dem langgestreckten Tisch, zwischen ganzen Bergen von richtigen Warkenthiner Streuselkuchen. Es wurde eine erfolgreiche Schlacht geschlagen, und an munteren Reden fehlte es nicht. Dann aber nahm Jürnjakob noch einmal das Wort: »Wi bedanken uns ok, Mudder Busacker, dat du uns hüt abend wedder in din Hus upnahmen hest. Din Kaffee is gaud, un din

Kauken is noch beter. Un dat Best is, dat wi von de gries'
Gegend tausammenhollen un nich blot an uns' Furtkamen
un an uns' Taukunft denken; wi denken ok an dat, wat
hinner uns liggt, un dat is Warkenthin un de Warkenthiner
Heiligabend in de Schaulstuw. Weiten ji noch, wat uns'
oll Lihrer jeden Heiligabend ganz tauletzt beden ded?«
Jürnjakob faltete still die alten müden Hände und sprach
es seinem Lehrer nach:

>	»Ach, wenn ich doch erst droben ständ'
>	Und könnt' den Heiland sehn!
>	Im Morgenlichte des Advent,
>	Da laßt uns vorwärts gehn!
>	Ja, vorwärts, bis wir droben sind,
>	Hier unten weht oft kalt der Wind.
>	Doch uns wird warm von Lust und Loben.
>	Hinauf! Hinauf! Bald singen wir oben! – Amen!«

Und wieder war es still geworden, während der Alte
sprach. Die flachsköpfigen Buben und Mädel sahen scheu
und verstohlen auf den Alten, der so merkwürdig bewegt
schien, und ein heimlich Ahnen ging durch ihr Kinder-
gemüt, daß noch manch andere Dinge Herz und Sinn bewegen könnten als Samen und Ernte, Frost und Hitze,
Sommer und Winter, Tag und Nacht.

Aber Mutter Busacker war eine gesprächige Frau und
behielt gern das letzte Wort, und sie behielt es auch an
diesem Abend. »Ja, un weit ji ok, wat uns' oll Lihrer tau
mi un minen Mann seggen ded, as wi em tau'n letzten Mal
Adjüß säden? Dunn säd hei: Wir vergessen euch nicht, und
ihr dürft uns nicht vergessen, und Gott der Herr wird euch
und uns nicht vergessen. Das ist gewißlich wahr!«

So wurde der Warkenthiner Heiligabend in der großen

Stube von Mutter Busacker in Springdale gefeiert. Und ein Gottessegen ging aus von dieser Feier und geleitete alt und jung durchs ganze Jahr und reichte bis zum nächsten Heiligabend; nur daß der alte Jürnjakob da nicht mehr mitfeiern konnte, weil ihm sein Wunsch erfüllt worden war: Bald singen wir oben!

3. MÖNES ANTRITTSPREDIGT IN SPRINGDALE

Pastor Möne Markow trat auf die Kanzel. Mit schnellem Blick musterte er die Schäflein, die nun in »seinen Stall« gehörten. Zum weitaus größten Teil waren es Farmer, denen man ihre Herkunft aus der Norddeutschen Tief-ebene ohne weiteres vom Gesicht ablesen konnte; aber auch einige Handwerker und Krämer mischten sich unter die Farmersleute. Fast alle waren sie erschienen, Männer und Frauen und Kinder, um den »Neuen« von Angesicht zu Angesicht zu sehen; außerdem wollten sie ihm mit einem kräftigen Handschlag sagen: Sei nicht bange, wir tun dir nichts! Und vor allen Dingen wollten sie auf seine Predigtweise achten, um aus ihr herauszuhören, ob er wirklich Fleisch von ihrem Fleisch und Blut von ihrem Blut sei, ein echter Sohn der »griesen« Gegend.

Sie alle sollten zu ihrem Recht kommen. Zunächst aber zeigten sich auf ihren Gesichtern allerlei Bedenken: ›Der Mann da vor uns ist wenigstens sechs Zoll größer als der größte Mann von uns und ragt gefährlich weit über die Kanzel hinaus. Wenn er zu ungestüm in seiner Predigt und in seinen Bewegungen ist, stürzt er eines guten Tages her-unter – elf Fuß mindestens, und bricht das Genick. Und dann müssen wir von vorn anfangen, nach einem andern

Mann zu suchen, der es besser verstanden hat, Maß in seinem Wachstum zu halten, und – die Beerdigungskosten werden auch nicht gering sein!‹ Sie hatten sich aber geirrt in ihrer Befürchtung; der »Neue« verhielt sich ganz ruhig und betrachtete die Kanzel keineswegs als neumodisches Turngerät.

Pastor Markow hatte die Bibel zur Hand genommen. »Unser Predigttext steht geschrieben Psalm 115, Vers 16, und lautet also: ›Der Himmel allenthalben ist des Herrn; aber die Erde hat er den Menschenkindern gegeben.‹ Nach altem Brauch unserer Heimat teilen wir die Predigt über unsern Text in drei Teile:

1. Du deutsche Erde, du warst einst mein,
    und nimmer kann ich vergessen dein.
Das gibt uns etwas zu bedenken.
2. Im fernen Westen, da steht jetzt mein Haus,
    und Gottes Segen geht ein und aus.
Das gibt uns noch mehr zu bedenken.
3. Du, Vater im Himmel, erhöre mich,
    laß du meine Augen sehen dich!
Das gibt uns am meisten zu bedenken.

Gott grüße euch, ihr lieben Christen und Landsleute! Wenn Gott der Herr einen Menschen grüßt, so segnet er ihn. Gott hat uns gesegnet, euch und mich. Ihr wolltet einen Landsmann für eure Kanzel haben, und er ist euch geworden. Ich hatte von Kindesbeinen an den Wunsch, einmal hier in Amerika in einer deutschen Kirche deutschen Leuten in deutscher Sprache zu predigen, und mein Wunsch ist in Erfüllung gegangen. Ihr ginget euren eigenen Weg hier im Lande, und ich ging meinen eigenen Weg im Lande unserer Geburt. Nun hat Gott es so gefügt, daß ihr und ich denselben Weg gehen. Ist das nicht ein Gruß von Gott dem Herrn, ein Segen von oben?

Gott grüßt euch! Die Heimat grüßt euch auch! Sie hat sich nicht viel verändert. Die Bauern gehen nach wie vor hinter ihrem Pflug her, und die Tagelöhner schieben mühsam ihre Schiebkarre vor sich hin. Die alten Strohdächer sind noch ein wenig schiefer geworden, und die Störche klappern noch ebenso friedlich wie zu der Zeit, da ihr als Kinder auf der breiten Dorfstraße spieltet. Ihr wißt, es ist ein karges Leben in eurer und meiner Heimat, und Sparsamkeit brauchen unsere Verwandten und Freunde nicht erst von andern Leuten zu lernen. Aber doch liegt ein Gottessegen auf der ganzen Gegend, die man mit Recht die ›griese‹ Gegend nennt und die man mit demselben Recht auch die friedliche Gegend nennen könnte. Von Zank und Streit hört man nichts, und die Advokaten haben weder Verdienst noch Wohlgefallen an den Leuten dort. Jedes Dorf ist wie eine große Familie. Ist einer in Not, so stehen die Nachbarn ihm hilfsbereit bei. Gemeinsame Freude bindet die Menschen aneinander, gemeinsame Not bindet noch fester.

Der Heiland sagt einmal in bezug auf Johannes den Täufer: ›Wollet ihr einen Menschen in weichen Kleidern sehen? Siehe, die da weiche Kleider tragen, sind in der Könige Häusern!‹ Die weichen Kleider wurden euch nicht angemessen, mir auch nicht. Ihr wart zufrieden, wenn ihr heil und rein durchs Dorf gehen konntet, und ich sah mein hartes Schurzfell an wie ein Ehrenkleid. Übermäßiger Reichtum hat euch nicht aus eurer Heimat getrieben, mich auch nicht. Es wird euren Eltern und euch ergangen sein wie meinen Eltern und mir. Für Bankbuch und Scheck hatten wir keinen Gebrauch, und in den Häusern der Könige – da hattet ihr und hatte ich wenig zu tun. Das Gehen auf blitzblankem Parkettfußboden oder auf zolldicken Teppichen waren wir nicht gewohnt, und es machte uns unbeholfen; gewohnt waren wir die harten und kalten Steinfußböden der Bauern und die festgestampften Lehmdielen in den niedrigen Räumen der Tagelöhner. Und doch: Du deutsche Erde, du warst einst mein, und nimmer kann ich vergessen dein! – Das gibt uns etwas zu bedenken.

Ja, in der griesen Gegend gab es und gibt es noch heute ein armseliges Leben. Wollen wir deswegen unsere Heimat verachten und vielleicht sogar unsere Verwandtschaft und Freundschaft dazu? Davor behüte uns Gott der Herr! In das Denken und Wünschen und Tun unserer lieben Leute im ›Alten Land‹ ist durch die Armut, in die sie hineingeboren wurden und in der sie starben, ein tiefer Ernst gekommen, und der hat ihnen Ruhe und Bedachtsamkeit und Gottvertrauen gebracht. Wir hier in Amerika sind ihre Kinder, alle miteinander. Was ihr hattet, das hatte ich auch, nämlich Armut. Was fast jeder von euch ist, das bin ich auch, ein Ackersmann, nur daß ich einen andern Acker zu bebauen habe. Ihr habt eure Felder und Weiden und Wiesen, und ihr bearbeitet die Felder mit den Pferden und jagt eure Kühe auf die Weiden und erntet von euren Wiesen das Heu für den Winter. Mein Ackerfeld ist unsere Gemeinde hier in Springdale, mein Arbeitsfeld seid ihr, Mann für Mann, Weib für Weib, Kind für Kind. Viel Gutes habt ihr von drüben mitgebracht, das von christlichen Eltern und einem treuen Lehrer und einem strengen und dabei so weichherzigen Pastor in euch gepflanzt wurde. Das soll und darf hier in der neuen Erde nicht verkrüppeln und verwelken. Laßt es neben allen andern Sorgen für Haus und Hof eure Hauptsorge sein, daß das Wurzelwerk gesund bleibe,

102

und laßt euch dies sagen, daß ich dazu hierhergekommen bin, um diese Hauptsorge mit euch zu teilen und zu tragen.

Wißt ihr, was Pastor Brümmerstädt in Warkenthin, den die meisten von euch Erwachsenen noch kennen, einmal in der Kirche zu den jungen Leuten sagte? Er sagte: ›Ich habe es vor Gott gelobt, ich will kein schwacher Eli für euch sein!‹ Er hat sein Wort gehalten, und ich weiß, ihr dankt es ihm heute noch. Und was ist er den Älteren und den ganz Alten gewesen? Ein treuer Berater und Helfer in Freud und Leid, in Not und Tod. Gott helfe mir, zu werden, wie er ist!

Wir wohnen hier in einem neuen Land und müssen uns an mancherlei gewöhnen, das uns früher ungewohnt war, und wir werden uns leicht daran gewöhnen, wenn wir wie unsere Landsleute drüben in Frieden miteinander leben und einander dazu helfen, daß dies Land uns eine neue Heimat werde. Am besten dienen wir dem alten und dem neuen Land, wenn wir durch unsern ganzen Lebenswandel zeigen, daß wir etwas, was man nicht auf der Straße findet, aus dem Lande unserer Väter mit nach hier gebracht haben, nämlich Gottesfurcht und Fleiß und Ehrlichkeit.

In den wenigen Tagen seit unserer Ankunft hier in Springdale habe ich schon gesehen, daß ihr eure Last zu tragen habt an schwerer Arbeit mit Schwielen an den Händen und Schweißtropfen auf der Stirn. Jede harte Schwiele ist ein Ehrenzeichen für euch und euren Fleiß, und jeder helle Schweißtropfen zeugt für euch und nicht wider euch. Und doch ist eure jetzige Arbeit nicht zu vergleichen mit dem, was ihr in den ersten Jahren hier geschafft habt in Winterfrost und Sommerhitze. Den Erdboden, der Jahrtausende hindurch nutzlos brachgelegen hat und einer wüsten Wildnis glich, mit Axt und Säge und Spaten und

Hebebäumen nach und nach in fruchtbares Ackerland zu verwandeln – das ist eine Arbeit, die in ihrer Schwere und Mühseligkeit nur diejenigen ganz verstehen werden, die sie geleistet haben, eine Arbeit, die noch nach vielen Jahren Zeugnis ablegen wird von Fleiß und Ausdauer des deutschen Landarbeiters. Gott hat eure Arbeit gesegnet, nicht zwei- oder dreifach, sondern hundertfach, hat ›euch Gesundheit verliehen, euch freundlich geleitet‹. In einem Verslein unseres Gesangbuchs heißt es: ›Kein Zähr- und Tränlein ist so klein, du hebst und legst es bei‹. Gott ›hebt und legt auch bei‹ die vielen Schweißtropfen, die von euch zu eurem Segen auf euer Land gefallen sind. Es ist mit den Schweißtropfen wie mit dem Regen, von dem man nach langer Dürre sagt: Es regnet – Gott segnet!

Es ist gewißlich wahr: Die neue Erde gibt uns noch mehr als die alte zu bedenken. Aber was wir am meisten zu bedenken haben, das ist die ewige Heimat. Wie wird es nun hier in Springdale sein? Wird es auch hier Menschen geben, deren Wagenspuren nicht oder nicht immer geradeswegs nach oben führen oder vielfach auf Seitenstraßen oder gar abwärts laufen? Sollte es vielleicht auch hier Leute geben, die nur auf die Erde und die Erdengüter sehen und dabei in Gefahr geraten, sich in den Erdenstaub zu verlieren? Ist es Tagesregel für jeden von uns, die Hände zu falten zu einem stillen oder lauten Gebet für sich und für andere, oder gibt es auch unter uns solche, die das Händefalten verlernt haben und die lieber die Hand zur Faust ballen in großem Grimm gegen ihren Nächsten oder gar gegen Gott den Herrn selbst?

Ihr lieben Christen, wir wollen es uns nicht verhehlen, daß wir alle miteinander nicht gut sind vor Gott dem Herrn, solange unsere Erdentage währen. ›Gut‹ werden wir erst, wenn es von uns heißt: ›Gott im Himmel macht uns reich und seinen lieben Engeln gleich‹. Bis dahin wird der leidige Satan es nicht daran fehlen lassen, uns ›mit groß' Macht und viel List‹ einen Stein nach dem andern auf unsere Lebensstraße zu wälzen, um uns zu Fall zu bringen. Aufgepaßt, ihr lieben Springdaler Christen! Faßt eure Herzen zusammen in dem Sprüchlein, das unser alter Nachtwächter in Warkenthin an jedem Abend um elf Uhr an jeder Straßenecke sang:

> Hört, ihr Leut', und laßt euch sagen,
> Unsre Glock' hat elf geschlagen.
> Nur elf Jünger blieben treu;
> Hilf, Herr, daß kein Abfall sei!

Am zweiten Abend nach unserer Ankunft hier wurde ich zu einer alten Frau gerufen, die im Sterben lag und noch ein gutes Wort mit auf die Heimfahrt nehmen wollte. Da haben sie und ich den Vers zusammen gebetet: ›Schreib meinen Nam' aufs beste ins Buch des Lebens ein!‹ Wenige Minuten darauf ist sie gestorben. Und als ich dann nach Hause ging, da hat es mir immer in den Ohren geklungen, wie es in einem alten Soldatenlied heißt: ›Das war ein selig' End!‹ Und ich bin fröhlich meines Wegs gegangen in der Gewißheit: ein selig' Sterben als erster Gruß im fremden Land ist wie ein Segen aus Gottes Hand. Wie die Entschlafene möchte auch ich einmal sterben. Und du, Gott im Himmel, hilf, daß alle meine Gemeindeleute, jung oder alt, so wie diese alte Frau ihren Abschied nehmen von der Welt und so ihren Einzug halten in die Ewigkeit! – Gott walt's. Amen!«

4. BRIEFE AUS AMERIKA

Möne schreibt an seine Eltern

Lieber Vater und liebe Mutter!

Ihr wohnt, solange ich denken kann, in Immenkath, und wir haben nun unser Zelt ein wenig weiter nach dem Westen zu aufgeschlagen. Tausende von Meilen liegen zwischen Euch und uns. Aber doch seid Ihr uns immer nahe; denn unsere Gedanken sind wie die Vögel unter dem Himmel. Jetzt sitzen sie auf der Mauer zwischen Haus und Landstraße, und schon im nächsten Augenblick fliegen sie vor die Fenster von Immenkath oder vor die offene Schmiedetür und gucken hinein in Stube oder Werkstatt. Und sie sehen Dich, Vater, vor dem Amboß stehen und Dich, Mutter, wie Du in der Küche das Geschirr abwäschst und nachher nach Besen und Handeule greifst. Sieh, Mutter, das habe ich immer so gern gehabt, daß Du auf Reinlichkeit hieltest und mir vorlebtest, was Du mir oft gesagt hast: »De Minsch möt sick binnen un buten rein hollen.« – Aber ein Ding, das ich auch hin und wieder in meinen Gedanken vor mir sehe, gefällt mir nicht. Ich sehe, daß dem Vater der Hammer schon etwas schwer wird, und ich sehe auch, daß Mutter sich manchmal mitten in der Arbeit hinsetzen muß, was früher nicht ihre Gewohnheit war. Ich möchte Dir gern mal den Hammer aus der Hand nehmen, Vater, und Grete würde ihre helle Freude daran haben, Dir, Mutter, bei Deiner Arbeit in Haus und Garten zu helfen. Aber es liegt viel Land und Wasser zwischen Euch und uns; die Gedanken gehen leicht hinüber, aber die Beine reichen nicht so weit und die Arme erst recht nicht.

Ich kann Euch berichten, daß die Leute hier gut zu uns

sind. Wir merken es immer wieder, daß sie Kinder der griesen Gegend sind, und darum ist es uns, als ob wir gar nicht zu fremden Menschen gekommen wären, sondern zu alten Bekannten. Sie haben viele Jahre hindurch hart gearbeitet und fangen nun an, den Lohn ihrer Arbeit zu sehen. Grete mit ihrem natürlichen Wesen versteht es gut, mit den Leuten umzugehen. Ihr ist ja auch alles neu hier, und darum muß sie die Frauen oft um Rat fragen, und sie raten ihr gern und gut. Neulich ist sogar die »weise« Frau zu ihr gekommen und hat ihr, falls es notwendig sein sollte, ihre Dienste angeboten. Es eilt aber nicht damit.

Dir, Vater, danke ich, daß ich von Dir gelernt habe, den Hammer zu führen. Das kann ich hier gut gebrauchen. Unser Schmied versteht nicht viel von seinem Handwerk, und das kommt daher, daß er keine richtige Lehrzeit durchgemacht hat, sondern nur hin und wieder andern etwas abguckte und es ihnen nun nachmacht, gut oder schlecht, meistens aber schlecht. Sieh, Vater, da helfe ich ihm zuweilen, ihm und den Farmern zuliebe, besonders beim Hufbeschlag. Das schadet mir nicht. Schmiedearbeit ist ehrliche Hantierung und macht nichts weiter schwarz als Gesicht und Hände, und dafür sind Wasser und Seife gut. Die Farmer nehmen es mir nicht übel, wenn ich ihnen helfe. Gestern hörte ich, ohne daß es für meine Ohren bestimmt war, daß unser Nachbar seinem Schwager auf der andern Seite der Straße zurief: »Is doch en bannigen Kirl, uns' nie Preister! Alldags in de Smäd un Sünndags up de Kanzel. Dat kann nich jeder.« Nein, das kann nicht jeder und paßt auch nicht für jeden und an jedem Ort. In Warkenthin würde es nicht passen; aber hier geht es, wenn es selten und nur im Notfall geschieht und nicht durch Übertreibung zur Gewohnheit wird. Es ist damit ähnlich wie mit dem Boten-

107

gang von Pastor Brümmerstädt. Er kann sich diese Dienstleistung erlauben, weil er eben Pastor Brümmerstädt ist. Ein anderer an seiner Stelle würde sich wahrscheinlich dadurch lächerlich machen, und in hundert andern Gemeinden würde und dürfte selbst er es nicht tun; aber in Warkenthin gereicht es ihm zur Ehre und seinen Leuten zur Freude.

Oft wünsche ich mir, daß ich meinen Schüten hier hätte. Liebe Mutter, willst Du mir einen Gefallen tun? Aber Du mußt mich nicht auslachen. Gib Schüten ein schönes Stück Butterbrot und ein schönes Stück Leberwurst dazu, und sag ihm, daß ich es für ihn bestellt habe. – Lieber Vater, ist es nicht an der Zeit, daß Du Dir einen tüchtigen und zuverlässigen Schmiedegesellen in Deine Werkstatt nimmst, der Dir die schwerste Arbeit abnehmen kann? –

Grete ist eine Pastorenfrau, wie sie sein soll. Sie findet sich tapfer in die neuen Verhältnisse und schenkt ihrem bärentatzigen Mann so viel Liebe, daß sein Grobschmiedsherz sie kaum beherbergen kann. – Abends nach getaner Arbeit gehen wir mitunter auf die Porch. Das ist so eine Art von Veranda vor oder neben der Haustür. Da sitzen wir dann beide Hand in Hand, eine halbe Stunde oder noch länger. Das ist die Zeit, da wir von der Heimat sprechen, von Warkenthin und Immenkath, von Pfarrhaus und Schmiede, von Strohdächern und Storchnestern. Bis Grete dann plötzlich aufsteht und sich ganz zufällig einmal mit der Hand über die Augen wischt und sagt: »Nun ist's genug!« Und dann gehen wir zur Ruhe. – Gott behüte Euch und uns!

Eure Möne und Grete

Nachschrift: Mutter, vergiß nicht Schüten und sein Stück Wurst!

Brief von Grete an ihre Mutter

Liebste Mutter!

Möne ist ins Dorf gegangen, um dem Schmied zu helfen, ein junges Pferd zum erstenmal zu beschlagen. Es ist schon das zweite Mal, daß er bei solcher Gelegenheit hilft, und er ist ganz stolz darauf, daß er den Leuten zeigen kann, wie man ein junges Tier dabei behandeln muß, und die Leute sind stolz auf ihren Herrn Pastor, weil er sich nicht schämt, ihnen auch in dieser Weise zu dienen. Er hat heute auch noch andere Gänge zu tun und hat mir gesagt, um 6 Uhr könne ich ihn erwarten; das ist hier unsere Zeit zum Abendessen. Wenn er zurückkommt, muß das Essen auf dem Tisch stehen. Du weißt, Möne kann vieles, aber warten kann er nicht, und Pünktlichkeit ist seine größte Untugend. Wenn er die Mahlzeit nicht zum bestimmten Glockenschlag vorfindet, kann er ein Gesicht machen wie der Prophet Jonas, als Gott ihm den Befehl gab, der Stadt Ninive den Untergang zu verkündigen. Aber sonst ist der garstige Grobschmied schrecklich lieb und gut zu mir. Manchmal, besonders des Abends, steht er plötzlich vor mir und sieht mich ganz ängstlich an. Dann weiß ich, er denkt an Warkenthin und Immenkath. Du mußt aber nicht glauben, daß wir uns dann hinsetzen, jeder in seine Ecke, und heulen wie die Werwölfe. Gewöhnlich ist es nur ein kurzer Anfall, der meistens damit endet, daß Möne meine beiden Hände in einer seiner gewaltigen Fäuste verschwinden läßt und sagt: »Lat dat man gaud sin, min Dirn! Die Erde ist überall des Herrn!« Und dann geht jeder flugs und fröhlich wieder an seine Arbeit.

Unsere Gemeindeleute sind der größten Mehrzahl nach Mecklenburger, und einige von ihnen kommen von Warkenthin und Umgegend. Sie sprechen mit Möne und mir, wie ihnen der Schnabel gewachsen ist – unverfälschtes Mecklenburger Platt. Andere Familien, ungefähr ein Dutzend, haben ihre Heimat in Schleswig-Holstein, in Pommern und in der Lüneburger Heide, und sie halten es für ihre Pflicht, mit uns hochdeutsch zu reden. Die meisten von ihnen sind einfache Landleute wie unsere Mecklenburger und wohnen hier schon viele Jahre und mischen gern, wo es nur irgendwie angeht, englische Brocken in ihr hausbackenes Hochdeutsch, so daß eine ganz neue Sprache entsteht, die für uns Neulinge nicht immer leicht zu verstehen ist. Möne fragte vor einiger Zeit einen pommerschen Mann nach seinem Sohn und erhielt die Antwort: »My boy wohnt in Newton, drei Meilen von hier. Er ist married, und ich habe ihn vor zwei Wochen gevisited, weil er doch ein baby hat, und das ist schon gebaptized, was ich gar nicht expected hatte.« – Eine Frau, ebenfalls in Pommern gebürtig, sah mich neulich in unserm Garten arbeiten und kam herüber und klagte mir ihr Leid: »Ja, ich habe auch einen garden und freue mich über die flowers; aber dann kommen die bösen boys und jumpen über die fence usw.« – Und wenn man jemand von diesen Leuten auf der Straße oder in einem Geschäft trifft, so heißt es nach der ersten Begrüßung fast stets: »Wie geht es bei you?« Das hört sich so drollig an, daß man nur mit Mühe das Lachen unterdrücken kann; aber lachen darf man beileibe nicht darüber, denn das würden sie, die früheren Preußen, die mit einiger Geringschätzung auf die einfältigen Mecklenburger mit ihrem noch einfältigeren Plattdeutsch herabsehen, sehr übelnehmen.

Auch eine schwäbische Familie haben wir hier. Es ist ein Genuß für uns, sie in ihrem Dialekt sprechen zu hören. Die junge Frau kann es nicht verstehen, daß sehr viele amerikanische Mädchen, erwachsene und halberwachsene, so herzlich wenig von Kochen und Backen und der ganzen Hauswirtschaft verstehen, und wenn sie sich darüber äußert: »Ja, was kennet denn de amerikanische Mädle? Sie kennet danze ond schpringe ond pfeife ond 's Maul spazierelaufe lasse, ond des ischt alles, was se kenne!«, so klingt das wirklich lustig, und man darf ungeniert darüber lachen. Die Frau ist sehr fleißig, und der Mann arbeitet auch, aber mit Maßen. Für Überanstrengung ist er nicht, und als er uns versicherte: »Wenn emol d'Arbet schtirbt, zu dere Leich' geh i au!« haben wir ihm das aufs Wort geglaubt. Es war derselbe Schwabenmann, der Möne beim Graben im Garten zurief: »Net so fescht schaffe, Herr Pfarrer; mir langt's, wenn i bloß a wen'g Arbet hab'!«

Aber auch unsere Mecklenburger kriegen zuweilen einen guten Schnack fertig. Am letzten Sonntag hatte ich beim Weggehen aus der Kirche das Taschentuch auf meinem Sitz liegenlassen. Da kam mir eine Frau – sie stammt aus der Gegend von Waren – in großer Aufregung nachgelaufen und rief mir zu: »Frau Paster, Sei hebben Ehr Taschendauk verlaten!« Worauf ich dann mein Taschentuch, das sich so verlassen fühlte, wieder an mich nahm.

Du mußt aber nicht glauben, liebe Mutter, daß ich mich lustig über unsere Leute machen will. Die meisten von ihnen, nicht alle, sind lieb und gut und so treuherzig in ihrem Wort und Wesen, daß man ihnen wieder gut sein muß, ob man will oder nicht. Es steckt viel Gutes in ihnen, und Möne sagt das auch, und darum muß es wahr sein. Weil sie aus eigener Erfahrung wissen, wie schwer es ist, sich von der Heimat zu trennen, kommen sie uns, den Neulingen, mit so viel Freundlichkeit entgegen und oft mit einem so zarten Verständnis, wie man es diesen arbeitsharten Menschen gar nicht zutrauen sollte. Hab Du keine Angst um mich, liebe Mutter! Ich bin hier nicht verlassen wie mein Taschentuch.

Möne und ich freuen uns immer wieder, daß man hier in Springdale sehr selten einen Fluch hört. In Warkenthin ist das Fluchen ja auch eine Seltenheit. Möne behauptet aber, daß es sonst in Deutschland auch Leute gibt, die ab und zu gern und kräftig fluchen. Hier in Amerika scheint es damit noch schlimmer zu sein. Schon auf unserer Reise von X. nach hier haben wir so viel Flüche schlucken müssen, daß uns ganz übel davon wurde und wir in Gefahr standen, den Fluchern zu fluchen. Mir kommt es so vor, als ob hier im Lande jeder dritte Mensch es sich zur Ehre anrechnete, in jedem dritten Satz seines Redens einen kräftigen Fluch anzubringen, und als ob man den, der nicht in fünf Minuten fünfmal derb fluchen kann, gar nicht für ein richtiges Mannsbild hielte. Man könnte auf den Gedanken kommen, daß das Wort »fluchen« aus Versehen in die Erklärung des zweiten Gebots aufgenommen wäre. Ja, was das Fluchen anbetrifft, so sind die Deutschen im Verhältnis zu andern Völkern die reinen Waisenkinder und Sonntagsschüler.

Du fragst, ob ich Heimweh hätte. Nicht immer, liebe Mutter; aber ich bitte Dich, frage nicht wieder danach. Ich weiß, Gottes Sonne scheint auch hier warm und freundlich hinein in Häuser und Herzen.

Tausend Grüße, die Du und Vater Euch ehrlich teilen sollt,

von Möne und seiner und Eurer Grete

Möne schreibt an Pastor Brümmerstädt und Frau

Liebe Pastorsleute in Warkenthin!

Grete und ich sind gesund in Springdale angekommen. Die Reise war man soso. Als Du, lieber Vater Brümmerstädt, in Bremerhaven von uns gegangen warst und wir zusammen auf dem Bettrand in der kleinen Kabine saßen, schlug Grete auf einmal beide Hände vors Gesicht und hob laut zu weinen an. Ich habe ihr nicht dabei geholfen, aber weit wohnte ich nicht davon ab. Dann aber sprach ich mit mir selber folgendermaßen: Sie ist nun mein mir christlich angetrautes Eheweib, und ich bin ihr rechtmäßiger Ehemann, und als solcher ist es meine Pflicht und Schuldigkeit, sie zu trösten. – Das habe ich denn auch getan, so gut ich es konnte; aber sehr gut konnte ich es nicht. Habt Ihr jemals gesehen, daß ein großer Schlachterhund ein von der Mutter verlassenes Gössel tröstete? So ungefähr war es mit Grete und mir. Aber auf einmal warf Grete den Kopf zurück, wischte sich die Tränen aus den Augen und sagte: Das ist ja doch zu dumm, daß ich hier anfange zu heulen. Das nützt mir nicht und meinem Vater auch nicht und meiner Mutter erst recht nicht, und sehen und hören tun sie es auch nicht und Wasser sehen wir auch ohne meine Tränen genug um uns her. Und außerdem, ich habe ja dich! – Ich kann Euch sagen, das tat meinem inwendigen Menschen sehr wohl.

Die Fahrt auf dem Schiff war in den ersten Tagen sehr unruhig. Manche Menschen hielten es für ihre Pflicht, den Mitreisenden drei- oder viermal jeden Tag zu zeigen, was und wieviel sie eine halbe Stunde vorher gegessen hatten. Unser Appetit wurde dadurch nicht größer. Einmal mußte ich ihrem Beispiel folgen, aber ganz im verborgenen in unserer Kabine mit keinem andern Zeugen als Grete, die neben mir stand und ein Gesicht machte wie jemand, der lachen muß und nicht lachen will. Da sprach ich: »Grete, du bist ja ein ganz herzloses Weib. Wie kannst du lachen, wenn du mich in einem solchen Jammerzustand vor dir siehst? Hast du mir nicht erst vor wenigen Tagen feierlich gelobt, daß du mir treu zur Seite stehen wolltest in guten und bösen Tagen? Und siehe, heute ist so ein böser Tag über mich gekommen, und du lachst!« – Worauf sie erwiderte: »Es ist aber auch zu komisch, daß du baumstarker Grobschmied dich von ein paar Wellen, die dir nicht einmal die Füße naß machen, umschmeißen läßt, und ich, dein schutzbedürftiges Weib, stehe fest und sicher vor dir auf meinen Füßen. Wer von uns beiden gehört nun eigentlich zum starken Geschlecht? Und außerdem, ich habe nicht gelacht!« – Ich aber antwortete und sprach: »Es ist nicht also, du hast gelacht; ich habe es in deinen Augen gelesen!« – Dann umfaßte sie mich mit großer Lieblichkeit und sagte: »Du armer Jung, womit soll ich dich trösten? Soll ich dir vielleicht eine Geschichte erzählen aus alter Zeit, von fahrenden Sängern, die die Burgen der Ritter aufsuchten und sangen: Wer will unter die Soldaten?« – Und dann lachten wir beide.

An einem Abend, als wir noch zwei Tage Schiffahrt vor uns hatten, standen fast alle Passagiere auf dem Deck, denn es war ein schöner Tag gewesen, das Wasser war ruhig, und der Mond stand hoch. Auf einmal fing Grete an zu singen: »Müde bin ich, geh' zur Ruh«, und es dauerte gar nicht lange, da ging ein vielstimmiger Chor über die Wasser hin: »Vater, laß die Augen dein über meinem Bette sein!« – Es war schön, das Singen, und das leise Rauschen des Meeres klang dazu wie feines Orgelspiel. Der Steuermann war von deutscher Herkunft, aber in Polen aufgewachsen. Das Schiff steuerte er gut, aber nicht seine Zunge, die auch in Polen großgeworden war und mit der deutschen Sprache in Feindschaft lebte. Wir verstanden ihn aber doch. Als er bei unserm Singen das Steuerrad einem andern überließ und zu uns herunterkam, sagte er: »Ick libben serr gut Gesang, aber ick muß mick staunen, daß deitsch Leit libben zu singe zu Abend!« – Da habe ich ihm geantwortet: »Wir sind daran gewöhnt, den lieben Gott am Abend um seinen Schutz für die Nacht zu bitten, und das haben wir mit unserm Lied getan.« – Da hat er mir die Hand gedrückt und ist wieder in seinen Steuerkasten geklettert. Lieber Vater Brümmerstädt, Du weißt, meine Hand ist groß, und ich kann sie einem andern Menschen so geben, daß er dabei Gesichtszucken kriegt. Als aber der Steuermann mir die Hand drückte, da hat mir nicht bloß das Gesicht gezuckt, da zuckten auch meine Beine, als ob sie tanzen wollten, und ich hätte am liebsten Auweih geschrien. Nachher, als wir zu Bett gingen, sagte ich zu Grete, sie solle doch mal meine Hand besehen, vielleicht hätten sich die Knochen etwas verschoben. Sie hat weiter nichts gefunden, die Hand war nur stark geschwollen. Der Steuermann hat es aber doch gut gemeint.

Die Eisenbahnfahrt von X. nach hier dauerte vier volle Tage, die Nächte mit eingerechnet. Es ist hier genau wie in Mecklenburg, die Sonne scheint des Tags und der Mond des Nachts. Es will mir aber vorkommen, als ob die Sonne in Warkenthin früher aufsteht und später zu Bett geht als hier. Hier gönnt sie sich mehr Nachtruhe, und deswegen fühlt sie sich am Tage kräftiger und scheint heißer als daheim bei uns. Besonders muß ich mich aber über den Mond wundern. Solange ich ihn kenne, zog er immer still und

ruhig seine Straße über Warkenthin und Umgegend, und –
das muß ich ihm zu seiner Ehre nachsagen – Lärm macht
er hier auch gerade nicht; aber das mag ich nicht leiden,
daß hier immer so ein breites Grinsen über sein volles Gesicht geht, als wolle er sich lustig machen über alle Menschen, die unter seinem Schein schlafen, über Alte und
Junge.

Unterwegs machten wir Bekanntschaft mit einem Amerikaner, der ein gutes Deutsch sprach und sein Land von
einem Ende zum andern zu kennen schien. Er zog mit uns
dieselbe Straße, nur daß er noch einen Tag länger mit der
Bahn zu fahren hatte. »Es ist ein reiches Land, das Land
Amerika«, sagte er, »und die Leute darin haben den Euro-
päern und besonders den Deutschen viel Gutes abgeguckt
und es sogar nach und nach verbessert. Einzelne von meinen Landsleuten haben Großes geleistet; aber der Fehler
ist, daß nun alle Amerikaner davon überzeugt sind, daß sie
alle Großes leisten; wir haben die größten Erfindungen in
der ganzen Welt und die größten Brücken und die größten
Maschinen und die größten Banken und« – fügte er mit
lautem Lachen hinzu – »die größten Prahlhänse.« – Als
ich ihm erzählte, daß ich einer abseits gelegenen Landgemeinde als Pastor dienen wolle, meinte er achselzuckend:
»Darin steckt kein Geld! Sie tun besser, wenn Sie umsat-
teln!« Und als er sich verabschiedete, gab er mir noch den
Rat: »Vor allen Dingen gebrauchen Sie Ihre Ellbogen,
sonst kommen Sie nicht vorwärts!« – Mit dem Vorwärtskommen meinte er: viel Geld verdienen; das konnte ich an
seinem Augenzwinkern merken. Aber ich bin nicht zum
Geldverdienen nach hier gekommen; ich will ein Bauern-
pastor sein, ein anderer Sattel paßt mir nicht.

Über die Leute hier in Springdale kann ich selbstver-

ständlich noch kein Urteil fällen, wenigstens kein endgül-
tiges. Aber ihre Augen sagen mir, daß sie auf uns gewartet
haben, und ihr fester Händedruck bedeutet Vertrauen. Die
harte Arbeit, die sie getan haben und noch tun, hat eine
eiserne Entschlossenheit in ihnen zuwege gebracht, den
Kampf mit der ungebändigten Natur um sie her siegreich
zu Ende zu führen; aber dabei scheint ihr Herz weich und
warm geblieben zu sein, und die alte Heimat steht lebendig
vor ihnen wie vor Grete und mir. Sie fragen mich nach jedem Haus und Baum und Brunnen und Storchnest, nach
ihren Verwandten und Freunden, und sie fragen nach
Euch. Wenn ich ihnen dann erzähle, dann hängen ihre
Blicke an meinen Lippen wie bei Kindern, denen ihre
liebste Geschichte erzählt wird. Lieber Vater Brümmerstädt, Du hast an vielen dieser Menschen gearbeitet Jahr
für Jahr und hast ihnen zu guter Letzt noch ein gutes Wort
mit auf die Reise nach hier gegeben, und ich hoffe zu Gott,
daß ich sie weiterführen kann auf dem Wege, den Du ihnen
gewiesen hast. -- Gehabt Euch wohl!

Euer Möne

5. BRIEFE AUS DEUTSCHLAND

Mönes Mutter schreibt

leiw möne un leiw grete!

nu will ick ok mal schriewen. dat is nich so licht för mi.
Ick kann beter mit'n bessen ümgahn as mit de fedder.
vadder un ick sünd gesund, un dat hoffen wi jo ok von jug.
de gries gauß (Gans) hett säben gössel utseten, äwer dat
ein is lahm, un de häuhner leggen all flietig, un de adebor
is ok all hier. wenn vadder middags odder abends von de

smäd' in't hus kümmt, denn kickt hei männigmal so snur-
rig in alle ecken, as wenn hei wat verlurn hadd, un wenn
ick em denn frag, fehlt di wat, vadder, denn is dat grad so,
as wenn hei ut'n slap upwakt, un denn seggt hei, ne, lat
man sin, mudder, ick bün blot mal wedder dumm west.
ümmer, wenn ick in de stuw kam, denk ick, dat möne hier
in'ne eck odder achter den disch stahn möt, un dat is jo
würklich dumm, denn ick weit jo gaud, dat hei nu in de
amerikansche wildnis is. un du, grete, wo geiht di dat? ick
heff mi ümmer en dochter wünscht, un nu hett de leiw
Gott mi en gewen. tauirst, as ji verspraken wiren, hadd ick
en beten angst vör di. so en fin pastorendochter un de jung
von en swarten smidt un sin fru, ward dat ok woll gahn?
Ick heff di dat ok mal seggt, äwer denn hest du mi utlacht
un hest din beiden arm üm mi leggt un hest mi en kuß
gewen un seggt, dat möst du nich denken, mudder. sühst
du, so wat vergett ick nich, min döchting, min ganzes lewen
nich. ja, möne, ick heff schüten en stück wust gewen, en
ganz grot stück. wat för en trugen hund is dat doch! as du
in de frömd güngst, set hei wochenlang jeden dag up de
mur an de straat un kek den weg lang, ob du nich bald
wedder kamen würst. dat hett mi oft so led dahn, un denn
bün ick hengahn un heff em äwer't fell strakt un heff
seggt, lat dat man gaud sin, schüten, morgen nahmiddag
kümmst du mit mi in de stuw, un denn sett ick mi up'n
stauhl un knütt (stricke), un du sittst neben mi, un denn
vertelln wi uns all de geschichten, dei wi von möne weiten.
bedankt hett schüten sick nich för dat botterbrot un de
wust un den knaken (Knochen), den ick dortau leggt hadd,
äwer du kannst glöwen, dat hei en vergnäugt gesicht makt
hett, un sin swanz güng as de perdikel von uns klock. nu
is dat en langen breiw worden, un nu dauhn mi de finger

so weih, as ob ick'n ganzen dag getüffel (Kartoffeln) upnahmen heff. mit de punkten un de kommas weit ick nich
bescheid. wenn ick mit'n breiw farrig bün, möt vadder sei
nah sin gauddünken twüschen de würd setten. hei kann dat
beter as ick. ick bün mit de johren ümmer dummer worden, ick weit nich mal mihr, wecke würd (Wörter) grot
schrewen warden möten, un dorüm schriew ick sei all lütt.

wenn dat water twüschen amerika un dütschland nich so
wied un so deip wir, denn wull ick woll mal räwer springen un jug besäuken, un wenn ick blot fief minuten lang
von buten (draußen) dörch dat finster kieken un unsen
leiwen langen jungen un uns grete döchting seihn künn.
äwer dat geiht nich, min bein sünd tau kort un tau stiew
dortau, un de geografi von amerika kenn ick ok nich, un
dorüm künn dat woll gescheihn, dat ick verbiestern ded
un nich nah jug un ok nich wedder taurügg tau vadder finden künn, un dat wir doch man schad' üm jug

oll mudder markow.

Brief von Vater Markow

Liebe Kinder!

Wenn Ihr diesen Brief seht, so werdet Ihr sagen: das hat
ein Mann geschrieben, der nicht oft in seinem Leben
schreibt, und darin habt Ihr recht. Der Schmiedehammer
ist mir lieber als die Schreibfeder. Mit dem Hammer habe
ich doch etwas Festes in der Hand, mit der leichtfertigen
Feder weiß ich nicht viel anzufangen. Aber nun hat es
mich schon lange gejuckt, an Euch zu schreiben, nicht in
den Fingern hat es mich gejuckt, sondern innen im Herzen.

Liebe Kinder, ich muß Euch sagen, daß wir Euch vermissen. Wir vermissen unsern langen Möne, und wir ver-

missen Dich, Grete, und Dein frohes Lachen. Aber das ist nun einmal so: Wenn die jungen Vögel flügge geworden sind, dann fliegen sie aus dem Nest. Ihr seid reichlich weit geflogen, und wir könen den Rauch aus Eurem Schornstein nicht sehen. Aber das ist nun nicht zu ändern, wird wohl auch gut so sein.

Liebe Grete, Mutter hat Dir mal geschrieben, daß Du ihr zu Anfang beinahe zu fein und zu gut für uns vorgekommen bist. Ich verstehe, daß Mutter so gedacht hat. Aber ich habe anders gedacht. Als Du und Möne Eure Hände vor dem Altar in der Kirche zusammengelegt habt, da habe ich gedacht: So ist es gerade recht; Möne hat nicht bloß starke Knochen, er hat auch einen starken Sinn und ein starkes Herz, und die Grete kann sich auf ihn verlassen, und wenn Du ihm mit Deinem hellen Lachen ins Herz hineinlachst, so ist das auch gerade recht, denn manchmal ist es mir so vorgekommen, als ob er für seine Jahre zu ernst wäre.

Wenn Du zu uns ins Haus oder in die Schmiede kamst und Deine kleine Hand in meine schwarze Pfote gelegt hast, so ist mir nie der Gedanke gekommen, daß Deine Hand zu fein für uns wäre, sondern ich habe sie herzhaft gedrückt, so daß meine fünf Fingerabdrücke darauf zu sehen waren. Schwarz und weiß paßt gut zueinander, und wenn man noch das rote Blut in den Fingern dazunimmt, dann sind sie zusammen, die alten Farben der Heimat.

Dein Vater ist ein studierter Mann, und Deine Mutter ist eine gebildete Frau, und wir in Immenkath sind einfache Leute. Aber weißt Du, Grete, ich habe nie viel auf Stand und Herkunft gegeben und habe immer gedacht, wenn einer seine Pflicht und Schuldigkeit tut, dann ist alles andere Nebensache. Mein Handwerk ist immer mein Stolz gewesen und ist es noch heute. Nur einmal in der Woche kriegt mein Stolz einen starken Stoß. Das ist, wenn wir am Sonntag in der Kirche zum Schluß das heilige Vaterunser beten und an die fünfte Bitte kommen. Dann bleibt nicht viel vom Stolz übrig.

Nun bin ich beinahe ins Predigen gekommen, und das steht mir nicht zu. Das überlasse ich besser Deinem Vater, der es aus dem Grunde versteht. In einer Weise ist Pastor Brümmerstädt auch ein Schmied, nur daß ich das Eisen schmiede, und er schmiedet die Gewissen, bis sie glüh-heiß sind, und die Herzen, bis sie weich werden. – Unser Lehrer Iserloth ist krank. Die Leute sagen, daß er die Aus-zehrung hat. Das ist kein Wunder bei dem geringen Gehalt, das die Regierung ihm zahlt. Aber wir alle in Warkenthin haben auch schuld. Warum sind wir nicht eingesprungen und haben geholfen! Aber dazu waren wir zu gedankenlos, und damit bin ich wieder bei der fünften Bitte.

Vor vier Wochen habe ich einen Gesellen eingestellt. Er läßt sich gut an bei der Arbeit und scheint ein stiller und ordentlicher Mensch zu sein. Als er ankam, hatte er nichts auf dem Leibe als Flicken, und im Leibe hatte er die nicht einmal. Mutter hat ihn äußerlich und innerlich ziemlich wieder hergerichtet und ihm Deinen alten Anzug gegeben, Möne, aber der reicht ihm oben bis über die Ohren und unten bis unter die Fußsohlen. Dafür kann er nicht, denn er ist klein von Statur.

Wenn Ihr wieder schreibt, so vergeßt nicht, uns zu sagen, was für Ackerboden Ihr dort habt. Wenn es Euch an Sand fehlen sollte, so wollen wir Euch gern etwas abgeben. Wir haben reichlich davon, und Ihr sollt ihn billig haben.

Dies habe ich geschrieben mit einer Schmiedefaust am Sonntagnachmittag.

Der alte Grobschmied in Immenkath

Grete nahm Möne den Brief aus der Hand und legte ihn zu dem andern von Mutter Markow. »Was für feine Menschen sind doch deine Eltern, Möne«, sagte sie, »äußerlich hart wie Eisen und Fels, innerlich treu und echt wie Gold.« – »Ja«, meinte Möne, »wir beide sind wirklich sehr weise und vorsichtig in der Wahl unserer Eltern gewesen. Und wenn meine Mutter auch jedes Wort in ihrem Brief klein schreibt, das schadet nicht. Ich will ihr in meiner Antwort sagen, daß das Wort ›Mutterliebe‹ noch immer groß geschrieben wird.«

Brief von Pastor Brümmerstädt

Liebe Kinder!

Es ist heißer Sommer und Erntezeit. Die Schnitter schneiden mit scharfen Sensen das reife Korn. Es ist harte Arbeit für sie und die Binderinnen, und der Schweiß fließt in Strömen. Und doch sind die Ernteleute froh, und wenn ein Juchzer über das Feld hinklingt, oder wenn die Mäher von Zeit zu Zeit ihre Sensen schärfen, so liegt ein eigener Wohllaut darin. Bei Euch ist es anders, bei Euch arbeiten die Maschinen, und die sind »praktisch«. Die Amerikaner nennen sich andern Nationen gegenüber gern »praktische Leute«, und sie nennen sich so nicht mit Unrecht. Sie sind praktisch in Haus und Stall, auf dem Feld und in der Werkstatt, beim Bauen von Häusern und bei der Erziehung ihrer Kinder, und das mag gut und schön sein. Aber ich hänge eben am Alten und kann mich mit dem amerikanischen Praktischsein nicht sonderlich befreunden. Ich denke, der Mensch muß etwas mehr sein als nur praktisch und muß nicht Tag für Tag nur mit Maschinen Umgang pflegen, wobei er möglicherweise nach und nach selber zu einer Art von Maschine wird. Es muß für den Menschen noch etwas anderes dazukommen, sonst verkümmert er an Herz und Gemüt.

Ihr kennt noch die Mutter Ahrens in Warkenthin, die nun schon heimgegangen ist. Wenn sie in ihrem Altenteilstübchen vor dem Spinnrad saß und das Spinnrad und die Katze auf dem Fensterbrett um die Wette schnurrten und die alte Frau ein Lied aus alter Zeit vor sich hinsummte – ja, da war die Mutter Ahrens auch praktisch tätig, aber dabei lag etwas über dem Ganzen, selbst wenn draußen der Wind heulte und die Schneeflocken tanzten, etwas, was einem Herz und Sinn warm machte, etwas, was viele Amerikaner nicht haben. – Oder stellt Euch vor, daß an einem heißen Erntetag die Schnitter und Binderinnen am späten Abend von allen Feldern und von allen Seiten heimkehren und sich mitten auf der breiten Dorfstraße treffen und haltmachen, und die Mädchen und jungen Frauen singen »O Mecklenburg, mein Heimatland«, und die Männer streichen zur klirrenden Begleitung noch einmal die Sensen, so hat das einen guten Klang, und ich denke, daß in diesem Klingen und Singen, den Ernteleuten vielleicht unbewußt, doch etwas liegt wie »Nun danket alle Gott«. So einen Schluß des Erntetages können uns die Amerikaner nicht nachmachen; sie leben in der Neuen Welt, und wir hier gehören zur Alten Welt. Nicht alles Alte ist gut, aber es ist viel Gutes in dem Alten. Ich will den Amerikanern keinen bösen Leumund machen. Manche von ihnen haben Herz und Gemüt und haben es oft bewiesen. Aber sie sollen vorsichtig damit umgehen, damit ihnen das Herz nicht eines guten Tages unter die Maschinenräder gerät und ihr Gemüt nicht eines andern guten Tages vom Nordwind fortgetrieben wird. –

123

Soeben kommt Mutter in meine Stube, um nachzusehen, ob ihr Mann auch fleißig bei seinen Büchern sitzt, und als sie den angefangenen Brief sieht, verlangt sie, daß ich ihn vorlesen soll. Immer wenn ich einen Privatbrief schreibe, verlangt sie das Vorlesen, um dann ihr Gutachten abzugeben. Diesmal war es kein Gutachten, sondern ein Mißachten, denn sie sagte: »Das hätte ich an deiner Stelle nicht geschrieben, das macht den Kindern nur Heimweh.« Vielleicht hat sie recht mit ihrem Einwand; aber nun ist das Unglück einmal geschehen, und ich habe keine Neigung, wieder von vorn anzufangen. Doch soll nun etwas anderes folgen.

Es ist wohl die Frage, ob wir uns hier auf Erden jemals wiedersehen werden. Aber daran wollen wir festhalten: es gibt ein Wiedersehen! Ihr habt meine Großeltern nicht gekannt. Sie brachten ihre letzten Lebensjahre bei meinen Eltern zu und bewohnten oben im Hause zwei Stübchen mit weiter Aussicht auf die Rögnitzniederung mit der Laukmühle und dem meilenweiten Tannenwald im Hintergrund. Mein Großvater starb zuerst. Er hatte einen Schlaganfall erlitten. Einmal, kurz vor seinem Ende, als die Großmutter und meine Eltern an seinem Bett standen, glätteten sich plötzlich seine eingefallenen Züge, und halbwegs triumphierend und halbwegs in ängstlicher Besorgnis kam es brockenweise über seine Lippen: »Wenn ich euch nur erst alle da oben hätte!« Es war sein letzter Wunsch.

Einige Tage später, unmittelbar nach der Beerdigung, folgten alle, die dem lieben Alten das letzte Geleit gegeben hatten, der ortsüblichen Einladung zum Nachmittagskaffee. Die große Schulstube konnte kaum alle fassen, und es fiel manch gutes und ernstes Wort, und manch graubärtiger Bauersmann suchte den Platz auf, wo er als Schulkind gesessen. Die Großmutter, von innerer Unruhe getrieben, wanderte still von einer Stube in die andere; bald war sie oben, bald war sie unten, und als einer der Gäste meine Mutter darauf aufmerksam machte, war die Antwort: »Laßt sie nur, sie sucht den Großvater!« Weil die Groß- mutter schon alt und kümmerlich und auch ein wenig wun- derlich war, durfte sie nicht allein schlafen, und deshalb wurde ein Bett für mich oben in ihrer Stube aufgeschla- gen. Eigentlich war es kein Bett, sondern eine primitive und nur zur Aushilfe benutzte Lagerstatt, die tagsüber leicht fortgeräumt werden konnte und in unserer Familie schlechthin »Esel« genannt wurde. Ich war damals ein kleiner Knirps, und mein neuer Beruf als Beschützer eines alten Mütterchens ließ meinen Stolz gewaltig ins Kraut schießen; andererseits fürchtete ich den Spott meiner älte- ren Brüder, die, wie ich sie kannte, es nicht an losen Reden über den Esel im Esel fehlen lassen würden. Doch denke ich noch heute meiner Großmutter in dankbarer Vereh- rung. Ich habe von ihr das Verlangen nach einem Wieder- sehen gelernt. Jeden Abend, wenn sie die alte und auch schon kümmerliche Petroleumlampe ausgeblasen und sich gelegt hatte, hielt sie mit lauter und klarer Stimme ihre Abendandacht für sich. Zuerst kam das Glaubensbekennt- nis, darauf folgten Vaterunser und Abendsegen, und Abend für Abend lautete der Schluß: »Und bring' mich bald zu meinem Friedrich!« – Ich glaube, ihre Abendandacht ge- hörte nicht zu ihrer Wunderlichkeit. Sie brauchte nicht lange zu warten. Wenige Monate später war sie bei ihrem Friedrich. – »Sei is nu in de Wohrheit«, sagten die Leute in Warkenthin bei solcher Gelegenheit.

Warum ich Euch dies schreibe? Damit Ihr wißt, was für einen festen Grund und Boden Ihr und wir von den Urgroßeltern her unter den Füßen haben. Es tut uns gut, das zu wissen, denn es hilft uns, mit festem und sicherem Schritt durch die Welt zu wandern. Die Menschen heutzutage sind so schrecklich wankelmütig. Heute folgen sie diesem Propheten, morgen einem andern. Immer mehr falsche Lehrer kommen auf, und was sie lehren, ist Wind und eitel Irrtum. Sie säen Wind und ernten Sturm; sie bauen ein Haus und vergessen das Fundament; sie wollen Führer sein und wissen nicht, daß sie selber blind sind. Sogar in kirchlichen Blättern spricht man von einer Hintertreppe, die zu Gott führen soll. Liebe Kinder, Gott der Herr kennt keine Hintertreppen und Hintertüren. Gott kennt nur gerade Wege, und auf diesen geraden Wegen gingen unsere Voreltern. Wohl ihnen! Und wohl uns, wenn wir dieselben Wege gehen!

Gehabt Euch wohl!

Vater Brümmerstädt

6. BRIEFE VON MÖNE AN PASTOR BRÜMMERSTÄDT

Lieber Vater Brümmerstädt,

Ihr wollt mehr von unsern Reiseerlebnissen hören? Wohlan denn! In X. mußten wir einige Tage warten, bis alles für die Weiterreise geordnet war. Wir wohnten in einem deutschen Vereinshaus, das man uns als christlich empfohlen hatte. Aber da gefiel es uns nicht. Der Hausvater war ein unfreundlicher und harter Mann und sah in jedem, der von drüben kam, einen Landstreicher oder gar einen Verbrecher. Eines Tages wollte er mit guten Freunden einen Ausflug machen und konnte nicht, weil es Bindfaden regnete. So stand er am Fenster und schimpfte in einem fort: »So ein Hundewetter! Vier Wochen lang hat es nicht geregnet und nun gerade heute. So ein Sauwetter!« – Ein alter Farmer aus dem Westen, der im Vereinshause auf die Abfahrt eines Dampfers wartete, der ihn nach Deutschland zum Besuch seiner Verwandten bringen sollte, ging mit Bedacht in dem Haus auf und ab, guckte bald in das Regenwetter und bald auf den christlichen Hausvater, bis er zuletzt vor ihm stehenblieb und also sprach: »Herr, bei uns im Westen sagen die Leute ganz anders, wenn nach vier trockenen Wochen wieder einmal ein tüchtiger Regen fällt. Da sagen sie: Es regnet, Gott segnet! Oder sie sagen auch: Gott sei Dank für jeden Tropfen, der auf die Erde fällt!« – Da schimpfte der Hausvater nicht mehr, sondern brummte nur ärgerlich etwas in seinen Bart. Was er aber brummte, konnte ich nicht verstehen; aber ein Segenswunsch für den Farmer und seine einfältigen Ansichten war es gewiß nicht.

Weil es uns in diesem christlichen Vereinshause nicht gefiel, ging ich aus, ein anderes Zimmer zu mieten. In der Zeitung hatte ich gelesen, daß eine Irländerin, die auch Deutsch spreche, Zimmer für einen Tag oder eine Woche oder einen Monat oder noch länger zu vermieten habe. Ich ging und fand ein furchtbar schmutziges Weib mit ungeordnetem Haar, ein in Fetzen gekleidetes Kind an der Hand. – »Was willst du?« – »Ich möchte ein Zimmer haben.« – »Hast du eine Frau?« – »Ja, ich habe eine Frau.« – »Die sollst du nicht mitbringen. Du sollst allein kommen!« – Dann führte sie mich fünf oder sechs Treppen hinauf. Die Zimmer waren kleine Verschläge, nur durch rohe Bretter voneinander getrennt. Um in das für mich zur Verfügung stehende Zimmer zu kommen, mußte ich durch ein anderes gehen, das von zwei Männern bewohnt wurde. Der eine, betrunken, saß auf der Bettkante und starrte mich mit gläsernen Augen an; der andere, nicht betrunken, sondern besoffen, lag auf einer Holzpritsche und schnarchte wie ein Kosak. Das Zimmer nebenan sollte ich für einen erstaunlich niedrigen Preis haben. Schleunigst machte ich mich leise aus dem Staub. Die holde Wirtin hatte mein Verschwinden nicht bemerkt und bemühte sich mit vielen Worten, mich auf die Vorzüge des Raumes aufmerksam zu machen; als sie dann aber das Vergebliche ihres Bemühens gewahrte, rief sie in hellem Zorn die Treppe hinunter: »Wo bist du? Wo bist du, du vermaledeiter Lump?« – Ich war aber schon fast ganz unten und rief freundlich hinauf: »Auf Wiedersehen, gnädige Frau!« Und damit verschwand ich.

Andere Bemühungen um ein besseres Unterkommen waren ebenfalls erfolglos, und so mußten wir doch noch zwei Tage im Vereinshaus bleiben. Dort war weder Freude noch Fröhlichkeit. Aber am Morgen des letzten Tages kam beides auf einen Schlag. Es war frühmorgens ein Trupp Deutsch-Russen – schon mehr Russen als Deutsche – von drüben gelandet und vom Dampfer abgeholt worden. Als sie durch die Straßen zogen, blieben die Leute stehen und lachten, und als sie ins Vereinshaus kamen, lachten dort alle, Angestellte und Gäste. Bis zuletzt einer der Angekommenen, der wohl der Führer des Trupps war und ein schweres Bündel mit Bettzeug auf dem Rücken trug, Lärm schlug und zornig ausrief: »Warum lacht ihr? Lacht ihr über mich? Ich will das wissen. Bin ich hier in ein Narrenhaus gekommen?« – Da nahm der Gehilfe des Hausvaters ihn beiseite und sagte leise: »Nein, in ein Narrenhaus bist du nicht gekommen, und wir sind keine Narren, aber du bist einer und zwar ein doppelter. Darüber lachen die Leute, daß aus deinem Bündel an der einen Seite ein Kaffeetopf und an der andern ein anderer Topf heraushängt, den man sonst nur zur Nachtzeit in Leibesnöten gebraucht. Die Leute hier in diesem Lande sind nicht daran gewöhnt, daß diese Art von Töpfen am hellen Tag durch die Straßen spazierengeführt wird.« – »Nun«, gab der andere sich zufrieden, »wenn's weiter nicks is!« – Um die Mittagszeit ging ihre Weiterreise vor sich, und schmunzelnd flüsterte der schwarzbärtige Russe dem Gehilfen zu: »Jetzt gibt's aber nicks mehr zu lachen; ich habe den Kaffeetopf in den andern – du weißt schon – getan und beide tief im Bündel versteckt.«

Dann schlug auch für uns die Abschiedsstunde, und der Abschied wurde uns nicht schwer. Tagsüber kein freundliches Wort im christlichen Vereinshaus und nachts keine Ruhe im Bett. Ein Haus ohne Freundlichkeit ist wie ein Tag ohne Sonne. Warum ging der Hausvater ohne Freundlichkeit durchs Leben? Liebe Eltern, ich kann Euch sagen, es gibt Menschen, denen brennt die Sonne die Haut heiß und braun; aber weiter kommt sie nicht, und das Herz bleibt kalt wie ein Eisklumpen. Freundlichkeit zu geben ist ihnen unmöglich, und die Freundlichkeit anderer prallt von ihnen ab wie von einem Felsblock. – Die erste Frage in unserm Katechismus daheim ist: Was soll eines Menschen vornehmste Sorge sein? Und die Antwort lautet: Wie er hie der Gnade Gottes und künftig des ewigen Lebens möge teilhaftig werden. Im Katechismus des Hausvaters ist die erste Frage auch: Was soll eines Menschen vornehmste Sorge sein? Aber die Antwort lautet etwas anders, nämlich also: Wie er erstens für sich und zweitens für sich und drittens für niemand anders sorgen soll! – Ich sprach zu Grete:

Wenn das amerikanische Christentum von dieser Art ist, dann hätte ich ebensogut den Kohlköpfen in Vater Brümmerstädts Garten predigen können. Ist es überall in Amerika wie in diesem Vereinshaus, so sind wir in ein verkehrtes Land geraten.

Und warum keine Ruhe während der Nacht? Das will ich Euch erzählen. Wenn ich in Immenkath gegen Abend die Eier aus dem Hühnerstall holte, dann sprang mir manchmal ein Floh in den Nacken oder im Sommer an die nackten Waden; unser Schüten litt ja auch nicht unter dem Mangel an Flöhen. Es ist vom Übel, daß gerade zur Nachtzeit, wenn Menschen und Tiere, ehrlich müde von der Arbeit, schlafen wollen, die Flöhe springlebendig werden und unsern Leib als Exerzierplatz gebrauchen. »Nun ruhen alle Wälder, Vieh, Menschen, Städt' und Felder«, so haben wir oft vor dem Zubettgehen gebetet, und das ist ein schöner Vers, und die folgenden sind nicht schlecht; aber auf den Floh macht das schönste Lied und das andächtigste Gebet um ruhigen Schlaf keinen Eindruck, und wenn du gerade im Einschlafen bist, so beißt er zu, und du mußt dich auf die andere Seite werfen, und mit dem Einschlafen ist es für die nächste halbe oder ganze Stunde nichts. Nein, eine angenehme Zugabe zum täglichen Leben ist der Floh nicht, und in der Erklärung zur vierten Bitte hat Luther ihn nicht aufgezählt unter allem, was zur Leibesnotdurft gehört.

Aber was ist ein Floh gegen eine Wanze! Ihr kennt keine Wanze, und Grete und ich haben ihre Bekanntschaft auch erst im Vereinshause in Amerika gemacht. Ein Floh kann doch wenigstens spaßige Sprünge machen, aber eine Wanze schleppt sich schwerfällig und faul durchs Leben. Dem Floh kann man es anmerken, daß er sich seines Lebens freut; aber das einzige und grimmige Vergnügen der Wanze ist, sich am Menschen festzusaugen und ihm soviel Blut wie nur möglich abzuzapfen, bis ihr Leib dreimal größer als vorher geworden ist. Die Wanzen hassen die Einsamkeit; denn sowie das Licht dem Dunkel gewichen ist und der Mensch sich zur Ruhe begeben hat, kommen sie von allen Seiten, von der Zimmerdecke, aus allen Winkeln der Matratze, aus den Ritzen im Fußboden, und fallen über den Menschen her. Für sie ist es ein wahres Picknick, aber nicht für den Menschen. Und wenn deine Nase zufällig in die Nähe einer Wanze kommt, oder wenn du in gerechter Selbstverteidigung oder aus Versehen eine Wanze mit den Fingern zerdrückst, so steigt ein Gestank auf, gegen den der Geruch von allen Misthaufen in Warkenthin zusammengenommen eitel Veilchenduft ist. Und solche Wanzen gab es im Vereinshaus wie Sand am Meer. Ich wundere mich nur, daß sie nicht mit Angabe der Nummer und des Alters auf die Logisrechnung gesetzt wurden. In Summa: der Floh ist ein zutraulicher Gesell, die Wanze ein blutdürstiges Raubtier.

Die Rechnung für unsern Aufenthalt im Vereinshaus betrug sechzehn Dollar. Ich gab dem Hausvater einen Zwanzig-Dollar-Schein, und er sagte: »Danke!« und schob den Schein in seine Brusttasche. Ich wartete einen Augenblick auf das Herausgeben; aber dann fiel mir ein, was ein anderer Hausgast mir erzählt hatte: Der Mann hat es sich zur Pflicht gemacht, nie herauszugeben, den Überschuß steckt er für seinen Privatgebrauch ein. – Da kam der Zorn über mich, und ich sprach zu dem Hausvater also: »Weißt du, was du bist? Ein Erzgauner bist du, nicht wert, daß dich die Sonne des Tages bescheint oder der Mond des Nachts.« – »Machen Sie, daß Sie hinauskommen!« brüllte er, und ich antwortete: »Nichts lieber als das! Aber wehe dir, wenn du mir hilfst, nach draußen zu kommen; dann könnte es geschehen, daß du vor mir durch die Tür gehst, oder willst du lieber durchs Fenster fliegen? Ganz nach deinem Belieben! Und nun: auf Nimmerwiedersehen, du mitsamt deinem verwanzten Vereinskasten!«

Als ich draußen war, stand Grete da und weinte. »Nein«, sagte ich, »das laß man lieber sein. Der Mann da drinnen ist das nicht wert. Der ist nicht einmal wert, daß Schüten sein Bein an ihm hochhebt.« – »Pfui«, antwortete Grete, »wie kannst du so etwas sagen!« – Aber dann lachte sie doch. – Mir hat es bis heute nicht leid getan, daß ich den Hausvater so gröblich behandelt habe. Er war es wirklich wert, daß ich ihm das erzeigte.

Gehabt Euch wohl! Es grüßen Euch

Eure Kinder in Springdale

Lieber Vater und liebe Mutter Brümmerstädt!

Hin und wieder haben wir eine Pastorenkonferenz. Da unsere Gemeinden sehr weit voneinander entfernt liegen, gibt es jedesmal eine längere Reise und einen mehrtägigen Aufenthalt in unserm Versammlungsort, wo die Gemeindemitglieder uns gern und gut beherbergen und verpflegen nach dem Wort: »Seid gastfrei ohne Murmeln!« Auf diesen Konferenzen lernt man nach und nach eine ganze Menge von Amtsbrüdern kennen, gelehrte und ungelehrte, kurze und lange, dünne und dicke, dazu auch manche merkwürdige, und ich hoffe nur, daß ich nicht der merkwürdigste unter ihnen bin.

Den einen unter diesen Pastoren, der sich regelmäßig einstellt, müßt Ihr näher kennenlernen. Darum beschreibe ich ihn Euch. Er heißt Hauser und ist ein prächtiger alter Junggeselle. Verstellung und Heuchelei sind ihm fremd.

Dazu hat er sich ein kindliches Gemüt bewahrt und ist leicht zu betrüben und zu erfreuen. Sein sonniger Humor hilft ihm über manches Schwere in seinem Amtsleben hinweg, und er versteht meisterhaft zu erzählen. In seiner Jugend besuchte er ein Gymnasium in Deutschland und fand dort unter seinen Altersgenossen manchen guten Freund. Es gab merkwürdige Leute unter den jungen Gymnasiasten, und ich denke, einer der merkwürdigsten muß der Hauser gewesen sein. Einzelne seiner Absonderlichkeiten verloren sich mit den Jahren, andere wuchsen, weil sie nie beschnitten wurden.

Einmal gingen er und ich durch die Straßen der Kleinstadt, wo unsere Konferenz stattfand, und ich war sehr eifrig dabei, ihm etwas über die Entwicklung und Verwicklung der politischen Verhältnisse in Europa zu erzählen, als ich plötzlich merkte, daß ich in den Wind sprach. Freund Hauser war verschwunden, ohne ein Wort zu sagen. Nach einigen Minuten sah ich ihn in einem Blumenladen. Ich ging hinein und fand ihn in einem äußerst lebhaften Meinungsaustausch mit einer Verkäuferin über die verschiedenen Topfpflanzen, die dort in Reih und Glied aufgestellt waren, und als das junge Mädchen, das augenscheinlich noch andere Verpflichtungen im Geschäft hatte, ihn schließlich fragte, womit sie ihm dienen könne, war seine kindlich-naive Antwort: »Entschuldigen Sie, ich wollte mich nur über den wunderschönen Blumenduft freuen. Danke vielmals! Adieu!« Das verdutzte Gesicht der Verkäuferin sehe ich noch heute vor mir.

Ein anderer Pastor, der nicht übermäßig weit von ihm entfernt wohnt, berichtete wunderbare Dinge über die großartige Unordnung in Hausers Studierstube. Er hatte dort einen mächtigen Schreibtisch stehen, der von einem

Ende bis zum andern vollgepackt war mit Büchern, Heften, losen Blättern, einem halben Dutzend Aschbechern, kurzen Pfeifen, Federhaltern mit und ohne Federn, leeren und vollen Streichholzschachteln, Rasierzeug, Scheren, Messern und andern nützlichen Gebrauchsgegenständen. Setzte er sich zum Schreiben an den Tisch und konnte keinen Platz dazu finden, so schob er seelenruhig alles, was vornean lag, zurück, wobei natürlich Bücher und andere Sachen zuhinterst auf dem Tisch auf den Fußboden fielen und dort liegenblieben, um auf einen neuen Schub zu warten, der ihnen Gesellschaft leisten würde. Pastor Hauser nannte dies »systematische Unordnung«.

Später einmal, als die Pastoren ihre Versammlung in Hausers Wohnort abhielten, hatte ich Gelegenheit, ihn in seiner Wohnung aufzusuchen, und fand die »systematische Unordnung« unversehrt vor. Ich wollte dem lieben, wunderlichen Herrn eine kleine Freude machen und hatte ihm ein eingerahmtes Bild von der Lüneburger Heide mitgebracht, die ihm von jungen Jahren her bekannt und besonders lieb war. Er freute sich wie ein Kind darüber und wollte es sofort an die Wand hängen, fand nach einigem Suchen auch wirklich einen passenden Nagel und nahm, ehe ich es verhindern konnte, statt des nicht aufzufindenden Hammers seine Taschenuhr, tat damit zwei Schläge und hängte das Bild auf. »Wenn man sich nur zu helfen weiß«, sagte er treuherzig, als er sich zu mir umwandte. In diesem Augenblick hielt Pastor Hauser sich gewiß für einen sehr praktisch veranlagten Mann.

Wenige Jahre vor seinem Tode erlebte er einen großen Schmerz, den ihm seine eigenen Gemeindeglieder bereiteten. Sie waren zum größten Teil aus Galizien und der Bukowina eingewandert, und deutscher Herkunft, hatten

134

aber im Laufe der Zeit sehr viel von ihrem ursprünglichen Wesen verloren und waren nach vielen schlimmen Erfahrungen und Enttäuschungen mißtrauisch und hinterhältig geworden. Blutarm waren sie hier ins Land gekommen, und der damals junge Pastor Hauser hatte ihnen fast über sein Vermögen geholfen, ihnen Bargeld vorgestreckt oder geschenkt, manches Haus- und Ackergerät für sie aus eigener Tasche bezahlt und nie auch nur einen roten Cent für seine Amtshandlungen von ihnen genommen. Kein Bittender kam mit leeren Händen von ihm zurück, und als Extrazugabe erhielt er noch einen warmen Wunsch und Zuspruch mit auf den Weg. Dabei war er selber ein armer Mann geworden, und wenn er sich tröstete: Reichtum macht nicht glücklich!, so konnte es wohl geschehen, daß er mit einem leisen Seufzer hinzufügte: Armut aber auch nicht! Sein Herz war nach wie vor voll von warmer Liebe für seine Leute, aber seine Taschen waren und blieben leer. Unbewußt hatten seine Gemeindeglieder dazu beigetragen, daß Gott mit ihm handelte nach der Bitte Salomos: Armut und Reichtum gib mir nicht, aber laß mich mein bescheiden Teil Speise dahin nehmen! – Es war ein sehr bescheiden Teil, das dem alten Hauser verblieb.

Nun, nach vielen Jahren, waren die Einwanderer mit ihren Kindern fast samt und sonders zu Wohlstand gekommen, während der Pastor sich arm gegeben hatte. Jedesmal, wenn sie ihn sahen, fühlten sie sich unbehaglich in dem Gedanken: Das ist der Mann, der uns vor vierzig Jahren den Schrank in der Wohnstube geschenkt hat! – Die erste Kuh, die wir in den neuen Stall stellen konnten, hat er zur Hälfte bezahlt! – Als unser Ältester schwer krank war, hat er dem Doktor gesagt, er solle ihm die Rechnung zuschicken! – Und etwas Ähnliches konnten viele Männer und Frauen von ihrem Seelsorger sagen. Sie sagten es aber nicht, weil es ihnen in ihrem jetzigen Wohlstand peinlich war, schon durch die bloße Gegenwart ihres Pastors an ihre frühere Armut erinnert zu werden.

So war es gekommen, daß man nach langem Überlegen und eifrigem Aufhetzen eines guten Tages in der vierteljährlichen Gemeindeversammlung zu dem Beschluß kam, mit dem weiland die Kinder Israel dem alten Samuel gekommen waren: Du bist alt geworden! Darum gib Raum einem neuen und jungen Mann!

Die schweren Fehltritte des Pastors wurden laut und rücksichtslos zur allgemeinen Kenntnis gebracht. Einer erzählte: »Vor ungefähr zehn Jahren hat der Pastor meine Tochter in der Sonntagsschule fünf Minuten stehenlassen, weil sie nach seiner Meinung ungezogen gewesen war, aber sie kann gar nicht ungezogen sein, sie kann keiner Fliege etwas zuleide tun, und sie denkt heute noch mit Schrecken an die Schande, die ihr der Pastor damals vor der ganzen Sonntagsschule angetan hat.« – Ein anderer wußte zu berichten: »Es werden zu Weihnachten acht Jahre, daß der Pastor an unserm Hause vorüberging und drehte den Kopf nach der andern Seite, bloß weil er mich nicht grüßen wollte, und er konnte mich ganz gut sehen, denn ich stand nur zwei Schritt vom Fenster ab mitten in der Stube.« – Und noch ein anderer meldete: »Als mein Heiner vor einer Reihe von Jahren zur Konfirmandenstunde ging, regnete es einmal sehr stark, und gleich nach dem Unterricht sagte der Pastor zu Heiner: ›Du hast keinen Schirm bei dir, aber ich habe einen. Wir gehen beinahe denselben Weg. Komm, du kannst mit unter meinem Schirm gehen.‹ So brachte er den Heiner bis vor meine Haustür und sagte dann: ›Na, nun bist du trocken nach Hause gekommen, du kleiner

Mops.‹ Und das will ich dem Pastor heute sagen: mein Heiner war damals kein Mops und ist auch heute noch keiner!«

So redeten sie, und ihrer waren viele, die da anklagten, und ihrer waren wenige, die da entschuldigten. Aber am nächsten Sonntag machte Hauser nach der Predigt bekannt: »Die Witwe Anders ist am letzten Dienstag selig entschlafen. Der Pastor hat sie während ihrer langen Krankheit oft besucht und kann in Wahrheit sagen, daß sie nach Gottes Wort hungrig war wie ein Kind nach der Muttermilch und daß sie sich freute auf den Heimgang zu ihrem und unserm Heiland. – In der Nacht von Donnerstag auf Freitag starb das neugeborene Kind des Farmers Pezzold. Gott sei Dank konnte der Pastor es noch vor seinem Tode taufen. – Am kommenden Sonntag wird Pastor Kretz von New Brunswick hier predigen, weil euer Pastor mit dem heutigen Tage sein Amt niederlegt. – Laßt uns beten: All unsre Schuld vergib uns, Herr, daß sie uns nicht betrübe mehr, wie wir auch unsern Schuldigern ihr' Schuld und Fehl vergeben gern!« – Es war ein leises Zittern in seiner Stimme. –

Noch einen andern Amtsbruder muß ich Euch vorstellen. Er ist groß und breit und stark, und das ist kein Wunder, denn wenn er sich an den Tisch setzt, so tut er eine Mahlzeit, deren sich drei Schmiedegesellen zusammen nicht zu schämen brauchten. Aber dabei ist er ein Mann der Ordnung und der Gründlichkeit. Er kann es nicht leiden, daß etwas von dem, was aufgetragen wurde, wieder hinausgebracht werden muß. Es verschwindet alles bis auf den letzten Rest. Es ist, als ob seine Zähne mit magnetischer Gewalt alles Eßbare an sich zögen. Ich konnte seine Leistungsfähigkeit mehrmals bewundern, wenn ich zur Mittagsmahlzeit bei ihm zu Gast war. Den Anfang machte ein bis an den Rand gefüllter Teller mit Brei, so steif, daß ein dürrer Schneider ohne Gefahr zu ertrinken darauf tanzen konnte. Das war aber nur das Präludium. Dann kam das Hauptstück, ein vollgehäufter Teller mit Schinken, Kartoffeln und Erbsen, dem in der Regel eine zweite Portion und in Ausnahmefällen eine dritte folgte. Als Nachspeise langte er sich ein hartgekochtes Ei, das zweite ging denselben Weg, und das dritte genoß er mit besonderem Wohlbehagen. Selbstverständlich wurden die Eier von zwei oder drei Brotscheiben großen Formats begleitet. Wenn er dann noch mit zwei weitbauchigen Tassen Kaffee nachgespült hatte, so war er wirklich gesättigt und konnte sagen, was man hier in Amerika oft hört, wenn jemand nach genossener Mahlzeit zu weiterem Essen genötigt wird: »Danke, ich bin voll!« Das sagte er aber nicht, sondern er faltete die Hände und sprach das Tischgebet: »Wir danken Gott für seine Gaben, die wir von ihm empfangen haben; wir bitten unsern lieben Herrn, er wolle uns hinfort mehr bescheren.« Es ist mir nie ganz klargeworden, was Pastor Born eigentlich mit *mehr* meinte. Ich denke, er konnte zufrieden sein mit den Gaben und ihrer Anwendung.

Einmal, als ihm mein Erstaunen über seine Aufnahmefähigkeit aufgefallen sein mochte, erklärte er mir, der Speisezettel für das Abendessen sei sehr einfach, denn er halte fest an der vernünftigen Regel, man dürfe den Magen am Abend nicht zu sehr belasten, wenn man eine gute und womöglich traumlose Nachtruhe genießen wolle. Was ihn aber nicht hinderte, unmittelbar vor dem Zubettgehen ein Glas Bier und einige Scheiben Pumpernickel mit Limburger Käse zu sich zu nehmen – nur zur Beruhigung der Nerven. Späterhin habe ich zu Hause versucht, ihm das mit

dem Bier und Pumpernickel und Limburger Käse nachzu-
machen, mußte es aber nach einigen Versuchen aufgeben,
weil mein Magen sich absolut weigerte, nach den Grundsätzen von Pastor Born zu arbeiten.

Pastor Born ist trotz seiner reichlichen Mahlzeiten ein
fleißiger Mann, der seiner Gemeinde und seinem Hause
wohl vorsteht. Seine Leute lieben und ehren ihn, weil sie
wissen, daß er sich nicht über sie stellt, sondern neben sie,
und weil sie auch wissen, daß er treu und gewissenhaft im
großen und kleinen ist. Darum sehen sie ihn gern als Gast
in ihrem Haus und an ihrem Tisch, wenn auch die Hausfrau einen besorgten Blick auf die Vorräte in ihrer Speisekammer werfen mag.

Einen Fehler aber hat Pastor Born. Er findet sich nicht
zurecht in der deutschen Sprache. Die deutsche Sprache
und Pastor Born gehen selten denselben Weg. Er wurde
hier im Lande geboren und erzogen. Auf College und Universität hat er fleißig studiert, und Professoren und Mit-
studenten wunderten sich nicht nur über seinen erstaun-
lichen Appetit, sondern ebensosehr oder noch mehr über
die schnelle und sichere Tätigkeit seines Gehirns. Immer
waren seine Leistungen gut oder sogar sehr gut. Aber die
deutsche Sprache! Die drei Artikel unseres christlichen
Glaubens stehen für ihn unerschütterlich fest; aber die
drei Artikel der deutschen Dingwörter sind ihm noch heute
ein Greuel, und die unregelmäßigen Zeitwörter in ihren
Wendungen und Zusammensetzungen sind für ihn wie eine
Wüste, in der er rettungslos verloren ist. Es ist vorgekommen, daß er in einer Grabrede fortwährend über den lieben
»verschlafenen« Bruder sprach. Es ist auch vorgekommen,
daß er seinen Kirchgängern von Isaak und Rebekka zu
sagen wußte: »Da führte Isaak sie in die Hütte seiner Mut-

ter, und sie ward sein Frau, und er liebte ihr, und sie liebte ihm.« – Und von Salomo, der bei der Einweihung des Tempels die Hände gen Himmel erhob, berichtete er, daß er seine Arme hinauf zum Himmel schmiß.

Es ist ihm kein Geheimnis, daß er die deutsche Sprache greulich mißhandelt, aber seinen Zuhörern sind die Geheimnisse der deutschen Grammatik noch weniger als ihm bekannt, und darum nehmen sie keinen Anstoß an seiner Rede, sondern wissen nur: »Der Mann da oben auf der Kanzel ist treu bis ins innerste Herz hinein, und was er predigt, ist ohne Falsch, und wie er predigt, so lebt er. Er weiß an hellen und dunklen Tagen das rechte Wort für uns zu finden, unsere Freude ist seine Freude, und unsere Sorge ist seine Sorge, und was er nicht zu sagen vermag in Worten, das fühlen wir in seinem Händedruck und lesen wir in seinen Augen. Gott segne den Mann!« – Und wir, seine Amtsgenossen, sagen dazu ja und amen.

Viele Grüße für Euch und Immenkath und ganz Warkenthin!

Möne und Grete

7. GEMEINDEVERSAMMLUNG

Die Versammlung der stimmberechtigten Gemeindeglieder in Springdale fand statt. Sie war gut besucht, denn es war Ende Oktober, und die Farmer hatten ihre Feldarbeit getan, und die Geschäftsleute hatten noch einige Wochen Zeit, bis der Weihnachtsmann Käufer und Verkäufer zur Eile antrieb. Für alle Teilnehmer war so eine Zusammenkunft eine angenehme Unterbrechung des alltäglichen Lebens. Man konnte neue Mitglieder aufnehmen oder nicht aufnehmen, je nachdem; man konnte Gutes oder Schlechtes über den lieben Nächsten reden, am liebsten Schlechtes; man konnte Neuigkeiten hören oder auch über einen uralten Schnack, der zum hundertsten Male aufgetischt wurde, herzlich lachen; ja, was alles konnte man nicht an einem solchen Abend tun und erleben, wenn Arme und Beine ehrlich müde geworden waren von der Arbeit, die Zunge aber bis zu später Stunde wenig Gelegenheit gefunden hatte, sich zu rühren. Dieser Oktoberabend versprach besonders interessant zu werden, denn der Pastor konnte nicht anwesend sein, weil er anderswo an einer Pastorenkonferenz teilnehmen mußte. Man war ganz unter sich und brauchte kein Blatt vor den Mund zu nehmen.

Der Vorsitzende war ein alter Mann, gerade und aufrecht in Gang und Haltung und Wesen. Darum genoß er hohes Ansehen bei alt und jung und wurde Jahr für Jahr als Vorsitzender wiedergewählt. In Schleswig geboren, war er in jungen Jahren nach Amerika ausgewandert. Es wurde von ihm gesagt, daß er sehr derb in seiner Rede sein könne, und soviel war gewiß, Honigseim war nicht auf seinen Lippen zu finden. Aber alles, was er sagte, hatte Hand und Fuß, und meistens traf er den Nagel da, wo er getroffen werden sollte. Die hochdeutsche Sprache war ihm ungewohnt und deswegen unbequem; aber im Schleswiger Platt stand er seinen Mann.

Da der Pastor abwesend war, las an seiner Statt der Alte einen Schriftabschnitt vor, wie man es gewohnt war, und wählte dazu den 104. Psalm, den Gott der Herr eigens für die Farmersleute hat aufschreiben lassen. Er las ihn mehr schlecht als recht, weil seine Zunge eben einen Widerwillen gegen das Hochdeutsche hatte und immer wieder in die Niederdeutsche Tiefebene hinabrutschte. Nach der Schrift-

verlesung kam die Aufforderung: »Nu will'n wi dat Vader-
unser beden.« – Und sie beteten es, die einen mit Gedanken, die andern ohne Gedanken. Nach Verlesung des Proto-
kolls von der vorigen Versammlung hörte man wieder die
Stimme des Alten: »Brüder, wir haben den Protokoll gehört; wat schall' wi dorbi dauhn?« – Kaufmann Mielke:
»Ich schlage vor, daß wir *das* Protokoll wie verlesen annehmen.« – Schneider Tiedtke: »Unterstützt!« – Vorsitzender: »Fürgeschlagen und underschtützt, daß wir den
Protokoll annehmen tun. Wer davor ist, soll ja sagen.« –
Natürlich sagten alle ja, weil sie doch »Brüder« waren. Damit waren die Eröffnungsfeierlichkeiten abgetan, und die
eigentlichen Verhandlungen konnten ihren Anfang nehmen.

Bäcker Köhler stellte den Antrag, man solle über den
Haupteingang der Kirche ein »Willkommen« setzen, denn
das mache einen schönen und freundlichen Eindruck; aber
der Antrag wurde abgelehnt mit der Begründung, es sei
selbstverständlich, daß dort jedermann willkommen sei.
Doch das wollte der Bäcker nicht gelten lassen. »Das ist
gar nicht selbstverständlich. Vor zwei Wochen wollte Fritz
Maibohm in die Kirche hinein, wurde aber nicht eingelas-
sen. Ich frage: warum nicht?« – Prompt erfolgte die Antwort: »Das hatte seinen guten Grund. Fritz hatte in jeder
Rocktasche eine Schnapsbuddel, und jede Buddel steckte
Kopf und Hals lang aus der Tasche, als wolle sie ihren
Widerwillen gegen die Kirche zeigen. Außerdem konnte
Fritz an dem Sonntagmorgen nicht mehr gerade stehen und
gehen.« Dann gab es eine lange Erörterung über den Fritz.
Einige waren der Ansicht, man solle ihn in eine Heilanstalt
bringen, wogegen andere meinten, eine gute Tracht Prügel

würde denselben oder sogar besseren Erfolg haben und käme der Gemeinde weit billiger.

Aber Bäcker Köhler gab sich noch nicht zufrieden. Er hatte, was nicht sehr häufig vorkam, einen Gedanken gehabt und bestand nun darauf, daß dieser Gedanke in die Wirklichkeit umgesetzt werden müsse, wenn nicht auf eine Weise, so auf die andere: »Wenn ihr das ›Willkommen‹ nicht über der Kirchentür haben wollt, so setzt es doch als freundliche Einladung über den Eingang zum Kirchhof!« – Über manches Gesicht ging ein Schmunzeln bei diesen Worten. Aber der alte Vorsitzende wurde zornig, schlug mit seinem Hammer auf den Tisch und sagte: »Ick will di mal wat seggen, Bäcker Köhler; ob wi up'n Kirchhof wellkamen sünd odder nich, dat kann uns woll gliekgüllig sin. Hauptsak is, dat uns' Herrgott uns, wenn't mal so wiet is, wellkamen heit.« – Das faßte der Bäcker auf als das, was es in Wirklichkeit sein sollte – eine runde Ablehnung, und nebenbei hielt er es für das, was es nicht war – eine gröbliche Beleidigung. Er nahm seinen Hut und ging davon.

Jochen Möller meldete sich zum Wort. »Wat hest du denn?« fragte der Vorsitzende. – »Ja, ick wull man seggen«, begann Jochen, aber weil es eine ernstliche Angelegenheit war, fuhr er mit großem Ernst in ernsthaftem Hochdeutsch fort: »Seit einem Johr les' ich die Abendpost. Das is man ein klein Blatt, aber da stehn bannig gute Geschichten in, das letztemal von einen jungen Mann, der hatte gute und brave Eltern, aber der Jung war ein Dögenicht und machte den Ollen großen Kummer. Er lügte wie den Teufel seine Großmutter, und er stohl wie eine Elster, und zuletzt hat er einen Menschen um sein letztes Leben gebrungen. Aber da hat ihn der Schandarm bei's Schlafittchen gekriegt und ihn gleich ins Spritzenhaus gesteckt, bis das Gericht gekommen ist, und die Herren von's Gericht haben ihn mitgenommen und ins Gefängnis gespunnt. Und im Gefängnis hat er gejammert, sie sollten ihm das Leben schenken um seiner alten Eltern willen. Aber der Richter hat gesagt: ›Mein Sohn‹, hat er gesagt, ›an deine Eltern hättest du früher denken sollen.‹ Und dann haben sie ihm den Kopf abgehackt. Ja, das war eine schöne Geschichte!« Jochen Möller machte großen Eindruck mit seiner schönen Geschichte, und die Abendpost gewann noch an demselben Abend sieben neue Leser.

Der alte Vorsitzende machte wieder Gebrauch von seinem Hammer. »Brüder, wir wollen schließen. Lat't uns den Abendsegen beden!« Und sie beteten ihn, aber es klang ziemlich kümmerlich. Die Alten wußten ihn Wort für Wort, andere hatten ihn halb vergessen und kamen hin und wieder in den Morgensegen hinein, und den Neuen war er neu. Der Storch in Warkenthin kannte ihn besser und versprach sich nicht dabei.

8. PASTOR MARKOWS FAMILIE

In Springdale kamen und gingen die Jahre, wie es anderswo auch üblich ist. Im Pfarrhause herrschte lustiges Leben. Vier flachsköpfige Buben und ein ebenso hellhaariges Mädchen, das Nestküken, sangen und sprangen mit blanken Augen und roten Backen drinnen und draußen umher in zwangloser Freude, die nicht durch unnötiges Verbieten beschränkt wurde. Ihre Umgangssprache war ein seltsames Gemisch, nicht unähnlich dem, das etliche Jahrtausende früher dem Turmbau zu Babel ein jähes Ende machte, und doch bestand ein großer Unterschied zwischen

Babel und Springdale; denn wenn die dummen Leute zu Babel durch den Sprachenwirrwarr gezwungen wurden, den Bau von Stadt und Turm einzustellen, so hatte der Sprachenmischmasch zu Springdale nicht den geringsten Einfluß auf Spiel und Unterhaltung.

Die kleinsten Markows plapperten Hochdeutsch, wie sie es von den Eltern hörten; die älteren bevorzugten das Plattdeutsch, das die Nachbarskinder ihnen im Umsehen beibrachten, und die ältesten zogen es vor, ihr in der Schule gelerntes Englisch an den Mann zu bringen. Dabei ging es friedlich zu. Jeder verstand den andern, und keiner hatte es nötig, ein dickbäuchiges Wörterbuch oder den »Großen Duden« um nähere Auskunft zu befragen. Wenn sie bei dem zu allen Zeiten in Deutschland und Amerika beliebtesten Spiel, dem Ballspiel, draußen auf dem großen, freien Platz standen, behauptete der eine: »Nun bin ich an der Reihe zu schlagen«, und der andere protestierte: »Ne, nu bün ick an de Reig'«, während der dritte krähte: »Now don't fight all the time!«

Nicht immer spielten die Markowschen Kinder allein für sich, häufig war die junge Mannschaft der Nachbarsfamilien mit dabei, und hin und wieder kam es vor, daß auch die Buben von einem entfernteren Teil der weitläufig gebauten Ortschaft sich zum frohen Spiel einfanden. Sie kannten die älteren Kinder des Pfarrhauses von der Schule her; aber die gemeinschaftliche Betätigung dort genügte ihnen nicht, sie wollten ihre Altersgenossen noch gründlicher kennenlernen, und das war nach ihrer Meinung nur möglich im Spiel, vor allem im Ballspiel. Außer Schule und Spiel hatten sie nichts gemeinsam mit den Pfarrersbuben, denn ihre Eltern waren von wer weiß woher zugezogen, jedenfalls aber nicht von Deutschland, und mieden aus guten Gründen jede Verbindung mit Mönes Kirche und Gemeinde. Sie wurden gewöhnlich »de Butenlüd« genannt, während diejenigen, deren Wohnhäuser samt Scheunen und Stallungen sich um Kirche und Pfarrhaus lagerten, sich mit Stolz als »de Binnenlüd« bezeichneten.

Eines guten Tages fanden sich fünf oder sechs junge »Butenlüd« auf dem großen Platz neben der Kirche ein, um sich mit den Markows im Spiel zu messen. Gewöhnlich hatten die Markows bei diesem Spiel die Oberhand; aber diesmal war es umgekehrt, und das ging so zu:

Frau Grete setzte ihren Stolz darein, ihre Nachkommenschaft stets rein und heil im Anzug zu halten. Nicht immer war es möglich, Neues zu beschaffen, denn das Einkommen belief sich nicht auf Tausende, sondern nur auf Hunderte. Darum setzte sie nicht selten derbe Flicken auf die beschädigten Stellen. Und so geschah es, daß gerade an diesem Tage drei junge Markows mit handgroßen Flicken auf den schwerverwundeten Beinkleidern zu ihren Besuchern traten, um wenn möglich ihre Meisterschaft im Spiel zu beweisen. – Mit den Kleidungsstücken der jungen »Butenlüd« war es etwas anders bestellt. Ihre Jacken wiesen außer den rechtmäßigen Taschen und Ärmellöchern noch manche unrechtmäßige Öffnungen an völlig unrechtmäßigen Stellen auf, und unten an ihren Hosen fanden sich unzählige Fäden, die sich mutwillig von der Mutterhose gelöst hatten und nun hilflos und haltlos in die weite Welt strebten. Nichtsdestoweniger hatten die glücklichen Besitzer der löcherreichen Jacken und fransigen Hosen eine unüberwindliche Abneigung gegen Flicken auf jeglichem Kleidungsstück und zeigten ihre Verachtung für das geflickte Zeug ihrer Spielgenossen aus dem Pfarrhaus, indem sie mit Fingern darauf wiesen, die Flicken auf ihre Haltbarkeit hin prüften, gute und ungute Witze darüber machten und lachten und lachten wie über etwas, das noch nie im Land Amerika gesehen worden war, so daß die Markows ganz beschämt dastanden, als wäre ihr Gewissen mit einem zentnerschweren Unrecht belastet.

In diesem Augenblick kam Pastor Markow von einem Ausgang zurück, blieb bei den Kindern stehen, den lachenden und den andern, die dem Weinen nahe waren, und als er die Sachlage begriffen hatte, kam ein lautes und frohes Lachen über ihn, daß es ihn schüttelte von der Fußsohle bis zum Scheitel und die Hühner auf dem Pfarrhof sich mit ängstlichem Gegacker um ihren Schutzherrn, den hochbeinigen Hahn, drängten. Möne rief Frau Grete, erklärte ihr kurz den Sachverhalt, und dann lachten sie zweistimmig. Und als ihre Kinder sahen und hörten, daß die Eltern lachten, kam eine große Fröhlichkeit auch über sie, so daß sie die aufkommenden Tränen für eine andere und bessere Gelegenheit zurückhielten und wie von einer schweren Schuld befreit mitlachten. So kamen alle auf ihre Kosten, die Auswärtigen in ihrer Lustigkeit über die Flikkerei, Möne und Grete in ihrer Verwunderung über das spaßige Gebaren der Befransten und die Markowkinder in ihrer Freude über das frohe und befreiende Lachen der Eltern.

Ja, es fehlte nicht an Freude und Frohsinn im Pfarrhause zu Springdale. Selbst der fünfjährige Martin gab unbewußt seinen Beitrag zur allgemeinen Freude, indem er morgens den älteren Geschwistern, wenn sie ihren Weg zur Schule antraten, mit seiner piepsigen Stimme von der Haustür aus nachrief, was er die Eltern hatte sagen hören: »Und daß ihr mir schön fleißig und artig seid!«

9. PUCKI – EINE HUNDEGESCHICHTE

Der Haushalt im Pfarrhause hatte eine Erweiterung erfahren. Es war ein großes Ereignis. Die Markows hatten jetzt einen Hund, einen sechs Wochen alten weißen Spitz. Das kleine Geschöpf tapste auf unsicheren Beinen von einem Zimmer ins andere und war immer da, wo es nicht sein sollte, und tat immer das, was es nicht tun durfte. Es riß im Eßzimmer die tief herabhängende Decke vom Tisch, und es brachte es fertig, sich mit allen vieren in seinen geräumigen Milchnapf in der Küche zu stellen, um dann gleich darauf in den Parlor zu watscheln und dort die Fransen des neuen Teppichs auf ihre Haltbarkeit hin zu prüfen. Ja, der Pucki! Er konnte noch viel mehr und noch größere Leistungen aufweisen, und er war unermüdlich tätig. Die Hausfrau war nicht immer einverstanden mit dem, was er auf seinen Entdeckungsreisen unternahm; aber die Buben hatten ihre helle Freude an dem neuen Hausgenossen, und die kleine Helene bemutterte ihn von Anfang an mit aller Treue ihres kleinen Herzens. Gleich am ersten Abend nach seiner Ankunft legte sie ihm ihre Puppe in seinen Korb, damit er nicht so allein sei in der langen dunklen Nacht.

Eines Tages – es war zwei Monate später – gab Möne seinen Buben wie jeden Tag eine Stunde Religionsunterricht. Er war beim fünften Gebot angelangt und kam dabei auch auf das Verhalten der Menschen zu den Tieren zu sprechen, wies mit Abscheu auf Mißhandlung von Tieren und auf übermäßige Anforderungen an ihre Arbeitskraft hin und schloß damit, wie grausam es sei, Hunden und Katzen die Schwänze bis auf einen Stummel abzuschneiden. Zuletzt stellte er die Frage: »Welcher Bibelspruch sagt uns, daß wir auch mit den Tieren Erbarmen haben sollen?« Er erwartete als Antwort das den Buben bekannte Wort: »Der Gerechte erbarmt sich auch seines Viehes!« Aber sein Zweitältester war anderer Meinung. Er sah in Gedanken sein Hündchen vor sich, und die Vorstellung, daß das niedliche Schwänzchen, das Pucki in kühnem Bogen stolz über seinen Rücken wehen ließ, zu einem kümmerlichen Rest verkrüppelt werden könnte, bedrückte sein Gemüt so, daß er halb ängstlich und halb zornig ausrief: »Was Gott zusammengefügt hat, das soll der Mensch nicht scheiden!« Um den Mund des Vaters ging ein heimliches Zucken, und dem Zweitgeborenen kam die jähe Vermutung, daß er wieder einmal etwas recht Dummes gesagt habe; aber der Vater nickte ihm beifällig zu: »Hast recht, mein Junge! Eigentlich ist dein Spruch für ein anderes Gebot bestimmt, aber er paßt hier auch recht gut. Und damit wollen wir für heute Schluß machen!« – Nummer zwei aber lief schleunigst in die Küche zu seinem Pucki und überzeugte sich, daß das Schwänzlein an Länge nicht abgenommen habe.

Zwei Jahre später! Pucki ist nicht mehr ein Baby, sondern ein ausgewachsener Hund mit allen Tricks und allem Schabernack seiner Rasse. Heute ist er in besonders guter Laune, denn heute hat Frau Grete einige Frauen zu Kaffee und Kuchen eingeladen. Die Frauen sind gern gekommen und lassen es sich nicht verdrießen, daß Möne, der einen Dienstgang zu tun hat, ihnen beim Weggehen im Scherz zuruft: »Wohlgeschmack bringt Bettelsack!« Sie verstehen, wie er es meint, und antworten prompt: »Neid kleidet häßlich, Herr Pastor!« Frau Grete hat die Bohnen nicht gespart, und der Kuchen hat nicht zuviel Hitze gehabt und auch nicht zuwenig und schmeckt und duftet nach Mecklenburg und Warkenthin. Darum tun die Frauen ihm auch alle Ehre an und lassen es sich trotz der Warnung des Pastors vor dem in Aussicht stehenden Bettelsack wohl schmecken, und nebenher läuft das Mundwerk wie das Schwatzen der Schwalben, wenn sie zur Herbstzeit auf dem Dach sitzen und sich die Pläne für die weite Reise nach dem Süden zurechtlegen.

Schließlich brechen die Frauen auf und gehen in die Schlafstube, um ihre Mäntel anzulegen und dabei zu danken für »die schöne Bewirtung« und zu beteuern, »es wäre doch gar nicht nötig gewesen, soviel Umstände zu machen«. Von Pucki, der die Frauen bei ihrer Ankunft mit freudigem Gebell und Schwanzwedeln begrüßt hat, ist nichts zu sehen und zu hören. Aber Frau Bleichert steht noch immer in der Schlafstube und sieht nachdenklich auf ihre garantiert Ziegenfell-Handschuhe, die sie erst kürzlich in der Stadt gekauft hat. Grete steht neben ihr und sieht ebenso nachdenklich auf fünf kleine Lederstücke, die sie auf der Bettdecke gefunden hat und die genau dieselbe Farbe haben wie die Garantierten. Plötzlich fängt Frau Bleichert laut an zu lachen. »Es stimmt ganz genau, fünf Fingerspitzen fehlen an dem einen Handschuh, und fünf Fingerspitzen liegen auf der Decke. Wenn das nicht Puckis Werk ist, will ich nicht mehr Frau Bleichert heißen.« – Frau Grete muß mitlachen, obgleich ihr die Geschichte recht peinlich ist. »Es tut mir sehr leid, daß dies passierte, Frau Bleichert«, sagt sie, »und selbstverständlich besorge ich Ihnen ein Paar neue Handschuhe.« – »Aber selbstverständlich nicht«, ist die Antwort; »der Pucki ist ein kluges Tier und hat mir eine gute Lehre gegeben, in Zukunft meine Handschuhe nicht irgendwo hinzuwerfen.«

Am Abend desselben Tages, als die ganze Familie Markow um den großen runden Tisch in der Wohnstube saß, wurde Pucki mit Verachtung gestraft. Schuldbewußt lag er unter dem hochbeinigen Sofa und folgte, ausgestoßen aus der menschlichen Gesellschaft, jeder Bewegung der Erwachsenen und der Kinder. Es herrschte ein drückendes Schweigen. Nur einmal erwähnte der älteste Sohn die schwarze Tat des weißen Hundes: »Das sollte ich nur getan haben!« – Aber durch Puckis Hundeherz ging ein tiefer Seufzer: »All Menschengunst ist ganz umsunst und nichts wie Dunst!«

Einige Monate später erschienen dieselben Frauen wieder bei Frau Grete, diesmal, um Weihnachtskarten zu kaufen oder zu bestellen, und wieder kamen sie in ihren Mänteln und Frau Bleichert mit einem Paar funkelnagelneuer Handschuhe. Sie hielt Pucki die Handschuhe vor die Nase und sagte mit erhobenem Zeigefinger: »Diesmal kriegst du sie aber nicht, du Spitzbub!« Damit ging sie in die Schlafstube, steckte die Handschuhe in die Handtasche und verbarg beides unter ihrem schweren Mantel auf dem Bett. – Die Frauen waren sehr eifrig beim Aussuchen der Karten, verwarfen diese und jene, legten andere als besonders gut beiseite und entschlossen sich schließlich natürlich für diejenigen, die sie anfangs als minderwertig zurückgelegt hatten. Plötzlich stieß Frau Grete die Frau Bleichert an und machte eine Bewegung mit dem Kopf nach dem Fußboden hin. Da stand Pucki, die beiden Handschuhe quer im Maul, ausgerechnet vor Frau Bleichert und sah sie mit einem so triumphierenden Blick an, daß man meinte, ihn sagen zu hören: »Und ich habe sie doch gekriegt; du glaubst klug zu sein, aber gegen mich kommst du nicht an.« Eine Besserung seines Betragens war immerhin zu spüren, denn die Handschuhe waren unbeschädigt. Es gab ein großes Gelächter, und Pucki war der Held des Tages.

Ja, der Pucki! Voll von dummen Streichen, war er im

Grunde genommen doch ein vornehmer Charakter. Die Vorräte in der Speisekammer waren keine Versuchung für ihn. Wenn der Kanarienvogel sein Frei-Viertelstündchen dazu benutzte, einen Spaziergang auf dem Fußboden zu machen, ließ er ihn ruhig gewähren und sah ihm sogar wohlwollend zu. Die Katze durfte mit aus seinem Napf fressen, und nur wenn sie einen besonders guten Bissen mit der Pfote herausfischen wollte, wurde er unangenehm, denn das ging ihm gegen die gute Sitte.

Es darf aber nicht verschwiegen werden, daß Pucki auch seine schwachen Seiten hatte. Er, der sonst so pflichtgetreue Wächter des Pfarrhauses, erweiterte hin und wieder, ohne einen Auftrag dazu erhalten zu haben, den Bezirk seiner Wachsamkeit auf das Haus in einer benachbarten Straße, in dem seine Herzensdame wohnte. Dann kam er spät nach Hause, und es geschah sogar, daß Möne ihn holen mußte. Was war da zu tun! Weder harte Scheltworte noch freundliche Ermahnungen brachten den gewünschten Erfolg. Schließlich aber fand Möne einen Helfer zur Aufrechterhaltung guter Ordnung. Unweit des Pfarrhauses wohnte still und friedlich ein älteres Ehepaar, und still und friedlich war auch ihr Hund von unbestimmter Rasse, ein Riese unter allem Hundegetier, Peter genannt. Peter und Pucki hatten irgendwie und irgendwo Freundschaft geschlossen, die sich zunächst darin zeigte, daß Peter sich jeden Morgen im Pfarrhause einstellte, um sich sein Frühstück zu holen. Peter hatte eine gute Erziehung genossen und bewies es dadurch, daß er jedesmal bei seiner Ankunft jedem Familienmitglied seine gewaltige Pfote zum Gruß bot. Er war Pukkis Freund geworden, trotz der großen Verschiedenheit in Farbe, Größe und Rasse, und es ergab sich wie selbstverständlich, daß er seinem kleinen Freund gegenüber die Rolle eines väterlichen Beschützers spielte.

Einmal hatte Pucki wieder seinem liebebedürftigen Herzen nachgegeben und hielt treue und leider auch unbeachtete Wacht vor dem Hause seiner Erwählten, und dabei war es 12 Uhr nachts geworden. Da hörte Möne neben einem leisen Gebrumm ein nicht so leises Kratzen an der Haustür. Ärgerlich sprang er aus dem Bett und öffnete. Da standen beide, Peter und Pucki. Pucki kroch schleunigst in die Küchenecke, wo er sein Nachtlager hatte, und sah weder rechts noch links. Peter aber, im Gefühl gewissenhafter Pflichterfüllung, sah froh und stolz auf zu Möne, als wolle er sagen: »Hier bringe ich ihn dir wieder, den kleinen Unhold. Aber, bitte, tue ihm nichts, er ist doch mein Freund.« Und als er das gesagt oder gedacht hatte, gab er Möne treuherzig seine Pfote, wandte sich um und verschwand. Auf dem Wege zurück in die Schlafstube blieb Möne einen Augenblick vor Pucki stehen und sagte: »Du bist mir ja ein schöner Schlingel. Bist vollständig ausgewachsen und reich an allerlei Erfahrungen und läßt dich nach Hause bringen wie ein Baby? Schäm dich!« Und Pucki schämte sich, aber nicht lange; denn fünf Minuten später schliefen alle drei; Möne – froh darüber, daß er seinen Schlingel wieder hatte; Peter – in dem Bewußtsein: ja, ein ruhiges Gewissen ist ein sanftes Ruhekissen; und Pucki – mit dem Vorsatz: ich will's auch nicht wieder tun! –

Ja, Pucki war und blieb ein Schlingel, aber ein lieber Schlingel, dem man nicht böse sein konnte. Seine mutwilligen Streiche waren so zahlreich wie die Tage seines Lebens; aber sie wurden mit Anstand und Grazie verübt und waren nie bösartig. Als sein Leben ein Ende genommen hatte, trauerte das ganze Pfarrhaus. Späterhin versuchte man es mit einem andern Hund und einem zweiten und dritten, aber keinen behielt man lange; der eine war bissig, der andere faul, der dritte unmanierlich. Keiner konnte Pucki ersetzen. In der Chronik der Familie Markow ist sein Name nicht zu finden, und ein Grabstein ist ihm auch nicht gesetzt worden; aber vergessen haben die Pfarrersleute in Springdale ihn nicht, solange sie lebten.

10. DREI PASTOREN, DREI PONYS, DREI WAGEN

In der weiteren Umgebung von Springdale fanden sich mehrere lutherische und katholische Gemeinden. Jede Gemeinde hatte ihren eigenen Pfarrer. Die »schwarzen« Herren verkehrten miteinander, so gut es sich wegen der weiten Entfernungen machen ließ, hielten guten Frieden und handelten nach dem Grundsatz: getrennt marschieren, aber vereint den Feind schlagen! Warum sie einander besuchten? Um Rat zu holen oder zu geben, um neue Wege ihres Berufs zu prüfen und halbwegs Vergessenes wieder aufzufrischen, um an der Freude eines Hauses teilzunehmen oder ein aufrichtiges Trostwort in ein Trauerhaus zu bringen, mitunter auch nur, um einmal für einige Stunden alle Amtssorgen abzuwerfen und wie andere Leute über Tagesneuigkeiten zu reden und über Wind und Wetter und Haus und Garten und was ihnen sonst noch in den Sinn kommen mochte. Es war ein gutes Ding um diesen Verkehr; er schützte gegen Einseitigkeit und Eigenbrötelei, woran manche Menschen zu leiden haben, die in Einsamkeit leben und arbeiten müssen.

Wenn nur nicht die großen Entfernungen gewesen wären! Den weiten Weg zu Fuß zu gehen, nahm viel kostbare

154

Zeit in Anspruch und war außerdem für die jüngeren Herren kein Spaziergang und für die älteren eine Strapaze. Kein Wunder, daß endlich einer von ihnen auf den gescheiten Gedanken kam, sich ein Ponyfuhrwerk anzuschaffen. So ein Tierchen stellte geringe Ansprüche und war unschwer zu erhalten, und einen Wagen konnten Schmied und Stellmacher für Geld und gute Worte – 25 Prozent Geld und 75 Prozent gute Worte – leicht herstellen. Es brauchte ja keine Staatskarosse zu sein. Vier Räder, eine Deichsel, einige Planken als Seitenwände und ein kurzes Brett als Sitzgelegenheit – das war so ziemlich alles, was nötig war. Vielleicht konnte man sich auch mit einem Gig begnügen. Ein Gig war so leicht gebaut, daß es für ein braves Pony ein Sonntagsvergnügen sein mußte, es zu ziehen.

Das Beispiel steckte an, und es dauerte nicht lange, so waren drei Pastoren glückliche Besitzer von Pony und Wagen; einer von ihnen hieß Möne Markow. Eine merkwürdige Dreiheit: drei Pastoren, drei Ponys, drei Wagen. Und was noch merkwürdiger war: die Ponys gingen wirklich vorwärts, wenn man sie sehr darum bat und wenn sie bei sehr guter Laune waren, und die Räder drehten sich fast immer gleichzeitig.

Zu damaliger Zeit waren die Landstraßen, besonders im Westen, nicht in bestem Zustande und machten die Fahrt recht schwierig für Pastor und Pony. Wenn Pastor Arendt unterwegs war, um seinen Freund Möne zu besuchen, und der Sand wurde zu tief oder die Unebenheiten kamen zu häufig vor, so stand die Liese still und blieb stehen, bis der Pastor von seinem Sitz heruntergeklettert war und Pferd und Wagen wieder in Gang gebracht hatte. Die Anzahl dieser Fahrtunterbrechungen war sehr groß, und häufig mußte er weite Strecken neben dem Wagen hergehen.

155

Liese hatte aber auch ihren Ehrgeiz. Sie konnte es absolut nicht vertragen, daß ein anderes Gefährt sie überholte und rücksichtslos an ihr vorüberbrauste. Das litt ihr Stolz nicht, und dann tat sie etwas, wozu sie sonst auf keine Weise zu bewegen war, sie fing an zu laufen und lief und lief, mitunter sogar eine halbe Minute lang. Sonst aber war sie ein »sinniges« Pferd, das alle Übereilung haßte und den langsamen und ebenmäßigen Schritt jeder schnelleren Bewegung vorzog. – Schließlich aber kam Pastor Arendt nach vierstündiger Fahrt doch noch vor Abend an, und das war immerhin eine lobenswerte Leistung, obwohl ein rüstiger Fußgänger denselben Weg mit Leichtigkeit in drei Stunden zurücklegte. Für die lange Fahrt wurde der Besucher reichlich entschädigt durch Mönes freundliche Begrüßung: »Ist es nicht ein gutes Ding, so ohne Anstrengung durchs Land fahren zu können?« Worauf sein Amtsbruder beifällig mit dem Kopf nickte: »Ja, so ein Fuhrwerk ist wirklich ein wahrer Gottessegen!« –

Mönes Pony hörte auf den Namen »Lotte«. Lotte war eine Zierde ihres Geschlechts. Nicht allein daß sie ihre vier Gliedmaßen schneller und andauernder zu gebrauchen verstand, sie war auch klüger und einsichtiger als die dumme Liese und gehörte entschieden zu den Intellektuellen ihrer Rasse, und das sollte Möne bald erfahren. An einem schönen Sommermorgen fuhr er aus, um seinen weitentfernten Freund Karich zu besuchen, mit dem er allerlei, Wichtiges und Unwichtiges, besprechen wollte. Lotte setzte sich in den gewohnten Zuckeltrab, und Frau Sonne sah freundlich lächelnd auf Mann und Rößlein herunter. Nach einer guten Stunde Fahrt war es heiß und schwül geworden, und Möne fühlte das Bedürfnis nach einem kühlen Trunk. Da er gerade durch eine Ansiedlung kam, hielt er vor dem

156

Gasthaus an, kletterte herunter von seinem hohen und harten Sitz und bestellte ein Glas Bier, sorgte gleichzeitig aber auch dafür, daß Lotte ihren Kopf in kaltes Brunnenwasser stecken konnte. Der Gastwirt war ein freundlicher und gesprächiger Mann. Er lud Möne in ein Hinterstübchen, und da saßen nun beide und sprachen über Altes und Neues, über Welthändel und Dorfgeschichten, und darüber verging eine halbe Stunde und noch eine.

Derweil stand Lotte vor ihrem Wagen und trat von einem Fuß auf den andern und den dritten und vierten und kam schließlich ins Nachdenken. Das Denken, wenn es nicht zu häufig auftritt, kann für Menschen unter Umständen von Nutzen sein, für jedes Getier aber ist es eine gefährliche Beschäftigung und führt nur zu Missetat und Widersetzlichkeit. So auch heute. Nachdem Lotte eine volle Stunde gewartet hatte, wurde sie zuerst ungeduldig, dann unwillig, und zuletzt geriet sie in hellen Zorn: »Ja, mein lieber Herr Pastor Markow, du bist ein gelehrter Mann, und ich bin nur ein armes Pferdchen; aber ich lasse mich nicht ungestraft behandeln wie irgendein nichtsnutziges Stück Vieh. Ich habe auch meinen Stolz, und das will ich dir jetzt zeigen!« Damit setzte sie sich und den Wagen in Bewegung, wandte um und trottete zurück nach Springdale.

Als Lotte in Springdale von der Straße in den Pfarrhof einbog, ließ sie ein helles Wiehern hören, und in ihrem Wiehern lag stolze Freude über bewiesene Selbständigkeit und glückliche Rückkehr. Grete stürzte ans Fenster. Was war das? Lotte war da, der Wagen war da, und Möne war nicht da! Was war geschehen? War das kleine Pferd mit dem großen Möne durchgegangen und Möne dabei vom Wagen geschleudert worden? Lag Möne jetzt vielleicht am

Straßenrand, schwerverletzt oder gar –? In größter Eile band sie die Küchenschürze ab, sagte den Kindern Bescheid, steckte für alle Fälle ein Stück Leinwand als Verbandzeug in ihre Kleidertasche und lief dann, so schnell sie konnte, dieselbe Straße entlang, auf der einige Stunden vorher ihr Möne froh und wohlgemut davongefahren war.

Inzwischen waren Möne und der Gastwirt am Ende ihrer Sprechstunde angekommen, wechselten freundschaftlich einen Händedruck und gingen hinaus. Keine Lotte, kein Wagen, nur blendender Sonnenschein! Dem Wirt, der gerade den Mund geöffnet hatte, um »Glückliche Reise« zu wünschen, blieb das Wunschwort im Halse stecken, und ein anderes Wort drängte sich mühsam hervor: »W–w–wa–was – ist denn hier geschehen? Hier muß ein Dieb an der Arbeit gewesen sein!« – Möne, zuerst ebenfalls in Aufregung geraten, beruhigte sich bald. Er wußte, daß Lotte mitunter dazu neigte, ihre demokratischen Ideen über Aufhebung aller Standesunterschiede und über Gleichstellung der Vier- und Zweifüßler in die Tat umzusetzen. Daher ahnte er, was geschehen war, ging auf die Straße, winkte den Wirt herbei und zeigte ihm auf dem sandigen Wege die Räderspuren seines Wagens, die deutlich genug kundtaten, wo Lotte mitsamt ihrer Kutsche abgeblieben sei.

Es war kein Vergnügen für Möne, den Weg nach Springdale in glühender Sonnenhitze zu Fuß zurückzulegen, und doch ging manchmal ein heimliches Lachen über sein Gesicht, wenn er an seine stolze Ausfahrt und seine demütige Heimkehr dachte. Auf halbem Wege begegnete ihm Grete. Unter Lachen und Weinen begrüßte sie ihn: »Daß du nur wieder da bist, Möne, mein lieber Möne!« Es gab viel zu fragen und zu antworten, und Grete war so glücklich, als ob sie ihren Jung-Siegfried jahrelang nicht gesehen hätte. Zu Hause angekommen, standen sie beide im Stall vor Lotte, und Grete drohte ihr mit dem Finger: »Lotte, wie konntest du nur so dumm sein!« Statt Lotte antwortete Möne: »Bist im Irrtum, Grete, der Dumme steht hier«, und dabei zeigte er auf sich. – Auf welches Bekenntnis hin die Lotte beifällig mit dem Kopf nickte und Möne mit einem verächtlichen Blick streifte, in welchem klar und deutlich zu lesen war: »Hast du nun endlich begriffen, daß du bist dumm und ich bin gescheit?« –

Der Dritte im Bunde der geistlichen Fuhrwerksbesitzer war Pastor Tiede in Clinton. Die Siedlung zu Clinton lag so einsam und weltverlassen in einem engen Tal zwischen meilenweiten Wäldern, daß die Sonne wintersüber deswegen so spät in die Höhe stieg, weil sie an den trüben und dunklen Tagen jeden Morgen eine Stunde und länger gebrauchte, um Rundschau zu halten, wo Clinton eigentlich zu finden sei. – Pastor Tiede war ein einsamer Mann, unbeweibt, ein grundgelehrter Herr, und so unpraktisch, wie nur ein Mensch sein kann. Hin und wieder geschah es, daß er des Studierens satt und müde geworden war, und dann spannte er sein Rößlein an und fuhr nach Springdale zu Möne.

Die Reise von Clinton nach Springdale war nicht ohne alle Gefahr. Es gab in der Gegend allerlei unsauberes Gesindel, das sich ernstlich und eifrig bemühte, Fußgängern und Fahrern die Taschen zu erleichtern. Meistens übten diese guten Leute ihr Handwerk aus, indem sie mit freundlichen Worten zur Auslieferung von Geld und Gut aufforderten und dabei ganz zufällig mit einer blanken Waffe in der Hand spielten. Es war auch schon geschehen, daß sie bei ungebührlichem Widerstand und trotziger Hartnäckigkeit nicht vor dem Zuschlagen oder Drauflosschießen zurückscheuten.

Angesichts solcher Gefahr und der Möglichkeit eines gewalttätigen Überfalls zeigte Tiede, daß er – allerdings äußerst selten – auch praktische Einfälle haben konnte. Eines Tages fuhr er wieder einmal zu seinem Freund Möne und nahm bei der Ankunft in Springdale ein kleines Paket vom Wagen herunter, das er mit beiden Händen sehr behutsam ins Haus trug. »Ich will dir mal etwas zeigen«, sagte er zu Möne, und Ton und Blick waren gleich geheimnisvoll. Nachdem er mit großer Umständlichkeit die Umhüllung von dem Paket entfernt hatte, kam ein blankpoliertes Kästchen zum Vorschein. Nach langem Suchen fand er den dazugehörigen Schlüssel in der Westentasche und öffnete den polierten Behälter. Darin lag, mit einem seidenen Tuch zugedeckt, ein funkelnagelneuer, blitzblanker Revolver. Tiede nahm ihn mit den Fingerspitzen heraus und ließ ihn vor Mönes Augen glitzern. »Fein, nicht wahr?« Tiede äußerte es mit sichtlichem Stolz. »Und durchaus notwendig heutzutage bei der Unsicherheit der Landstraßen!«

In Möne war inzwischen ein herzliches Lachen aufgestiegen, das er nun nicht länger zurückhalten konnte. »Aber, lieber Freund«, wandte er sich an den Revolvermann, »wie denkst du dir eigentlich so einen Überfall? Erwartest du, daß der ›Bruder von der Landstraße‹ dir eine Zigarre anbieten wird für deine Bemühungen, das Schießding aus allen Verpackungen herauszuholen? Oder glaubst du, daß er wortlos und regungslos an deinem Wagen stehenbleiben wird, bist du schußbereit bist?« – »Schußbereit? Ich?« Unwillig sah Pastor Tiede auf. »Gott bewahre mich davor, daß ich jemals auf einen Menschen schieße!«

11. BESUCHE ERNSTER ART

Möne war froh über jeden Besuch seiner Amtsbrüder; er war nicht minder froh, wenn seine Gemeindeglieder zu ihm kamen, und sie kamen häufig, und zuweilen auch in tiefer Herzensnot und mit schwerer Gewissenslast, und suchten Befreiung oder wenigstens Erleichterung. Neben aller herzlichen Teilnahme für diejenigen, die »mühselig und beladen« kamen, freute er sich ebenso herzlich über das Vertrauen, das sie antrieb, alle ihre Nöte ins Pfarrhaus zu tragen.

Frau Holte kam zu ihm mit rotgeweinten Augen und bat um Rat. Ihr Mann sah das Arbeiten als ein Laster an und das Saufen beim Würfelspiel als Tugend und richtete danach seine Lebensweise ein, während die Frau in Sorge und Kummer und nicht immer mit Erfolg versuchte, für sich und die fünf Kinder das tägliche Brot zu beschaffen, das oft genug trocken heruntergewürgt werden mußte. Dabei hatte sie die Erfahrung gemacht, daß das schöne Wort »Trocken Brot macht Wangen rot« längst nicht immer schön und gut und richtig sei. Und sie war doch vor kaum zehn Jahren so froh und freudig in die Ehe getreten und hatte zu ihrem Mann aufgeschaut wie zu einem Schutzengel, der sie leicht und sicher durchs Leben führen werde. – Möne versprach ihr, zu tun, was in seinen Kräften stehe, um den Mann vor sich selbst zu retten. Was Möne versprach, das hielt er. Das wußte die Frau und ging getrost und voller Hoffnung nach Hause wie jemand, der gern hoffen will.

Holte stand im besten Mannesalter. Möne hatte ihn zu Anfang seiner Tätigkeit in Springdale konfirmiert und nannte ihn bei seinem Vornamen, Peter, und duzte ihn wie

alle seine früheren Konfirmanden. Peter war ein aufgeweckter Junge gewesen, auf den Eltern, Lehrer und Pastor
große Hoffnungen setzten. Zunächst war auch alles nach
Wunsch gegangen; aber vor einigen Jahren war er in
schlechte Gesellschaft geraten, und von da an ging es, wie
es in solchen Fällen häufig geht, nicht bergauf, sondern
bergab, immer weiter bergab. Möne hatte ihn mehrmals
freundlich gewarnt; aber Holte hatte alle Mahnungen und
Warnungen in den Wind geschlagen. Warum? Weil sie
freundlicher Art waren? Wahrscheinlich! Nun wußte
Möne, daß er anders als bisher verfahren müsse. Er plante
ein heftiges Gewitter, das mit Sturm und Donnerschlag
allen Unrat und Unflat aus Peters Seele fegen solle, damit
sie in freier und frischer Luft wieder gesund werden könne,
wie sie einst gewesen war.

Wie der Plan, so getan! Peter erhielt eine freundliche
Einladung zu kommen, und so viel Respekt vor seinem
Pastor hatte er sich doch noch von früher bewahrt, daß er
einsah: hier gibt es kein Entrinnen! Er schlug seinen Hut
dreimal gegen den Türpfosten in der Küche, um ihn von
Staub zu reinigen, zog seinen besten Rock an, kratzte mit
Bürste und Spucke den größten Dreck von seinen Stiefeln
und machte sich auf den Weg, nicht ohne heimliches Seufzen und nicht ohne das Gefühl, die Luft sei heute besonders schwül.

Als er zum Pfarrhaus kam, öffnete Möne ihm die Tür,
nötigte ihn freundlich zum Sitzen und bot ihm eine Zigarre
an. ›Na‹, dachte Peter, ›de Anfang is jo gor nich so slimm;
wenn hei wieder nicks will, as dat ick hier Zigarren smöken
sall – den Gefallen kann ick em jo girn dauhn.‹ – Es kam
aber doch etwas anders. Nach einigen Bemerkungen über
das Wetter setzte Pastor Markow sich steil auf in seinem

Stuhl und begann: »Peter, ich muß dir heute etwas sagen, was du nicht gern hören wirst.« Peter spitzte die Ohren. ›Aha, nu geiht los, nu kümmt wat!‹

Und es kam ein richtiges Gewitter. Möne hielt ihm einen kurzen und sehr verständlichen Vortrag über das Thema: ›Wodurch kann der Ehestand zum Wehestand und der Bindestrich zwischen Mann und Frau zum Trennungsstrich werden!‹ Blitz auf Blitz, Schlag auf Schlag! Und jeder Blitz traf, was er treffen sollte, das Gewissen, daß es aufglühte in brennendem Weh. Und jeder Schlag erschütterte das Gemüt, daß es aufstöhnte in heißem Schmerz über die eigene Nichtsnutzigkeit. – Aber Möne ließ nicht nach. Er wußte: hier mußte gründliche Arbeit getan werden. Und heute arbeitete er besonders gründlich.

Auf seinen Vortrag ließ er Fragen folgen, die fast noch schlimmer waren als das voraufgehende Gewitter, Fragen, die sehr unbequem für den Gefragten waren und deshalb auch samt und sonders unbeantwortet blieben, dabei aber doch nicht ihren Zweck verfehlten, den Boden locker zu machen für eine neue Saat, die da keimen und blühen und reifen sollte:

»Peter, denkst du noch manchmal an deine Eltern? Du warst einmal ihr ganzer Stolz; aber glaubst du, daß sie heute auch noch so stolz auf dich sein würden, wenn sie sehen müßten, wie du so manchen Abend mit rotem Kopf und auf unsicherem Beinwerk nach Hause torkelst? – Hast du ganz vergessen, was am Ende der Erklärung zum sechsten Gebot steht? Da steht, daß ein jeglicher sein Gemahl lieben und ehren soll. Hörst du, Peter, lieben und ehren! Hast du überhaupt noch einen Funken von Liebe für deine Frau, die dir vor zehn Jahren nicht nur ihre Hand gegeben hat, sondern auch ihr Herz, und die dir fünf Kinder geschenkt hat, wie sie besser und braver nicht im ganzen Ort zu finden sind? – Denkst du gar nicht an deine Buben? Sollen sie von dir lernen, ein Leben zu führen, wie du es jetzt führst? Sollen sie später, wenn sie erwachsen sind und vielleicht denselben Weg gehen, den du jetzt gehst, sich damit entschuldigen: ich kann nichts dafür, ich habe es von meinem Vater geerbt? – Woher kommt es, daß deine Frau und deine Kinder seit langer Zeit so trübselig einhergehen und daß man gar nicht mehr wie früher ihr frohes Lachen hört und daß sie so hohlwangig geworden sind? Weißt du, wer die Schuld daran trägt, Peter?

Und wenn du so fortfährst und stirbst nach solchem Luderleben, dann soll doch ein Stein auf deinen Grabhügel gesetzt werden, nicht wahr? Aber was soll darauf stehen? ›Hier ruhet in Gott –?‹ Das geht doch nicht. Weißt du, was dann darauf stehen sollte? ›Hier ist ein Mann begraben, der seinen Gott und seine Ehre verloren hat!‹ Oder: ›Hier ist ein Mann begraben, der Weib und Kinder hungern und frieren ließ, nur damit er sich Tag für Tag vollsaufen konnte wie ein unvernünftiges Stück Vieh!‹ — Wach auf, Peter, wach auf, und werde wieder ein Mann und ein Christ dazu!

So, Peter, nun habe ich gesagt, was ich sagen mußte. Es hat dir weh getan; mir auch, Peter! Und nun sag du, was du zu sagen hast!«

Peter saß in seinem Stuhl wie ein Klumpen Unglück und sagte nichts. Die Zigarre war ihm längst ausgegangen. Minutenlanges Schweigen. Nur einmal hatte die Kuckucksuhr, die jede volle Stunde auch zu einer Wachteluhr wurde, den Mahnruf hören lassen: »Fürchte Gott! Fürchte Gott!« – Endlich erhob Peter sich und ging auf den Pastor zu:

»Ick will't versäuken, Herr Pastuhr; äwer Sei möten mi helpen!«

»Ja, das will ich«, erwiderte Möne. »Ich will dein Doktor sein, aber du mußt dich ganz streng nach meinen Vorschriften richten, und meine Vorschriften sind:

1. Jeden Sonnabend gibst du mir deinen Wochenlohn, und deine Frau erhält von mir, soviel sie für die Wirtschaft braucht.

2. Du erhältst wöchentlich 50 Cents. Damit kannst du machen, was du willst, und wenn du einmal ein Glas Bier trinken willst, so sollst du es zu Hause trinken.

3. Du kommst wieder zur Kirche, wo ich dich lange nicht gesehen habe. Das Gotteshaus ist für dich und mich und für alle Menschen ein besserer Platz als die elende Trinkbude.

4. Du tust deiner Frau zuliebe, was du nur tun kannst. Sie hat es um dich verdient.

5. Sei deinen Kindern ein Vater, den sie wieder achten können, wie du einst deinen Vater geachtet hast.

6. Hältst du dich gut und brav ein ganzes Jahr hindurch, so bist du frei von meiner Vormundschaft.

Von dieser Abmachung zwischen uns erfährt niemand etwas; nur du und deine Frau und ich wissen darum. Behüt' dich Gott, Peter!«

Peter faßte die dargebotene Hand und schüttelte sie kräftig. Er sagte kein Wort; aber in seinen Augen standen zwei große Tränen wie Perlen, wie echte Perlen.

Einen Händedruck geben, das kann jeder. Aber nicht jeder kriegt es fertig, was Peter fertigkriegte. Er hielt sein mit einem Handschlag gegebenes Versprechen, wenn es auch zu Anfang manchen Kampf kostete mit dem Widersacher, der in der großen Schnapsflasche auf dem Tisch in der Kneipe auf ein vergnügtes Wiedersehen und eine Wiederherstellung der früheren Freundschaft wartete. Der konnte lange warten.

Nach einem Jahr hätte Peters Name von Rechts wegen auf der Ehrenliste der Gemeinde stehen sollen. Möne aber schrieb in seiner Chronik, die er über jede Familie führte, neben Holtes Namen: »Patient ist genesen!« Und fügte in Klammern hinzu: »Nicht uns, Herr, nicht uns, sondern Deinem Namen gib Ehre!«

Eines Abends trat ein Mann von mittlerem Alter in Mönes Stube. Er war hochgewachsen, schlank und von ritterlichem Wesen. Man sah ihm ohne weiteres den deutschen Offizier von früher her an. Als Sohn einer alten Adelsfamilie war er wie selbstverständlich in die Armee eingetreten, und wegen seiner Herkunft und seiner militärischen Fähigkeiten sagte man ihm eine glänzende Zukunft voraus. Er hatte ein Mädchen aus altem, vornehmem und reichem Geschlecht geheiratet, und das Leben schien vor dem jungen Paar zu liegen wie eitel Sonne und Wonne. Es schien so. Aber die Sonne hatte einen dunklen Fleck. Der junge Mann war vom Spielteufel besessen. Er konnte nicht leben ohne Spiel, ohne hohes Spiel. Und in wenigen Jahren hatte er alles verspielt: sein beträchtliches Vermögen, das große Vermögen seiner Frau, seine Rennpferde, alles. Eines Tages war er verschwunden und tauchte längere Zeit danach in Amerika auf, ohne Geld, ohne Freunde, ohne Arbeit. Er biß die Zähne zusammen und suchte und fand Anstellung. Zuerst als Knecht auf einer Farm, wo er am Abend nach getanem Tagewerk mit dem Farmer, seiner Frau und einem halben Dutzend Kinder in der Küche saß und die Wäschestücke, die dort aufgehängt waren, betrachten konnte.

166

Die Landarbeit wurde damals schlecht bezahlt, und deshalb ging er nach einem Jahr in die Stadt und setzte sich in einer Fabrik vor die Maschine, die große Messingplatten in kleine Stücke von bestimmter Form zerschnitt. Jeden Morgen begann er seine Arbeit damit, daß er in den ersten fünfzehn Minuten die Metallstücke zählte, die fertig vor ihm lagen, um danach zu berechnen, wieviel Lohn er am Ende der Woche zu erwarten habe. Als er einige Hundert Dollars sein eigen nannte, zog er weiter ins Land hinein und erwarb in der Nähe von Springdale ein kleines Anwesen, das ihn kümmerlich ernährte.

Das alles erzählte er Möne in dieser Stunde der Abenddämmerung ohne Schonung seiner selbst, und er erzählte es wie einer, der wenigstens für eine Stunde lang eine schwere Last von sich abwälzen möchte, und als er schwieg, ging ein nervöses Zucken über sein Gesicht. – Möne kannte den Mann nur von Ansehen, hatte aber allerlei über ihn gehört. Seine Nachbarn nannten ihn, weil er anders als sie sprach und auch andere Manieren hatte, »Herr Baron«, und er ließ es sich mit einem müden Lächeln gefallen. Auch wußten sie zu erzählen, daß sich in seiner Stube nicht ein einziger Schmuckgegenstand finde außer einer Photographie, die im Stehrahmen auf einem kleinen Tisch beim Bett stand. Das Bild, das anzurühren er keinem Menschen erlaubte, zeigte eine junge und zarte Frau mit einem lieben Gesicht und zwei blühenden Mägdlein rechts und links von ihr.

Möne griff nach seiner Hand. »Kann ich irgend etwas für Sie tun?«

»Nein, Herr Pastor! Ich danke Ihnen, daß Sie mich geduldig angehört haben. Es ist mir eine große Erleichterung gewesen, daß ich mich aussprechen durfte. Sie schienen mir der rechte Mann dazu zu sein. Ich habe mich nicht geirrt. Gott vergelt's Ihnen!«

»Aber kommen Sie doch wieder und verleben Sie einen ganzen Abend oder einen ganzen Tag mit uns zusammen. Wir werden uns freuen.«

»Auch das nicht, Herr Pastor. Ich kann es nicht ertragen. Wenn ich ein frohes und glückliches Familienleben vor mir sehe, dann –« er brach kurz ab. »Gute Nacht, Herr Pastor, und vielen Dank!« Und dann hörte Möne seinen Gast schon auf der Treppe.

Möne setzte sich wieder, stützte den Kopf auf die Hand und ließ seinen Gedanken freien Lauf. Amerika, du merkwürdiges Land, für viele ein Land voller Wunder und für ebenso viele ein seltsames und unverständliches Land! Vielen, die als Fremdlinge von draußen zu dir kamen, hast du ihr Hoffen und Wünschen erfüllt und hast ihnen ein frohes Blühen und reiches Ernten gegeben. – Vielen, die von drüben mit einem harten Sinn und einem heißen Begehren nach Geld und Gut einwanderten, ist hier der Sinn noch härter geworden durch schwere Enttäuschungen und durch Versagen der eigenen Kraft. – Bei vielen stellte sich das Heimweh schon nach der Landung ein und verließ sie nicht, solange sie lebten. Es war ihnen nicht gegeben, sich an fremdes Land und fremde Leute und fremde Sitten zu gewöhnen; sie konnten hier nicht wurzeln und siechten dahin wie Blumen, die der Mutter Erde entrissen worden sind. – Und wiederum: Viele kamen herüber, weil sie es durch Leichtsinn oder gar durch frevelhaftes Tun dahin gebracht hatten, daß sie nicht bleiben durften im Lande ihrer Väter. Die meisten von ihnen führen hier ein durchaus rechtschaffenes Leben, und manche kommen zu Wohlstand und Reichtum. Aber doch bleibt in den Herzen mancher eine offene Wunde, und sie gehen in Selbstanklage einsam und verbittert durchs Leben. – Du aber, mein lieber Herr Baron, du sollst nicht so sterben und verderben. Du willst nicht wieder zu mir kommen, aber ich werde zu dir gehen, und du sollst mein Freund werden. Und wenn ich dich zum erstenmal froh lachen höre, werde ich einen Dollar in die Armenkasse geben.

12. VIER PLAGEGEISTER

Es kamen aber auch andere Leute, Möne zu besuchen, Leute, die seine Gesellschaft schätzten und mit ihm über Ernstes und Heiteres reden wollten. Sie erschienen hauptsächlich an Winterabenden, wenn sie keine Mitspieler für eine ausgedehnte Pinocle-Sitzung finden konnten, und sie kamen nicht bloß wegen der Unterhaltung, o bewahre, sondern auch in der löblichen Meinung, sie müßten ihren Pastor, der zuviel und zu lange auf der Studierstube hinter den Büchern hockte, hin und wieder aufmuntern oder ihn doch wenigstens auf andere Gedanken bringen. Frau Grete faßte diese Besuche anders auf und nannte sie Heimsuchungen, weil sie wußte, daß die guten Leutlein ihr Kommen und Gehen nach dem menschenfreundlichen Wort »Je länger je lieber« einrichteten und daß sie ihrem Möne manche wertvolle Stunde nahmen, die er für andere Zwecke besser gebrauchen konnte. – Möne empfand bei jedem Besuch dieser Art so etwas wie ein Unwohlsein, das eben ertragen werden mußte. Was sollte er tun! Hinausweisen konnte und wollte er sie nicht. Also blieb er sitzen, rauchte sein Pfeifchen und hörte ihnen zu. Das Zuhören war seine Sache, das Reden ihre, und sie taten es gründlich und immer in der Meinung, daß sie ihm eine Extrafreude damit bereiteten.

Besonders waren es vier Männer, die ihre kostbare Zeit dem Pastor opferten, jeder für sich, und jeder, wenn es ihm passend erschien.

Einer von ihnen war ein nicht mehr ganz junger Mann. Daheim in seinem Hause sagte er wenig und seine Frau noch weniger. Es war auch gar nicht nötig, daß sie etwas sagten. Die Schwiegermutter sagte um so mehr. Sie führte das Wort, sie führte die Wirtschaft, sie führte die Rechnung. Und wenn es, selten genug, einmal geschah, daß Mann oder Frau in Unbedachtsamkeit den Mund öffneten zu einem zaghaften: »Ich möchte vorschlagen«, so wurde die Fortsetzung kurzweg abgeschnitten mit einem harten und abschließenden: »Ich bin dagegen!« Es ließ sich nicht viel dazu sagen. Mann und Frau waren eben zum Dienen und Gehorchen geboren, und die Schwiegermutter war von Geburt an eine Herrschernatur.

Kam der Mann aber einmal zu Möne, so nahm er die Gelegenheit wahr und öffnete alle Schleusen seiner Beredsamkeit und vermied in seinem Wortschwall jegliche Pause, die sein Zuhörer hätte benutzen können, um auch etwas zu sagen. Sein Thema war stets und ständig seine große und weitläufige Verwandtschaft. Sie wurde vom Urgroßvater an bis auf den jüngsten Sprößling dem Pastor im Parademarsch vorgeführt, und keiner wurde vergessen. Die ganze Lebensgeschichte von Großeltern und Eltern und Onkeln und Tanten und Vettern und Basen und Neffen und Nichten erzählte er treu-historisch und mit anerkennenswerter Umständlichkeit. Und wenn er sich endlich zum Gehen anschickte, schüttelte er Möne treuherzig die Hand. »Nich wohr, Herr Pastuhr, dat deiht'n Minschen gaud, wenn hei sick mal Luft maken kann?« – Möne meinte das auch: »Ja, dat is woll wohr, Vadder Willführ!« Hatte der Besucher aber die Tür hinter sich zugemacht, so tat Möne einen tiefen Seufzer und dachte: ›Nun dauert es im glücklichsten Fall ein Vierteljahr, dann höre ich dieselbe Geschichte wieder, und ich kann sie doch schon auswendig.‹ –

Der zweite hatte früher mit gutem Erfolg die Landwirtschaft betrieben, war jetzt Farmer a. D. und beschäftigte sich nur noch mit der hohen Politik. Er war ein scharfer Kritiker und verfocht seine etwas veralteten Ansichten über Regierer und Regierte mit großem Eifer und noch größerer Durchschlagskraft. Wo er ging und stand, trug er sich mit Gedanken der Weltverbesserung, und er war menschenfreundlich genug, diese Gedanken nicht in sich zu verschließen, sondern teilte sie jedem mit, der sie hören oder nicht hören wollte. Am freigebigsten damit war er seiner Frau gegenüber, und wenn sie ihn auf einen andern Gedankenweg bringen wollte und einwarf: »Ach, Heinrich, was verstehst du davon«, so wurde er kratzbürstig. »Was ich davon verstehe? Na, da hört doch alles auf! Was ich meine und sage, das ist doch sonnenklar. Aber die hohen Herrschaften, die jetzt am Steuer sitzen, sind ja ohne eine Spur von Verstand. Wenn ich zu sagen hätte –« und dann kam ein Wenn nach dem andern, bis endlich die lange und sonnenklare Rede mit der vernichtenden Bemerkung über die hohen Herrschaften schloß: ohne eine Spur von Verstand!

Es war dasselbe Ding, wenn er den Pastor mit einem wohlgemeinten Besuch beehrte. Er hatte beim Eintritt ins Pfarrhaus kaum die Tür hinter sich geschlossen, so ging es schon an: »Was meinen Sie, Herr Pastor, von dem neuen Gesetz, das die Regierung erlassen hat? Ist das nicht der

blanke Unsinn?« Mitunter versuchte Möne ihm zu wider-
sprechen; aber er merkte bald, daß der Besucher dadurch
nur zu erweiterter Aussprache und zu längerem Bleiben
veranlaßt wurde. Darum ließ er den Schwätzer reden, und
wenn dieser sich endlich zum Gehen erhob, so geschah es
in dem stolzen Bewußtsein, dem Pastor wieder einmal ein
daumendickes Licht aufgesteckt zu haben, und in der nicht
minder stolzen Gewißheit, daß es ganz, ganz anders in der
Welt aussehen würde, wenn »unsereins« auch einmal in der
Regierung mitreden könnte. Noch im letzten Augenblick,
wenn er schon den Fuß über die Schwelle der Haustür
setzte, hörte man seine Klage und Anklage: »Ja, diese Herren da oben ohne eine Spur von Verstand!« –

Der dritte war ein harmloser Mensch, wenn man davon
absah, daß er von allen Besuchern immer am längsten
blieb. Man konnte bei lautem Gähnen den Mund möglichst
weit aufreißen und dabei noch einen schweren Seufzer hören lassen, man konnte alle fünf Minuten nach der Uhr
sehen, man konnte aufstehen und in der Stube unruhig auf
und ab gehen – er blieb harmlos und hoffnungslos sitzen.
Die Unterhaltung mit ihm war nicht leicht; denn es gab
nicht vieles, was beide in gleicher Weise interessierte, und
dabei hatte er die üble Angewohnheit, nie einen Satz zu
Ende zu bringen; meistens blieb er in der Mitte stecken
und überließ es dem andächtigen Zuhörer, ihn zu vollen-
den. In seinem naiven Wesen konnte er mit großem Ernst
berichten, daß es heute den ganzen Tag geregnet habe, wobei er sein Gegenüber fest und lange ansah, als wolle er fragen: ›Was sagst du aber dazu?‹ – Möne ertrug ihn mit viel
Geduld und Nachsicht, denn er war ein einsamer Gesell',
er hatte sich ein warmes Herz für seine Heimat drüben bewahrt, er hielt seine alte und hilflose Mutter in hohen

Ehren, und er mußte wohl auch ein guter Christ sein, da seine Nachbarn nur Gutes von ihm zu erzählen wußten und insonderheit hervorhoben, daß er jeden Abend beim Zubettgehen laut bete:

>»Herr, dein Diener legt sich nieder,
> Und wennst'n brauchst, dann weckst'n wieder!« –

Nummer 4! Ja, Nummer 4 war am schwersten zu ertragen, und wenn fünf- oder sechsmal im Jahr die Glocke der Haustür um 8 Uhr abends, genau um 8 Uhr, einen Besuch ankündigte, so fuhr Möne erschreckt auf. »Nummer 4! Daß Gott erbarm!« Aber warum erschrak Möne denn eigentlich? Nummer 4 war doch ein freundlicher Mann, der es sich zur Aufgabe gemacht hatte, seinen Pastor zu einem rechten Christen zu erziehen, an dem Gott und Menschen ein Wohlgefallen haben könnten. Gewöhnlich brachte er ein Buch, betitelt »Für Anfänger im Christentum«, mit sich und fragte Möne: »Darf ich Ihnen etwas daraus vorlesen?« – »Ja«, war die Antwort, »wenn es etwas Gutes ist.« – »Etwas sehr Gutes, Herr Pastor, man kann viel daraus lernen.« Und dann las er vor. Mit seinem Lesen war es nur kümmerlich bestellt; aber diesen Mangel machte er dadurch gut, daß er nach jedem kürzeren oder längeren Abschnitt dem Pastor zärtlich den Arm streichelte oder ihm tröstend auf die Schulter klopfte, wobei er ihm liebevoll in die Augen sah: »Ist das nicht herrlich? Hat der Mann, der das geschrieben hat, nicht recht?«

Zuweilen ließ Nummer 4 den »Anfänger im Christentum« nicht zu Worte kommen, und das war immer ein gewisses Zeichen, daß der »Geist« mit unwiderstehlicher Gewalt über den Besucher gekommen sei, und dann redete er mit sehr lauter Stimme und ohne jegliche Pause über seine

Erfahrungen im christlichen Leben, und ihrer waren so viele wie Sand am Meer, und alle ohne Ausnahme wiesen mit unverkennbarer Deutlichkeit darauf hin, einen wie weiten Weg Möne noch vor sich habe, bis er zur rechten Selbsterkenntnis gekommen sei.

Wenn Nummer 4 sich verabschiedet hatte mit der freundlichen Zusicherung, er werde bald wiederkommen, so ging Möne hinüber zu Grete, um bei ihr Trost und Erholung zu finden. »Hat er dich heute sehr heruntergeputzt?« fragte sie ihn mitleidig. »Ach ja«, war die Antwort, »und ich fürchte, er muß noch oft kommen, bis ich in seinen Augen ein brauchbarer Mann geworden bin. Inzwischen besteht aber die Gefahr, daß er oder ich oder wir beide während einer solchen Konferenz den Verstand verlieren. Ist es wirklich nötig oder von Nutzen, daß man seine Herzens- und Gewissenssachen hinausschreit wie ein Ausrufer auf dem Jahrmarkt? Ist es gut getan, die tiefsten und innerlichsten Erfahrungen vor jedermann auszubreiten wie Wäsche im Wind?«

Einmal verstieg der Besucher sich so weit, daß er Möne fragte: »Sind Sie wirklich bekehrt, Herr Pastor? Ich meine, so von ganzem Herzen, von ganzer Seele und von ganzem Gemüt?« – »Sind Sie es?« war die Gegenfrage. – »Ich?« Mit einem Schlage war alle Freundlichkeit aus Blick und Ton verschwunden und nichts als Erstaunen und Beleidigtsein zu sehen und zu hören. »Kennen Sie mich denn noch nicht? Na, denn – gute Nacht, Herr Pastor!« – Wieder ging Möne zu seiner Grete. »Ich kann diese Salbaderei nicht ausstehen, diese süßliche und schmierige Sirup-Frömmelei ist mir zuwider, und was steckt im Grunde genommen dahinter? Nichts als Selbstbetrug und geistlicher Hochmut!« – »Willst du ihn mir nicht überlassen?« schlug

Grete vor, »ich glaube, ich werde mit ihm fertig.« – Aber davon wollte Möne nichts wissen. Für eine Unterredung mit Nummer 4 war ihm seine Grete zu gut.

Einige Wochen später ging um 8 Uhr abends die Türglocke im Pfarrhaus, und Nummer 4 war wieder da, begleitet von seinem Freund, dem »Anfänger im Christentum«. Diesmal fand Möne es an der Zeit, seinem Besucher zu sagen, was er von ihm denke, und er drückte sich dabei sehr klar und unmißverständlich aus, und die Konferenz war von kurzer Dauer. – Eine Woche darauf hatte Nummer 4 sich einer Sekte angeschlossen, die alle Menschen in brüderlicher Liebe umfaßte – mit Ausnahme von Pastor Markow in Springdale.

13. EIN FRIEDHOF

Möne hatte Ferien gemacht, wirkliche Ferien, und zwar für eine ganze Woche. Er wollte, wie das kleine Nestküken Helene sich ausdrückte, den weiteren Westen entdecken. Möne bestand darauf, daß Grete seine Ferienzeit zusammen mit ihm verbringe. Er war mit Mutter Busacker, der altbewährten Hausfreundin und Nachbarin, übereingekommen, daß sie derweil den Haushalt führen und sich vor allen Dingen um das junge Volk kümmern sollte. Möne hatte der alten Frau sogar weitgehendes Strafrecht für schwere Fälle eingeräumt; aber davon wollte sie nichts wissen. »Wo ward ick, wo ward ick, Herr Pastor! Ne, dat kann ick nich. Wenn dat noch min eigen wirn! Ne, ick will alls dauhn, wat Sei mi seggen, äwer dat nich.« –

Nun waren sie auf der Reise und kamen eines Tages an einen wunderschönen Friedhof, ein hügeliges Gelände mit

Grabsteinen und wohlgepflegten Rasenflächen, Blumen, Ziersträuchern und Bäumen. Zehn bis zwölf Arbeiter waren beschäftigt, alles in mustergültiger Ordnung zu halten. »Das muß man den Amerikanern lassen«, sagte Frau Grete, »sie ehren ihre Toten. In Deutschland habe ich selten so schöne Friedhöfe gesehen.«

»Das mag schon sein«, erwiderte Möne, »aber nicht immer ist es der Wunsch nach Ehrung der Verstorbenen, der die Hinterbliebenen antreibt, ihre Grabstätten zu schmükken. Vielfach ist es eine Art Ausstellung von Gefühlen, die in Wirklichkeit nie vorhanden waren. Oft genug verbirgt sich hinter diesem Schaustück das böse Gewissen derer, die zu Lebzeiten ihrer Verwandten nichts um sie gegeben oder sie sogar niederträchtig behandelt haben. Erinnerst du dich an die alte Frau Lehmkuhl? Wie hart hat sie bis in ihr hohes Alter hinein arbeiten müssen! Und warum? Der wohlhabende Mann wünschte es so, und die Kinder wollten hoch hinaus und waren der Meinung, daß für die Mutter die niedrigste Magdarbeit gerade recht und passend sei. Ein freundliches Wort hörte sie nie, wohl aber wurde es ihr Tag für Tag vorgehalten, daß alles, was sie tue, nichts weiter sei als ihre Pflicht und Schuldigkeit. Und wenn sie einmal glaubte, fertig zu sein mit ihrer Arbeit in Haus und Stall und Garten und Feld, so wurde sie anderswohin geschickt, um ein paar Groschen extra zu verdienen, die dann der Mann mit einem bösartigen Grunzen wegen des geringen Betrages in seinem großen Geldbeutel verschwinden ließ, gar nicht zu reden davon, daß man ihr nicht erlaubte, ein neues Kleidungsstück für sich zu beschaffen. Als Aschenbrödel ging sie durchs Leben, und als Aschenbrödel mußte sie sterben. Mitten in der Arbeit fiel sie tot um wie ein altersschwacher

und in schwerer Arbeit verbrauchter Ackergaul. Aber dann
gab es ein großes Lamentieren über die liebe, teure Mutter,
der man soviel verdanke und die man noch gar nicht ent-
behren könne. Der Sarg konnte nicht kostbar genug sein,
und Blumen gab es – Blumen mit großen Schleifen und
goldenen Inschriften: ›Für die liebe Mutter – für die un-
vergeßliche Gattin!‹ Hat sich was mit der Liebe und der
Unvergeßlichkeit!–Schein – nichts als Schein und Theater-
spiel!« –

Möne und Grete stehen vor dem ersten Grabstein und
trauen ihren Augen nicht, als sie die Inschrift lesen. Sie
gehen zum zweiten – es ist fast dasselbe, und beim dritten
ist es nicht viel anders. Da wird ihnen klar, daß sie sich auf
einem Begräbnisplatz für Hunde und Katzen befinden.
Nun gehen sie weiter, und schließlich schreiben sie sich
einige der Inschriften auf:

> COLLY
>
> 12 Years
> born in the
> purple and a
> Gentleman

Collie, 12 Jahre alt, im Purpur geboren und ein Edelmann

> In Memory
> of my beloved
> BLUE TERRIER
> born May 22, 1883
> died June 2, 1889

Zur Erinnerung an meinen geliebten Blue Terrier,
geb. 22. Mai 1883, gest. 2. Juni 1889

```
┌─────────────────────────────────────┐
│   Our BOB          │  Little BUDDY   │
│   at Rest          │  with BOB again │
│   1880—1891        │  1858—1897      │
│   ─────────────────────────────────  │
│      My pets are waiting for me.     │
│            Mrs. Brown                │
└─────────────────────────────────────┘
```

Unser Bob ruht in Frieden — Klein Buddy wieder mit Bob vereinigt
Meine Lieblinge warten auf mich. Mrs. Brown

```
┌─────────────────────────┐
│      In Memóry          │
│    of our beloved       │
│      JOHN D.            │
│    loved in life        │
│   mourned in death      │
└─────────────────────────┘
```

Zum Andenken an unsern teuren John D., geliebt im Leben,
betrauert im Tod

```
┌─────────────────────────┐
│    VANDERBILT           │
│     Happy Boy           │
│    Son of Sportie       │
│    1880—1892            │
│                         │
└─────────────────────────┘
```

Vanderbilt, glücklicher Junge, Sohn von Sportie

```
┌─────────────────────────┐
│   SILVER PRINCE         │
│    our beloved          │
│    Persian Cat          │
│    1877—1893            │
└─────────────────────────┘
```

Silberprinz, unsere geliebte persische Katze

Dabei kommen Möne und Grete ins Lachen und können nicht aufhören damit, bis sie merken, daß die Arbeiter ihnen bitterböse Blicke zuwerfen. »Du, Grete«, sagt Möne, »nun hören wir auf mit Schreiben und Lachen und heben uns schleunigst von dannen, sonst werden wir noch hinausgeworfen und außerdem wegen Störung des Kirchhoffriedens angeklagt.«

Wie sie dann draußen auf der Landstraße weitergehen, fährt Möne in großem Ernst fort: »Weißt du, Grete, eigentlich ist die ganze Geschichte gar nicht zum Lachen. Katzen und Hunde brauchen weder Kirchhöfe noch Denkmäler. Ist das die einzige Hoffnung der Mrs. Brown, daß ihre Lieblinge auf sie warten? Ich fürchte, sie werden lange zu warten haben. Es fehlt nur noch, daß sich auch ein Pastor findet, der im Talar kommt und eine Leichenrede für Katze oder Hund hält mit warmen Trostworten für die trauernden Hinterbliebenen: ›Eure Lieblinge warten auf euch!‹ Nein es ist wirklich nicht zum Lachen, es ist ekelhaft.«

14. BRIEF VON PASTOR BRÜMMERSTÄDT AN MÖNE UND GRETE

Liebe Kinder!

Es ist ein richtiger Herbsttag heute. Wind und Regen sind in Zorn geraten, weil sie auf den kahlen Feldern nichts mehr finden, was sie vernichten oder erquicken könnten. Der Wind fährt mit lautem Geheul in den Schornstein hinein und schimpft über all die Schwärze, die ihm auf diesem ungewöhnlichen Wege begegnet, und der Regen klatscht gegen die Fensterscheiben in seiner Wut darüber, daß er die Menschen, die hinter den Scheiben sitzen, nicht bis auf die Haut durchnässen kann. Der Himmelsregen und der sausende Wind, den die Dichter gern das himmlische Kind nennen, haben sich in böse Geister verwandelt und spielen gemeinsam das Präludium zum wilden Winter-Konzert. Es ist ein Tag, so recht geeignet zum Stubenhocken und stillen Sinnieren.

Unsere Bauersleute sind mit dem Einernten und mit der Herbstbestellung fertig. Sie haben reiche Ernte gehalten, und keiner von ihnen hat Ursache zu klagen. – Gott der Herr hat auch Ernte gehalten in unserm Warkenthin und in den letzten Monaten drei von Euren und unsern Freunden als reife Garben auf seinen Erntewagen geladen.

Der erste war unser alter Nachtwächter Hennings. Mehr als fünfzig Jahre hat er seines Amtes als nächtlicher Wächter unseres Dorfes treu und gewissenhaft gewaltet. Zu seinem Jubiläum schenkte unsere Gemeinde ihm einen warmen Überzieher für die Winterzeit. Wir vermissen ihn sehr, den treuen Alten mit seinem treuen Blick und seinem treuen Wort. Wie oft ist er zur Sommerzeit in der Nacht gekommen und hat an unser Schlafstubenfenster geklopft und gerufen: »Herr Pastuhr, dor treckt en Gewidder up!« Und immer wenn er auf seinem Rundgang durchs Dorf ungewöhnliche Unruhe in einem Viehstall hörte, sah er nach, ob irgendwas nicht in Ordnung sei, und war etwas verkehrt, so brachte er es wieder zurecht oder weckte, wenn's nötig war, den Knecht oder den Bauern.

Als armes Tagelöhnerkind wurde er geboren, als armer Mann ging er durchs Leben, und als armer Sünder tröstete er sich mit Christi Blut und Gerechtigkeit. – Im Blasen seines Horns war er kein Meister; aber doch glaube ich, daß er, wenn er sich recht viel Mühe gibt, droben von J. S. Bach einen Platz im himmlischen Orchester erhält und hin und wieder ein Lied »zur guten Nacht« blasen darf. –

Der zweite, der abberufen wurde, war der alte Külper, auch ein Tagelöhner, wie Ihr wißt. Er arbeitete viele Jahre hindurch im Wald und wurde wegen seines Geschicks und seiner Gewissenhaftigkeit mit der Pflege des Pflanzgartens betraut. Ich habe ihn dort oft aufgesucht und mich immer gefreut, wie sauber er seinen Garten hielt und wie zart er mit den Pflänzlein umging. In seiner Jugend war er ein schmucker Mann gewesen; aber dann war es ihm ergangen nach dem Lied: Ach, wie bald schwinden Schönheit und Gestalt! Während der letzten zehn Jahre seines Lebens ging er sehr gebückt einher, und unzählige Falten wuchsen in seinem Gesicht. Gebückt ging er, nicht weil er sich das so angewöhnt hatte, und die vielen Falten waren ihm auch nicht zufällig gekommen. Sein braves Eheweib war längst gestorben, und Sohn und Schwiegertochter behandelten ihren Hund besser als den alten Vater. Dabei war er im Grunde seines Herzens doch ein froher Mensch geblieben und konnte sich wie ein Kind freuen, wenn er hin und wieder Gelegenheit fand, mit guten Freunden ein freundliches Wort zu wechseln. Dann ging ein heller Schein über sein Gesicht, und dann war der alte Külper wieder ein schmukker Mann trotz der vielen Falten und der gebückten Haltung. Er wußte in kluger Rede und mit frommem Sinn manch feines Gleichnis von Menschen und Pflanzen zu sagen, und seine Gleichnisse wurden zur Wirklichkeit, als Gott der Herr ihm eines Tages den Spaten aus der Hand nahm und ihn »ohn' ein'ge Qual und Pein« in den himmlischen Garten verpflanzte. Was er dort sein wird? Dumme Frage! Ein Knecht wird er dort sein, ein Knecht Gottes.

Das ist er hier gewesen, und das wird er auch dort sein, aber ohne Falten und ohne gebückte Haltung. –

Noch ein dritter ist von uns geschieden, der alte Holzwärter oder Waldhüter Jauert. Die Leute nannten ihn einen sonderbaren Kauz, und das war er wohl auch, aber ein Kauz von lieber Art. Überflüssige Schulbildung beschwerte ihn nicht; er sprach allerdings immer hochdeutsch, aber es kam etwas verkrüppelt über seine Lippen. Als ich ihn das erste Mal besuchte oder vielmehr besuchen wollte, fertigte er mich kurz bei der Tür ab: »Entschuldigen Sie, Herre, ich muß in den Wald, und meine Frau liegt krank ins Bette!« Damit verschwand er im Innern des Hauses, und ich hatte genug Zeit und Gelegenheit, mir die Haustür von außen anzusehen. Ein andermal, als ich ihm einen seiner früheren Bekannten zuführte, den er wenigstens zwanzig Jahre nicht gesehen hatte, musterte er diesen »Bekannten« lange und aufmerksam und sagte dann in seiner kurzen und knappen Art: »Tscha, Herre, ich kenn' Ihnen, bloß ich kann nicht auf Ihnen kommen!«

Ihr werdet Euch erinnern, daß seine Tochter vor vielen Jahren, als Ihr noch Kinder wart, einen kleinen Beamten in der Stadt heiratete. Es gab eine große Hochzeit. Aber das wißt Ihr wahrscheinlich nicht, daß der Alte am Spätnachmittag des Hochzeitstages, als er genug hatte von Essen und Trinken und Unruhe und Singsang, seine Flinte von der Wand nahm, seinem Pluto pfiff und in den Wald ging. Dort unter den Bäumen, *seinen* Bäumen, war's ihm wohler.

Er liebte seinen Wald. Seine Freunde behaupteten, er kenne jeden einzelnen Baum, doch war das vielleicht ein wenig übertrieben. Er hatte aber auch seine Feinde, und damit meinte er jeden, der ihm einen Baum aus seinem Walde stahl. Er nannte dies Stehlen ein Werk der Finsternis, und darin hatte er recht, denn diejenigen, die ihm eins seiner Waldkinder nahmen, verrichteten ihr Werk selbstverständlich zur dunklen Nachtzeit. Es kam nicht sehr häufig vor, und die Übeltäter fanden sich fast ausschließlich in dem benachbarten Dorf Venzier, wo ihnen im Winter zur Abendzeit die Hirsche und Rehe in die Fenster guckten und wo ihnen der Wald fast bis in die Häuser hineinwuchs, so daß sie meinten, ein gutes Werk zu tun, wenn sie sich gegen die Aufdringlichkeit von Wald und Wild wehrten. Mehr als einmal hat er mir geklagt: »Ich sag' Sie, Herre, von hier bis Kunstantinapel gibt's kein so elendiges Dorf wie Venzier!« Ertappte er einen Frevler bei frischer Tat, so gab es ein Ungewitter sondergleichen, und »Nichtsnutz« und »Taugenichts« sind Schmeichelnamen gegen die Ausdrücke, die er gebrauchte. Jedesmal zeigte er den Täter beim Forstamt an, und jedesmal mußte der einen oder zwei oder fünf Taler als Buße zahlen, je nach der Stärke des Baumes, und jedesmal trieb ihn sein gutes Herz, dem Bestraften bei der ersten Gelegenheit das Strafgeld aus seiner eigenen Tasche zu ersetzen mit der grimmigen Bemerkung: »Tust du's noch einmal, dann ...!«

Einen fleißigen Kirchgänger konnte man ihn nicht nennen. Als ich ihn einst darüber befragte, gab er zur Antwort: »Es geht Sie nicht, Herre, es geht Sie wirklich nicht. Wenn die Leute in Venzier wissen, daß ich in der Kirche sitze, so kommt das halbe Dorf und sagt mir die besten Baums ab. Sie wissen, Herre, im Winter gehe ich gern zur Kirche, und besonders gern geh' ich, wenn Schnee gefallen ist, denn dann geben die Venzierleute Frieden, weil der Schnee sie leicht verraten tut. Im Sommer ist es anners. Da stehen Sie des Sonntags in der Kirche auf Ihre Kanzel und hüten und behüten Ihre alten und jungen Gemeindekinners, und zur selben Zeit bin ich in meinem Wald und hüte und behüte meine Waldkinners, daß mir keins von ihnen verlorengehen soll. Und dabei kommen mir manchmal sunderliche Gedanken, Herre. Es ist kein großer Unterschied zwischen Ihren und meinen Kinners; sie wachsen und wachsen, aber nicht alle wachsen gerade in die Höhe, manche geraten schief und krumm oder verkrüppeln sogar. Da müssen Sie und ich helfen und stützen und aufrichten, so gut wir es können. Das ist unser Amt. Und wenn ich genug an die Waldkinners gedacht habe, dann denke ich an mich. Ich bin ja auch man so ein Baum, und ich weiß, ein knorriger Baum. Und ich weiß auch dies: wenn ich trotzdem schier und gerad' in den Himmel hineinwachsen will, so muß Gott der Herr mir dazu helfen, und das beste, was ich weiß, ist, Gott wird mir dazu helfen; einen besseren Waldhüter als den da oben gibt's nicht.«

Das war wohl die längste Rede, die der Jauert jemals gehalten hat. Ich wollte ihm eine Antwort geben, aber ich konnte nicht; ich habe ihm nur fest die Hand gedrückt. Immer habe ich den Alten für einen recht einfältigen Mann gehalten; aber nun weiß ich, was für eine hohe Weisheit in seinem Herzen wohnte und da wohnen konnte, eben weil es ein einfältiges Herz war. –

Je älter ich werde, desto häufiger gehen meine Gedanken zurück in die Vergangenheit. Wenn ich unser Warkenthin, wie Ihr es kennt, mit dem vergleiche, wie es in meiner Jugendzeit war, so fällt der Vergleich zugunsten des älteren Geschlechts aus; es gibt in unserm Dorf auch heute noch manchen geraden und aufrechten Menschen, der in Sinn und Wort und Werk fest und stark ist wie die eichenen Balken in seinem Haus, aber mich dünkt, die Väter und Großväter waren noch fester und stärker.

Es haftete ihnen viel gesunder Erdgeruch an. Sie waren in ihrem ganzen Denken und Arbeiten und in Wort und Tat so heimatverbunden, so eins mit ihrem Grund und Boden, mit ihrer Hausung und Wirtschaft, daß man sie von alledem nicht lösen konnte, ohne ihnen bitteres Leid anzutun. Bauernbedächtigkeit, Bauernstolz, Bauerneigensinn, Festhalten am Alten und vorsichtiges Prüfen des Neuen – das war ihnen angeboren und lag ihnen im Blut. Und wenn ich dies alles zusammennehme, dann steht der niederdeutsche Bauer vor mir in seiner ganzen Urwüchsigkeit. Seine Gottesfurcht trug er nicht zu Markte. Aber wie oft habe ich als Kind, wenn mein Vater mich am Sonntagnachmittag mit irgendeinem Auftrag zu diesem oder jenem schickte, einen Bauersmann in seiner Stube am großen eichenen Tisch sitzen sehen, Bibel oder Gesangbuch aufgeschlagen vor sich. Bibel, Gesangbuch und Katechismus waren seine Bibliothek, und was er darin fand, gereichte ihm und seiner Arbeit zum Segen und genügte ihm für Leben und Sterben.

Alles in allem: Die rechte Gottesfurcht findet sich nicht immer und nicht allein auf den Kanzeln und in den Hörsälen der theologischen Fakultäten. Sie ist sehr häufig da zu finden, wo man sie am wenigsten sucht, in den Herzen ganz einfacher Leute, zumeist tief verborgen wie ein heimlicher Schatz. Die vielgerühmte menschliche Weisheit ist, wenn sie sich auf göttliches Gebiet verirrt, oft nichts als Gaukelei, ein lächerliches und zuweilen lästerliches Spiel mit dem Heiligsten, das es gibt im Himmel und auf Erden. Und so ein einfacher Warkenthiner Tagelöhner oder Waldhüter in seiner kindlichen Gottesfurcht ist mir hundertmal lieber als ein Wissenschaftler, der von seinem selbsterbauten Weisheitsturm in den Himmel zu sehen vermeint und

es für absolut nötig hält, dort allerlei Reformarbeit vorzu-
nehmen.

> »Was kein Verstand der Verständigen sieht,
> Das übet in Einfalt ein kindlich Gemüt!«

Euer Vater Brümmerstädt

15. EINE SYNODALKONFERENZ

In B. tagte die Synodalkonferenz des Distrikts. Es war
eine kleinere Stadt, und sie machte einen freundlichen Eindruck, besonders wegen ihrer Sauberkeit, die sonst nicht
gerade ein spezielles Kennzeichen aller amerikanischen
Städte ist. Etwa hundert Pastoren und ungefähr ebenso
viele Laien und Lehrer hatten sich eingefunden. Einige
der Teilnehmer zogen es vor, während der ganzen Woche,
die die Konferenz in Anspruch nahm, in einem Hotel zu
wohnen; die große Mehrzahl fand Unterkunft bei Gemeindemitgliedern. Die Mittagsmahlzeiten wurden gemeinschaftlich in der großen Halle eingenommen, die einen
Teil des Kirchengebäudes bildete, und die Frauen der Gemeinde rechneten es sich zur Ehre an, ihren Gästen das
Beste aus Küche und Keller vorzusetzen.

Zu den Hausgästen gehörte auch Möne Markow. Er hatte
Unterkunft bei einer Familie in ländlicher Umgebung draußen vor der Stadt gefunden. Die Unterhaltung mit seinen
Wirtsleuten wollte zuerst nicht so recht in Fluß kommen,
aber das sollte sich bald ändern, denn plötzlich sagte der
Mann zu seiner Frau: »Mudder, du künnst uns ok'n Buddel Bier bringen!« – »Wat«, fuhr Möne auf, »spräken Sei
Plattdütsch?« – »Ja, wat süllen wi süß woll spräken, wi
kamen doch beid' von Meckelborg!« – Da stand Möne auf

und gab beiden zum zweitenmal die Hand. »Ick ok!« – Damit war kurz und gut eine neue Freundschaft geschlossen, und nun floß die Rede munter weiter, und es ergab sich, daß Wirt und Wirtin in Teterow geboren waren. »Teterow?« warf Möne ein, »ja, Teterow is mi gaud bekannt. Ick bün nich in Teterow west, äwer dor warden so vel spaßige Geschichten von Teterow vertellt, dor künn einer en ganz Bauk von schriewen.« – »Dat is wohr«, schmunzelte der Wirt, »äwer ick glöw nich, dat Sei de spaßigste Geschicht von Teterow kennen. Dat is vör mihr as hunnert Johr west, dunn hadden de Teterower buten vör de Stadt en Galgen bugt för Spitzbauben un Dodsläger un anner slecht Lüd', un mennigmal leihnten sei den Galgen ok ut an anner Städ', wenn dei Bruk hadden för son'n Ding. Äwer nu wir de Galgen olt un mör worden, un dorüm bugten de Teterower en niegen, äwer den'n wullen sei nich nah utwards leihnen, un dorüm makten sei bekannt: der Galgen ist nicht für fremde Sünder, der ist für uns und unsre Kinder!« – Und als dann die Wirtin im weiteren Verlauf des Gesprächs erzählt hatte, daß sie als junges Mädchen einmal den Pastor Brümmerstädt von Warkenthin auf einem Missionsfest in Teterow gesehen habe, allerdings nur von hinten, da war in kurzer Zeit die neue Freundschaft zu einer alten geworden.

Schon am nächsten Tage hatte es sich in der ganzen Nachbarschaft herumgesprochen, daß die Familie Lange einen waschechten Mecklenburger als Einquartierung erhalten habe, und nun regnete es von allen Seiten Einladungen zum Abendessen, denn die Nachbarn waren samt und sonders ebenso waschecht in ihrer mecklenburgischen Art wie Pastor Markow. Es wurde bei diesen Mahlzeiten aufgetragen, was das Haus nur zu liefern vermochte, und wenn

187

Möne an der Grenze seiner Leistungsfähigkeit angelangt
war und die Hausfrau halbwegs vorwurfsvoll mahnte:
»Äwer, Herr Pastuhr, Sei eten jo as'n Hauhn«, so antwortete er mit der Fortsetzung der alten mecklenburgischen
Redensart: »Mag girn eten un nicks dauhn«, worauf es
dann ein frohes Lachen in der ganzen Runde gab, weil es
den Leuten zur Gewißheit wurde: Der ist echt, der ist einer
von unserer Art! –

Es wurde aber nicht nur gegessen und gelacht, es wurde
auch manch ernstes Wort gesprochen über einst und jetzt,
über daheim und dahier. Und wenn Möne gegangen war,
so sagte dieser und jener: »Er ist ein guter Mann!« und
jeder bestätigte es: »Ja, er ist geradeso wie wir!«

Während der Konferenztage machte Möne neue Be-
kanntschaften. Besonders ein älterer Laiendelegat fühlte
sich wegen Mönes ehrlichen Gesichts und einfachen Wesens
zu ihm hingezogen und suchte mit ihm ins Gespräch zu
kommen, wann immer sich Gelegenheit dazu bot. Sie sprachen über dies und jenes, über kirchliche Angelegenheiten
und staatliche Einrichtungen, und Möne hatte es bald heraus, daß der Alte ein gesundes Urteil habe und daß er es
ehrlich und aufrichtig meine, und darum ließ er sich gern
mit ihm ein. Am letzten Versammlungstage faßte der alte
Mann sich ein Herz und sprach sich ohne Vorbehalt aus.
Es war ein Bekenntnis:

»Herr Pastor, ich muß Ihnen einmal etwas sagen. Sehen
Sie, ich bin viele Jahre hindurch als gewöhnlicher Arbeiter
in die Fabrik gegangen und habe dort mein täglich Brot
verdient und manchmal noch etwas mehr als das. Aber
dann sah ich, wie andere Leute mehr und schneller ver-
dienten, zum Beispiel die Besitzer von Ice-Cream-Parlors.
Das stach mir in die Augen, und ich dachte: was die kön-

nen, das kann ich auch, und nach zehn oder zwölf Jahren kannst du dich zurückziehen und von deinem Geld leben; denn die Leute im Land Amerika sind hungrig nach Ice-Cream, und jedes kleine Kind, wenn es eben laufen kann, muß sein Teil davon haben; das gehört sich so und ist nun einmal nicht zu ändern!

So erwarb ich mir von meinem Ersparten ein passendes Lokal und versprach dem lieben Gott: Wenn du deinen Segen dazu gibst und das Geschäft geht gut, so geb' ich dir am Ende des Jahres den Zehnten vom Gewinn für Kirche und Mission! – Und Gott gab seinen Segen, und am Jahresschluß hatte ich ein über Erwarten großes Guthaben auf der Bank. Dann nahm ich meinen Bruder ins Geschäft, weil ich dachte: wo einer reichlich genug hat, da werden auch zwei keinen Mangel leiden. Immerhin hielt ich es aber doch für geraten, den lieben Gott von unserm Vorhaben in Kenntnis zu setzen und ihn um Geduld und Nachsicht zu bitten, wenn ich die Auszahlung des Zehnten einstweilen aufschieben müsse, da ich doch erst einmal sehen wolle, wie es mit dem Reingewinn des zweiten Jahres bei dem Haushalt von zwei Familien stehen werde.

Auch im zweiten Jahr fehlte es durchaus nicht an Gottes Segen, und auf den Rat meines Bruders vergrößerten wir das Geschäft und nannten es großartig: ›Ice-Cream Parlor for Ladies and Gentlemen – Newspapers and Magazines!‹ – Die Vergrößerung kostete einen Haufen Geld, mein Bankkonto schrumpfte zusammen, und am Ende des Jahres mußte ich wieder einmal eine Extra-Unterredung mit dem lieben Gott haben und ihm sagen: Lieber Gott, es tut mir furchtbar leid, daß ich wiederum mit leeren Händen zu dir komme, aber du wirst ja einsehen, daß ich mein Versprechen wirklich nicht einlösen kann. Wirst du aber fortfahren mit deinem Segen, so soll es nach Ablauf des dritten Jahres nicht an mir fehlen, und ich werde dir dann alles bezahlen, was ich dir schuldig bin! – Das dritte Jahr kam, und alles ging zunächst nach Wunsch.

Aber dann geschah etwas Unerwartetes. Gerade meinem Geschäft gegenüber wurde ein altes Gebäude niedergerissen und ein neues errichtet. Das Bauen geht in Amerika furchtbar schnell, und ehe wir's uns versahen, stand das Haus fertig da, und mit großen Buchstaben, die mich, wie es mir schien, frech angrinsten, stand auf den blanken Fensterscheiben zu lesen: ›All Kinds of Refreshments!‹ Was war da zu tun? Nichts war zu tun. Das neue Unternehmen bot seinen Besuchern nicht nur alle Arten von Erfrischungen, Ice-Cream eingeschlossen, sondern auch alle Bequemlichkeiten und Annehmlichkeiten, die man sich nur wünschen kann. Alles Volk strömte in hellen Haufen dorthin, und wir mußten zufrieden sein, wenn ab und zu ein kleines Kind kam und zwei Cents auf den Ladentisch legte und sagte: ›For two Cents Daily Newspaper!‹

Das war das Ende von unserm ›Ice-Cream Parlor for Ladies and Gentlemen‹. Nach Verlauf von zwei Monaten sahen wir ein, daß alles Warten auf eine Änderung zu unsern Gunsten nutzlos sei, suchten unsere Dinner Pails hervor und gingen wieder in die Fabrik. Der liebe Gott war nicht der Meinung, daß wir uns ihm gegenüber korrekt verhalten hatten. Es ist doch wahr: ›Versprechen und nicht halten steht übel Jung und Alten!‹« –

Möne hatte schweigend zugehört, nur dann und wann genickt. Dann legte er dem Alten die Hand auf die Schulter und sagte: »Vater Kurtz, Sie stehen nicht allein mit Ihren Erfahrungen, wir alle machen sie in dieser oder jener Weise. Und was das Versprechen anbetrifft – wer kann da aufstehen und sagen: das habe ich alles gehalten von meiner Jugend an! Der große Unterschied zwischen Gott und uns ist: Gottes Weg ist gerade, und unser Weg ist krumm, und wenn unsere Straße zu krumm und verkehrt wird, dann muß er uns wieder zurechthelfen, und das tut er auf seine Weise, meistens so, daß er uns – ganz gratis – eine Stunde Privatunterricht gibt über die dritte und vierte und vielleicht auch noch über die sechste Bitte im Vaterunser. Hauptsache für uns Menschen ist dann nur, daß wir fleißig zuhören und seinen Anweisungen folgen und wieder den geraden Weg finden. Auf Wiedersehen, Vater Kurtz!« – Damit ging Möne seines Weges, und der Alte sah ihm lange nach und dachte bei sich: ›Das ist einer, der Gott und Menschen gefallen kann!‹ –

Die Verhandlungen der Distriktskonferenz fanden in der Kirche statt. Frau Sonne hatte eine neue Ladung Kohlen aus Pennsylvanien erhalten und sehr brav eingeheizt in der löblichen Absicht, den Konferenzmitgliedern die nötige Herzenswärme für ihre Beratungen zu liefern. Drinnen und draußen war es heiß zum Ersticken, und die Sonne tat ihre Pflicht gegen alle Teilnehmer und schonte weder Laien noch Theologen, und aus mancher Brust stieg der stille Seufzer auf: »Von der Stirne heiß rinnen muß der Schweiß!« Die meisten der Teilnehmer hatten ihre Röcke über die Banklehnen gelegt, und den Taschentüchern, die für gewöhnlich dazu bestimmt sind, den dicken und schmalen, langen und kurzen, geraden und gebogenen Nasen und Näslein zu dienen, fiel heuer eine stark erweiterte Aufgabe zu. Trotz der Hitze wurde manch kluges und gutes Wort gesagt, das wie ein gutes Korn in gute Erde fiel; hin und wieder hörte man auch eine stark verbrauchte Redensart, die man geduldig hinnahm und gutmütig auf den Fußboden fallenließ, und ebenso fehlte es nicht an Bemerkungen, die man mit dem Mantel der Liebe zudeckte. Alles in allem verliefen die Konferenztage friedlich und einträchtig. Nur einmal kam es fast zu offenem Aufruhr, und es war Mönes Schuld, daß es dazu kam.

Auf der Tagesordnung stand das Thema: »Was sollen und können wir tun, um das christliche Leben in unsern Gemeinden zu fördern?« In der Debatte darüber regnete es unzählige Vorschläge. Einer meinte, man solle von Zeit zu Zeit kleine Blätter mit ernsten Ermahnungen in die Häuser schicken; ein anderer war der Ansicht, biblische Bilder mit passenden kurzen Geschichten aus dem täglichen Leben seien den Blättern vorzuziehen; ein dritter hielt es für geraten, im Gemeindehaus oder in dem mit dem Kirchengebäude verbundenen Saal christliche Theaterstücke aus der Kirchengeschichte aufzuführen, und so reihte sich ein guter oder unguter Rat an den andern, bis Möne aufstand und ums Wort bat:

»Das, was hier bisher vorgeschlagen wurde, mag an und für sich gut und schön sein, aber das sind keine Mittel, das christliche Leben in unsern Gemeinden zu bessern, das sind nur Mittelchen. Ich kenne und weiß nur *ein* Mittel: das christliche Familienleben muß wiederhergestellt werden. Das ganze öffentliche Leben, wie es sich in den letzten Jahrzehnten gestaltet hat, ist eine Gefahr für das Familienleben überhaupt, und was tun wir, um diese Gefahr abzuwenden oder wenigstens zu verringern? Nichts tun wir! Im Gegenteil, wir stellen uns Seite an Seite mit dem öffentlichen Leben und tun unser Bestes, dem Familienleben den Garaus zu machen. Wir gründen in unsern Gemeinden einen Verein nach dem andern, und die Befürchtung liegt nahe, daß den bestehenden Vereinen noch immer neue und durchaus unnötige hinzugefügt werden. An einigen Abenden in der Woche kann der Vater nicht zu Hause sein, an andern fehlt die Mutter, und die erwachsenen und halberwachsenen Kinder sind nur noch zu den Essenszeiten daheim. Wo bleibt da das Familienleben! Wir stehen in Gefahr, daß durch diese endlose Beteiligung an christlichen Vereinen das christliche Familienleben ungebührlich vernachlässigt wird oder, wenn noch andere Einflüsse sich geltend machen, ganz verlorengeht. Hier und da wird das Bestehen einiger Vereine, besonders in größeren Gemeinden, gut und notwendig sein, aber allzuviel ist ungesund. Die alte Zeit war längst nicht immer eine gute Zeit, aber darin war sie gut, daß sie die Familie in den Mittelpunkt des ganzen Volkslebens stellte. Die Heilige Schrift kennt nur einen Verein, und das ist die Familie. Was uns in einer zerstörenden und niederreißenden Zeit not tut wie das tägliche Brot, das ist das christliche Familienleben. Wer dazu hilft, es wiederherzustellen, der tut Gott und Menschen einen Dienst, einen Dienst, der hier in der Zeit anfängt und bis in die Ewigkeit reicht.«

Möne setzte sich, und es herrschte für einen Augenblick Stille, aber auch nur für einen Augenblick. Dann brach der Sturm los, und Möne kriegte manches zu hören, was ihm nicht gerade lieblich in den Ohren klang. Es wurden Ausrufe laut wie »Hinterwäldler« – »verschrobene Ansichten« – »nicht mit der Zeit fortgeschritten« und viele andere, die eigentlich schlecht in einen Kirchenraum paßten. Aber es gab auch Männer, die ihm freundlich zunickten, vor allen Dingen ein alter Pastor mit schneeweißem Haar, der aus dem Osten des Landes gekommen war, um seine Verwandten in B. zu besuchen, und der nun auf Möne zuging, ihm fest die Hand drückte und sagte: »Sie sind mir heute trotz Ihrer jungen Jahre ein Freund geworden.« –

Eine Stunde später fand das gemeinschaftliche Mittagessen in der großen Kirchenhalle statt. Mönes Tischnachbar war ein etwa gleichaltriger Pastor. Der hatte gemeint, er müsse sich die diesjährige Konferenz versagen, weil seine Frau ihrer Niederkunft entgegensah. Aber die Frau wußte, wieviel ihm an dem Besuch gerade dieser Konferenz gelegen war, und hatte ihm gut zugeredet, er solle ruhig reisen, sie habe ja alle nötige Pflege, der Doktor wohne nur drei Häuser entfernt, und der liebe Gott sei sogar noch näher. Nun saß er hier an der reichbesetzten Tafel und freute sich seines Lebens, freute sich auch seines Nachbars, den er von früheren Konferenzen her kannte und schätzte. Er erzählte Möne von dem zu erwartenden Familienzuwachs und von der Altardecke, die er im Auftrage seines Kirchenvorstandes hier in B. besorgen solle; leider habe er den Zettel mit dem Maß der Decke in seinem Schreibtisch liegenlassen und sich daher genötigt gesehen, einen Eilbrief mit der Bitte um genaue Angabe der Länge und Breite abzusenden. Kaum war er mit seinem Bericht fertig geworden, als ihm ein Telegramm über den Tisch gereicht wurde. Er brach es hastig auf, las, und ein breites Schmunzeln zog über sein Gesicht. »Zwei Fliegen mit einer Klappe«, sagte er und hielt Möne das Telegramm vor die Augen. Möne las: »Heute früh ein gesunder Sohn geboren!« Darunter stand ohne jegliche Randbemerkung: »Ein Yard und 15 Zoll lang, 43½ Zoll breit!« – Möne lachte, daß ihm die Tränen kamen. So konnte eben nur Möne lachen. Und unter diesem befreienden Lachen vergaß er alles, was ihm in der Vormittagsversammlung das Herz beschwert hatte. –

194

Die Gemeinde in B. war ihrer Gesinnung und ihrem ganzen Wesen nach deutsch und in der täglichen Umgangssprache sogar plattdeutsch. Das hinderte die Leute aber nicht, zu gleicher Zeit auch gute amerikanische Bürger zu sein.

Nun hatte die Gemeinde vor drei Jahren einen jungen Pastor berufen, dem, wie sich bald herausstellte, für das Deutschtum seiner Gemeindemitglieder jegliches Verständnis fehlte. Insonderheit war ihm die deutsche Sprache in Kirche, Schule und Familie ein Dorn im Auge, obgleich er einen gut deutschen Namen trug und seine Eltern ihren Geburts- und Taufschein in deutscher Sprache vorzeigen konnten. Durch allerlei Künsteleien, die nicht immer ganz einwandfrei waren, hatte er es fertiggebracht, einige einflußreiche Mitglieder des Kirchenvorstandes zu überzeugen, daß es viel besser und zeitgemäßer sei, für Predigt und Unterricht die englische Sprache einzuführen. Die Sache wurde auf einer Gemeindeversammlung vorgetragen und von einigen speziellen Freunden des Pastors so hingestellt, als ob die Gemeindemitglieder dem lieben Gott im Himmel und dem beinahe noch lieberen Pastor in B. auf den Knien dafür danken müßten, wenn sie fortan in Kirche und Schule Gottes Wort und Luthers Lehr' in einer ihnen mehr oder minder ungeläufigen Sprache hören dürften. Außerdem wurde den erstaunten Zuhörern die große Neuigkeit mitgeteilt, daß der liebe Gott wirklich und wahrhaftig auch Englisch verstehe.

Es war ein Wunder geschehen. Über Nacht, im Handumdrehen, war aus einer deutschen Gemeinde eine englische geworden. Späterhin kamen den meisten Männern allerlei Bedenken, und wem sie nicht von selber kamen, dem wurden sie von den Hausfrauen in längerer oder kürzerer Rede eingetrichtert, und jede Rede schloß mit den Worten: »Ihr seid doch die dümmsten Männer in Gottes weiter Welt, daß ihr euch so das Fell über die Ohren ziehen laßt. Schade, daß ich nicht mit dabei war!«

Die Sache wurde weit und breit ruchbar und viel besprochen, und nun hatte auch der alte Pastor aus dem Osten davon gehört. Wo er während der Konferenz ging und stand, hatte er einen Haufen Gemeindemitglieder um sich und redete ihnen eindringlich ins Gewissen, ohne sie zu schonen: »Was für Dummheiten habt ihr denn hier gemacht! Habt Gottesdienst und Schulunterricht in eurer Heimatsprache und achtet es nicht? Wißt ihr nicht, was es heißt, Gottes Wort in eurer Muttersprache zu hören? Das heißt, Gottes Wort frisch und ungehindert in Ohr und Herz dringen zu lassen. Wißt ihr, was ein deutscher Mann einmal darüber gesagt hat? Er hat gesagt:

> ›Überall ist Gottes Hauch,
> Heilig ist wohl mancher Brauch,
> Aber soll ich beten, danken,
> Geb' ich meine Liebe kund,
> Meine seligsten Gedanken –
> Sprech' ich wie der Mutter Mund.‹

Oder denkt ihr, daß es vornehmer sei, englisch zu sprechen? Da kann ich euch nur sagen: wirklich vornehm ist der, der aus einem guten Herzen heraus so spricht, wie er denkt, und so könnt ihr nur in der deutschen Sprache sprechen. Sprecht ihr eine andere Sprache, so kommt etwas Fremdes in eure Rede, etwas, was ihr eigentlich gar nicht sagen wollt. Denkt doch nicht, daß man euch hier im Lande mehr achten wird, wenn ihr auch da, wo es gar nicht nötig und gar nicht angebracht ist, das Englische so radebrecht,

196

daß euch die Zunge und eurem Zuhörer das Ohr weh tut. Der einzige Erfolg, den ihr damit erzielt, ist, daß man euch mit eurem Sprachenmischmasch auslacht. Ich will euch nicht gegen euren Pastor aufhetzen. Aber der ist jung und unerfahren, und ihr hättet Manns genug sein sollen, eure Ansicht gegen seine Unbedachtsamkeit durchzusetzen. Nehmt es mir nicht übel, aber ich muß es euch sagen: Schämt euch!«

Während dieser derben Zurechtweisung war der alte Herr mit seinen Begleitern auf den Spielplatz neben der Schule gekommen. Dort spielten zwanzig bis fünfundzwanzig Buben. Der Unterricht mußte während der Konferenzwoche ausfallen, und die Jungen, die nicht traurig über diesen Ausfall zu sein schienen, waren aufgefordert worden, sich in den Tagesstunden in der Nähe von Kirche und Schule aufzuhalten, um Botengänge und andere Dienste zu leisten. Wo so viele Buben beieinander sind, muß es mehr oder weniger laut hergehen. Allerhand Zurufe erschollen, Rufe der Warnung, der Freude, der Enttäuschung – alles in deutscher Sprache, Hochdeutsch und Plattdeutsch bunt durcheinander – kein englisches Wort. Der alte Pastor stand still, sah dem Spiel zu, hörte noch mehr als er sah, wandte sich nach einer kurzen Weile zu den Männern um ihn her und sagte – es klang fast feierlich: »Hört ihr eure Buben? Schämt euch!«

16. BRIEF VON MÖNE AN PASTOR BRÜMMERSTÄDT

Lieber Vater Brümmerstädt!
In Deinem letzten Brief schreibst Du von allerlei kuriosen Leuten in Warkenthin und willst von mir wissen, ob

ich auch so merkwürdiges Kraut in meinem Garten habe. Wie kannst Du nur so fragen – bald hätte ich gesagt: »so dumm fragen«, aber ich sage es nicht, denn das geht wider den Respekt! Kuriose Leute? Originale? Das ganze Land ist voll davon von einem Ende bis zum andern, und das Land Amerika muß der geeignete Boden für sie sein, denn sie leben und gedeihen hier ganz wunderbar. Ich will Dir einige Exemplare vorführen.

Nicht weit von uns entfernt wohnt ein Mann, den ich gut leiden kann, weil er immer freundlich und hilfsbereit ist gegen jeden, der der Hilfe bedarf. Aber er hat ein Laster, oder das Laster hat ihn: er ist ein Mann der Ordnung und hält auf peinlichste Ordnung auch in den kleinsten Dingen. Zu seiner Wohnung gehört ein mittelgroßer Raum, und dieser Raum ist gefüllt mit kleinen und großen Schränken und Kommoden, teils gekauft und teils von dem Besitzer selbst angefertigt. Jeder Schrank und jede Kommode enthält eine Anzahl von Schiebladen, und in jeder Schieblade befindet sich etwas Brauchbares: Nägel, Schrauben, Knöpfe, Haken, Schlüssel, Schlösser etc. Natürlich sind es lauter gebrauchte und vielfach sogar verbrauchte Sachen; aber »man kann nie wissen, wozu man sie einmal benutzen kann«, und weil man das nie wissen kann, sind sie alle wohlgeordnet, damit man sie nötigenfalls gleich bei der Hand hat. Schieblade Nr. 1: einzöllige Nägel, Nr. 2: zweizöllige Nägel, und so geht es weiter bis zu fünfzölligen, wobei er sehr genau darauf achtet, daß gewöhnliche Nägel, messingne Nägel und gewöhnliche Nägel mit Messingköpfen in verschiedenen Schubladen untergebracht werden. In ähnlicher Weise sind Schrauben, Haken, Schlüssel und Schlösser geordnet. Mit den Knöpfen ist es noch schwieriger, weil Größe und Farbe und Zweck in Betracht gezogen werden müssen.

Damit ist aber dem Ordnungssinn meines Freundes noch nicht Genüge getan; er weiß auch ganz genau, wieviel Schachteln Streichhölzer, wieviel Stück Seife und, mit Verlaub zu sagen, wie viele Rollen Toilettepapier im Monat verbraucht werden. Dabei ist er aber durchaus nicht engherzig und macht keinen Unterschied zwischen Monaten mit 30 und 31 Tagen; nur für den Februar fühlt er sich verpflichtet, einen kleinen Abzug zu berechnen, das Schaltjahr ausgenommen. –

Ein Original war auch ein junger Mann, der zu meiner Gemeinde gehörte. Er war ein gutmütiger und anständiger Bursche, aber sein Oberstübchen war nur spärlich möbliert. Durch schwere und schmutzige Arbeit, die obendrein schlecht bezahlt wurde, hatte er es auf ein Vermögen von hundert blanken Dollars gebracht. Da war mein Junge glücklich, und das erste, was er in seinem Glücksgefühl tat, war, daß er die Arbeit niederlegte, denn nun wollte er von seinem Geld leben. Alle Vorstellungen und Warnungen meinerseits nützten nichts. Hundert Dollars – das war eine riesige Summe, und es war gar nicht auszudenken, wie lange sie für seine einfache Lebensweise reichen werde. Übrigens zeigte es sich in der Folgezeit, daß er recht hatte und ich unrecht; denn bald darauf verlor er im Krieg mit Spanien sein Leben und hinterließ sogar noch einen Rest seines Vermögens. –

Zum Weihnachtsfest hat auch hier fast jede Familie ihren Tannenbaum, aber viele Leute wissen nicht recht etwas damit anzufangen. Sie besorgen sich einen Baum oder ein Bäumchen, weil es nun einmal so Mode ist, hängen allerlei Kram daran, der zur Tanne ebensowenig paßt wie zu jedem andern Baum, und stellen das Waldkind dann auf den Hausflur, beileibe nicht in die »gute Stube«, denn da könnten sieben oder acht Tannennadeln auf den Fußboden fallen, und das wäre doch ein Unglück, das man sich gar nicht vorstellen mag.

Andere Leute gebrauchen andere Sachen in anderer Weise. Es geschieht, daß ein Familienmitglied eine kleine Statue ins Haus bringt, eine Christusfigur, eine Luther-büste, einen reitenden und sehr unähnlichen George Washington oder was es nun sein mag, und jedermann im Hause freut sich darüber. Aber man kann und darf doch nicht so selbstsüchtig sein und diese Freude allein genießen wollen; andere Leute sollen sich auch darüber freuen, und darum setzt man die Figur aufs Fensterbrett mit der Front nach der Straße zu. Oder ein anderer hat eine niedrige Standuhr fürs Staatszimmer erworben, und dann beginnt dasselbe Spiel. Warum in aller Welt sollen die Vorüber-gehenden nicht auch das schöne Bild auf dem Zifferblatt oder die korrekte Zeitangabe bewundern! Also wird die Uhr an das Fenster gestellt und selbstverständlich so, daß das Zifferblatt der Straße zugekehrt ist.

Aber, lieber Vater Brümmerstädt, ich bin ja ganz auf Abwege geraten. Ich wollte Dir Originale schildern, und die Menschen, die ich Dir hier vorführe, sind gar keine; sie sind nur dumm. Der Menschen Dummheit ist groß auf Er-den – hüben und drüben. »Ein bißchen dumm ist ja jeder, aber so dumm wie mancher ist doch keiner!« –

Euch lieben Warkenthinern herzlichen Gruß

von Möne und Grete

17. KONFERENZ EINES KLEINEREN BEZIRKS

Es fand wieder einmal eine Pastorenkonferenz statt, die Konferenz eines kleineren Bezirks. Etwa zwanzig Pastoren hatten sich eingefunden zu einer dreitägigen Beratung. Es ging friedlich zu, wie es sich für Diener am Wort schickt, und man hörte manches, was den Mut stärkte und das Herz erwärmte.

So ernst die Fragen waren, die tagsüber besprochen wurden, so froh und munter ging es des Abends her, wenn die Teilnehmer sich in einem Nebenraum des Kirchengebäudes versammelten, nicht um über wichtige Angelegenheiten zu diskutieren, sondern um sich zu »amorsieren«, wie der Kirchendiener Rambow dortselbst zu sagen pflegte, derselbe Kirchendiener, der jedes Telephongespräch mit den Worten einleitete: »Herr Rambow spricht!« – Fast jeder rauchte sein Pfeifchen, und jeder hatte sein Glas Bier vor sich stehen, und jeder mußte etwas zur Unterhaltung beitragen. Gehörtes, Gelesenes und Gesehenes wurde erzählt, und Schnurren und Anekdoten lösten einander ab. Frohsinn und Kameradschaft hatten die Oberhand.

»Ja«, sagte der Pastor in M. und sah sich forschend um nach den Fenstern, »es ist gut, daß die Vorhänge heruntergelassen sind. Ich will euch erzählen, was mir im letzten Sommer passiert ist. Es war ein schwüler Abend nach einem sehr heißen Tag, und ich hatte Durst auf ein kühles Glas Bier, und auf den Durst folgte ein kräftiger Schluck. Dabei dachte ich nicht daran, daß das Fenster nach der Straße weit geöffnet war. Wie ich später erfuhr, waren in demselben Augenblick, als ich das Bier genoß, einige Leute am Fenster vorübergegangen und hatten mit grenzenloser Bestürzung gesehen, was für einen höllischen Unfug der ihnen wohlbekannte Pastor in seinem Hause trieb. Sie waren Mitglieder einer Sekte, die ihre Kirche in derselben Straße hatte. Am Sonntag darauf erhielt ich zu meiner großen Beruhigung die tröstliche Mitteilung, daß man in der Sektenkirche für mein Seelenheil gebetet und die Hoffnung ausgesprochen habe, ich werde meine sündliche Lebensführung aufgeben.« –

»Wie ihr vielleicht wißt«, nahm ein anderer das Wort, »wollte ich ursprünglich Lehrer werden. Ich hatte drüben in Deutschland drei Jahre eine Vorbereitungsanstalt fürs Lehrerseminar besucht, und als die Abgangsprüfung vor sich ging, warteten wir, junge Füchse von siebzehn bis neunzehn Jahren, mit etwas Herzklopfen der Dinge, die da kommen sollten. In Religion prüfte uns der Direktor, ein feiner alter Mann, ein Gentleman vom Fuß bis zum Scheitel. Er fragte dies und fragte das, und er fragte merkwürdigerweise immer in der Erwartung, eine gute und treffende Antwort zu erhalten.

Es geschah aber mitunter, daß die Antwort ihn enttäuschte. Dann ließ er weder Blitz noch Donner folgen, sondern steckte ruhig beide Hände ein wenig tiefer in die Hosentaschen, stellte sich an den großen Kachelofen im Unterrichtssaal, und um seine Augen herum erschienen noch einige Fältlein mehr als diejenigen, die Mutter Natur ihm ohnehin als Ehrenzeichen des Alters verliehen hatte. Dann wußten wir, nun kommt eine Zurechtweisung, eine überzuckerte Pille, aber doch mit Humor verabreicht und mit Humor zu nehmen.

›Geben Sie mir eine möglichst kurze Definition des Wunders‹, wandte er sich an einen von uns. ›Ein Wunder‹, war die Antwort, ›ein Wunder – ein Wunder ist alles das, was man sich nicht erklären kann.‹ – ›So‹, meinte der Direktor und nahm seine Zurechtweisungsstellung ein, ›so! Ja, mein lieber Freund, nun will ich Ihnen einmal etwas sagen. Sehen Sie, Sie stecken ja jetzt im Examen, nicht wahr? Und Sie hoffen, daß Sie es bestehen werden, und wir alle hoffen es mit Ihnen. Aber es könnte doch sein, und es wäre ja möglich, und man könnte es unter Umständen annehmen, daß Sie nicht bestehen würden. Sehen Sie, lieber Freund, dann können Sie sich das gar nicht erklären, es wär' aber durchaus kein Wunder!‹« –

Einer nach dem andern trug seine Geschichte bei, und schließlich kam die Reihe auch an Möne. Mit großem Wohlbehagen erzählte er von den Erlebnissen des alten Pastors Brümmerstädt, des Großvaters von Frau Grete, der als junger Mensch auf besondere Befürwortung hin in Deutschland in ein Gymnasium aufgenommen wurde, das sonst eigentlich nur für junge Leute aus hochadeligen Familien bestimmt war. Fritz Brümmerstädt war hochbegabt und sollte einmal bei einer festlichen Gelegenheit eine lateinische Rede halten. Die Lehrer gaben ihm das Thema und kümmerten sich dann nicht weiter darum, weil sie wußten, daß sie sich auf ihn verlassen konnten. Der sich aber am wenigsten um Thema und Rede kümmerte, das war der Fritz Brümmerstädt. Der Festtag kam, und am Nachmittag dieses Tages, eine halbe Stunde vor Beginn der Festlichkeit, lag Fritz im Bett und ruhte sich aus. Seine Freunde kamen und trieben ihn zur Eile an: »Fritz, du mußt aufstehen, du sollst doch reden. Du bringst ja sonst alle Lehrer in die größte Verlegenheit!« Und Fritz stand auf, kleidete sich in aller Geschwindigkeit an und hielt eine glänzende Rede aus dem Stegreif.

Er war als ausnehmend unordentlich bekannt. Sein Haarschopf glich für gewöhnlich einem Urwald, und das Haarschneiden und Rasieren war ihm eine Qual, die ihn aber selten quälte. – Als Student unternahm er während der langen Sommerferien zusammen mit einem Freund einen Spaziergang nach Rom. Auf dieser Romfahrt trug er in seinen Taschen allerlei nützliche Dinge, ein Taschenmesser ohne Klinge, eine kurze Pfeife ohne Tabak, einen Kamm, dem durch langen Gebrauch die meisten Zähne ausgefallen waren, und noch andere Sachen, von denen er sich nicht trennen mochte. Sein Freund war sehr stolz darauf, daß er in dieser Beziehung besser daran war; denn seine Mutter hatte ihn gut für die Reise ausgerüstet und ihm obendrein fünf harte Taler ins Rockfutter genäht mit der Mahnung, ja recht sparsam damit umzugehen. So mußten beide auf ihrer Wanderung fleißig »das Handwerk grüßen« und sich im übrigen auf Gott und ihr gut Glück verlassen.

Als sie durch die Lombardei zogen, sahen sie vom Kopf bis zu den Füßen dermaßen schäbig aus, daß kein Hund ein Stück Brot von ihnen genommen hätte. Am dritten Tag nach ihrer Ankunft in Rom, wo sie in einer Pilgerherberge Aufnahme fanden, wurde in der Sixtinischen Kapelle ein großartiges Musikfest gegeben. Nur die höchsten geistlichen und weltlichen Würdenträger waren mit Einladungskarten beehrt worden. »Du«, sagte Fritz zu seinem Freund, »das Konzert werde ich besuchen.« – »Ja«, antwortete der andere, indem er Fritz' Anzug musterte, »so siehst du auch gerade aus.« – »Glaubst du mir nicht?« meinte Fritz halbwegs beleidigt. »Na ja, du wirst ja sehen. Ich wette einen blanken Nickel darauf, daß ich dort sein werde.« – »Meine Einwilligung hast du«, sagte der Freund, »und auf deine Wette gehe ich ein. Aber wenn ich verlieren sollte, so mußt du mit der Aushändigung der Summe warten, bis wir wieder daheim sind; dann wird mein Vater die Ehrenschuld seines Sohnes ratenweise zahlen.«

Am Nachmittag desselben Tages bürstete Fritz seinen Anzug. Es war ein seltenes Ereignis. Nach seiner Meinung kürzte das Bürsten die Lebensdauer der Kleidungsstücke ab und bestärkte nur die sündliche Eitelkeit des Menschen. Nachdem er sein Wingolfiden-Band umgetan hatte, verabschiedete er sich feierlich von seinem Freund und lenkte seine Schritte nach der Sixtinischen Kapelle. Er kam nicht zu früh. Der wundervolle Raum war bereits mehr als zur Hälfte gefüllt. Eine stattliche Reihe von Bischöfen und Erzbischöfen, der Bayrische Vertreter mit großem Gefolge, einige Prinzen und viele andere Herrschaften mit hohen Namen und noch höheren Würden hatten die für sie bestimmten Sitze eingenommen. Und nun kam Fritz Brümmerstädt in höchsteigener Person. Die Männer der Schweizer Garde sahen ihn erstaunt an, und einige von ihnen machten eine Bewegung, als möchten sie wohl seine Einlaßkarte sehen. Aber Fritz war auf derlei Kleinigkeiten gefaßt; er warf ihnen so ganz von oben herab einen ärgerlichen Blick über die Verzögerung seines Eintritts zu, zeigte mit nachlässiger Handbewegung auf sein Wingolfiden-Band und schritt stolz wie ein Spanier mitten zwischen ihnen hindurch. – So kam Fritz Brümmerstädt in die Sixtinische Kapelle und setzte sich ohne Anweisung auf einen Platz, der durchaus nicht für ihn bestimmt war. Vor ihm saß ein Kardinal und hinter ihm ein Erzbischof. Fritz konnte zufrieden sein, und er war es auch, und außerdem – er hatte seine Wette, zahlbar in Raten, gewonnen. –

Mönes Amtsbrüder hatten unter Lachen und mit Interesse zugehört. Nun waren sie begierig, mehr zu hören, und Möne ließ sich nicht lange bitten:

205

»Zu derselben Zeit, als der Großvater meiner Frau auf dem Gymnasium in Deutschland war, befand sich unter den Zöglingen der Anstalt ein junger Mensch, der Fritz Brümmerstädt an Begabung nicht nachstand. Man kannte ihn eigentlich nur unter dem Namen ›Rote Klette‹. ›Rot‹ wegen seines feuerfarbenen Haars, und ›Klette‹, weil er, wenn er andere Zöglinge auf ihren Zimmern besuchte, nicht wieder loszuwerden war, nicht durch freundliche Worte und erst recht nicht durch unmißverständliche Grobheiten. Nebenher steckte er voll der tollsten Streiche.

Zwei dreistöckige Gebäude des Gymnasiums lagen einander gegenüber mit einem Abstand von 25 bis 30 Meter. In jedem Gebäude wohnte außer den Zöglingen einer der Professoren, der die Aufgabe hatte, darauf zu sehen, daß in seinem Hause alles ehrlich und ordentlich zugehe. Ehrlich und ordentlich – das hieß im Sinne des Professors: möglichst still. ›Möglichst still‹ war aber durchaus nicht immer nach dem Sinn der Zöglinge, und so kam es wegen dieser Meinungsverschiedenheit nicht selten zu einem Zusammenstoß, bei welchem die jungen Leute regelmäßig den kürzeren zogen, was sie aber nicht hinderte, immer wieder auf kuriose Einfälle zu kommen.

Einmal beschlossen die raffinierten Jünglinge hüben und drüben, zwischen ihren Gebäuden eine möglichst unauffällige und geräuschlose Verbindung herzustellen, um einander an dunklen Winterabenden in aller Eile wichtige und unwichtige Meldungen machen zu können, ohne daß die Herren von der Firma ›Ehrlich und Ordentlich‹ es bemerkten. – So beschlossen und so ausgeführt! Spät an einem Abend war man damit beschäftigt, außen am Gesims von zwei einander gegenüberliegenden Fenstern des dritten Stockwerks unscheinbare Rollen anzuschrauben, und beide

Rollen wurden mit einem dünnen und haltbaren Bindfaden in der Weise verbunden, daß eine doppelläufige Leitung ›ohne Ende‹ entstand. Die beiden neuen Poststationen
arbeiteten vorzüglich und wurden fleißig benutzt, ohne
daß sie zunächst ein Unbefugter entdeckte.

Aber dann kam der Sonntag. Es wurde von Professoren
und Schülern erwartet, daß sie den sonntäglichen Gottesdienst in der zehn Minuten entfernten Kirche besuchten.
Der erste Anstaltsbewohner, der auf dem Kirchwege erschien, war Sonntag für Sonntag der alte Direktor. Es gab
für ihn wie für alle Insassen des Gymnasiums keinen anderen Weg nach der Kirche als den, der zwischen den beiden
Gebäuden auf die Straße führte. – Plötzlich stand er still
und sah lange angestrengt nach oben. Dann ging er kopfschüttelnd weiter wie einer, dem jegliches Verständnis für
eine Sache fehlt. Er hatte eine Erscheinung gehabt. In der
Mitte zwischen beiden Gebäuden schwebte in der Höhe
des dritten Stockwerks ein langschäftiger Stiefel. Der alte
und sehr kurzsichtige Herr hatte den Stiefel gesehen, aber
nicht die Schnur, die den Stiefel trug. Eine merkwürdige
Geschichte, wirklich sehr merkwürdig! Ob der Herr Direktor an diesem Sonntag der Predigt ganz genau folgen
konnte, oder ob seine Gedankengänge durch Stiefelerschei-
nungen gestört wurden, ist schwer zu sagen.

Zur Mittagszeit hatte er sich Aufklärung verschafft. Bald
darauf fand in beiden Gebäuden ein peinliches Forschen
der hausväterlichen Professoren nach allerlei Arten von
Fußbekleidung statt, und siehe da, in der dunklen Ecke
eines Schlafzimmers stand einsam und verlassen der Zwil-
lingsbruder des Langschäftigen, der da draußen in luftiger
Höhe schwebte. Beide, der Eckensteher und der Ausgelüf-
tete, waren, wie man erwartet hatte, Eigentum der ›Roten

Klette‹. Die Rote Klette kam diesmal noch gut davon. Es hieß nur: ›Lassen Sie in Zukunft solche Narrenpossen!‹ – Leider mußten die beiden Poststationen wegen angeblichen Mißbrauchs geschlossen werden. –

Im Gymnasium wurde viel Musik getrieben. In einem der dreistöckigen Gebäude stand sogar eine kleine, aber gute Orgel, die fleißig benutzt wurde, sogar von dem roten Kletten-Jüngling, obgleich er hoffnungslos unmusikalisch war. Die Art und Weise, wie er die Orgel gebrauchte, war, wenigstens im Gymnasium, bisher neu, und neu war auch die Zeit, die er für seine Übungen auf diesem Instrument wählte. Mitten in der Nacht stand er geräuschlos auf, schlich auf Socken über den Korridor ins Orgelzimmer, hob eine der größeren Pfeifen aus ihrem Gestell und blies mit voller Lungenkraft durch das geöffnete Fenster in die stille Sommernacht hinein, daß es dumpf und schauerlich über die ganze Anstalt schallte und jung und alt weckte. Die Rote Klette aber lächelte still-zufrieden vor sich hin, stellte das große Blasrohr mit einer Geschwindigkeit, die auf viel Übung schließen ließ, wieder an seinen Platz und eilte ebenso leise, wie er gekommen, zurück in sein Bett, wo er selbstverständlich sofort in tiefen Schlaf versank.

Natürlich kamen Nachforschungen, und alle, die ins Verhör gezogen wurden, hatten das unheimliche Blasen gehört, aber niemand bekannte sich schuldig, und niemand kannte den Täter; denn die Rote Klette hatte den Eingeweihten die nötigen Instruktionen gegeben, deren erster Paragraph lautete: Ich weiß nichts, du weißt nichts, er weiß nichts! –

Das nächtliche Drama wiederholte sich von Zeit zu Zeit, bis es endlich gelang, den Anstifter des Spuks zu entlarven. Wieder einmal waren sämtliche Bewohner der Anstalt durch das unheimliche Getute aus dem Schlaf geweckt worden, wieder lag die Rote Klette seelenruhig im Bett und schnarchte, wie nur jemand mit gutem Gewissen schnarchen kann, und wieder stand der Herr Professor, im Schlafrock und mit einem Licht in der Hand, vor dem Bett des Jungen. Das Verhör verlief nach bekanntem Muster: Ich weiß nichts, du weißt nichts, er weiß nichts. Mißmutig ging der Professor von dannen und schlug in seinem Ärger die Schlafstubentür etwas härter, als nötig gewesen wäre, hinter sich zu. Sofort richtete der Missetäter sich auf und lachte über das ganze Gesicht in seiner Freude über den gelungenen Streich. In demselben Augenblick öffnete der Professor aber wieder die Tür, weil er noch etwas zu fragen vergessen hatte, und sah die lachende Freude seines Schülers. Das Lachen verriet ihn: denn nun kam alles, was dann und wann in finsterer Nacht geschehen war, ans helle Tageslicht.

Die Geschichte endete mit einem schweren Rüffel, der mit der Warnung schloß, daß man sich, falls sich etwas Ähnliches nochmals zutragen werde, nicht mit einem Rüffel begnügen werde. – Den Rüffel verwand er leicht; aber noch lange quälte es ihn, daß er sich durch seine eigene Dummheit verraten habe. Trotz Rüffel und Warnung geschah bald ›etwas Ähnliches‹. –

Mit einem der älteren Professoren, der Theologe war und Religion und Hebräisch lehrte, stand die Rote Klette besonders schlecht. Dem Herrn Professor war es mit der Zeit immer gewisser geworden, daß in Herz und Hirn des jungen Mannes allerhand lose Geister ihr unheilvolles Spiel trieben, und dementsprechend behandelte er ihn. Als Entgelt dafür beehrte der Schüler ihn mit Namen, unter denen Pedant, Hornvieh, Kamelogramm und Hebräer noch die zartesten waren. Eines Tages hatte der ›Hebräer‹ vor versammelter Klasse an ihm oder vielmehr an seiner schriftlichen Arbeit eine vernichtende Kritik geübt, und dafür wollte er sich nun in purer Selbstverteidigung rächen.

Eine halbe Stunde vom Gymnasium entfernt lag ein kleines Dorf, zu welchem auch ein etwas abseits gelegenes Haus gehörte, worin ein älteres kinderloses Ehepaar wohnte. Beide, Mann und Frau, arbeiteten, er in einer Fabrik, sie in einem Farmhaus, wo die Frau gestorben war. Die Haustür schlossen sie nicht ab, denn das Verschließen war damals in dieser Gegend noch nicht üblich und auch nicht nötig. Außerdem hatten sie einen zuverlässigen Hauswächter, einen großen Leonberger.

Wenige Tage nach der schimpflichen Kritik seitens des Professors hatte der Rote eine Privatunterredung mit ihm. Er sprach von dem einsamen Ehepaar, lobte Mann und Frau bis übers Dach hinaus und wußte zu berichten, daß die Frau seit längerer Zeit kränklich sei und sehr nach geistlichem Zuspruch verlange. Nachdem er ihm Haus und Straße genau beschrieben hatte, versprach der Herr Professor in der freundlichsten Weise, schon am folgenden Vormittag hinüberzugehen. Gleichzeitig schob er den Zeiger seines Urteils über den vermeintlichen Unhold ein gutes Stück nach rechts.

Am nächsten Morgen um 9 Uhr wanderte der ›Hebräer‹ nach dem nahe liegenden Dorf, suchte und fand das Haus und klopfte an die Tür, ein-, zwei-, dreimal, laut und immer lauter. Keine Antwort. Er drückte die Klinke nieder und öffnete die unverschlossene Haustür. Drinnen, einen Schritt von ihm entfernt, stand der Leonberger, der ihn treuherzig ansah und seinen buschigen Schwanz von rechts nach links und von links nach rechts pendeln ließ, was, in menschliche Sprache übersetzt, ›Herein‹ heißen sollte. Der Professor ging von einem Raum in den andern und rief und rief, um seine Anwesenheit kundzutun; aber niemand antwortete. ›Na‹, dachte er, ›es wird schon bald jemand kommen‹, und in dieser Hoffnung setzte er sich.

Der Hund war ihm auf Schritt und Tritt gefolgt und legte sich jetzt zu seinen Füßen nieder, ihn unverwandt anstarrend. Der Besucher wartete eine halbe Stunde und noch eine, bis er endlich einsah, daß ein noch längeres Bleiben zwecklos sei. Er nahm seinen Hut und erhob sich, um zu gehen. Gleichzeitig aber erhob sich auch der Hund. Jede Treuherzigkeit war aus seinem Blick gewichen, er zeigte die Zähne und ließ ein unheimliches Knurren hören, das jedes Mißverständnis ausschloß. Was war zu tun? Der gute Mann setzte sich wieder hin, wo er eben gesessen hatte, und der Hund legte sich ebenfalls nieder, aber nur vorläufig; denn jedesmal wenn der Gast Miene machte zum Aufstehen oder auch nur nach seinem Hut griff, stand auch der Hund wieder da und bleckte die Zähne und protestierte mit scharfem Murren.

Auf einmal kam dem Mann eine Erleuchtung. Er erinnerte sich, daß er früher gelesen oder gehört habe, es gäbe Hunde, die jeden Fremdling ohne weiteres einließen, sich aber seiner Verabschiedung in gröblichster Weise widersetzten, wenn niemand von den Besitzern des Hauses daheim war. Es blieb ihm nichts übrig, als mucksmäuschenstill zu sitzen und zu warten.

Er wartete bis 5 Uhr nachmittags. Da kam die Frau zurück, frisch und froh trotz ihres Alters und ihrer harten Arbeit und ohne jegliche Spur von Leiden und Kränklichkeit. Es gab ein verdutztes Fragen und Antworten, und es fehlte nicht an Erklärungen und bedenklichem Kopfschütteln, und dann erhielt der Gefangene ohne Widerspruch seine Freiheit wieder. Nervös geworden und hungrig dazu, trat er den Heimweg an mit allerlei unguten Wünschen für die Rote Klette und für die gesamte Sippe der Leonberger.

Noch an demselben Abend erhielt der ›Rote‹ vom Direktor den mündlichen und schriftlichen Bescheid, daß man auf seine weiteren Streiche verzichte und daß er innerhalb zweier Tage die Anstalt zu verlassen habe. Selbstverständlich mußte er gehen, denn an einen Widerruf des Bescheids war nicht zu denken. Aber am Tag vor seiner Abreise ging er unbekümmert neben einem Bauersmann her, der in der Nachbarschaft ruhig und bedächtig seinen Acker pflügte, und hielt ihm einen längeren Vortrag über Lessings ›Laokoon‹. Der Pflüger hörte wohl nicht sehr andächtig zu, denn seine Ackerfurchen wurden während der einseitigen Unterhaltung genauso gerade und ebenmäßig wie vorher.«

DRITTER TEIL

1. NEUE EINWANDERUNG UND BÖSE UMTRIEBE
IN DER GEMEINDE

Die Kunde davon, daß im Mittelwesten Amerikas ungeheuer weite Landstrecken von besonderer Güte und Fruchtbarkeit lägen, die Menschenhand niemals berührt hatte, war nach und nach auch in die einsamsten Ortschaften der Alten Welt gedrungen. Es war nicht ein bloßes Gerede oder ein zweifelhaftes Gerücht, sondern beruhte auf Tatsachen, über die man sich nicht weiter zu wundern brauchte, weil das amerikanische Land Jahrtausende hindurch Zeit gehabt hatte zum Ausruhen. Mit dieser Kunde kam zugleich die andere, daß man ein großes Stück Land für ein »Butterbrot« erwerben könne. Das klang den Leuten drüben wie eine freundliche Einladung, und ihrer waren viele, die ihr folgten.

Von nah und fern waren sie gekommen, die »Neuen«, meistens von fern. Sie waren nicht gerade Parther und Meder und Elamiter und die da wohnen in Mesopotamien, wie sie im zweiten Kapitel der Apostelgeschichte aufgezählt werden, sondern Deutsche, Skandinavier, Russen, Polen, Griechen, Italiener, Schotten und Irländer – ein buntes Völker-Sammelsurium. Die einen waren gekommen, weil sie von Neugier und Lust zu Abenteuern in die Ferne getrieben wurden; andere, weil die alte Heimat sie allzu kärglich mit irdischen Gütern bedacht hatte; noch andere schüttelten den Staub von ihren Füßen, weil ihnen daheim aus irgendeinem Grunde der Boden, darauf sie standen, zu heiß geworden war.

Auch in Springdale gab es großen Zuwachs. Die Neuen brachten alles mit, was sie drüben ihr Eigentum genannt hatten; aber viele von ihnen brachten zusammen mit ihren

Kisten und Kasten und Bündeln auch manches, das sie unterwegs hätten über Bord werfen sollen, nämlich Unsitten und böse Gewohnheiten, die keinen guten Geruch vor Gott und Menschen hatten.

Die ältesten und ersten Ansiedler in Springdale, fast ausnahmslos Norddeutsche, waren zum größten Teil gestorben. Der Schnitter Tod hatte fleißig gemäht und reiche Ernte gehalten. Die Kinder waren vielfach anderswohin verzogen und hatten Fremde geheiratet, die sich im weltentlegenen Springdale nicht wohl fühlten und über alles und jedes die Nase rümpften. So kam es, daß die Gemeinde mit jedem Jahr mehr einem alten Baum glich, der einen Ast nach dem andern verloren hat. Das Wurzelwerk ist gut und gesund; aber im Stamm hat sich der Krebs festgesetzt und frißt und zerfrißt alles, was er nur erreichen kann. –

Auch am Pfarrhaus waren die Jahre nicht spurlos vorübergegangen. Die erste Jugendzeit lag längst hinter Möne und Grete. Der älteste Sohn stand schon seit einigen Jahren in Amt und Würden, die jüngeren studierten noch, und Helene, das Nestküken, und, wie die Brüder böswillig behaupteten, der Verzug der Eltern, hatte vor zwei Monaten das Elternhaus mit einem College vertauscht, um dort höhere Bildung zu schlucken. Beim Abschied hatte der Vater gesagt: »Helene, die höhere Bildung trägt ihren Namen mit Recht; sie wohnt oben, im Kopf. Die innere Bildung wohnt eine Etage niedriger, im Herzen. Nimm soviel von der höheren Bildung auf, wie du in deinem kleinen Kopf unterbringen kannst; aber laß sie nie und nimmer Herr werden über die innere Bildung. Die höhere Bildung kann dich vielleicht wertvoll und angenehm vor Menschen machen, die tiefere macht dich angenehm vor Gott. Der

Kopf rüstet uns aus mit dem, was die Welt achtet und schätzt; Gott aber sieht das Herz an und nicht den Kopf. Die höhere Bildung zeigt dir den Weg in die Welt, die tiefere den Weg in die Ewigkeit. Denk daran, liebes Kind!« –

Möne erlebte viel Schweres in dieser Zeit. Von dem Ungestüm seiner Jugend hatte er manches abgelegt und mußte jetzt doch zuweilen mit Blitz und Donner dazwischenfahren, wo Sanftmut und Nachgiebigkeit die Sache nur verschlimmert hätten.

In der Gemeindeversammlung kam es zu einer gründlichen Aussprache. Viele der Neuen erhoben befremdliche Forderungen: Verringerung der Anzahl der Gottesdienste, Aufhebung der Sonntagsschule und der Christenlehre und anderes. »Man will doch nicht den ganzen Sonntag fromm sein«, war eine allgemeine Redensart geworden.

Auf der andern Seite verlangten sie ein halbes Dutzend von weltlichen Vereinen und vor allen Dingen einen Tanzklub, und da kein anderes geeignetes Lokal vorhanden war – die im Ort befindliche Schnapsbude war zu klein –, schlug man den Nebenraum im Kirchengebäude vor, Wand an Wand mit dem Hauptraum, der ein für allemal für den Gottesdienst bestimmt war.

»Was?« rief der Pastor in die Versammlung hinein, »im Kirchengebäude wollt ihr tanzen? Dann laßt doch auch gleich ein Bild von der tanzenden Gemeinde in Springdale anfertigen; die Unterschrift will ich euch gratis daruntersetzen!«

»Aber, Herr Pastor«, meinte der erst vor kurzer Zeit zugewanderte Schneider Tiedtke, ein windiges Männlein in Gestalt und Wesen, »das wird schon alles seinen Schick kriegen. Das Tanzen ist doch nichts Böses, das ist ja nur

217

eine schnellere Bewegung und weiter nichts. Man will doch auch ein wenig Vergnügen haben!«

»So?« antwortete Möne, und seine Stimme bekam einen harten Klang, wie wenn ein scharfes Schwert klirrend aus der Scheide gezogen wird. »Nun stellt euch einmal in Wirklichkeit vor, was ihr euch wünscht! Unsere Kirche steht mit diesem Nebenraum unter demselben Dach und ist nur durch eine dünne Wand davon getrennt. Auf der einen Seite der Wand das Kruzifix, auf der andern Seite die Bühne für die Tanzmusik; auf der einen Seite ernste Kirchenlieder mit ernsten Mahnungen für Leben und Sterben, auf der andern manch leichter und vielleicht gar leichtfertiger Sang mit dem Kehrreim: ›Das Leben, es ist doch nur ein leichtes Spiel‹; auf der einen Seite manch stilles und andächtiges Vaterunser, auf der andern manch loses Wort, das nirgend anderswo als nur auf Tanzböden gehört wird. – Hier in diesem Nebenraum, wo wir jetzt sitzen, wird die Sonntagsschule gehalten, hier unterrichte ich die Konfirmanden, hier finden alle Versammlungen unserer Vereine statt, und immer beginnen und schließen wir mit einem Schriftwort, einem Gebet und einem christlichen Lied. Könnt und wollt ihr eure Tanzabende auch so anfangen und schließen? Wenn wir im Konfirmandenunterricht vom Vaterunser und vom Gebet überhaupt reden, so frage ich wohl: Wann können wir beten? und immer erhalte ich zur Antwort: Zu allen Zeiten! Dann frage ich weiter: Wo können wir beten? und jedesmal höre ich jemand antworten: An jedem Ort! Und dann tue ich die letzte Frage: Können wir auch auf dem Tanzboden plötzlich innehalten mit dem Tanzen und uns hinstellen und die Hände falten und beten? und darauf kommt keine Antwort. Warum nicht? Könnt ihr mir vielleicht sagen,

218

warum dann die Antwort der Kinder ausbleibt? ›Mein Haus soll ein Bethaus sein, ihr aber habt's gemacht zur Mördergrube!‹ Habt ihr das nie gehört oder gelernt?«

Pastor Markow wurde ruhiger in seiner Rede. »Ihr lieben Leute, denkt nicht, daß ich euch in euren Vergnügungen stören will! Ihr wißt, daß ich kein Spielverderber bin. Und wenn ihr meint, daß ihr ohne Tanz nicht leben könnt, und wenn ihr es bei eurer ›schnelleren Bewegung‹ ordentlich und anständig zugehen laßt, dann tanzt, wo ihr wollt, aber« – es klang wieder, wie wenn der harte Hammer auf hartes Eisen fällt – »nicht in unserm Kirchengebäude. Ich leide es nicht!«

Darauf schwieg das Schneiderlein, jedoch mit einem Gesicht, als wolle es sagen: Mich überzeugst du noch lange nicht; mir soll's gleich bleiben, wo ich tanze, aber tanzen muß ich, denn meine Beine haben ein unwiderstehliches Verlangen nach einer flotten Polka.

Für den Schneider sprang der neue Kaufmann Mielke in die Bresche, sah sich siegesgewiß um und sprach also: »Die Zeit, in der das gesagt wurde von dem Bethaus und der Mördergrube, liegt weit zurück, und die Worte gelten heute nicht mehr. Unsere Zeit ist eine Zeit des Fortschritts. Wir sind moderne Menschen und leben nach modernen Grundsätzen. Ich kann nicht einsehen, daß das Tanzen im Kirchengebäude ein Unrecht sein soll. Andere Gemeinden tun dasselbe und haben starken Zulauf bei ihren Vergnügungen. Ich bin überzeugt, daß wir eine große Anzahl von neuen Gemeindemitgliedern bekommen werden, wenn wir monatlich einen Abend für den Tanz freihalten, und wenn wir keinen andern Raum dafür finden, so muß uns die Kirche zur Verfügung gestellt werden. Hier in Amerika kennen wir keine Unterdrückung des freien Willens; hier gilt die Stimmenmehrheit und sonst nichts. Gerade durch das Tanzen in der Kirche werben wir für unsere Gemeinde und treiben Mission.«

Wieder erhob sich Pastor Markow. Alle Schärfe war aus seinem Blick verschwunden, und in seiner Stimme klang so etwas wie ein herzwarmes Werben um die Seele eines Mitmenschen. »Lieber Freund, Sie haben recht, aber nur halbwegs. Es ist richtig, das vom Bethaus und der Mördergrube ist ein altes Wort; aber der es gesagt hat, der ist nicht alt und wird auch nie alt. Und wenn Sie meinen, daß das Wort heute nicht mehr gilt, so sind Sie damit im Unrecht; es gilt noch heute und wird noch gelten, wenn Sie und ich längst im Grabe liegen. Sie haben auch wohl darin recht, daß wir als moderne Menschen nach modernen Grundsätzen leben. Aber ist alles Moderne und überhaupt alles Neue allezeit gut? Ich bezweifle es; aber das weiß ich gewiß: Gott der Herr ist altmodisch und bleibt altmodisch, auch noch dann, wenn es keinen Kaufmann Mielke und keinen Pastor Markow mehr in Springdale geben wird. Und zum dritten: es ist richtig, daß es Gemeinden gibt, die ihre Tanzabende in der Kirche abhalten. Aber müssen wir denn alles und alles nachmachen, was andere tun? Das tun nur die Affen und machen sich dadurch zum Gespött aller lebendigen Kreatur. Ich weiß nur Einen, dem wir ohne Zögern und Bedenken alles nachmachen dürfen und sollen; hier an dieser Wand hängt sein Bild. Denken Sie, Herr Mielke, daß das Bild hier auch dann seinen Platz behalten kann, wenn dieser Raum zur Tanzhalle gemacht wird?«

Darauf wurde es still in der Versammlung, und keiner meldete sich mehr zum Wort. Es kam auch zu keinem Beschluß über Tanzen oder Nichttanzen in der Kirche.

Jeder ging unbefriedigt nach Hause, und Möne legte sich mit einem tiefen Seufzer und einem wunden Herzen auf sein Lager. Grete, durch den Seufzer erschreckt, fuhr auf aus dem Schlaf: »Was ist, Möne?«

»Ach«, war die Antwort, »sie wollen den lieben Gott abschaffen. Er ist ihnen zu alt und zu altmodisch geworden, und darum meinen sie, daß es die höchste Zeit sei, ihn zwangsweise in den Ruhestand zu versetzen. Was sollen wir nun tun? Ich weiß mir keinen Rat mehr.«

Grete sah ihn mit großen Augen an, und ein fast schelmisches Lächeln ging über ihre Züge, als sie erwiderte: »Möne, mein lieber Möne, manchmal fragst du doch wirklich zu dumm. Was wir nun tun sollen?« Und damit legte sie ihre kleinen Hände in die Bärentatzen ihres Mannes und begann ihren täglichen gemeinsamen Abendsegen, in den Möne sofort mit einstimmte: »Gott, laß dein Heil uns schauen, auf nichts Vergänglich's bauen, nicht Eitelkeit uns freu'n! Laß uns einfältig werden und vor dir hier auf Erden wie Kinder fromm und fröhlich sein!«

Dann nickten sie einander zu und drehten sich jeder nach seiner Seite, der eine nach Süden, der andere nach Norden – gegenseitige Rücksicht nannten sie es – und schliefen bald »wie Kinder fromm und fröhlich ein«, Möne aber erst, nachdem es ihm durch den Sinn gegangen war, was in den Sprüchen Salomos im 31. Kapitel zum Lobe einer rechten Ehefrau geschrieben steht: »Sie tut ihren Mund auf mit Weisheit, und auf ihrer Zunge ist holdselige Rede!« –

Zwei Wochen darauf fand die monatliche Versammlung des Frauenvereins statt. Die Vorsitzende, Frau Braun, hatte ihre Heimat in Sachsen und war »helle« und resolut wie alle Sachsen. Nach Eröffnung der Versammlung und Kassierung des monatlichen Beitrags stand sie auf, stemmte beide Hände auf die Hüften und begann mit lauter Stimme: »Ihr wißt, daß wir wieder ein Mitglied unseres Vereins durch den Tod verloren haben. Was ist dabei zu machen?« – Einige Frauen steckten die Köpfe zusammen und flüsterten einander zu, daß im Grunde genommen wenig dabei zu machen sei, bis die alte Frau Reinert sich erhob und ihre Meinung kundgab: »Ich habe in meinen Gedanken erwogen, daß es nicht mehr als recht ist, wenn wir dem gestorbenen Mitglied die Ehre antun und ein Blumenstück schicken – für drei Dollars, aber nicht mehr! Ich schlage das vor.« – Vorgeschlagen! Unterstützt! Angenommen!

Die alte Frau Reinert war im Nebenberuf eine von der ganzen Gemeinde hochgeschätzte Dichterin, und wer zu einem Geburtstag oder zu Neujahr oder zu sonst einer Gelegenheit einige wohlgemeinte und schlechtgereimte Verse benötigte, wandte sich an sie, und sie war jederzeit willig, ihren Dichterquell fließen zu lassen. Sie tat es billig. Der erste Vers kostete 25 Cents und jeder folgende 10 Cents mehr. Dagegen war nichts einzuwenden; sie übervorteilte keinen. Heute übertraf sie sich selber. Sie las den Frauen ein eigens für Pastor Markow bestimmtes Gedicht vor und überreichte es ihm dann als teures Andenken mit der Bemerkung: »Dat kost't nix, Herr Pastohr.« Der besonders gutgelungene Schlußvers lautete:

> »Unser Pastor hat ein gutes Herz
> Und macht uns niemals keinen Schmerz.
> Er predigt immer des Sonntags früh,
> Und die Predigt macht ihm nicht viel Müh'.

Wir bezahlen ihn gut davor,
Nich wohr,
Herr Pastohr?«

Der Pastor steckte das wertvolle Schriftstück mit Dank
in die Brusttasche, und dabei glitt ein schwer zu deutendes
Schmunzeln über sein Gesicht. Möne konnte so herzlich
lachen, aber diesmal blieb es bei einem etwas erzwungenen
Lächeln; denn mit der »guten Bezahlung« sah es einigermaßen windig aus. Während der Jahre seit seiner Ankunft
in Springdale war alles und jedes merklich im Preise ge-
stiegen, aber sein Gehalt war dasselbe geblieben. Es reichte
zur Not für Kleider und Schuh' und Essen und Trinken;
aber damit hörte es auch auf, zum Sterben zuviel und zum
Leben zuwenig. –
Pastor Markow sollte an diesem Abend noch andere
Überraschungen erleben. Als alles Geschäftliche erledigt
war und man schon ans Heimgehen dachte, sprang die Frau
Stiem aus der Gegend von Bremen auf, eine der Neuen,
zornrot im Gesicht: »Es war da vorhin von Bezahlung die
Rede. Frau Reinert hat ganz recht, wenn sie in ihrem schönen Gedicht sagt, daß wir den Pastor gut bezahlen. Ich
denke, es ist sogar reichlich viel, was er bekommt. Was tut
der Mann denn eigentlich dafür? Am Sonntag steht er eine
halbe Stunde auf der Kanzel und spricht zu uns, und das
ist die einzige Arbeit, die er in der ganzen Woche zu tun
hat. Das ist ganz unchristlich von ihm gehandelt. Gott hat
sechs Tage für die Arbeit und einen Tag für die Ruhe gesetzt, und danach richten wir uns und unsere Männer auch.
Aber der Pastor, der uns doch ein gutes Beispiel geben soll,
der arbeitet nur am Sonntagvormittag, und die ganze
übrige Woche verbringt er mit Nichtstun. Wie müssen un-

sere Männer dagegen schuften! Wenn mein Mann abends nach Hause kommt, ist er von der schweren Arbeit so müde, daß er nicht mehr piep sagen kann. Ja, so ist es hier bei uns: der eine muß arbeiten wie ein Ackergaul und kriegt so gut wie nichts dafür, und dem andern wird das Geld in Tüten ins Haus getragen, und er macht sich einen guten Tag dabei. Ist das recht? Ist das menschlich? Ist das christlich?«

So, nun hatte sie ihrem Herzen Luft gemacht, guckte um sich, als hätte sie ein gutes Werk verrichtet, und setzte sich mit dem stolzen Bewußtsein: dem habe ich's aber gut gesagt! Dor rük an, Paster!

Das Strafgericht über Pastor Markow war noch nicht abgeschlossen. Lena Grotmul, im Hauptberuf intime Freundin von Frau Stiem und nebenher die Frau vom Briefträger, hielt es für ihre Schuldigkeit, die erhobene Anklage noch um einen Paragraphen zu vermehren. Wenn Frau Grotmul etwas zu sagen hatte – und sie hatte immer etwas zu sagen –, so war das eigentlich kein Sprechen, sondern ein Schreien, als ob alle andern Menschen schwerhörig wären. Bald klang es wie das heisere Bellen eines bösartigen Kettenhundes und bald wie das laute Krächzen von 99 hungrigen Krähen. Sie schrie in Freundlichkeit und schrie im Zorn, diesmal im Zorn: »Det is janz richtig, wat die Stiem sagte. Hier bei uns in Springdale jeht allens verkehrt zu. Jeden Abend, wenn ordentliche Leut' wie wir zu Bett jehen, hat der Pastor noch Licht in seiner Stube. Warum soviel Licht brennen, wo er doch wissen tut, det wir es bezahlen müssen? Sein' Predigt braucht er doch nich zu machen, det hat er doch schon allens auf de Universität jelernt. Und tut ihr wissen, was er dann macht, wenn er endlich jenug in seine Stube jesessen und die Wände anje-

224

guckt hat? Dann macht er det Fenster weit uff, wenigstens zehn Minuten lang, damit der Smok von seine Pfeife hinausziehen kann; aber wat mit hinausziehen tut, det is die Wärme. Det is ja jerade so, als ob man die teuren Kohlen auf die Straße hinausschmeißt, und wer tut die Kohlen bezahlen? Nich der Pastor, sondern wir. Ne, allens, wat recht is, aber dies is nich recht.«

Alle sahen sich nach dem Pastor um, aber der war nicht mehr da. Pastor Markow konnte viel vertragen, auch ein hartes Wort; aber Gift konnte er nicht vertragen und Galle noch weniger. Er hatte sich gesagt: wenn ich jetzt antworte, so fällt vielleicht eine zu scharfe Bemerkung, und das darf nicht sein. Ihm kam das heilige Wort seines Herrn und Meisters in den Sinn: »Sie wissen nicht, was sie tun!« – Darum hatte er leise und unbemerkt die Tür geöffnet und den Frauenverein hinter sich gelassen, nicht wie ein Feigling, der vor Weibergeschwätz davonläuft, sondern wie einer, der selbst berechtigten Zorn zu meistern versteht.

Grete sagte nichts. Ihren Mann verteidigen, ihren lieben Möne, der es sich zur Ehre rechnete, seinen Leuten mit allen Kräften des Leibes und der Seele zu dienen, dem kein Tag zu lang und keine Nacht zu dunkel war, wenn es galt, mit Rat oder Tat zu helfen? Nein, der brauchte keinen Verteidiger, der stolze Knab'. So dachte sie; aber dabei konnte sie es doch nicht verhindern, daß ihr zwei dicke Tränen übers Gesicht liefen.

Die alte Frau Busacker hatte sich inzwischen zum Wort gemeldet. »Was für eine Suppe ist das, die ihr hier zusammengekocht habt! Ich kann euch sagen, die schmeckt keinem von uns, am wenigsten unserm Pastor. Er hat etwas Besseres verdient. Ich bin 76 Jahre alt, aber soviel Unsinn wie heute abend habe ich in den vielen Jahren zusammen nicht gehört. Hat der liebe Gott euch das bißchen Verstand, das ihr mit auf die Welt gebracht habt, nun ganz genommen? Es ist mir ganz gleich, ob ihr auf deutsch oder berlinisch klönt, aber die Wahrheit sollt ihr einmal hören und sollt sie gründlich hören.

Es sind bald dreißig Jahre her, daß wir unsern Pastor hierher zu uns gerufen haben. Und er ist gekommen und hat Vater und Mutter und Heimat verlassen, um uns zu dienen, und hat mit keinem Wort nach Geld und Gut gefragt. Ist das nichts wert? Und er ist nicht nur unser Pastor geworden, sondern auch unser Freund. Er hat nicht, weil er ein Studierter ist, stolz den Kopf in den Nacken geworfen, sondern er war von Anfang an wie unsereiner, ein Zweig von unserm Stamm, ein Stück von unserer Heimat. Ist das nichts? Zu der Zeit, da er kam, haben wir ihm so viel gegeben, daß er notdürftig davon leben konnte, und er hat nie den Wunsch nach mehr ausgesprochen. Die Tüten voll Geld, wovon ihr sprecht, habt ihr nie gesehen und er auch nicht. Jeder, der arbeiten kann und mag, verdient jetzt wenigstens das Doppelte von dem, was er vor dreißig Jahren verdiente; aber unsern Pastor haben wir über unserm eigenen Geldsparen vergessen. Er konnte, wenn es nach uns ging, von Mondschein und Mückenfett leben. Das ist keine Ehre für uns, sondern etwas ganz anderes. Und was das Arbeiten angeht, so will ich euch sagen« – sie warf einen scharfen Blick in die Gegend, wo die Frauen Stiem und Grotmul einträchtig beieinandersaßen – »wir arbeiten mit unsern Händen, und das ist ehrliche Arbeit, und wir brauchen uns ihretwegen nicht zu schämen, und unser Pastor – das wissen wir alle – schämt sich ihretwegen auch nicht; aber seine Hauptarbeit tut er mit dem Kopf und mit dem Herzen. Viel Kopfarbeit ist nichts für unsereins, wir lassen höchstens noch den Mund mitarbeiten, und was aus unserm Mund geht, ist, wie wir heute abend mehr als genug gehört haben, für gewöhnlich weder Gold noch Silber, sondern meistens nur Blech.

Und was das Herz anbetrifft, so gibt es Menschen, die gewiß und wahrhaftig ein Herz haben, aber wenn das Herz sprechen will, so drücken sie beide Hände fest darauf, so daß es still sein muß. Und dann gibt es wieder andere Menschen, die leiden an einem Geburtsfehler und haben statt des Herzens einen Stein mit auf die Welt gebracht.

Zu dieser Art von Leuten gehört unser Pastor nicht. Er hat Kopf und Herz am rechten Platz und gebraucht beides zur rechten Zeit. Das tut er dann, wenn er abends bis spät in die Nacht hinein in seiner Stube sitzt. Dann zählt er nicht das viele Geld in seinen vielen Tüten, dann schreibt er auf, wie er uns am Sonntag ermahnen will, ›wie man vor Gott recht leben soll‹. Und das sag' ich euch noch zu guter Letzt: wenn unsere Mannsleute nicht bald zur Einsicht kommen, daß wir besser für unsern Pastor sorgen sollten, dann müssen wir Frauen diese Sache in die Hand nehmen. Habt ihr mich verstanden?«

Ja, sie hatten verstanden. Es war eine harte Rede, hart für diejenigen, denen sie galt, und hart für die, die wie eine Mutter für ihren Sohn gesprochen hatte und die sich jetzt den Schweiß von der Stirn wischte. Mutter Busacker war allgemein als eine durch und durch rechtschaffene Frau bekannt, und darum unterblieb jeder Widerspruch.

Es war spät geworden, und die Mehrzahl der Frauen war müde von des Tages Last und Mühe. Nach Schluß der Versammlung trat jede den Heimweg an. Grete drückte dem Rechtsanwalt ihres Mannes beim Hinausgehen warm die Hand, sah auf zu der alten Frau und sagte leise und innig:

»Habt Dank, Mutter Busacker!« – Beim Weitergehen fiel
ihr der Gesangbuchvers ein, der Möne und ihr lieb geworden war und in welchem es heißt: »So gib dem Worte
Kraft und Nachdruck ohn' Verdruß!« An Kraft und Nachdruck hatte es an diesem Abend nicht gefehlt, aber auch
nicht an Verdruß.

2. GRETE HAT HEIMWEH
MÖNE FASST EINEN ENTSCHLUSS

In Springdale hatte sich manches verändert. Auch Frau
Grete war eine andere geworden. Noch immer konnte man
sich freuen über den Sonnenschein, der über ihrem Gesicht
ausgebreitet lag; aber mitunter war es nur der Glanz der
Abendsonne, und zuweilen huschte unbemerkt ein Schatten darüber hin. Hatte sie ein stilles Leid zu tragen, eine
schwere Sorge? Ach was, Unsinn! Frau Grete, unzufrieden
mit ihren eigenen Gedanken, warf bei solchen Gelegenheiten halbwegs trotzig den Kopf zurück und rief sich selber zur Ordnung: Ich habe über mir meinen Vater im Himmel, der hier in Springdale genau derselbe ist wie in Warkenthin, und ich habe neben mir meinen Grobschmied zur
Linken und meine Kinder zur Rechten – was will ich
mehr!

Das half für eine Weile. Eine halbe Stunde später war
aber wieder so etwas Träumerisches und Sorgendes über sie
gekommen. Nicht daß sie ihr Hauswesen versäumte oder
die Fürsorge für Mann und Kinder; auch nicht, daß sie die
Armen und Kranken und Alten in der Gemeinde vergaß.
Frau Grete mit ihrem Henkelkorb, der ihr überallhin folgen mußte, ob er wollte oder nicht, war eine bekannte Er-

scheinung im Ort, obwohl sie es vorzog, ungesehen in die Häuser zu kommen, in denen Not und Leid tägliche Gäste waren, und immer hatte sie ein warmes und liebes Wort für diejenigen, die Wärme und Liebe mit Heißhunger in sich aufnahmen.

Was war es, das jetzt so häufig einen Schatten in ihr Herz und auf ihr Gesicht warf? Dies, daß ihre und Mönes Eltern seit einer Reihe von Jahren unter dem grünen Rasen ruhten, dort, »wo der Sand sich so sacht auf die Särge legt«, konnte ihr kein Herzeleid bringen, weil sie wußte, daß von den Eltern dasselbe galt, was ein alter Pastor mit dem Vornamen Klaus als Inschrift für sein eigenes Grabkreuz bestimmte:

> »Hier liegt der alte Klaus,
> Sein' Arbeit ist nun aus,
> Er ist zu Haus!«

War es Möne, der die Schuld an dem Schatten trug? Nein, und abermals nein; von Möne erfuhr sie nur Liebes und nie Leides. Oder die Kinder, die allesamt das heimatliche Nest verlassen hatten? Auch sie nicht. Sie machten ihr eitel Freude. Was war es?

Frau Grete hatte sich froh und freudig aus heimatlichem Boden in fremdes Land verpflanzen lassen; aber die Heimatluft und den Heimatduft hatte sie nicht mitnehmen können. Zu Anfang gedieh sie in Springdale an Leib und Seele, und ihre Jugend half ihr über das Schwere und Ungewohnte hinweg. Aber später und besonders dann, als die alten Freunde und getreuen Nachbarn einer nach dem andern dort zu Grabe getragen worden waren, kam es ihr nach und nach zum Bewußtsein, daß das neue Wurzelwerk in der neuen Erde recht kümmerlich und von geringer Lebensfähigkeit war.

Das Heimweh zehrte an ihr und wurde mit jedem Jahr stärker. Je länger sie von der Heimat fern war, desto klarer stand alles Heimatliche vor ihren Augen: der ernste und gütige Vater, das freundliche und verstehende Lächeln der Mutter, der wohlgepflegte Pfarrgarten, der Gevatter Langbein auf des Nachbars Dach – alles war so greifbar nahe und war doch in Wirklichkeit in fast unbegreifliche Ferne gerückt. Sie war eine resolute Frau und kämpfte tapfer; aber die Heimat war stärker als Frau Grete. Es war ein heimlicher Kampf, Mann und Kinder sollten nicht daran teilnehmen.

Aber Möne hatte scharfe Augen, nicht nur für Pferdehufe und für den wachsenden Verfall der Gemeinde, sondern auch für das, was an Gretes Herz nagte. Er sah auch, wie ihr Gesicht nach und nach schmaler wurde; wie sich das sonnige Lachen allmählich in ein müdes Lächeln verlor; wie sie kämpfte und dabei doch wußte, daß es ein aussichtsloser Kampf sei mit einem Gegner, der ihr zu mächtig war; wie sie sich hart zu machen suchte gegen ein Weh, das sich durch keine Härte unterdrücken ließ. Möne litt mit ihr, und zuweilen war es fraglich, wer von ihnen am meisten litt.

Eines Tages trat er auf sie zu, nahm sie in seine Arme und sagte: »Gretelein, nun höre mir gut zu! Ich weiß, daß du krank bist. Nein, wehr' mir nicht! Ich weiß es, und ich weiß auch, was dich krank macht. Du bist in deinen Gedanken mehr in Warkenthin als in Springdale. Mußt nicht weinen, Grete! Ich will dich ja gar nicht schelten oder dir einen Vorwurf machen. Mir geht es ja nicht viel anders als dir. Der Unterschied zwischen uns beiden ist nur, daß du ein sorgsam aufgezogenes Pflänzlein aus dem Warkenthiner Pfarrhaus bist, und ich bin der Grobschmied mit dickem Fell und mit, wenn es sein muß, einem harten Sinn. Ich bin wie ein großer Hund. Wenn er angegriffen wird, so bellt er und beißt um sich, und ich habe, weiß Gott, in letzter Zeit genug zu bellen und zu beißen. Mit dir ist es anders bestellt. Du kannst weder bellen noch beißen, und ich bin froh darüber. Was sollte ich armer Mann tun, wenn du mich den ganzen Tag über anbellen würdest! Ich müßte doch vor Angst in ein Mauseloch kriechen und das« – er richtete sich hoch auf – »würde mir wirklich schwer werden. Siehst du, nun lachst du schon wieder, und ich mag dein Lachen so gern hören und sehen.

Aber höre weiter, und erschrick nicht über das, was ich dir sagen will! Wir suchen uns einen andern Platz. Amerika ist ein weites und großes Land, und der Hungrigen sind viele und der Pastoren sind wenige. Ich werde schon irgendwo eine kleine Ecke in Gottes großem Garten finden, wo ich nach Herzenslust graben und säen kann. Hier ist unseres Bleibens nicht. Ich sehe im voraus, daß hier die ›Neuen‹ nach kurzer Zeit die Oberhand gewinnen werden. Sie passen nicht zu uns und wir nicht zu ihnen.

Zurückgehen nach drüben, vielleicht sogar nach Warkenthin? Geht nicht, Grete! Deine und meine Eltern ruhen längst auf dem Hof, den man den Friedhof nennt. Und Warkenthin ist auch nicht mehr das stille Dorf, das es einst war. Der ›Zahn der Zeit‹ tut auch dort seine unheimliche Arbeit und zernagt vieles von dem, was dir und mir einst lieb war. Das große Feuer, das vor einigen Jahren das halbe Dorf zerstört hat, und die vielen neuen Steinbauten mit Ziegeldach haben ein anderes Warkenthin erstehen lassen, das mit unserm Bild von der Heimat nicht mehr viel Ähnlichkeit hat. Und ob unser Freund Adebar noch auf des Nachbars Dach steht, ist auch wohl fraglich; vielleicht sind seine Nachkommen auch modern geworden und haben sich das altmodische Klappern abgewöhnt.

Unsere Kinder? Sollen wir die hier zurücklassen? Sie sind hier geboren und groß geworden und werden sich schwer in den Verhältnissen drüben zurechtfinden. Unsere Heimat ist nicht ihre Heimat. – Du hast mir so oft einen guten Rat gegeben, rat' mir auch heute! Was meinst du, Grete?«

Er sah sie mit bittendem Blick an. Sie schwieg eine Weile, dann hob sie den Kopf, sah ihm ruhig ins Auge und sagte, als wäre es etwas Selbstverständliches: »Du hast gestern in der Abendandacht die Antwort vorgelesen, die die Moabitin Ruth ihrer Schwiegermutter Naemi gab. Ihre Antwort ist meine Antwort: Wo du hingehst, da gehe ich auch hin!«

Es war ihnen beiden, als ständen sie zum zweitenmal vor dem Altar in der Kirche zu Warkenthin und hörten Vater Brümmerstädt die Worte Ruth verlesen, die sie zu ihrem Trautext gewählt hatten. Die Stunde heute war fast so feierlich wie damals die Stunde an ihrem Hochzeitstag, nur mit dem Unterschied, daß heute Grete allein etwas gab und Möne allein etwas empfing. Grete gab ein Versprechen, und Möne nahm es an; er nahm es mit einem Dank, der ihm vor innerer Bewegung kaum über die Lippen kommen wollte.

Nach dieser Aussprache und nach diesem Geben und Nehmen war es beiden freier ums Herz geworden, und so ging jeder von ihnen mit hellerem Blick an seine Arbeit, Möne an seinen Schreibtisch und Grete in ihre Küche.

3. MÖNE FASST EINEN ZWEITEN ENTSCHLUSS

Möne kam mit frohem Herzen und blanken Augen von einer Pastorenkonferenz heim. Er hatte dort gehört, daß der Pastor einer Indianer-Ansiedlung, nicht übermäßig weit von Springdale entfernt, das Zeitliche gesegnet habe und daß man sich nun nach einem Nachfolger umsehe. Das war wie ein Blitzlicht in seine Seele gefahren: darfst du oder darfst du nicht? Er dachte an seine Gemeinde in Springdale, und das Herz wurde ihm schwer. Lange Jahre hindurch war er der Steuermann der Gemeinde gewesen und hatte immer geraden Kurs gehalten, um das ihm anvertraute Schiff in den sicheren Hafen zu bringen. Aber nun wollte man ihm das Steuer aus der Hand nehmen und segelte nicht frisch und froh, sondern frisch und frech in die entgegengesetzte Richtung. Nein, da konnte er nicht mitmachen, da konnte seines Bleibens nicht länger sein.

Und die Indianer? In seiner Jugendzeit hatte er wie viele seiner Altersgenossen mit großem Genuß und heißen Bakken die gruseligen Indianergeschichten gelesen, in denen es an Skalps, Tomahawks und vergifteten Pfeilen nicht mangelte. In späteren Jahren hatte er mit demselben Eifer die Geschichte der Indianer studiert und zu seinem Erstaunen gefunden, daß es auch da an gruseligen Berichten über hundertfachen Lug und Betrug, über gebrochene Friedensverträge, über Versklavung und systematische Versuche zur gänzlichen Ausrottung nicht fehlte, nur daß hierbei nicht die Indianer, sondern die gesitteten Weißen am Werk waren.

Ein tiefes Schamgefühl hatte ihn dabei ergriffen. In was für einen Abgrund hatte die vielgerühmte Zivilisation das freie Volk der Wildnis gestürzt! Jede andere Nation sieht es als ihre heilige Pflicht an, ihr Land gegen fremde und gewalttätige Eindringlinge zu verteidigen; warum war es dann den Indianern verboten, sich nach Kräften gegen diejenigen zu wehren, die sie mit ihren Feuerwaffen immer weiter zurücktrieben und sie mit ihrem Feuerwasser an Leib und Seele zu ruinieren versuchten? Ja, die Indianer konnten grausam sein, aber wurden sie darin nicht zehnfach von den Weißen übertroffen? Ein heißes Mitleid erfüllte Möne, wenn er daran dachte. Auf welche Weise konnte man ihnen helfen? Hin und wieder sah er kleine Gruppen von Indianern, und immer hatte er freundlich zu ihnen gesprochen und freundliche Antwort erhalten. Viele von ihnen mißhandelten das Englische in einer Weise, daß selbst Schüten mißbilligend den Kopf geschüttelt hätte, aber Möne verstand sie doch.

Zuweilen versuchte er, sich mit ihnen in ihrer Stammessprache zu unterhalten; sein Mitgefühl für sie hatte ihn getrieben, ihre Sprache zu erlernen. Das war nicht leicht gewesen für den Sohn der griesen Gegend; aber mit seinem eisernen Fleiß und Willen hatte er es zuwege gebracht. Nun freute er sich darüber, weil er sah, wie ihr Gesicht sich erhellte, wenn er sie in ihrer eigenen Sprache anredete. Und wenn es einmal hapern wollte mit dem gegenseitigen Verstehen – Liebe ist Weltsprache! Die Rothäute hatten ein feines Gefühl dafür, ob jemand ihnen mit warmer Teilnahme begegnete oder sie mit neugieriger Verachtung quälte, und an einem guten Gedächtnis für freundliche und unfreundliche Behandlung fehlte es ihnen auch nicht.

Nun war ihm – vielleicht – Gelegenheit gegeben, als christlicher Missionar unter ihnen zu leben und zu arbeiten; Gelegenheit, sie, die in ihrem eigenen Lande als Fremdlinge angesehen wurden, zu hüten und zu pflegen an

Leib und Seele; Gelegenheit, sie zu lehren, christlich zu leben und christlich zu sterben. Sollte er da noch zweifeln und zaudern? – Manche von den Roten waren im Begriff, ihre Verehrung für die Sonne und andere Naturmächte abzulegen wie ein verbrauchtes Kleidungsstück. Sie suchten nach etwas Besserem, und warum sollte es an ihnen nicht zur Wahrheit werden: wer sucht, der findet? Manche wollten an den Gott der Weißen glauben, kannten ihn aber noch zu wenig und konnten darum vorläufig zu keiner Entscheidung kommen. Möne wußte, wie es um sie stand; er wußte, daß viele von ihnen ein Verlangen hatten nach einem Gott, der mit ihnen sprechen konnte und sie mit ihm. Dabei erinnerte er sich eines Wortes, das er einstmals gelesen hatte: ›Wer da glauben will, der glaubt schon; wer Gott haben will, der hat ihn schon!‹ – Mönes Entschluß war gefaßt.

Nun stand er wieder vor seiner Grete, und die Freude über seinen Entschluß leuchtete ihm aus den Augen. Sie konnte es von seinem Gesicht lesen, daß ihm etwas Gutes widerfahren sei, und nach dem Abendessen, als sie beide am Tisch saßen und Möne seine Pfeife zur Hand nahm und Grete ihr Nähzeug vor sich liegen hatte, erzählte er und verschwieg nichts, erzählte von dem Niedergang in Springdale und von dem allmählichen Aufwachen der Indianer, sprach von den großen Hoffnungen und den noch größeren Enttäuschungen in Springdale und von den ganz anders gearteten und völlig neuen Verhältnissen in der Indianerarbeit und fragte dann, indem er beide Hände vor sich auf den Tisch legte: »Wie denkst du darüber, Grete?«

Grete hatte ihn mit keiner Silbe unterbrochen; aber sie war sehr ernst geworden. Dann schob sie Nadel und Faden beiseite und streckte die Hände über den Tisch in dem ver-

geblichen Versuch, Mönes Riesenfäuste zu umspannen.
»Daraus schließen wir, daß wir zu den Indianern gehen.
Dein Platz ist mein Platz!« Es war ein froher Unterton in
ihrer Antwort, die wiederum ein Versprechen enthielt, und
Möne fühlte sich wiederum als Empfänger eines großen
Geschenks. Er stand auf, ging hinüber zu ihr und legte
beide Arme um sie: »Grete, min leiw, leiw Grete!« –

Möne wurde in seinem Entschluß noch bestärkt durch
mancherlei Vorkommnisse in Springdale, die für die Markows nicht erfreulich waren. Viele der ›Neuen‹ mieden den
Pastor absichtlich und offenkundig und ließen ihn auf der
Straße ohne Wort und Gruß an sich vorübergehen, und
wenn er sie anreden wollte, eilten sie um so schneller vorwärts, als wären sie dem Bösen begegnet. In der Schenke
wurden Spottlieder auf ihn gesungen, und es war auch geschehen, daß ihm in stiller Nacht ein faustgroßer Stein
durchs Fenster geworfen wurde. – Er wollte ihr Hirte sein,
aber sie wollten gar keinen Hirten haben. Sie wünschten
einen Pastor, der mit ihnen tanzte und trank und im übrigen den lieben Gott einen guten Mann sein ließ.

Das alles bedrückte ihn schwer; aber viel härter traf es
ihn, daß seine Gegner die Verachtung, die sie ihm zeigten,
auch auf seine Familie ausdehnten. Frau Grete konnte es
sich nicht verhehlen, daß das Betragen mancher Leute gegen sie nicht mehr war wie gestern und ehegestern, und die
Kinder, wenn sie hin und wieder bei den Eltern zu Besuch
waren, klagten nicht selten darüber, daß man in Springdale
nichts mehr von ihnen wissen wolle, als wären sie unlieb-
same Fremde oder gar Aussätzige.

Möne machte sich oft Gedanken darüber, und das Ende
seines Gedankenganges war immer dasselbe: Mich mögt ihr
verachten, ich kann eine gute Portion Säure vertragen, und

andere und bessere Männer haben Schwereres erleiden müssen. Aber daß ich es ruhig geschehen ließe, wenn ihr euer Übermaß an Gift auch auf meine Frau und meine Kinder abladet, das kann ich nicht vor Gott verantworten. Es soll für mich gelten, was Paulus und Barnabas den Juden zu Antiochien sagten: »Euch mußte zuerst das Wort Gottes gesagt werden, nun ihr es aber von euch stoßt, so wenden wir uns zu den Heiden.«

4. ABSCHIED VON SPRINGDALE – ANFANG BEI DEN INDIANERN

Im Pfarrhaus zu Springdale wurde gepackt. Möne hatte sein Berufungsschreiben von der Indianermission in Händen, und am letzten Sonntag hatte er die Abschiedspredigt gehalten. Die Kirche war gesteckt voll. Die alten »Treuen im Lande« waren samt und sonders erschienen, und die »Neuen« fehlten auch nicht. Die Alten waren gekommen, um noch einmal die Stimme ihres Pastors von der Kanzel zu hören und noch einmal – zum letztenmal – ein warmes Trostwort als Zehrung für den Rest des Lebens mit nach Hause zu nehmen; die Neuen in der Hoffnung, daß der Pastor die letzte Gelegenheit benutzen werde, um sie mit Blitz und Donnerschlag in den untersten Pfuhl der Hölle zu verdammen, so daß sie dann willkommenen Anlaß haben würden, nun ihrerseits die Streitaxt in die Hand zu nehmen und ihn der Parteilichkeit, der Ungerechtigkeit, der Unversöhnlichkeit und noch anderer »keiten« zu beschuldigen, wodurch sie sich vielleicht auch gleichzeitig die Gunst seines Nachfolgers erwerben konnten, der in einem

Brief an den Gemeindevorstand feierlich versprochen hatte, allen gerecht zu werden.

Sie fühlten sich indessen, wenigstens zu Anfang der Predigt, enttäuscht. Pastor Markow sprach nur so nebenher davon, daß nicht alles Alte schlecht und nicht alles Neue gut sei. Aber in der Hauptsache hielt er sich an seinen Predigttext: »Halte, was du hast, daß niemand deine Krone nehme!« und ermahnte seine Zuhörer mit herzwarmen Worten, fest zu bleiben in Glaube, Liebe und Hoffnung. Dann aber kamen die Modernen doch noch zu ihrem Recht, denn der Pastor schloß mit den Worten: »Es ist böse Zeit, und ihrer sind viele, hier bei uns und anderswo, die uns alles rauben wollen, was uns von Mutterleib und Kindesbeinen an lieb und wert und heilig gewesen ist. Es soll uns auch heilig bleiben. Gott walt's! Amen.«

Und darauf sangen sie alle, Erwachsene und Kinder, zum Schluß des Gottesdienstes:

> »Selig, ja selig ist der zu nennen,
> Des Hilfe der Gott Jakobs ist,
> Welcher vom Glauben sich nicht läßt trennen
> Und hofft getrost auf Jesum Christ.
> Wer diesen Herrn zum Beistand hat,
> Findet am besten Rat und Tat. – Halleluja!«

Möne übertönte mit seinem dröhnenden Baß alle übrigen Sänger, und das Halleluja sang er besonders kräftig, als wolle er damit alle Sorge von sich und seinen Leuten wegsingen.

Seine Stimme klang nicht wie Harfenton und Psalterspiel. Wenn Mutter Natur seinem Körper eine ungewöhnliche Länge und Breite verliehen hatte, so war sie andererseits doch äußerst sparsam gewesen in seiner musikalischen

238

Ausrüstung, und Frau Grete behauptete, daß er in jedem Ton drei Fehler mache, an Festtagen sogar vier. Aber das schadete ihm in den Augen seiner alten Gemeindeglieder nicht. Sie wußten: Sein Singen ist verkehrt, aber sein Herz ist immer und heute ganz besonders auf den richtigen Ton gestimmt. – Und Johann Sebastian Bach, der gerade dabei war, mit seinem Engelchor ein großes Halleluja einzuüben, legte für eine Weile den Taktstock beiseite, schüttelte mißfällig den Kopf und sagte zu seinen Englein: »Achtung! Das ist Möne Markow zu Springdale. Er singt dem Herrn ein neues Lied. Die Meinung ist gut, die Stimme entsetzlich. Gott verzeihe ihm seinen Singsang!«

Nach beendetem Gottesdienst verließ Möne als letzter die Kirche. Langsam glitt sein Blick von Altar und Kanzel hinüber zur Orgel, als müsse er sich besinnen auf etwas, was früher einmal zu diesem Gotteshaus gehört hatte und nun nicht mehr da war. Aber dann gab er sich innerlich und äußerlich einen Ruck, zog den Riesenschlüssel, von dem Mutter Busacker steif und fest behauptete, daß der liebe Gott ihn früher schon einmal zum Zuschließen der Arche Noahs gebraucht habe, aus seiner unglaublich tiefen und weiten Rocktasche hervor, schloß ohne Zögern und Zaudern ab wie ein Schüler, der im Aufsatz hinter einen langen und verwickelten Satz endlich den Punkt setzt, und ging mit langen Schritten zum Pfarrhaus hinüber.

Und nun stieß er die schwere Haustür auf, daß sie sich ächzend an die Wand lehnte, und rief: »Grete, Grete, ich hab's, ich hab's!« Es klang wie ein Juchzer in Warkenthin zur Erntezeit.

Grete kam aus der Küche gelaufen. »Was ist, Möne?«

»Hast du einen Augenblick Zeit, Grete?« Er schob ihr einen Stuhl hin und setzte sich neben sie. »Sieh, wir müssen ja jetzt umziehen, und das Umziehen ist schwer für dich und für mich. Ich meine nicht nur die körperliche Arbeit. Umziehen heißt für uns, uns losreißen von dem, was uns hier trotz allem und allem ans Herz gewachsen ist. Es bedeutet auch neue Verhältnisse, neue Menschen, neue Arbeit. Weiß Gott, es war kein voreiliger Entschluß von uns, ein anderes Arbeitsfeld zu suchen. Und doch sind uns manchmal Zweifel gekommen, ob es recht getan sei, das Alte gegen etwas Neues umzutauschen. Ja, Grete, auch dir sind solche Bedenken gekommen. Ich weiß es, denn ich kann in deinen Augen lesen wie in einem Gesangbuch, und was ich da las in den letzten Monaten, das war nicht immer ein Danklied nach der Melodie: ›Mein Herze geht in Sprüngen und kann nicht traurig sein!‹ Aber nun habe ich gefunden, was dir und mir das Herz still und froh und fest machen soll. Sieh, Grete, als ich vorhin die Kirchentür abschloß, wollte mir noch einmal wieder schwere Sorge kommen: ist es recht, was du dir vorgenommen hast? Kannst du damit vor Gott dem Herrn bestehen? Aber dann kam mir das alte Kirchenlied in den Sinn: ›Sorge, Vater, sorge du, sorge für meine Sorgen!‹ Das tat mir so wohl, als ob meine Mutter mir leicht und lind übers Haar gestrichen hätte. Und dann fiel mir mein Konfirmationsspruch ein, den Vater Brümmerstädt mir ausgeschrieben hat: ›Was betrübst du dich, meine Seele, und bist so unruhig in mir? Harre auf Gott, denn ich werde ihm noch danken, daß er meines Angesichts Hülfe und mein Gott ist!‹ Hörst du, Grete? ›Ich werde ihm noch danken!‹ Das ist gewißlich wahr. Das ist wie das Ja und Amen auf die Bitte: ›Sorge für meine Sorgen!‹ Nun gibt es kein Bedenken mehr, keinen Zweifel, keine Sorgen unsererseits. ›Er sorget für uns, hüt't und wacht, es steht alles in seiner Macht!‹ Nun soll

240

ein Neues werden, und du sollst mein Hilfspastor sein, und ich weiß, du kannst es sein und willst es sein.«

Grete war aufgestanden während der letzten Worte. »Daraus schließen wir . . .«

Weiter kam sie nicht, denn nun war auch Möne aufgestanden und preßte sie an sich, daß es ihr fast weh tat. »Denn ich werde ihm noch danken, daß der garstige Grobschmied und die ›kleine Dame‹ eins sind!«

Möne und Grete waren in Buffalo Heights angekommen und hatten es eilig mit der Einrichtung der neuen Wohnung. Sie blieben nicht ohne Hilfe. Die Rothäute gingen ihnen zur Hand, schweigsam, aber willig. Sie wußten recht gut, daß die Bettstellen nicht aufgestellt werden sollten, wo der rechtmäßige Platz für den Küchenherd war, und sie verstanden auch, ohne daß man es ihnen zu sagen brauchte, daß der große eingebaute Schrank nicht für das Wohnzimmer paßte. Hin und wieder ging ein flüchtiger Blick von ihnen hinüber zu Möne und Grete, als wollten sie erforschen: Was für Leute seid ihr denn eigentlich? Wir wissen, daß ihr uns das Wort eures Gottes bringen wollt; aber bringt ihr auch ein Herz für uns mit? Dünkt ihr euch wie viele Weiße hoch erhaben über uns, und seht ihr uns als Menschen dritter oder vierter Klasse an? Wollt ihr herrschen über uns, und erwartet ihr, daß wir vor euch kriechen wie ein verprügelter Hund? Oder seid ihr in Wirklichkeit Boten des Gottes, von dem ihr und euresgleichen uns erzählt, daß er ist freundlich, und seine Güte währet ewiglich? Werdet ihr uns verstehen, uns Naturkinder, die wir in Rasse und Sprache und Wesen anders sind als ihr?

Plötzlich hörte dies blickhafte Fragen und Forschen auf;

denn etwas Besonderes hatte sich ereignet. Ein kleines, etwa dreijähriges Indianermädchen war die Treppenstufen, die zur Pfarrwohnung führten, langsam hinaufgeklettert, dem Vater nach, den es ins Haus gehen sah. Nun stand die Kleine in der Stube, die Möne als sein Arbeitszimmer in Beschlag nehmen wollte, und wußte nicht recht, wohin nun weiter! Die Geographie des Pfarrhauses war ihr unbekannt. Sie trug nur ein einziges Kleidungsstück, und eine genauere Bezeichnung dafür wäre schwer zu finden gewesen, und Spuren auffälliger Sauberkeit waren ebenfalls nicht an Körper und Kleidungsstück zu entdecken. Aber die Augen! Die großen, dunklen, ängstlichen, verwunderten Kinderaugen! Die untersuchten alles, was im Zimmer zu sehen war, die Decke, die Wände, den Fußboden, jedes Haushaltsstück, das man hier vorläufig hingestellt hatte. Und dann fiel der Blick auf Möne, der gerade eintrat und diesen ersten Besuch freundlich in dessen eigener Sprache begrüßte, und hinter Möne kam Grete gegangen.

Frau Grete sah das Kind an, aber sie sah nicht auf den Schmutz und auch nicht auf die mangelhafte Bekleidung, sie sah nur die großen Augen und den verschüchterten Blick. Und das Kind sah Frau Grete an, sah weder auf die schlanke und hohe Gestalt noch auf das saubere Arbeitskleid, sondern sah nur den warmen Blick zu sich herüberleuchten, und in demselben Augenblick war eine innere Verbindung zwischen beiden hergestellt. Und als Frau Grete dann den ersten besten Stuhl heranschob und sich setzte und die Kleine auf den Schoß nahm und ihr zärtlich über das wirre Haar strich, da war zwischen Frau und Kind ein Verstehen geschaffen, das nicht nur für diese Stunde und für diesen Tag dauern sollte. Dem kleinen

242

schwarzhaarigen Indianerkind wurde es wärmer und wohler ums Herz mit jedem freundlichen Wort, das ihr von der fremden Frau in fremder Sprache gesagt wurde, und es zeigte sich auch hier wieder einmal, daß Liebe Weltsprache ist.

Noch eine zweite Brücke zwischen Einheimischen und Fremden wurde zur selben Stunde in demselben Raum geschlagen, in dem Raum, der so unwirtlich aussah mit all dem Krimskrams, der in wirrem Durcheinander aufgestapelt war. Die Männer und Frauen, die da fortwährend kamen und gingen, hörten den freundlichen Gruß, den Möne dem kleinen Schwarzauge zurief. Sie brachen darüber nicht in Jubel aus, und sie küßten ihm weder Hand noch Fuß, aber sie nickten einander fast unmerklich zu, und in ihren sonst unbeweglichen Gesichtszügen war etwas zu lesen, was eine merkwürdige Ähnlichkeit mit Dank und Anerkennung zeigte. Und als sie dann Frau Grete mit dem nicht übermäßig sauberen Kind auf dem Schoß sahen und gewahrten, wie die beiden einander zugetan waren, da wurde das Nicken kräftiger, und um den Mund spielte es wie ein scheues Lächeln. –

Später am Abend, nach getaner Arbeit, stand es fest bei den Indianern: »Die lassen sich gut an. Die sprechen mit uns wie mit ihresgleichen. Die zeigen uns ein freundliches Gesicht und haben ein freundliches Wort für uns!« – Nur ein uralter erfahrener Mann warnte: »Abwarten, Kinder! Es hat uns schon mancher Weiße ein freundliches Gesicht gezeigt, wenn er uns gebrauchen konnte, und hinterher mußten wir doch gewahr werden, daß seine ganze Freundlichkeit nichts als Lug und Trug war und daß er uns nicht höher achtete als das Vieh auf der Weide!« – Aber solche mißtönige Rede konnte die allgemeine Freude über die Erfahrungen des Tages nicht stören. Die Ketten, die sich die Indianer gegen die Weißen um ihr Herz gelegt hatten, waren lockerer geworden.

Währenddessen saßen die beiden, denen diese Reden galten, müde und abgespannt in ihrer Wohnung, in der es nun, am Abend nach ihrem Einzug, aussah, als ob Pastor Hauser sich dort sehr eifrig und erfolgreich bemüht hätte, »systematische Unordnung« zu schaffen. »Ja«, sagte Möne, »so weit sind wir nun. Eins ist mir schon heute klargeworden: wir müssen hier ganz von vorn anfangen und haben viel zu lernen. Alles wird neu für uns sein, unsere Arbeit, unsere Lebensweise, selbst unser Denken muß hier vielfach einen andern Weg gehen. Das schadet auch nicht, und ich habe guten Mut für meine neue Arbeit. Aber du mußt mir helfen, Grete, und du hast heute schon einen guten Anfang damit gemacht. Es war lieb von dir, dich so freundlich mit dem kleinen Mädel abzugeben.«

»Das ist mir nicht schwer geworden«, antwortete Grete, »das kleine Ding hat so suchende und verlangende Augen, daß man ihm gut sein muß, ob man will oder nicht.«

»Aber«, wandte Möne ein, »nicht alle Indianerkinder sind unserer kleinen Freundin gleich. Du wirst auch solche darunter finden, die innerlich und äußerlich abstoßend wirken und die weder Verlangen nach deiner Gesellschaft haben noch von dir beachtet sein wollen. Was wirst du mit ihnen tun?«

»Nicht viel«, war die Antwort, »zunächst nichts anderes als Werben und Warten. Man kann keinen Menschen, auch kein Kind, zur Liebe und Anhänglichkeit zwingen. Liebe und Freundlichkeit kommen nicht mit Sturm und Ungewitter, sondern mit einem stillen, sanften Sausen. Gewöhnung tut viel, und ich werde versuchen, gerade diese

244

Kinder, die du erwähnst, nach und nach an das zu gewöhnen, was sie einstweilen noch nicht können; sie müssen allmählich lernen zu nehmen und zu geben – ein wenig Vertrauen, ein wenig Wärme, ein wenig Herz.«

»Und die Mütter?« unterbrach Möne sie, »hast du nicht bemerkt, wie mürrisch manche von ihnen sind, wie unnahbar, wie unzufrieden mit allem, was in der Welt ist?«

Grete lachte hell auf. »Ja, das ist nicht schwer zu sehen. Aber glaubst du nicht, daß selbst diese Mütter, die so finster dreinschauen, ein warmes Herz haben für ihre Kinder? Vielleicht halten sie es für unnötig oder gar für ungehörig, es zu zeigen; aber es ist da. Und habe ich die Kinder gewonnen, so folgen die Mütter schon von selber, vielleicht sogar auch die Männer. Meinst du nicht?«

»Was ich meine? Ich meine, daß du mein liebes Weib bist und eine zuverlässige Gehilfin von Pastor Markow in Buffalo Heights dazu. Bist du mit dieser Einschätzung zufrieden?«

»Sehr, Möne! Aber soll ich dir nun auch sagen, für was für einen Mann ich dich halte?«

»Nein, danke! Deine Schätzung, soweit sie mich betrifft, kann nicht verglichen werden mit derjenigen, von der es im Weihnachtsevangelium heißt, daß sie die allererste war. Du hast mich schon wer weiß wie oft geschätzt, und jedesmal hat es mich stolz und dabei doch schamrot gemacht, und beides, Stolz und Schamröte, steht einem Pastor nicht gut an.«

Grete aber wollte wie viele ihres Geschlechts das letzte Wort behalten und sagte schlicht und doch mit großer Bestimmtheit: »Ich bin aber doch stolz auf meinen stolzen Grobschmied.«

5. MÖNE SCHREIBT AN SEINEN FREUND

Lieber Freund!

Dein letzter Brief ist gesund und trocken hier angekommen. Als ich die erste Seite gelesen hatte, habe ich so laut gelacht, daß Du es eigentlich in Deinem mecklenburgischen Fritz-Reuter-Winkel gehört haben mußt. Worüber ich gelacht habe? Über Dich, Jakob, über Dich mußte ich lachen von ganzem Herzen und von allen meinen Kräften. Ja, von allen meinen Kräften, und das will etwas sagen. Grete behauptet, daß sich bei meinem Lachen jegliche Kreatur in sechs Meilen Umkreis vor Angst und Schreck drei Klafter tief in der Erde versteckt; aber das ist natürlich frauenhafte Übertreibung von Grete, und ein wenig Neid kommt auch noch dazu, weil sie eben nicht so wie ich lachen kann. Gleich darauf habe ich mich aber rechtschaffen geschämt wegen meines Lachens und habe eigenhändig zu mir gesagt: Es ist gar nicht schön von dir, Möne, daß du lachst über deinen alten Jakob, der dir, solange du ihn kennst, treu zugetan ist, und der dir, wenn es nach deinem Wunsch ginge, nicht nur ein guter Freund sein sollte, sondern zugleich auch ein getreuer Nachbar! Ja, so habe ich nachdrücklichst zu mir gesprochen, und dann habe ich das laute Lachen heruntergeschraubt bis auf ein ganz leises Lächeln – über Deine Besorgnis für mein kostbares Leben unter den wilden Indianern. Du kannst ganz ruhig sein, alter Junge; ihre Wildheit hat sich um 75 Prozent vermindert, das Skalpieren ist vor langer Zeit von der Regierung als gesundheitsschädlich verboten worden, und wenn Du am Abend durch den Wald gehst, brauchst Du nicht zu fürchten, daß hinter jedem Baum ein Indianer steht, der in grimmem Blutdurst seinen Bogen spannt und Dir nur zu gern einen vergifteten Pfeil durch Dein teures Herz jagen möchte. ›Es war einmal!‹

Du möchtest gern etwas über die Indianer wissen. So höre also gut zu! Einen gründlichen Bericht darfst Du aber nicht von mir erwarten, sondern mußt in Betracht ziehen, daß ich erst kurze Zeit hier bin und noch nicht viel Erfahrungen sammeln konnte.

Es gab eine Zeit, da konnte man den Indianer mit Recht eine Geißel seiner Nachbarn nennen; seine Hand wider jedermann, und jedermanns Hand wider ihn. Jeder Indianer von anderem Stamm und erst recht jeder Weiße wurde als Todfeind angesehen, den mit List oder Gewalt umzubringen eine unbedingte Notwendigkeit war. Damals klang es hin und wieder leise und ängstlich, fast wie eine Beschwerde gegen Gott, in den Herzen von einzelnen Weißen: Du willst, daß wir uns der Schwarzen und Braunen und Gelben annehmen; müssen wir nun auch noch die Hüter der Roten sein?

Ursprünglich führten die Indianer ein Nomadenleben; bald tauchten sie hier auf, bald dort. Ihre erste Bekanntschaft mit Spaniern und Amerikanern war durchaus freundlicher Art. Es kam sogar vor, daß ihre Häuptlinge den amerikanischen Truppen ewige Freundschaft schwuren, allerdings unter der Bedingung: dein Feind – mein Feind, mein Feind – dein Feind. Wenn diese »ewige« Freundschaft nur von kurzer Dauer war, so war dies zum Teil den übereilten Handlungen der amerikanischen Soldaten zuzuschreiben, die aus ihrer hochmütigen Verachtung der neuen Bundesgenossen kein Hehl machten, und dies führte wiederum zu Vergeltungsmaßnahmen der Indianer ihrerseits. So entstand aus anfänglich unbedeutenden Reibereien ein vierzigjähriger Kampf, in dessen Verlauf auf beiden Seiten Greuel und Bluttaten verübt wurden, die kaum zu beschreiben sind und keiner Seite zur Ehre gereichten.

Nach Beendigung des langen Krieges zwischen Weißen und Rothäuten wurden diesen von der Regierung die bekannten Reservationen zugewiesen, und hier in diesen Reservationen vollzieht sich nun allmählich eine Wandlung ihres Wesens. Die Indianer von heute sind schon sehr verschieden von denen früherer Zeiten, von denen wir in jungen Jahren in kleinen buntfarbigen Heften, Stück für Stück zehn Pfennig, gruselige Geschichten lasen, und je gruseliger sie waren, desto lieber und begieriger lasen wir sie, obgleich uns eine Gänsehaut nach der andern über den Rükken lief. An Stelle der Zuchtlosigkeit tritt nach und nach die Gewöhnung an Gesetz und Ordnung. Die jüngere Generation, von klein auf an die neue Lebensweise gewöhnt, findet sich verhältnismäßig leicht in die veränderten Verhältnisse. Im großen und ganzen kommt der Indianer jetzt gut aus mit den Weißen, wenn nicht halbwegs unterdrückte Neigungen in ihm zu neuem Leben erweckt werden. Die Erinnerung an die Vergangenheit und an das, was sein einst war, ist nicht ganz verlorengegangen. Alte Überlieferungen werden lebendig erhalten, alte Kriegsgeschichten gehen von Mund zu Mund, und die Kinder von heute hören sie und zeigen durch ihr ganzes Verhalten, daß sie Sprößlinge des alten Stammes sind. Sie haben heißes Blut in den Adern, und selbst kleine Hände greifen nach großen Steinen, wenn jemand ihre Gefühle verletzt. Auge um Auge, Zahn um Zahn!

Schon manches Jahr hindurch fristen die Indianer ihr Leben auf den Reservationen und erhalten Unterstützung seitens der Regierung. Man spricht aber jetzt davon, daß man ihnen die Möglichkeit geben will, Rinderzucht zu trei-

ben, sich an Wegebauten zu beteiligen und andere einträg-
liche Arbeiten zu verrichten, wodurch sie in den Stand gesetzt werden sollen, selber für ihren Lebensunterhalt zu
sorgen. Leider sind viele von ihnen dem Trunk ergeben, zu
welchem Laster sie, Gott sei's geklagt, in früheren Zeiten
von den Weißen direkt erzogen wurden; aber davon abgesehen zeigen sie sich im allgemeinen arbeitswillig und an-
stellig. Nur wenn dann und wann eine gewisse Unruhe in
Rede und Beschäftigung über sie kommt, merkt man, daß
sich das Nomadenblut in ihnen regt; ihr Blick schweift
dann in die Ferne, als suchten sie dort etwas, was ihnen
verlorengegangen ist.

Sie waren von alters her gewohnt, zur Sonne als dem
höchsten Wesen zu beten, und noch heute nehmen viele
von ihnen teil an religiösen Tänzen und ähnlichen Zeremo-
nien zur Verehrung der Sonne und anderer Naturkräfte.
Von dem Medizinmann und anderem betrügerischen Gesindel haben sie gelernt, den Halbgott Nayehnaesghani zu
verehren; er wird auch jetzt noch von vielen als Helfer in
der Not angesehen, andere verwechseln ihn mit Christo. –
Es fehlt auch nicht an solchen, die mit den modernsten unter den modernen Weißen sagen: Es ist kein Gott! Wiederum gibt es Indianer, die dem aufdringlichen Medizinmann
mit seinem Singsang nicht mehr so recht trauen und auch
nicht den Teufelstänzern, die da behaupten, daß sie mit
ihrem unheimlichen Tanzen böse Geister und Krankheiten
und wer weiß was sonst noch vertreiben könnten. Aber
doch wird es diesen Zweiflern nicht leicht, all das heid-
nische Wesen abzulegen, und ebensowenig leicht wird es
ihnen, den neuen Gott und die neue Religion anzunehmen;
sie sind in Sorge und Zweifel und wissen vorläufig nicht,
was zu tun und wohin zu gehen.

Wenn der Tod an die Tür des Indianers klopft, so öffnen sich zuweilen Ohr und Herz des Sterbenden, und die durstige Seele trinkt mit vollen Zügen aus Gottes Brünnlein des lebendigen Wassers. Und nicht nur die Sterbenden! Auch gesunde Männer und Frauen kommen und lauschen der neuen Kunde von dem neuen Gott, der so viel gewaltiger und heilkräftiger ist als die Sonne. Einzeln kommen sie und in Gruppen, um zu hören, und hin und wieder geschieht es auch, daß sie kommen und ihren Pastor bitten mit Worten und mit Augen, die noch mehr sagen als ihre Worte: »Willst du uns taufen?« Oder sie kommen, um mit dem neuen Gott, zu dem sie Vertrauen gefaßt haben, zu reden, und ihre Rede ist kurz und klar: »Lieber Gott, mach' mich fromm, daß ich in den Himmel komm!«

Lieber Freund, in Deiner und meiner Heimat hört man häufig die Redensart: »Jungens un Hun'n gehören tausamen!« Es ist wohl etwas Wahres daran. Beide, Buben und Hunde, sind springlebendig und haben auch das gemeinsam, daß sie sich austoben müssen und sollen, und wenn dabei auch einmal ein Hosenboden platzt oder ein Junge über einen Hund fällt oder ein Hund über einen Jungen, so macht das nicht viel aus. Aber das andere ist auch wahr, was Emil Frommel einmal sagte von Kindern und Großeltern: »Kinder und Großeltern gehören zusammen, denn die einen haben noch nicht weit vom Himmel und die andern nicht mehr weit zum Himmel!« Darin liegt tiefe Weisheit. Und wie es in dieser Hinsicht bei den Weißen ist, so auch bei den Rothäuten: Kinder und Großeltern gehören zusammen! Wenn hier die Großeltern am Sonntagmorgen mit ernstem Gesicht und bedächtigem Schritt dem Gotteshaus zustreben und die Kleinen ihnen folgen und ihnen nichts nachgeben an feierlichem Ernst und drolliger Bedachtsamkeit, so ist das ein Bild, wie ich es mir nicht lieblicher vorstellen kann.

Was Schulen und Mission unter den Indianern betrifft, so kann ich Dir heute nur sagen, daß das alles erst im Aufbau begriffen ist und daß man noch nicht weiß, ob das Aufbauen zu einem fertigen Gebäude führen wird. Gewiß ist nur dies, daß es harte Arbeit geben wird. Heidnisches Wesen und schwarzer Aberglaube haben die Herzen hart und stumpf gemacht, und das frühere ungebundene Wanderleben zusammen mit der noch immer unter der Asche glühenden Lust an Jagd und Abenteuern steht mit der einfachen Friedensbotschaft, die wir ihnen bringen, nicht im Einklang. Die Erinnerung an die Erfahrungen der Kriegszeit ist noch sehr frisch, und die anfänglich sehr rigorose Behandlung durch die Amerikaner sowie viele andere Umstände sorgen dafür, daß Rote und Weiße sich nun nicht etwa als »Brüder« ansehen. Wir Missionare gehen von den Weißen zu den Roten und von den Roten zu den Weißen, um die gröbsten Ausbrüche von Feindseligkeiten zu verhindern. Wir geben die Hoffnung nicht auf, späterhin tiefer graben zu können, und wir haben guten Grund zu hoffen, denn wir machen täglich die Erfahrung, daß die Indianer uns Missionaren größeres Vertrauen entgegenbringen als jedem andern Weißen.

So, mein Jakob, nun habe ich Dir einen langen Brief geschrieben mit dieser meiner Hand, und ich hoffe, daß Du mir dafür ebenso dankbar sein wirst, wie ich es Dir war vor vielen Jahren, als wir zusammen mit Freund Schmidt ein Lotterielos in der Wokrenter Str. in R. nahmen und Du das Los aus Deiner Tasche bezahltest und den Gewinn großzügig mit uns teilen wolltest. Weißt Du noch? Eigentlich waren wir zu der Zeit doch »bannige Kirls«! Und weißt Du noch, wie der wohlwollende Lotterieagent mit dem Kneifer auf der südlichen Nasenverdickung so herzlich lachen konnte, als wir unsere Namen mit »Bim« und »Bam« und »Bum« angaben? Der Gewinn fiel an uns vorbei; aber wer weiß! Vielleicht stellt sich noch eines guten Tages heraus, daß damals beim Ziehen der Lose ein Versehen geschah und wir doch das große Los gewonnen haben.

Was dann, wenn das Versehen nachträglich gutgemacht wird und uns eine Unmenge Geld ausgezahlt werden muß? Was dann, Jakob? Dann fährst Du am Tage darauf auf einem Luxusdampfer, erster Klasse natürlich, nach hier und überzeugst Dich mit eigenen Augen, daß die Wilden Deinem Möne bisher weder Schaden noch Leid getan haben. Und dann soll sie, was meine Frau die Grete ist, Dir einen Streußelkuchen vorsetzen, desgleichen Du nie gesehen noch geschmeckt hast. Übrigens soll ich Dir von Grete bestellen, Du müßtest notwendig einmal herüberkommen und ihr helfen, den ungefügen Grobschmied zu bändigen und zu erziehen, eine schwache Frauenhand sei dazu nicht imstande. Ja, genau so hat sie gesagt. Aber ich sage Dir – ganz im Vertrauen: hat sich was mit der schwachen Frauenhand!

Mit einem wirklichen Gruß und einem unwirklichen Handschlag

Dein Möne

6. BRIEF VON ALTEN FREUNDEN AUS WARKENTHIN

Der Briefträger machte die Außentür zum Pfarrhaus hinter sich zu, strich seinen Schnurrbart zurecht und sah äußerst zufrieden aus; Frau Grete hatte ihn zum Sitzen genötigt und ihm heißen Kaffee gebracht und ein Stück Kuchen dazu. Das war wohlgetan von ihr, denn es war bitterlich kalt draußen; aber sie hatte heute auch noch einen besonderen Grund, wohlzutun und mitzuteilen: der Briefträger hatte ihr einen Brief mit dem Poststempel Warkenthin gebracht, und das war gleichbedeutend mit einem Festtag in Buffalo Heights.

Der Brief war geschrieben von guten Freunden und getreuen Nachbarn von alters her. In den Zeilen und mehr noch zwischen den Zeilen stand es wieder und wieder zu lesen: Wir sind jetzt alt geworden, aber wir haben euch nicht vergessen, euch nicht und eure Eltern auch nicht. – Sie schrieben von Haus und Hof, von Acker und Vieh und von vielen anderen alltäglichen Dingen, und doch waren Möne und Grete der gleichen Ansicht, sie hätten selten in ihrem Leben etwas so Schönes gelesen. Man konnte es den Schriftzeichen ansehen, daß das Schreiben den Schreibern eine ungewohnte Arbeit gewesen sei; aber was den Brief so wertvoll machte, war, daß sich von Anfang bis Ende viel herzliches Gedenken um die ungefügen Buchstaben rankte. Darum warf Möne ihn nach der Lesung auch nicht ins Feuer oder in den Papierkorb zu den alten Scharteken, die dort ein geruhsames Dasein führten, sondern tat ihn in den Kasten, in dem nur wichtige Schriftstücke aufbewahrt wurden.

Der Brief enthielt aber auch manches, was weder für Schreiber noch Leser erfreulich war. Er berichtete allerlei über den neuen Pastor, der eigentlich gar nicht mehr neu war, sondern schon seit vielen Jahren seines Amtes in Warkenthin waltete. Die Alten sagten von seinem Predigen: »För'n Daler Stimm un för'n Nickel Gotts Wurd!« Von

253

dem Mann, der einst mit ausgebreiteten Segenshänden über die Erde ging und von seinen Jüngern im wahrsten Sinne des Wortes vergöttert und von seinen Feinden bis in den Tod gehaßt wurde, wollte er wie weiland die Pharisäer und Schriftgelehrten nicht viel wissen; wohl aber redete er gewaltiglich von der Kanzel herab über Politik und Wissenschaft und versuchte sogar, seine Zuhörer zum Kunstverständnis zu erziehen, leider mit wenig Erfolg.

Der neue Lehrer war nicht viel anders. Er hieß Wolf, und es gab Leute in Warkenthin, die behaupteten, es sei sehr richtig von seinen Eltern gewesen, ihm gerade diesen Namen als unveräußerliches Erbteil zu hinterlassen; denn ein Wolf sei er in Gesinnung und Handlung, in der Schule und außer der Schule. Die frühere Weihnachtsfeier in der Schulstube war längst als altmodisch abgeschafft worden. Dafür hatte der Lehrer zum Christfest mit den Schulkindern das Schneewittchen-Märchen eingeübt. Die Aufführung erfolgte im Krug zu Warkenthin, wobei sowohl Schneewittchen wie auch die sieben Zwerge in Holzpantoffeln auf der Bühne umherklapperten. Viele sagten, es sei wunderschön gewesen, aber manchem von den Alten stand etwas Nasses in den Augen, und das galt weder dem holzpantoffeligen Schneewittchen noch dem gestiefelten Wolf in der Schule, sondern einer früheren Zeit mit wirklichem Weihnachtsklang und Weihnachtssang. – So begegneten sich Heimweh hüben und Heimweh drüben.

Am Schluß des Briefes stand noch zu lesen, daß der neue Lehrer für Erwachsene und Schüler, die sein neumodisches Wesen weder verstanden noch achteten, ein Neuling geblieben sei; denn er wurde nach kurzer Zeit als besonders »gesinnungstüchtig« an eine andere Schule mit höheren Zielen versetzt. Zu Beginn der letzten Unterrichtsstunde, einer

254

Singstunde, sagte der Lehrer: »Kinder, heute sollt ihr bestimmen, was ihr singen wollt, weil es doch meine letzte Unterrichtsstunde bei euch ist. Welches Lied wollt ihr singen?« Und einstimmig riefen sie: »Nun danket alle Gott!« – Dem Lehrer stieg eine dunkle Röte ins Gesicht, und er murmelte etwas, das so ungefähr wie »undankbares Dorfgesindel« lauten konnte. Und dann sangen die Kinder mit großer Inbrunst: »Nun danket alle Gott!« Aber der Lehrer sang nicht mit.

Der Brief hatte noch eine Nachschrift: »Ihr wohnt jetzt bei den Indianern? Habt Ihr keine Angst, daß sie Euch eines Tages abmurksen und Euch am Spieß über dem Feuer braten und Euch auffressen und sich dann den Mund wischen und sagen: Dat hett äwer gaud smeckt?«

7. GRETES ERINNERUNGEN

Es war merkwürdig: Möne wurde von Jahr zu Jahr stärker und gesunder und arbeitsfreudiger. Es schien, als ob sein Wirken unter denen, die nicht aus seinem eigenen Stall waren, ihn an Leib und Seele kräftigte. Sein tröstendes Wort an Krankenbetten und Sterbelagern war tröstlicher als je zuvor, sein Zeugnis von dem Gott der Weißen und der Roten kraftvoll und überzeugend, sein Verständnis für die Arbeit der Männer und Frauen aufrichtig und ermunternd, seine Unterhaltung mit ihnen über Saat und Ernte, Frost und Hitze, Sommer und Winter, Tag und Nacht ohne beabsichtigte Lehrhaftigkeit und oft genug von einem sonnigen und nie verletzenden Humor durchzogen – das war es, was das gegenseitige Vertrauen und Verstehen von Monat zu Monat wachsen ließ. »Ein merkwürdiger Mann«, sagten die Indianer, »er ist ein Weißer und handelt und redet wie unsereiner.« – »Merkwürdige Leute«, sagte Möne, »mit merkwürdigen Gewohnheiten und Eigenheiten. Es ist nicht leicht, sie zu gewinnen; aber hat man sie gewonnen, so gehen sie für einen durch Feuer und Wasser.«

Anders stand es mit Frau Grete. Während der ersten Jahre in Buffalo Heights schienen die neuen Verhältnisse, die neue Arbeit und die Luftveränderung ihr gut zu tun. Etwas von der alten Frische war ihr zurückgekehrt. Über ihren Beruf war sie keinen Augenblick im Zweifel. Es gab keinen Armen unter ihren Leuten, den sie nicht von Zeit zu Zeit besuchte und dem sie nicht heimlich ein Geldstück in die Hand drückte, und es gab keinen Kranken, dem sie nicht mit warmem Wort und linder Hand zu helfen wußte. Sie war von Hause aus an große Sauberkeit »binnen und buten« gewöhnt, und daher wurde es ihr nicht immer leicht, ihren Abscheu vor der übergroßen Unsauberkeit, die sie hier und da vorfand, zu überwinden. Aber sie war nicht nur eine saubere, sondern auch eine tapfere Frau, und mit großer Tapferkeit griff sie in den Schmutz hinein und schaffte Ordnung, wo sie nichts als Unordnung vorfand.

Zu Anfang war es auch zuweilen geschehen, daß sie, die auf keinen Dank rechnete, mit all ihrer Freundlichkeit auf widerwilliges und störrisches Wesen stieß. Aber sie ließ sich nicht beirren und kam wieder und nochmals wieder, bis schließlich die Frauen merkten, daß Frau Grete nur kam, um zu helfen, und nicht auf Gegendienste wartete, und daß hinter der weißen und kühlen Haut ein warmes Herz schlug für die Rothäute. Im allgemeinen ließen die Indianer nicht viel davon merken, daß sie, tief versteckt, auch ein Herz mit sich herumtrugen, und noch weniger trugen sie es auf einem Präsentierteller vor sich her; aber wenn immer wieder daran geklopft wurde, so tat sich doch endlich ein Spalt auf, zunächst ein ganz enger, der sich dann nach und nach erweiterte, bis es zuletzt dazu kam, daß von der weißen und von der roten Frau galt, was so schön auf den Lebkuchherzen des Jahrmarkts in der griesen Gegend zu lesen stand: »Mein Herz, dein Herz – ein Herz!«

Und die Kinder? Wenn Frau Grete durch die Ortschaft ging, so hatte sie immer sehr bald einen ganzen Schwarm Kinder um sich, die dies und jenes wissen wollten und darum fragten und fragten, wie eben nur Kinder fragen können: »Wir haben ein rotes Pferd und ein weißes; warum ist das rote Pferd nicht auch weiß?« – »Und wir haben eine kleine Katze und einen großen Hund, und manchmal kratzt die kleine Katze den großen Hund; warum tut sie das?« – »Wie kann es zugehen, daß unsere schwarze Kuh weiße Milch gibt?« – »Warum haben die kleinen Mäuse vier Beine und die großen Menschen bloß zwei?« – Auf alles und jedes gab Frau Grete Antwort, und wenn ihr Indianisch auch nicht immer völlig korrekt war, die Kleinen verstanden sie doch und stellten weitere Fragen, die kein Professor besser hätte beantworten können.

So lag auf dem ganzen Gebiet zwischen den Rothäuten und ihren Pfarrersleuten heller Sonnenschein; beide Teile hatten den Nießbrauch davon. Aber häufig, wenn Frau Grete mit ihrem Gefolge durch die Ortschaft ging, verglich sie sich mit ihrem Vater und sah ihn vor sich, wie er schwerbeladen von seinem Botengang in die Stadt heimkehrte mit einem Dutzend neugieriger und erwartungsvoller Kinder vor und hinter und neben sich, und dann fiel ein Schatten über den Sonnenschein, über den sie sich noch kurz vorher gefreut hatte.

Irgend etwas war nicht in Ordnung mit Frau Grete. Das Alter drückte sie noch nicht, und doch wurde sie von Jahr zu Jahr langsamer in ihren Bewegungen. Ihr frohes und goldiges Lachen erscholl seltener im Hause und auf der Straße. Der helle und warme Blick verlor nach und nach ein gut Teil von seiner Helligkeit und Wärme und wurde matt und immer matter.

Grete war eine stille Frau geworden – äußerlich. Aber die Gedanken tief im Innern waren durchaus nicht still, sondern hatten es eilig wie die Jahre und gingen auf Reisen. Warkenthin, du liebes, liebes Warkenthin, mit deinen trotzigen Bauernhäusern, deinen alten Strohkaten, deinem Storch auf des Nachbars Haus, deinem Kling-Klang von der Schmiede her, deinem Sing-Sang auf der breiten Dorfstraße – »ach, wie liegt so weit, was mein einst war!«

Plötzlich erschrak Grete. Was war es, woran sie soeben gedacht hatte? »Vergesse ich dein, Warkenthin, so werde meiner Rechten vergessen!« War es nicht sündhaft, einen solchen Gedanken aufkommen zu lassen? Grete fing an, sich zu schelten, und sie tat es gründlich: »Du wirst ja dümmer von Tag zu Tag, Grete, es ist gar nicht mehr auszuhalten mit dir. Du hast hier deinen Möne, der dich, so es nötig wäre, auf seinen Händen tragen würde; du hast deine Kinder, die wohlgeraten sind und an dir hängen wie die Kletten; du hast dein schönes Haus und das Gärtchen davor ... aber Pfarrhaus und Pfarrgarten in Warkenthin waren doch noch schöner; du hast hier deine Indianer, die dir von Gott anvertraut und dir von Herzen zugetan sind ... aber ich denke, die lieben alten Leute in Warkenthin waren dir noch inniger zugetan ...«

258

Bei dem Gedanken an »die lieben Alten« sah Grete sich plötzlich auf dem stillen Friedhof in Warkenthin und las, was groß und deutlich auf einem Grabstein geschrieben stand: »Hier ruhen in Gott Pastor Josias Brümmerstädt und Frau Marie, geb. Driesen«, und darunter: »Ps. 101, 6; Meine Augen sehen nach den Treuen im Lande!« – Aber dann riß Grete sich zusammen: »Nein, so nicht! Einstweilen stehe ich noch mit beiden Füßen hier auf amerikanischer Erde in Buffalo Heights. Hier ist mein Arbeitsfeld; hier habe ich zu tun, was Pflicht und Schuldigkeit mir gebieten. Warkenthin – es war einmal! Buffalo Heights – heute ist heut!« Damit hatte sie sich wieder in der Gewalt und war wieder die alte frische und werktätige Grete – für eine Zeitlang.

Möne sah das alles, und er sah es mit großer Sorge. Er machte sich Vorwürfe: war es recht gewesen, das Bäumchen zum zweitenmal zu verpflanzen? War es recht gewesen, Grete in eine Wildnis zu bringen? Denn Buffalo Heights lag in einer Wildnis, allerdings in einer schönen. War es nicht ganz und gar verkehrt gewesen, ihr eine neue und schwere Arbeit zuzumuten an wildfremden Menschen, deren Freundschaft und Anhänglichkeit sie sich erst erkämpfen mußte wie ein Held im Streit? Ja, Heldenarbeit hatte sie geleistet, seine Grete; vielleicht stand er darin weit hinter ihr zurück.

Er wußte: das Heimweh fraß an ihrer Seele, und er fragte sich: was ist Heimweh? Heimweh kann gesund und herzstark sein, wenn es rechtzeitig gestillt wird durch zeitweise oder dauernde Rückkehr in die Heimat. Heimweh wird zur Krankheit, wenn die Sehnsucht nach allem, was einst war, ungestillt bleiben muß. Heimweh wird zur tödlichen Krankheit, wenn sich über die tägliche Wirklichkeit und Wirksamkeit nach und nach immer tiefere Schatten senken und im Gegensatz dazu die in märchenhaftem Glanz erstrahlende Heimat und Jugendzeit in der Erinnerung aufsteigt. War sie denn wirklich so märchenhaft schön, die griese Gegend? Mitnichten! Aber die Erinnerung, die große Malerin, hatte den schiefgesackten Strohkaten und dem rinnenden Sand der Heimat ein verklärendes Licht verliehen. Eins ist gewiß: das Erdenheimweh wird uns in die Seele gesenkt, daß es uns auf sanft ansteigenden Stufen hinaufführen soll zur Sehnsucht nach der ewigen Heimat.

War Grete wirklich ernstlich krank? Ein leichtes Erschauern erfaßte Möne, wenn er daran dachte. Oft, wenn er sah, wie sie gegen das aufsteigende Weh ankämpfte, setzte er sich neben sie und legte seine beiden Hände auf die ihren und sah ihr tief in die Augen. Möne, der riesengroße und riesenstarke Mann, konnte bei solchen Gelegenheiten von unsagbarer Zartheit und Behutsamkeit sein. Keines von ihnen sagte dann ein Wort; aber jedes wußte, was das andere dachte.

Bis Grete schnell aufstand und, ihre eigenen Gedanken kundgebend, sagte: »Daraus schließen wir, daß ich dumm bin, unheilbar dumm!«

Worauf Möne zur Antwort gab: »Nein, Kind, du bist nicht dumm, du bist nie dumm gewesen; denke nur, was du aus dem Warkenthiner Grobschmied gemacht hast! Aber du bist krank und sollst wieder gesund werden!« Und für sich setzte er in Gedanken hinzu: ›Dir kann nur der Chefarzt da oben helfen, und ich will sein Assistent sein.‹

8. EIN ERNSTES KAPITEL

Warum ist es so still geworden in Buffalo Heights im Indianerland? Warum sind die frohen Zurufe und Gegenrufe selbst der wildesten Buben und Mädel beim Spiel verstummt? Und wenn einmal ein sorgloses Kinderherz ein glückliches Lachen, unbewacht und unbedacht, nicht mehr zurückhalten kann – warum sehen dann die Spielgefährten erschreckt zu ihm hin und legen wie auf Kommando ihre Finger auf die Lippen als dringende Mahnung und ernstes Lachverbot: Du, das darfst du nicht! Du weißt doch? – Warum gehen die Frauen stiller und einsilbiger als sonst einher, und warum vermeiden selbst die Männer jedes laute Geräusch und Wort?

Eine stille und ergebene Seele rüstet sich zur letzten Reise. Ein heimwehkrankes Herz macht sich los von der Erde und fährt heim. Frau Grete liegt auf ihrem Lager und steht nicht wieder auf. Ihr Lebenstag hat sich geneigt, und es will früh Abend werden. Zwischen Wiege und Sarg liegt viel Traurigkeit, aber auch viel blanker Sonnenschein. Im Leben der Frau Grete war beides zu finden, Herzeleid und helle Freude, und sie wußte nicht einmal, welches von beiden ihr am meisten Segen gebracht hatte. Möne saß oft und lange an ihrem Bett, ohne daß ein Wort von einem zum andern ging, aber sie verstanden sich durch Blick und Händedruck, und was ungesagt zwischen ihnen hin und her flog, war eigentlich immer dasselbe: Hab' Dank, hab' Dank! – Zuweilen schüttelt hohes Fieber sie, und dann kreuzen sich ihre Gedankengänge; mitunter spricht sie von der Gegenwart, zumeist aber von der Vergangenheit. Redet sie irre? Wie kann Frau Grete irre Reden führen, wenn sie von der Heimat spricht? Leise und doch ganz deutlich kommt es von ihrem Mund:

»Lieber Vater, da bist du ja! Ich habe dich gesucht, jahrelang, und konnte dich nicht finden. Aber nun hab' ich dich, und nun mußt du bei mir bleiben. Gib mir deine Hand, Vater!

Und da bist du, Mutter, liebe Mutter, und dein Haar ist so weiß geworden, aber deine Augen sind noch so hell und freundlich, wie sie immer waren. So, nun gehe ich wieder zwischen euch beiden und halte euch bei der Hand, und ihr nennt mich wieder ›leiw Döchting‹. Das habe ich immer so gern gehört, genauso gern wie ich im Sommer abends vor dem Einschlafen den Adebar hörte. Das klang so ruhig und friedlich übers Dorf hin, geradeso wie ›Der Tag ist nun vergangen, die güldnen Sterne prangen am blauen Himmelssaal‹.

Möne, mein lieber, lieber Möne, mußt mich nicht so traurig ansehn! Weißt du: über ein kleines! Sieh, ich hab' Vater und Mutter verlassen, um dir zu folgen; ich konnte nicht anders, ich mußte mit dir gehen, und es ist mir nie und nimmer leid geworden. Du warst mir, von Gott dazu gesetzt, Stecken und Stab, und du hast immer viel Geduld gehabt mit deiner dummen Grete. Hab' Dank, mein Möne!

Woher kommen denn auf einmal alle unsere Kinder? Groß und stark und gesund seid ihr alle miteinander. Ich habe es immer als ein besonderes Gottesgeschenk angesehen, daß ich mit euch singen und spielen und lernen und beten durfte; aber das beste und meiste hat euer Vater an euch getan. Seine Regel für Kindererziehung ist: ein Viertel Strenge und drei Viertel Freundlichkeit. Ich denke, das ist ein gutes Rezept. Ihr alle, einer wie der andere, habt mir viel Freude gemacht. Werdet, wie euer Vater ist, frisch, frei, fröhlich, fromm; dann ist mir nicht bange um euch!

Vater und Mutter Markow! Warum steht ihr hier an eurer Hofmauer und guckt den Weg entlang? Wartet ihr auf Möne und mich? Ja, wir kommen! Ihr habt mir nur immer Gutes und nimmer Leides getan, und das beste von allem war, daß ihr mir euren Möne gabt. Sein altes Lieblingslied ›Jung Siegfried war ein stolzer Knab'‹ singt er jetzt noch zuweilen, wenn ihm besonders wohl ist. Er war ja selber ein stolzer Knab' und ist es auch geblieben, stolz auf sein Amt und stolz auf euch.

Schüten, du lieber, treuer Schüten! Ja, du bist treu, und ein treues Gedenken haben wir dir bewahrt. Du hast viel von meinem Möne gehalten, und er hielt viel von dir!

Seid gegrüßt, ihr lieben Menschen in Warkenthin! Ich grüße euch, ihr alten Bauernhäuser mit den hängenden Strohdächern und den niedrigen Fenstern und der hohen Einfahrt auf die große Diele! Ich grüße dich, griese Gegend! Es gibt Leute, die nennen dich arm und häßlich; für mich bist du reich an Schönheit und Wundern, denn du bist meine Heimat!« –

Möne saß wieder auf der Bettkante und hielt Gretes fieberheiße Hand in der seinen. Was ging in ihm vor? Er war ein Mensch wie andere auch. Zuweilen wollte etwas in ihm hochkommen wie ein heißes Aufbegehren: Warum? Warum läßt Gott dies geschehen? Aber solche Gedanken quälten ihn nicht lange. Dann war er wieder Herr über sein Widerstreben und fragte sich ernsthaft: Warum willst du die heimwehkranke Seele zurückhalten? Sie kann doch nur gesunden in der ewigen Ruhe. Und ist sie nicht doch glücklich gewesen bei dir und mit dir, wenn es in den letzten Jahren auch nur ein leidvolles Glück war? Und war unsere gegenseitige Liebe nicht stark und wob feste Fäden von einem Herzen zum andern? Was ist es denn überhaupt

263

mit der Liebe; ist es nicht bloß nebelhafte Dichtung, sondern wahre Wirklichkeit, daß Liebe und Leid ganz nahe beieinander wohnen?

Grete wurde zusehends schwächer, nicht ein einziges Glied wollte ihr mehr gehorchen; es war vorauszusehen, daß der letzte geringe Vorrat von Kraft bald verbraucht sein werde. Und je schwächer sie wurde, desto linder wurde sein Streicheln über ihre Hand und Wange und Stirn, desto lieber und inniger wurde sein Wort. Und als er gewahrte, daß neben ihm schon der Tod am Bett stand, beugte er sich über sie, küßte sie auf die bleichen Lippen und nahm alle Kraft zusammen. »Grete, wohin du gehst, da gehe ich auch hin!«

Da öffnete sie noch einmal die Augen, und ein unsagbar liebes Lächeln verklärte ihr Gesicht, als sie flüsterte: »Möne, daraus schließen wir, daß wir uns wiedersehen!« Es war ihr letztes Wort. – Frau Grete Markow, geb. Brümmerstädt, war daheim.

Die Kinder sind heimgekommen und stehen mit ihrem Vater um das Bett, und als Frau Grete ihr letztes Wort gesprochen und ihren letzten Atemzug getan hat, da heben sie nicht an zu heulen und zu schreien und recken auch nicht die Hände auf zum Himmel in Sorge und Verzweiflung; nein, Möne fängt an zu singen, und die Kinder fallen wie auf stille Verabredung ein: »Zieh' in Frieden deine Pfade!« Sie singen den ganzen Vers bis hin zum Schluß: »Vergiß uns nicht in seinem Licht und wenn du siehst sein Angesicht!« – Auf jeden leisen Ton fällt eine leise Träne, und jeder Ton kommt stoßweise über die Lippen, als müsse er sich den Weg erst bahnen über allerlei Felsgeröll.

Ihr Singen ist keine Glanzleistung. Die Markows sind nicht zu Konzertsängern geboren, und für Opern haben sie weder Begabung noch Verständnis. Es findet sich auch sofort ein Kritiker.

Meister Bach hat den Gesang gehört, klopft mit seiner Stimmgabel auf den Notenständer und nickt seinen Englein zu: »Das ist wieder Möne Markow, er singt mit seinen Kindern der Frau Grete das Amen nach in die Ewigkeit. Und jetzt wollen wir auch singen, aber ganz leise, damit wir die arme Seele nicht stören auf ihrer Himmelfahrt. Und daß mir keins von euch danebensinge! Verkehrt zu singen – das überlassen wir dem Pastor Markow, der versteht es aus dem Grunde. Es ist ein Graus, das anhören zu müssen. Aber –«

Johann Sebastian seufzt tief auf. »Also jetzt aufgepaßt! Wir singen das Lied von der armen Seele:

Es kam eine arme Seele im Himmelreich an.
Tut mir auf, tut mir auf, daß ich einziehen kann!

Und als sie nun stand am Himmelstor,
Da kamen die Englein mit Harfen hervor.

Arme Seele, was hast du zerrissene Schuh'! –
Bin immer gewandert, fand nirgendwo Ruh.

Verblichen, zerrissen dein altes Gewand! –
Das trug ich in Reisen und Sonnenbrand.

Arme Seele, was gehst du so krumm und gebückt! –
Mich hat das Weh nach der Heimat gedrückt.

Arme Seele, was suchst du im himmlischen Haus? –
Gott Vater, den sucht' ich weltein und weltaus.

Dem leg' ich zu Füßen die Kleider und Schuh',
Die Last und mein sehnendes Herz dazu.

Da traten die Englein zusammen in Reih'n
Und führten die arme Seele hinein.

Da wird sie beschienen vom himmlischen Glast,
Da war sie genesen der drückenden Last.

Die seligen Engel im seligen Licht –
So selig waren die Engel nicht.« –

Keiner der Indianer weinte, als die Kunde von Frau Gretes Heimgang von Haus zu Haus getragen wurde. Ob es bei ihnen Sitte und Gebrauch war, nicht zu weinen, selbst nicht an Grab und Sarg? Der tiefste Schmerz ist oft tränenlos. Man konnte es ihnen ansehen, daß sie Leid trugen. Der Schritt der Männer war schwerer als sonst, und ihre Mienen waren finster, als ob ein schweres Unglück über sie gekommen wäre, und die Frauen hatten Schatten unter den Augen. – War Frau Grete populär gewesen? Ach was – populär! Das ist ein verbrauchtes und oft mißbrauchtes Wort. Sie hatte Liebe gesät und erntete Liebe – weit, weit übers Grab hinaus.

Möne ließ es sich nicht nehmen, die Leichenrede zu halten, entgegen allem Brauch. Er war sogar genötigt dazu, weil seine Amtsbrüder für solchen Liebesdienst zu weit entfernt wohnten. Sein Text war derselbe, der auf dem Brümmerstädtschen Grabkreuz in Warkenthin stand: »Meine Augen sehen nach den Treuen im Lande.« Was er da sagte, das hat noch Jahre hindurch in den Herzen der Leidtragenden gelebt. Man wunderte sich, daß auch er keine Träne hatte, und dieser und jener mochte ihn wohl deswegen hartherzig schelten. Pastor Markow hartherzig gegen seine Indianer – ein Ding der Unmöglichkeit! Möne hartherzig gegen seine Grete – fast sündhaft, so etwas nur zu denken! Es war keine Hartherzigkeit; es war das, davon geschrieben steht: »Es ist ein köstlich Ding, daß das Herz fest werde!«

Der Schluß seiner Rede war: »Ich habe einmal ein Wort

gehört, das lautete: ›Selig sind, die Heimweh haben, denn sie sollen nach Hause kommen!‹ Das liebe Menschenkind, das wir heute hier auf unserm Gottesacker zur Ruhe betten, hat jahrelang tiefes Heimweh mit sich herumgetragen, Heimweh nach der Stätte der Jugendzeit und Heimweh nach oben. Bei allem Frohsinn, den Gott der Herr ihr ins Herz gepflanzt hatte, war es doch in guten und bösen Tagen ihr liebstes Lied: ›Ach, wenn ich doch erst droben ständ' und könnt' den Heiland sehn!‹ Bis zum letzten Tag ihres Lebens blieb sie ihrer irdischen und himmlischen Heimat treu. Darum hat Gott mit ihr gehandelt nach seinem Wort: ›Meine Augen sehen nach den Treuen im Lande!‹ und hat all ihr Heimweh gestillt und sie nach Hause kommen lassen, in ihre und unsere Heimat. Das ist gewißlich wahr!«

So wurde eine Pastorentochter aus der griesen Gegend im weiten Westen von Amerika von Indianern zu Grabe getragen. Griese Gegend und Indianerland waren sich nahegekommen durch eine Brücke, die eine zarte Frauenhand gebaut hatte.

9. MÖNES EINSAMKEIT

Pastor Markow war ein einsamer Mann. Aber seine Augen waren nicht dunkel geworden, und seine Kraft war nicht verfallen. Unermüdlich waltete er seines Amtes nach wie vor, war freundlich, wo Freundlichkeit am Platz war, und konnte hart sein, wo er auf harte Herzen und wilde Zügellosigkeit stieß. Mitunter, aber selten, konnte etwas von seinem alten Frohsinn zum Vorschein kommen, und dann konnte er lachen und scherzen mit Großen und Kleinen; aber noch häufiger saß er an Krankenbetten und bei den alten und mühseligen Männlein und Weiblein, und was dort über seine Lippen kam, war Medizin, eine Medizin, für die Gott der Herr selbst das Rezept geschrieben hatte.

Es konnte aber auch, besonders zur Winterzeit, geschehen, daß er, den Kopf auf die Hand gestützt, in seiner Stube am Tisch saß und weder las noch schrieb, sondern seinen Blick durchs Fenster in die weite Landschaft vor ihm schweifen ließ. Und in solchen Stunden sah er nichts von dem schönen Bild, das da vor seinem Auge ausgebreitet lag, sondern er blickte weit, weit darüber hinaus, nicht in die wilden und lustigen Jagdgründe, von denen einst seine Indianer geträumt hatten, sondern in ein Wunderland jenseits der Erde.

Was er da sah? Nicht schwer zu sagen! Er sah einen Mann, der einst – es war sehr lange her – über die Erde ging, segnend, heilend, duldend, und dieser Mann streckte ihm die Hand entgegen zum frohen Willkommensgruß; er sah seine Eltern, den Vater mit seinem Schurzfell und die Mutter mit der vorgebundenen Schürze, beide werktagsmäßig angetan und dabei festtäglich froh, und beide schämten sich nicht ihrer Arbeitskleidung; er sah Pastor Brümmerstädt mit der Bibel in der Hand und die Frau Pastorin mit einem Blumensträußlein aus dem Pfarrgarten an der Brust; und er sah Grete, seine Grete, die auf ihn zueilte mit dem freudigsten Blick, der je aus eines Menschen Auge strahlte, und ihn begrüßte: »Ich wußte ja, daß du kommen würdest, über ein kleines – und aber über ein kleines, so haben wir auch unsere Kinder hier.«

Wenn Möne eine solche Stunde erlebt hatte und in die Wirklichkeit zurückgekehrt war, stand er plötzlich auf und ging zu seiner Tochter, die ihre Stellung als Lehrerin aufgegeben hatte, um dem Vater die Wirtschaft zu führen, hob ihr Köpfchen auf und sah ihr tief in die Augen. »Min leiw Döchting!« Dann wußte sie, daß ihr Vater wieder einmal eine jener heiligen Stunden erlebt hatte, die ihm wohl und weh zugleich taten, eine jener Stunden, da das Heimweh mit großer Gewalt an ihm riß und zerrte, so gewaltig, daß es jeden andern zu Boden geworfen hätte. Aber Möne war stark an Leib und Seele.

Seine Söhne, jetzt alle verheiratet, baten ihn samt ihren Frauen herzlich und dringend: »Leg deine Arbeit nieder! Du hast von jeher hart gearbeitet und ein ruhiges und beschauliches Altenteil-Leben verdient. Komm zu einem von uns! Wir wollen dich hegen und pflegen, wie du und Mutter einstmals uns gehegt und gepflegt haben. Weißt du noch, daß du uns oft erzählt hast, es sei für einige Leute in der griesen Gegend ein Grund zu ihrer Übersiedlung nach Amerika gewesen, daß früher Ausgewanderte ihnen die märchenhafte Kunde zukommen ließen, hier könnten sie jeden Tag ›Stuten‹ (Weizenbrot) essen? Wir versprechen dir hoch und heilig, du sollst bei uns jeden Tag Stuten haben, und an der Butter darauf brauchst du nicht zu sparen, und jeden Sonntag kannst du noch Honig oben auf die Butter streichen. Lockt dich das nicht? Und wenn du deine Arbeitslust absolut nicht zähmen kannst — unsere Kinder wachsen heran und sind bald alt genug, um unterrichtet zu werden, und wir kennen niemand, dem wir sie lieber anvertrauen möchten als dir. — Wir denken, daß wir dir und Mutter im großen und ganzen gehorsam waren, abgesehen von etlichen Übermutsanfällen, die aber allemal eine merkliche Abkühlung erfuhren durch deine schnelle und gerechte Justiz. Nun ist es aber gewiß nicht unbescheiden und unehrerbietig von uns, wenn wir dich fragen und bitten: Sei du auch einmal uns gehorsam und richte dich nach unserm Wunsch und Willen. Also kurz und gut: Sei brav, Vater, und komm!«

Der Vater war aber nicht brav und kam auch nicht. Er liebte alle seine Kinder, und wenn sie ihn im Scherz fragten, wen von ihnen er am liebsten leiden möge, so war seine Antwort: »Den, der gerade bei mir ist!« Seine Erwiderung auf ihre wiederholte Aufforderung zu kommen war dem Sinne nach immer dieselbe: »Ich danke euch für eure freundliche Ermahnung zum Gehorsam, aber euer Vater ist nicht so brav, wie ihr wünscht. Er kommt nicht, sondern bleibt, wo er ist, bis Gott der Herr ihn in den Ruhestand versetzt und seinen Namen ins Buch des Lebens schreibt: Möne Markow, Buffalo Heights im Indianerland, geb. zu Warkenthin in der griesen Gegend in Mecklenburg, seines Zeichens Grobschmied und Pastor, heute umgezogen ins obere Stockwerk! – Und wenn ich dann noch sehen darf, daß Gott Vater vielleicht in Klammern hinzusetzt ›in beiden Berufen ein brauchbarer Mann‹, so will ich mich freuen, wie sich noch nie ein Mensch gefreut hat, und will in meiner Freude sogar ewige Freundschaft schließen mit J. S. Bach, obwohl er immer behauptet hat, daß meine musikalische Ausbildung der seinigen nicht ganz gleich komme. – Ihr müßt auch nicht denken, daß die Arbeit unter meinen Indianern getan sei; nur der Anfang konnte gemacht werden. Und außerdem: Ich stehe in einem Alter, da Tod und Leben Wipp-Wapp spielen; da ist es am besten, ich bleibe, wo ich bin und – warte.«

Wenn Möne an seine Kinder schrieb, konnte er zuweilen selber weich werden wie ein kleines Kind: »Ihr wißt, daß ich in jungen Jahren manche Woche und manchen Monat in meines Vaters Schmiede stand und half Pferde beschlagen, neue Reifen um Wagenräder legen, blanke Pflüge herstellen und hartes Eisen im Feuer und auf dem Amboß bearbeiten, daß es weich und biegsam werde zu weiterem Gebrauch. Das war harte Arbeit. Hat sie auch meinen Sinn hart gemacht? Konnte dieselbe Hand, die mit festem Griff Hammer und Eisen umspannte, auch weiche Kinderherzen leiten und führen, wie es sich eben für Kinder gehört? Wenn ich Euch zu hart anpackte mit Wort und Hand, verzeiht es Eurem alten Vater, und Gott verzeihe es mir! – Eure Mutter hatte einen weicheren Sinn und eine lindere Hand und richtete damit viel mehr aus als ich. Die Menschen sind verschieden, wie es die Pflanzen sind. Da steht die Distel, stolz und stark und stattlich, und in ihrem Schatten grünt und blüht ein bescheidenes Vergißmeinnicht; die große und anspruchsvolle Staude hat geringen Wert, aber das Blümlein darunter bringt jedem, der es sieht, stille Freude ins Herz und auch wohl stille Erinnerung an dieses oder jenes Menschenblümlein, das mit einem und neben einem aufwuchs und dann mitten im Blühen und Grünen dem Sensenmann zum Opfer fiel.« –

Möne arbeitete unverdrossen weiter an seiner Indianergemeinde, zuweilen mit gutem Erfolg und zuweilen mit geringem oder gar keinem. Sein Gang war langsamer geworden, und sein Haupt trug er nicht mehr ganz so aufrecht wie »ein stolzer Knab'«. Auch seine Fröhlichkeit war eine andere geworden, war nicht mehr so laut und frisch wie vordem, dafür aber um so inniger. Die Männer sahen ihm oft kopfschüttelnd nach, wenn er durch den Ort schritt; aber die Frauen verstanden ihn besser und öffneten ihm williger denn zuvor ihre Herzen. Sein Lebenskamerad fehlte ihm auf Schritt und Tritt, daheim und draußen, bei der Arbeit und in der Erholung. Die Kinder hatten ihre Anhänglichkeit, die sie Frau Grete zeigten, auf ihn übertragen, und wo er sich nur sehen ließ, waren sie seine Begleiter, faßten ihn bei der Hand, sahen treuherzig zu ihm auf und warteten auf ein freundliches Wort, das ihnen nie versagt wurde. Dabei wurde sein Herz warm, und mit einem gewissen Stolz verglich er sich mit seinem alten Freund, Pastor Brümmerstädt in Warkenthin. –

Für seine Predigten hatte er sich in jüngeren Jahren den Bibelspruch Ebr. 4, 12 als Richtschnur gesetzt: »Das Wort Gottes ist lebendig und kräftig, und schärfer denn ein zweischneidig Schwert, und durchdringet, bis daß es scheidet Seele und Geist, auch Mark und Bein, und ist ein Richter der Gedanken und Sinne des Herzens!« Ja, seine Predigten waren meistens scharf und kantig gewesen wie ein zweischneidig Schwert. Vielleicht öfter als notwendig? Späterhin waren ihm Bedenken gekommen, nicht Bedenken und Zweifel an der Zweischneidigkeit des Wortes Gottes, sondern an seiner eigenen Predigtweise: Bin ich nicht oft zu hart gewesen in meinem Urteil? Habe ich nicht mitunter mein menschliches Urteil dem Urteil Gottes gleichwertig geachtet? Ist das Evangelium minderwertiger als das Gesetz? Verstehen meine Indianer nur das Gesetz, und haben sie kein Verständnis für das Evangelium? – Es gibt hartmäulige und weichmäulige Pferde; den hartmäuligen schadet ein scharfer Ruck am Zügel nicht, aber die weichmäuligen muß man vorsichtiger behandeln. Ist es mit den Menschenherzen nicht etwas Ähnliches? Den harten Herzen tut ein harter Hammerschlag not, aber die weichen kannst du damit in Zweifel und Verzweiflung treiben.

Möne wurde milder in seiner Rede, und wenn sich ihm auf der Kanzel ein reichlich hartes Wort auf die Lippen drängen wollte, so stand in seinen Gedanken plötzlich seine Grete vor ihm und bat: »Nicht, Möne, nicht! Nicht in Blitz

272

und Donnerschlag, sondern in einem sanften Windes-
wehen!« Und dann konnte er nicht mehr hart sein und
hart reden, sondern wurde weich in warmem Flehen: »Lasset euch versöhnen mit Gott!«

10. MÖNES ZEITVERTREIB

Ja, Möne war ein einsamer Mann geworden. Ihm fehlte
der Lebenskamerad, mit dem er Auge in Auge reden konnte
über alles, was ein Menschenherz bewegen mag. Und weil
er ihm fehlte, war es ihm nach und nach zur Gewohnheit
geworden, mit sich selbst zu reden, nicht draußen auf der
Straße, sondern daheim im Kämmerlein oder in seiner
Studierstube. Er schrieb sogar Briefe an sich selbst, versah
sie aber nicht mit Anschrift und Marke und ließ sie auch
nicht von der Post in sein Haus zurücktragen, sondern verbarg sie wie ein geheimes Bekenntnis in seinem Schreibtisch. Nach seinem Tode fanden seine Kinder mehrere dieser Schriftstücke und gaben ihnen einen Ehrenplatz in der
alten Familienbibel. Eines derselben lautete:

»Lieber Möne, heute abend fühlst du dich wieder einmal
so recht einsam und verlassen. Es geschieht dir ganz recht
damit. Früher, als Grete am Abend zusammen mit dir am
Tisch saß und die Kinder um uns herum spielten, da warst
du froh und glücklich; aber zuweilen ist dir in all deinem
Glück der häßliche Gedanke gekommen: das hat so seine
Richtigkeit, das ist mir der liebe Gott schuldig dafür, daß
ich für ihn arbeitete! Heute denkst du anders, Möne. Heute
weißt du, daß Gott dir nichts schuldig war und schuldig ist
und daß alles, was du dein eigen nanntest und noch heute
dein eigen ist, dir gegeben wurde ›ohne alle mein Verdienst

und Würdigkeit‹. Hörst du, Möne, ohne Verdienst und Würdigkeit! Vergiß es nicht, Möne! Schreib es dir lieber auf, und lege es auf deinen Schreibtisch, damit du es jeden Tag vor Augen hast!

Du bist jetzt alt, und das Alter nimmt dem Menschen vieles. Ich wette, die letzten zehn Jahre haben dir ein gut Teil von deiner Arbeitskraft genommen, von deinem Arbeitseifer auch, und von dem, was du heute unterlassen mußt, weil Kraft und Eifer nicht mehr ausreichen, wollen wir lieber gar nicht reden.

Das Alter hat dir aber auch vieles gegeben. Es hat dir die Erinnerung gegeben an alles, was dein einst war, die Erinnerung an Grete, an Schmiedewerkstatt und Pfarrhaus in Warkenthin, an gute Freunde und getreue Nachbarn, die in deiner Jugendzeit an deinem Wege standen und dir zuwinkten und zunickten und immer ein freundliches Wort für dich hatten. – Mit der Anzahl der Jahre hat auch die Anzahl deiner Erfahrungen zugenommen. Es waren nicht immer gute Erfahrungen, es waren auch schlimme darunter; aber du möchtest heute keine davon missen, und vielleicht haben die schlimmen dir mehr Nutzen und Segen gebracht als die guten. – Das Alter hat dir auch etwas gegeben, das gar nicht hoch genug zu schätzen ist. In deiner Kinderzeit hast du manchmal gehört oder gelesen von Glaube, Liebe, Hoffnung, und das hat damals keinen sonderlichen Eindruck auf dich gemacht, nur diesen, daß die drei Wörter in ihrer Zusammenstellung einen guten und lieblichen Klang hatten. Heute, nach so vielen Jahren, weißt du, daß dies Dreigestirn deinen Erdenweg erhellt und dir voranleuchtet in die Ewigkeit. Danke Gott, daß du es weißt!

Eins muß ich dir noch sagen, Möne, weil du in letzter

Zeit so vergeßlich geworden bist: ›Vergiß nicht, was er dir Gutes getan hat!‹ – Und nun sollst du zur Ruhe gehen und deinen Abendsegen beten und dann nach Luthers Rezept ›flugs und fröhlich‹ einschlafen!« –

Möne verlor sich aber nicht ganz und gar in Einsamkeit und Erinnerung. Dazu war der einstige Grobschmied nicht angetan. Er war und blieb doch der Mann der Tat und vergaß über der Vergangenheit nicht die Gegenwart. Seine roten Kinder kamen nach wie vor zu ihm mit ihren kleinen und großen Sorgen. Sie schufen ihm viel Freude und auch vielen Kummer, und er griff zu mit Wort und Tat, schonte nicht die Hartherzigen und stillte den Schmerz mancher Herzenswunde, schlug, wo es not tat, mit dem Hammer zu und wußte ein weiches und verzagtes Gemüt zu trösten, wie eine Mutter ihr Kind tröstet. So kam es, daß der Pastor zu Buffalo Heights von einigen rechtschaffen gefürchtet und von der großen Mehrzahl verehrt und geliebt wurde. Er war nicht nur in der Kirche und auf der Kanzel für sie da, sondern jeden Tag im ganzen Jahr, und da war ihm kein Weg zu weit und kein Tag zu lang und keine Nacht zu dunkel. In seiner Studierstube wurde ihm manches Geheimnis anvertraut, das wohlverwahrt in seinem Herzen blieb, und dort hörte er manches Bekenntnis einer gequälten Seele, die bei ihm Ruhe und Frieden suchte und fand.

Sie kamen zu ihm, und er kam noch häufiger zu ihnen in ihre Häuser und Hütten. Sie fragten ihn mancherlei, und er fragte sie, und er hatte ein merkwürdiges Geschick zu fragen. Die Gefragten hörten nicht nur, was über seine Lippen kam, sie hörten sein Herz fragen und sahen seinen tiefen und festen Blick auf sich gerichtet, so daß kein Ausweichen möglich war und sie ihm die rechte Antwort geben mußten, ob sie wollten oder nicht.

Es handelte sich aber durchaus nicht immer um Fragen des Herzens und Gewissens. Die Männer kamen häufig und baten um Rat für Haus und Hof und für Ackerbau und Viehzucht, und die Frauen begehrten Aufklärung über die Behandlung kranker Kinder und über Anpflanzung und Gebrauch von bisher unbekanntem Gemüse und über viele andere schwierige Fälle in ihrem Haushalt. Und nun gar die Kinder! Wie oft kam ein Knirps die Treppe zu Mönes Stube heraufgeklettert und bat ihn unter Tränen, ihm den verlorenen Ball suchen zu helfen oder ihm ein Heilmittel für das kranke Hündlein daheim zu geben! Und wie oft stand ein kleines Mädchen vor ihm und hielt unter verhaltenem Schluchzen und mit bittenden Augen ihre Puppe hin, deren Gesundheitszustand durch den Verlust von Kopf und beiden Beinen wirklich schwer gelitten hatte! Die Mutter fand keine Zeit zur Krankenpflege, und der Vater hielt es seiner unwürdig, sich mit Puppenkram abzugeben, und die älteren Brüder lachten über den Schmerz ihrer kleinen Schwester. Wer sollte und konnte da helfen! Aber wozu war denn der weiße Mann da, der große Medizinmann für alle Schäden und Gebrechen.

Nein, an Langeweile litt Möne nicht. Er hatte täglich Besuche zu machen und die Kirchenbücher mußten in guter Ordnung gehalten und die Predigt für den kommenden Sonntag durchdacht und niedergeschrieben werden; und doch blieb ihm immer noch Zeit zu allerlei Nebenbeschäftigungen. Im Winter hatte er seine Gäste zu bewirten, die sich in früher Morgenstunde an der Hinterseite des Hauses einstellten und einmütig und einstimmig klagten und baten: »Dicht fällt der Schnee, der Wind geht kalt, habe kein Futter, erfriere bald!«

Zuerst kamen die Spatzen, die ein gut Teil ihrer sommerlichen Lustigkeit verloren hatten. Dann folgten die Stare, die im Herbst den Zug nach Süden verpaßt hatten. Stare und Spatzen hielten nie gute Freundschaft, und jetzt im Winter kam noch der Brotneid dazu. Es gab ein großes Geschrei um mein und dein, und bald mußten die Spatzen das Feld unwillig und schimpfend räumen; denn die Stare waren trotz ihrer Beliebtheit bei den Menschen und trotz ihres melodischen Flötens ein streitsüchtiges Volk, dessen Gegnerschaft man nicht unterschätzen durfte.

Zuletzt kamen die Häher, die bisher von den nahen Bäumen dem Gezänk von Spatzen und Staren zugesehen hatten. Die Häher verfuhren wie von alters her nach dem edlen Grundsatz: Macht geht vor Recht! Wie in einem Blitzkrieg verjagten sie die Stare, pickten gierschlungig den Rest der Körner und Brosamen auf und gerieten dabei untereinander in schwere Meinungsverschiedenheiten, die sie durch lautes Geschrei zum Ausdruck brachten. Schließlich wurde es Möne zu arg, er riß die Tür auf und rief den Fliehenden nach: »Dunner un de Kamerdör! Ji sünd jo doch ein niederdrächtiges Takeltüg! Glöwt ji, dat ick jug Striethamels

Ja, das glaubten die Häher, und Möne glaubte es auch, morgen oder äwermorgen wedder wat tau freten bring?« denn er wußte, daß es morgen und übermorgen genauso wie heute gelten werde: Brich dem Hungrigen dein Brot! Und außerdem hatte er seit dem letzten Sommer eine besondere Vorliebe für die Häher. Damals hatte er gesehen, wie in seiner Nachbarschaft ein halbwegs flügges Häherkind, das in einem unbewachten Augenblick aus seinem Nest auf die Erde gehüpft oder gefallen war, nun in seinem kindlichen Unverstand auf die Straße spazierte, wo es in Gefahr stand, von Hunden oder Katzen zerrissen zu werden. Ein Nachbarsjunge kam gesprungen, um das wehrlose

Tierchen zu retten; aber in demselben Augenblick, als er die Hand nach dem kleinen Dummerjan ausstreckte, kamen Vater und Mutter Häher geflogen, kreisten zwei- oder dreimal in bedrohlicher Nähe um des Jungen Kopf und stießen mit ihren scharfen Schnäbeln zu, so daß der Angegriffene das Junge fahren ließ und eiligst seinem Hause zulief, während sich das Baby nun ganz artig von seinen Eltern zurückführen ließ. Seitdem hatte der Junge einen Widerwillen gegen alles Hähertum; aber bei Möne standen sie von demselben Tage an in großem Ansehen.

Während die Vögel in Hast und unter lautem Geschrei ihr Frühstück verzehrten, hatten sich an der Vorderseite des Hauses die Eichkätzchen eingefunden. An Frechheit ließen sie nichts zu wünschen übrig; aber ihre Frechheit war putzig, und in ihren Blicken und blitzschnellen Bewegungen lag so etwas wie Humor, und darum hatte Möne sie gern. Sie zeigten nicht die geringste Furcht, und wenn es galt, einen besonders guten Bissen zu erhaschen, kletterten sie an ihm hoch. Er mußte eine Nuß nach der andern aus der Tasche holen, um sie zu befriedigen und sich ihre Freundschaft zu erhalten. Einmal war es allerdings fast zu einem Zerwürfnis zwischen ihm und ihnen gekommen; einer der grauen Gesellen war ihm von der Schulter auf den unbedeckten Kopf gesprungen und hatte beim Absprung einige Haarbüschel mitgenommen und auf dem Kopf mehrere leichte Risse hinterlassen. Aber Möne war nicht nachträglich. Was machten ihm ein paar Schrammen aus!

Wenn sie nach seiner Meinung ihre Tagesration erhalten hatten, entließ er sie, aber nicht ohne ihnen eine kleine pastörliche Ansprache gehalten zu haben: »Nu gaht nah Hus un zankt nich ünnerwegs! Bedrägt jug so, as sick dat

för gaud' Katteikers gehürt! Ümmer ehrlich! Ick heff mennigmal Klagen äwer jug hürt, dat ji in'n Sommer und
Harwst nehmt, wat jug nich tauhürt. Das ist nicht ein gutes
Geschrei, das ich von euch höre. Wenn ji dat nochmals
dauhn, denn . . . !« Aber sie waren unterdes schon wieder in
ihre Bäume geklettert und konnten ihn nicht mehr verstehen, und darum blieb die Drohung, die er noch hinzu-
fügen wollte, ungesagt, und das war gut, denn man soll
auch mit Drohungen sparsam sein.

Im Sommer fand Möne neben aller Amtsarbeit noch Zeit
zur Beschäftigung im Garten. Früher war Grete unum-
schränkte Herrin des Gartens gewesen, hatte ihn soweit
möglich nach dem Vorbild des Warkenthiner Pfarrgartens
angelegt und mit großer Freude als fleißige und kundige
Gärtnerin darin gearbeitet, so daß es ihr von Frühlings-
anfang bis in den Spätherbst hinein nicht an Blumen
fehlte. Nun war Möne ihr Nachfolger in der Gärtnerei geworden. Er sah den Garten an als ein Erbstück von seiner
Grete, ein Vermächtnis, dessen Verwaltung allein ihm und
keinem andern oblag, und darum duldete er keine fremde
Einmischung und wies jedes Anerbieten von Hilfeleistung
freundlich aber bestimmt zurück.

Es gab keinen andern Garten im ganzen Ort, der so sau-
bergehalten wurde wie der hinter dem Pfarrhaus. Allem
Unkraut, das immer wieder in seinen Garten einzudringen
versuchte, war Möne gram, aber keinem so sehr wie der
wuchernden und vielgliedrigen Quecke. Kam einmal eine
zum Vorschein, so übermannte ihn der Zorn, daß er dem
Feind mit Spaten und Hacke und Fingern zuleibe ging und
dabei seinen schlimmsten Fluch gebrauchte: »Quos ego!«
Was hätte der alte Iserloth in Warkenthin dazu gesagt –
ein Pastor in Amt und Würden, mit grauem Haar, den Jah-

ren nach nicht weit von der biblischen Altersgrenze entfernt – und flucht wie ein preußischer Wachtmeister!

Aber über jedes Blümlein in seinem Garten, mochte es noch so niedrig und bescheiden dastehen, konnte er sich freuen wie ein Kind, lockerte ihm die Erde, daß Luft und Regen und Sonnenlicht an die zarten Würzelchen dringen konnten, und sprach ihm gut zu: »Bist brav, mein Blümchen! Bist mir wie Röslein auf der Heiden! Schaust mich so freundlich an, hab' meine Freude dran!«

Wahrlich, Langeweile drückte Möne nicht. Die Verwandten und Freunde weit hinten in der griesen Gegend vergaßen ihn nicht und schrieben ihm lange Briefe, nicht nur über alles, was in Haus und Stall und Feld und Garten getan wurde oder getan werden sollte, sie schrieben auch über Geburten und Todesfälle, über den Aufschwung der bäuerlichen Betriebe, über dörfliche und städtische und politische Verhältnisse, und daneben stellten sie Fragen über Fragen: Was denkt euer Präsident über die deutsche Kolonialpolitik? Wieviel Kühe hält der amerikanische Farmer durchschnittlich? Wieviel Lohn zahlt man dir dort? Welche Sorte Tabak rauchen eure Farmer? – Und so fragten sie weiter, eine ganze Briefseite lang. Sie waren nicht immer leicht zu beantworten, diese Fragen; aber Möne verstand es, den mecklenburgischen Wissensdurst zu stillen. Was ihm diese Briefe, mochten sie in untadelhaftem Hochdeutsch oder in einem kunterbunten Mischmasch von Hochdeutsch und Plattdeutsch geschrieben sein, lieb und wert machte, war die heimatliche Luft, die ihn daraus anwehte. Die Heimat sprach ihn an, und *die* Sprache verstand Möne.

Es wurden ihm, besonders zur Weihnachtszeit, auch Bücher von drüben, namentlich von früheren Studiengenossen, zugesandt, die ihm zeigen wollten, daß in der Alten

Welt trotz ihres Alters doch auch Neues gedacht und getan wurde. Sogar Bilder fanden ihren Weg nach Buffalo Heights. Es war zu dieser Zeit ein neuer Kunstmaler in der Heimat bekanntgeworden, Rudolf Schäfer, ein Mann, der es wie wenige vor ihm verstand, auf Herz und Gemüt einzuwirken. Eines Tages hatte die Post eine kleine Sammlung seiner Bilder ins Pfarrhaus gebracht. Betitelt war die Sammlung »Rosen und Rosmarin«. Wenn Möne, müde und abgespannt von des Tages Tätigkeit, sich am Abend an den Tisch setzte, nahm er gern diese Bilder zur Hand und konnte sich nicht satt daran sehen.

Eins hatte es ihm besonders angetan. Es war die Zeichnung einer Abendlandschaft. Jedesmal, wenn Mönes Blick auf dies Bild fiel, kam ihm das alte Abendlied in den Sinn: »Der Tag ist nun vergangen, die güldnen Sterne prangen am blauen Himmelssaal.« Am Rande eines Kornfeldes sah man einen engen Weg, und an der dem Beschauer zugekehrten Seite des Weges stand ein großes Holzkreuz mit dem Heiland, wie man es in süddeutschen Ländern häufig findet. Vor und neben dem Kreuz ragten hochgewachsene Bäume auf, und zwischen ihnen stand eine Bank, und auf der Bank saß, die Hände auf seinen Stab gestützt, ein müder alter Wandersmann und schaute ernst und gedankenvoll auf das Kreuz und auf den, der daran hing.

Wer das Bild nur flüchtig anblickte, würde sagen: »Sehr stimmungsvoll!« Für Möne aber lag mehr als Stimmung darin. Man hätte gut und gern das Dreigestirn alles christlichen Lebens als Unterschrift wählen können: Glaube, Liebe, Hoffnung! Der Maler hatte jedoch eine andere Bezeichnung für sein Bild gefunden. Mit einfachen und klaren Buchstaben stand unter dem Bild das, was dem ausruhenden Wanderer durch die Seele geht: »Schönster Herr Jesu!«

Bild und Unterschrift bewegten Möne bis ins tiefste Herz hinein, und seine Gedanken gingen hinüber zu dem Maler: »Ja, lieber Meister Schäfer, mit diesem Bild und diesem Wort hast du mich zu deinem Freund gemacht. Du hast ja recht; trotz Gliederverrenkungen und rinnendem Blut, trotz Kreuzesnot und bitterem Tod: *schönster* Herr Jesu! Hab Dank, Meister Schäfer, hab Dank!« Möne legte das Bild in die Nachbarschaft von Bibel und Gesangbuch.

Es kam der Krieg, der erste Weltkrieg. Möne war ein guter Bürger dieses Landes, und dennoch hing sein Herz wie festgeklammert an der alten Heimat, deren Bild er nicht auslöschen konnte und wollte. Soweit es ihm erlaubt war, eiferte er gegen die von Tag zu Tag sich mehrenden Versuche, die Vereinigten Staaten mit in den Krieg zu zerren. Das zum Überdruß gebrauchte Schlagwort »right or wrong – my country first« stand nicht in Einklang mit seinen Gedanken über Recht und Unrecht. In tiefem Schmerz mußte er sehen, wie die Schlinge um sein Heimatland nach und nach enger gezogen wurde, und in bitterem Weh kam es ihm zum Bewußtsein, daß man im großen Lande der Freiheit sein Wünschen und Fühlen für das Land seiner Jugend verbergen müsse wie »heimliche Liebe, von der niemand was weiß«.

11. EIN GLÜCKWUNSCH, EINE BITTE
UND EINE ANTWORT

Bevor Amerika den verhängnisvollen Schritt an die Seite der Verbündeten tat, erlebte Möne etwas, was sein Herz in anderer Weise bewegte als Krieg und Kriegsgeschrei. Die

Kirche in Warkenthin feierte ihr 700jähriges Bestehen. Gute Freunde hatten es ihm mitgeteilt. Sein Glückwunschschreiben lautete:

»Liebe Gemeinde zu Warkenthin,

es ist mir ein Herzensbedürfnis, Dir zu Deinem Jubiläum einen aufrichtigen Glückwunsch zu senden. Du feierst jetzt einen Gedenktag, wie wenige Gemeinden ihn feiern können. Auf Jahrzehnte und Jahrhunderte kannst und wirst Du heute zurücksehen, und neben dem alten demütigen Jakobswort ›Ich bin zu geringe aller Barmherzigkeit und aller Treue, die du an deinem Knechte getan hast‹ wird es immer wieder in Lob und Dank durch Deine Seele gehen: ›Der Herr hat Großes an uns getan, des sind wir fröhlich!‹

Wo sind sie alle, die einst zu Dir gehörten! Die große Mehrzahl ruht unterm Rasen und gehört zu denen, ›die da schlafen‹. Und die noch leben, können nicht alle bei Deiner seltenen Feier anwesend sein, weil sie, wenn auch nur zu einem geringen Teil, zu weit entfernt wohnen. Aber das sollst Du wissen, Du liebe alte Gemeinde zu Warkenthin, daß der Dich nie vergißt und nimmer vergessen kann, der einmal zu Dir gehörte und als Kind und als Erwachsener in Deinem ehrwürdigen Gotteshaus gesessen und dort das reine und unverfälschte Gotteswort gehört hat. Der Eindruck, den Gotteshaus und Gottesdienst daheim in unsern jungen Tagen auf uns machten, soll uns unvergeßlich sein und wird mit uns hinübergehen in die Ewigkeit.

Mein Glückwunsch ist kurz: Gott segne Dich immerdar! Er segne alle Deine Gemeindemitglieder, die, bei denen es Abend werden und der Tag sich neigen will; die, die in rüstigem Alter dahinschreiten; und die, für die der Lebenstag erst angebrochen ist! Gott hat bisher in guten wie in bösen Tagen seine Augen offengehalten über Dir, und Er wird es auch in Zukunft so halten, daß Du in großer Zuversicht sprechen kannst: ›Du bist bei mir, dein Stecken und Stab trösten mich.‹

Es gibt ein Bibelwort, das heißt: ›Kann auch eine Mutter ihres Kindleins vergessen?‹ Umgekehrt hat's aber auch einen guten Sinn: ›Kann auch ein Kind seiner Mutter vergessen?‹ Wir sind Deine Kinder, liebe Warkenthiner Gemeinde, und wir wollen Dich nicht vergessen, und wenn wir's wollten – wir könnten's nicht. Und wenn sich auch Länder und Meere zwischen uns gelegt haben, die Sehnsucht des Kindes nach der Mutter bleibt und wird bleiben bis in den Tod.

Und nun mußt Du mir noch eine Bitte erlauben. Es ist diese: Halte, was Du hast, daß niemand Deine Krone nehme! Du hast Gottes Wort. Halt's fest! Es ist böse Zeit, und ihrer sind viele, dort bei Dir und hier bei uns, die uns alles rauben wollen, was uns ›von Mutterleib und Kindesbeinen an‹ lieb und wert und heilig gewesen ist. Es soll uns auch heilig bleiben! Gott walt's!

Aus der Ferne und in großer Treue Dein früheres Gemeindemitglied Möne Markow«

Der Brief wurde am Jubiläumstage in der Warkenthiner Kirche verlesen, und da war keiner, der nicht hoch aufhorchte, und da war mancher, der sich die Augen wischte.

Möne erhielt Antwort. Die Alten, die in Warkenthin zusammen mit ihm aufgewachsen waren, schrieben: »Komm zu uns, Möne! Wir werden es Dir Dank wissen. Wir müssen hier jemand haben, der uns versteht und den wir verstehen. Die Welt ist heute so wunderlich, und die Wege, die über die Erde führen, sind zumeist krumm und irrig und wirrig. Wir wollen gern den geraden Weg gehen, und dazu sollst Du uns helfen. Die Jugendjahre hast Du zusammen mit uns verlebt; willst Du nicht auch die letzte Wegstrecke wieder mit uns wandern? Wir brauchen Dich, Möne! Komm!«

Auch die jüngere Generation schrieb: »Lieber Herr Pastor, unsere alten Leute haben schon an Sie geschrieben und Sie gebeten zu kommen. Nun bitten wir ebenfalls: Kommen Sie zurück zu uns! Sie sind lange genug in der Fremde gewesen. Wir jungen Leute brauchen Sie auch, vielleicht noch mehr als unsere Alten. Wir brauchen einen Freund, der uns sagt, was recht und unrecht ist, was wir tun und nicht tun sollen. Unser Pastor hat uns verlassen, und nun sind wir wie die Schafe ohne Hirten, sind auch manchmal dumm wie die Schafe und tun oft etwas, was uns hinterher gereut. Gehen Sie uns voran, führen Sie uns aus all dem Wirrsal, das uns umgibt! Wir wollen Ihnen folgen. Wir wollen Sie ansehen als unsern Vater und Berater. Wir wollen's Ihnen danken bis in die Ewigkeit hinein.«

Die beiden Briefe bewirkten, daß sich Mönes Herz wie im Krampf zusammenzog. Die Heimat rief ihn, und die Heimat war in schwerer Bedrängnis des Leibes und der Seele. Der Krieg hatte schlimm gehaust nicht nur in Städten und Dörfern und Wäldern und Feldern, er hatte noch schwerere Verwüstung hineingetragen in viele Herzen, daß sie nicht aus noch ein wußten und in ihrer Verwirrung oft nicht mehr den Unterschied zwischen gut und böse klar erkannten und nun in ihrer Herzensnot schrien: Wo ist nun der Herr, der Gott Israels?

Möne saß an seinem Tisch und las die Briefe und las sie nochmals und zum drittenmal. Er sah die Heimat vor sich, die abgeholzten Wälder und die verwahrlosten Äcker, zu deren Bearbeitung die Kraft der Frauen und Kinder nicht ausreichte. Er sah die hungrigen Alten und hörte das

Schreien der Kinder nach Brot, und ihm war dabei zumute, als ob seine Mutter ihn mit großen und angstvollen Augen um Hilfe anflehte. Er legte beide Arme auf den Tisch und ließ den Kopf auf die Arme sinken, und dicke Tränen tropften auf seine Hände. Das Leid der Heimat riß an dem starken Mann, wie der Sturm am Eichbaum reißt, und in heißem Ringen mit sich selbst fragte er: mußt du gehen? Sollst du gehen? Darfst du gehen?

Dann aber war sein Entschluß gefaßt und Herz und Gewissen ruhig geworden. Er nahm ein Blatt Papier zur Hand und schrieb:

»Ihr lieben alten und jungen Freunde in Warkenthin,

Eure Briefe habe ich erhalten. Eure Not ist meine Not, Euer Leid mein Leid. Gott weiß, wie gern ich Eurem Ruf folgen möchte; aber ich kann und darf nicht. Ich darf meine ›roten‹ Kinder hier nicht verlassen.

Ihr schreibt, daß Ihr seid wie eine Herde ohne Hirten. Freunde, Ihr irrt Euch! In Psalm 23 steht es anders zu lesen. Ihr kennt den Hirten, und Er kennt Euch, jeden von Euch, und es ist Verlaß auf Ihn. Und Ihr habt Sein Wort, das helle Licht, und Ihr könnt es hineinleuchten lassen in Eure Herzen, gerade jetzt, da es so dunkel ist um Euch her und da für diesen und jenen unter Euch die Gefahr besteht, daß es bei ihm auch innerlich dunkel werden könnte. Auf Sein Wort ist Verlaß! Glaubt's mir, ich hab's ausprobiert! – Wie wenig haben dagegen meine Indianer! Sie tappen vielfach noch in mangelhaftem Wissen von Gott einher und in unsicherem Halbdunkel. Sagt selbst, ob ich es vor Gott verantworten kann, sie treulos im Stich zu lassen, so daß sie durch meine Schuld vielleicht wieder in völlige Unwissenheit und in völliges Dunkel versinken! –

Laßt den Schulzenknüppel* im Dorf herumgehen, der Euch ansagen soll, daß am Abend desselben Tages eine Dorfversammlung stattfinden wird. Sonst sind nur die Männer zu dieser Versammlung geladen worden; jetzt müßt Ihr alle kommen, Männer und Frauen, Jünglinge und Jungfrauen, die Kinder allzumal und ganz besonders Ihr Witwen und Waisen. Stellt Euch auf der Dorfstraße auf, denn auf dem Hof des Schulzen wird nicht Raum genug sein! Stellt Euch im Kreise auf, und gebt Euch die Hände, und singt mit Herz und Mund, daß es bis an den Himmel und in den Himmel hinein schallt: ›Ein' feste Burg ist unser Gott, ein' gute Wehr und Waffen!‹ Ich sage Euch, das ist ein gutes Mittel gegen wunde und wehe Herzen.

Und zum andern sage ich Euch: Eure Herzen sind kleingläubig geworden, und das wundert mich nicht, denn das ist leider der Menschen Art und Weise in Notzeiten. Aber kürzlich habe ich im Neuen Testament ein Wort gefunden, das Euch wieder stark machen will und soll. Es lautet: ›Gott ist größer denn unser Herz.‹

Und drittens frage ich: Gilt in Eurem und meinem Vaterland noch das Wort, das der alte Bismarck einst im Reichstag dem dräuenden Feind zurief: ›Wir Deutschen fürchten Gott und sonst nichts in der Welt‹?

In alter Treue Euer Freund und Landsmann

Möne Markow«

---

* Der Schulzenknüppel war ein ansehnliches Stück Holz, ungefähr einen halben Meter lang. Drei- bis viermal im Jahr ließ der Schulze ihn von Haus zu Haus wandern. Eine mündliche Mitteilung als Begleitung des Knüppels war nicht nötig, denn jedermann wußte, was sein Erscheinen bedeutete: Heute abend ist Dorfversammlung!

12. BESUCH VON MUTTER BUSACKER

Eine große Freude erlebte Möne noch in seinen alten Tagen. Unerwartet bekam er Besuch. Die uralte Mutter Busacker in Springdale hatte sich auf den Weg gemacht, um noch einmal ihren früheren Pastor zu sehen und Zwiesprache mit ihm zu halten.

Was für ein merkwürdiges Menschenkind war doch die Mutter Busacker! Sie hatte ein hartes Leben hinter sich, ein sehr hartes sogar. Als junge Frau war sie mit ihrem Mann nach Amerika gegangen, er in heller Begeisterung, sie willig, aber doch ohne übergroßes Vertrauen zu dem ›gelobten Land‹.

Sie hatten beide schwer gearbeitet, und als sie dann nach einer ganzen Reihe von Jahren ein bescheidenes Anwesen ihr eigen nennen konnten, starb der Mann, und an seinem Grabe standen die Witwe und fünf unversorgte Kinder. Sie murrte nicht und legte erst recht nicht in Verzweiflung die Hände in den Schoß. Zum Murren und Verzweifeln hatte sie gar keine Zeit. Sie kannte den Weg, der vor ihr lag, und wußte, daß es ein rauher und steiniger Weg war; aber sie kannte auch den rechten Wegweiser.

Unverdrossen arbeitete sie vom frühesten Morgen bis in die Nacht hinein und vergaß dabei nicht, am Morgen zu bitten: »Hilf uns, Herr, in allen Dingen!« und am Abend: »All unsre Schuld vergib uns, Herr!« – Es ging ihr wie dem Joseph in Ägyptenland: Alles, was Joseph tat, da gab Gott Glück zu! – Die Kinder wuchsen heran und verschafften der Mutter manche Erleichterung in ihrem schweren Tagewerk, und endlich war es dahin gekommen, daß nicht sie die Kinder ernährte, sondern die Kinder ihre Mutter versorgten. Mutter Busacker saß in ihrem Altenteilstübchen, nicht mürrisch und unzufrieden darüber, daß sie nun »abgesetzt« war, sondern froh und dankbar.

Zweierlei verlernte sie nie, solange sie lebte, den Kirchgang am Sonntag und das Arbeiten am Werktag. Obgleich sie Haushälterin i. R. war, fiel ihr das Müßigsein schwerer als das Arbeiten, wovon man besonders im Pfarrhause ein Lied singen konnte. Nicht nur, daß sie sich bei jeder größeren Arbeit wie Wäsche, Hausreinigung, Gartenbestellung wie selbstverständlich einfand; nein, sie war von viel größerer Bedeutung für die Familie Markow. Dem Pastor war sie eine treue Ratgeberin, der Grete eine mütterliche Freundin und den Kindern eine sorgliche Hüterin. Und was vielleicht noch am höchsten zu schätzen war: bei jeder Hilfeleistung, auch bei der unangenehmsten, war sie froh und zufrieden. Es war, als arbeite sie unbewußt nach dem Schriftwort: »Es ist ein köstliches Ding, daß das Herz froh sei bei der Arbeit!« Dafür stand sie aber auch in hohem Ansehen bei der ganzen Markow-Familie. Was Mutter Busacker sagte, war recht, und was sie tat, war dreimal recht. Möne nannte sie im Scherz oft den Motor des Pfarrhauses.

Und nun war sie da. Im ersten Augenblick sah sie den Pastor etwas erstaunt an. War das wirklich derselbe Mann, der vor vielen Jahren der Gemeinde in Springdale angehört und den böse Buben dann weggeekelt hatten? Mönes Haar war weiß geworden, und die Sorge um seine Indianer hatte manche Furche in sein Gesicht gegraben. Und doch, es war derselbe; sie erkannte ihn an seinem festen Händedruck, an seinen ehrlichen Augen und an seinem freundlichen Wort. Nur sein Äußeres hatte sich gewandelt.

Sie hatten sich viel zu erzählen, Mutter Busacker und Möne Markow. Beide hatten beides erfahren, Freude und Leid. Beide wußten: das Herz wird leicht durch Freud', und schwer wird es durch Leid! Die Freude war wie ein heller Frühlingstag über sie gekommen und das Leid wie ein hartes Hagelwetter. Das Grab auf dem Indianerfriedhof war noch nicht alt, und Mutter Busacker hatte zwei Söhne im ersten Weltkrieg verloren an einem und demselben Tag und wußte nicht einmal, wo ihr Grab zu finden sei.

Von der Heeresleitung hatte sie damals die Todesnachricht erhalten mit dem Zusatz, sie könne stolz sein auf ihre Söhne, die als Helden fürs Vaterland gestorben seien. Als sie das gelesen hatte, war neben dem tiefen Schmerz der Zorn über sie gekommen: »Stolz soll ich auf sie sein – jetzt, da sie irgendwo in fremdem Land verscharrt worden sind? Nein, stolz war ich auf sie, als sie gesund und stark in meinem Haus ein und aus gingen und mit jedem Wort und Blick zeigten, daß sie ihre alte Mutter liebten und in Ehren hielten. – Helden? Geht mir mit euren Helden! Ich würde gern auf Heldensöhne verzichten, wenn ich nur meine beiden Buben wiederhaben könnte. Weil ein Dutzend von euch großen Herren den Krieg wünschten, mußten Tausende von unsern Jungen den ›Heldentod‹ sterben!«

Auch von Mönes erster Gemeinde in Springdale sprachen sie, von jener Gemeinde, die ihn einst wie einen lebendigen Gruß aus der Heimat aufgenommen hatte und ihm dann doch wie einem unnützen Fremden den Fußtritt versetzte, der sie und ihn voneinander trennte. Mutter Busacker war der Meinung, Möne solle froh sein, daß er nicht all den unkirchlichen Unfug sehen müsse, der jetzt in Springdale getrieben werde. Und dann fügte sie hinzu: »Die Gemeinde wächst äußerlich sehr an; es wollen viele Neue aufgenommen werden, und sie werden auch aufgenommen, entweder unbesehen oder nach einigen wenigen

Unterrichtsstunden, die ihnen möglichst leicht gemacht werden. Nach ihrem bisherigen Leben wird nicht viel oder gar nicht gefragt; wenn sie nur bei der Aufnahme dem Pastor die Hand geben und dabei ein recht ehrbares Gesicht machen, so sind sie sozusagen über Nacht gute und treue Gemeindemitglieder geworden. – Es fehlt uns etwas in Springdale. Ich weiß nicht, was es ist; aber manchmal denke ich: es ist unser Heiland, der uns abhanden gekommen ist.«

Mit den Indianern hatte Mutter Busacker nicht viel im Sinn. Sie traute ihnen nicht so recht und ging ihnen soviel wie möglich aus dem Wege. Möne versicherte ihr immer wieder mit Lachen, daß die Indianer nicht schlechter und nicht besser seien als die Weißen; aber sie blieb bei ihrer abweisenden Haltung. »Ich weiß doch nicht; sie sind so ganz anders, sie sind nicht so wie die Leute aus der griesen Gegend!«

Nach einigen Wochen reiste der Besuch wieder ab. Beim Abschiednehmen standen beide lange Hand in Hand. »Auf Wiedersehen«, sagte Mutter Busacker, und »Auf Wiedersehen«, antwortete Möne, und beide wußten, welches Wiedersehen sie meinten, und dann fügte Möne noch hinzu: »Es will Abend werden, Mutter Busacker, für uns beide will es Abend werden.«

13. MÖNES KRANKHEIT UND STERBEN

Und es wurde Abend – schneller, als Möne es sich gedacht hatte. Er hatte an einem Tage bis tief in die Nacht hinein am Sterbebett eines alten Indianerweibleins gesessen und ihm ein helles Licht nach dem andern angezündet für die Wanderung durch das dunkle Tal, und als er dann ins Pfarrhaus zurückkehrte und sich todmüde in sein Bett legte, hatte er nicht darauf geachtet, daß das Fenster in seiner Schlafstube weit geöffnet war, sondern war sofort fest eingeschlafen, so daß der kühle Novembernachtwind stundenlang ungehindert über den Schläfer hinstreichen konnte.

Früh am Morgen war er wieder auf und ging, um Helene einen guten Morgen zu wünschen. Nein, er ging nicht, sondern er taumelte, so daß Helene ihn fragend ansah. »Was ist dir, Vater?«

»Nichts«, war die Antwort, »ich bin wohl nur noch müde von gestern her.« Dann setzte er sich nieder zum Morgenimbiß, zeigte aber so wenig Appetit, daß es ihm selber auffiel.

Mehr noch fiel es seiner Tochter auf, die ihren Vater kannte als einen Mann, der sonst bei jeder Mahlzeit eine gute Schlacht schlug und einen natürlichen Widerwillen gegen Speisereste hatte. »Vater, du bist doch nicht krank?«

»Krank? Nein, ich habe gar keine Zeit, krank zu sein. Es geht jetzt stark auf Weihnachten zu, und da gibt's viel liebe Arbeit für mich.«

Als er sich dann fertig machte zu einem Gang in das Haus der in der Nacht gestorbenen alten Frau, um mit den Hinterbliebenen über die Beerdigung zu beraten, und schon an der Haustür stand, griff er plötzlich mit einer Hand nach einem festen Halt und mit der andern nach seiner Brust, durch die es wie ein messerscharfer Stich ging. Nach einem Augenblick hatte er sich erholt. »Es ist nichts, Leni«, sagte er, »aber ich will doch lieber zu Hause bleiben.« Damit setzte er sich an den Schreibtisch; der Text für die Predigt am kommenden Sonntag wartete auf seine Bearbeitung:

»Siehe, ich komme bald!« Off. Joh. 23, 7. – Aber der Schmerz wiederholte sich und zwang ihn, die Arbeit dranzugeben und sein Bett aufzusuchen. Am Nachmittag verschlimmerte sich sein Zustand.

Möne hatte nie viel von der ärztlichen Kunst gehalten; aber er gab doch seine Zustimmung, als Helene ihm riet, den Doktor zu rufen. Der Doktor kam, untersuchte, machte ein bedenkliches Gesicht und stellte fest: doppelte Lungenentzündung. Es sah schlimm aus. Die Serumbehandlung der Lungenentzündung war noch für jedermann ein Geheimnis, auch für jeden Arzt, und für den, der sich damals im Alter von mehr als vierzig Jahren eine Lungenentzündung zuzog, konnte man mit einiger Gewißheit das Formular für den Totenschein bereitlegen.

Am nächsten Morgen, als keine Besserung zu spüren war, fragte Helene ihn, ob sie nicht ihre Brüder bitten solle, zu kommen; aber er wehrte ab: »Nein, sie haben jetzt, so kurz vor Weihnachten, ihre reichliche Arbeit. Wir wollen sie nicht stören. Sie können mir auch nicht helfen, und du« – leise streichelte er ihre Hand – »du bist ja bei mir.« Aber seinen alten Freund und Amtsbruder in erreichbarer Nähe ließ er bitten zu kommen.

Der kam am nächsten Tage. Unruhig fuhren die Hände des Kranken über die Bettdecke. Zuweilen redete er irre, und auf seinen Irrfahrten war er bald in Warkenthin, bald in Springdale und dann wieder bei seinen Indianern; nun sprach er mit Mutter Markow und Pastor Brümmerstädt, und gleich darauf hatte er mit Mutter Busacker zu reden; mit Frau Grete und seinen Kindern unterhielt er sich oft und lange, und dann lächelte er und lag still und zufrieden da.

Es kamen aber auch Stunden, in denen er wieder völlig

Herr über seine Gedanken war, und dann hielt er Zwiesprache mit seinem alten Freund, der nicht von seinem Bett wich. Möne wußte, daß sein Ende nahe sei. Zweifel, ernstliche Zweifel, waren ihm nie gekommen, aber Stärkung für den letzten und schwersten Gang braucht auch der Stärkste, und sein Freund war gerade der rechte Mann, ihn zu stärken und ihm das Geleitwort für die letzte Fahrt zu sagen.

Hin und wieder trat ein Indianer an sein Lager, sah scheu hinüber zu dem Kranken und wurde noch scheuer, wenn er die wirren Reden hörte. War das wirklich ihr Pastor, der sonst so klar und verständlich zu ihnen gesprochen hatte? Waren das nicht vielleicht doch die bösen Geister, die dem Sterbenden den Eintritt in die ewigen Jagdgefilde nicht gönnten? Aber nein, mit denen hatte ihr Pastor nichts zu tun und sie auch nicht. Und in kindlichem Unverstand bat der eine und der andere den Kranken: »Bleib' bei uns, Vater! Verlaß uns nicht!«

Sie kamen auch, die Indianer, wenn Mönes Gedanken auf der richtigen Straße fuhren. Manch lebensfrohes Kind kam und legte sein Händchen in die heiße Hand des Pastors, und manch vergrämtes und verhutzeltes Indianerweib humpelte in das Krankenzimmer, kam mit trockenen und ging mit nassen Augen, brachte nichts als ein schweres Seufzen und nahm ein freundliches Trostwort mit nach Hause. Alle wollten sie ihn trösten, aber er tröstete sie alle. –

Aus Abend und Morgen ward der letzte Lebenstag für Möne Markow. Die Tage der Krankheit hatten ihn arg mitgenommen; aber gerade an diesem letzten Tage trübte keine Wolke seinen klaren Sinn, und auf seinem Gesicht lag milder Abendsonnenschein. Helene mußte auf sein Geheiß Papier und Feder holen und niederschreiben, wie dies und jenes nach seinem Ableben geordnet werden sollte. Jedes Wort von ihm war ihr ein heiliges Vermächtnis, und als das letzte gesagt und geschrieben war, war weder Siegel noch Petschaft nötig. Ab und zu war eine schwere Träne auf das Papier gefallen, und jede einzelne war mehr wert als eine gerichtliche Versiegelung.

Sein alter Freund verließ ihn nicht an diesem Tage, und seine Freundschaft tat sich kund in treuem Zuspruch, der nicht von ihm stammte, sondern von einem Höheren. Und alles, was Möne mit schwacher Stimme zu sagen hatte, war gestimmt auf den Grundton: »Hier kommt ein armer Sünder her, der gern ums Lösgeld selig wär'!« Für eine kurze Weile kam leiser Schlummer über ihn; aber dann drehte er jäh den Kopf nach der Seite, wo noch immer Gretes Bett stand. »Ja, Grete, ich komm!« Ein froher Zuruf und Gruß aus der Zeit in die Ewigkeit, von hüben nach drüben. Möne Markow war daheim.

An diesem Tage wurden die Indianer in Buffalo Heights zu Waisen. Schrieb Gottvater an diesem Tag in sein Lebensbuch hinter Namen und Beruf von Möne Markow wirklich: »Ein brauchbarer Mann?« Es ist wohl anzunehmen.

J. S. Bach brauchte sich nicht mehr zu ereifern über Mönes Singsang, denn in der Ewigkeit geht eine große Wandlung der Menschen vor sich, und sogar jedes mißtönige Singen hier auf Erden wird dort zu einem voll und rein klingenden Jubellied, an dem selbst der Leipziger Kantor nichts auszusetzen findet. Er ließ die Glocke des Engelchors läuten, und bald standen sie alle um ihn, die lichten und frohen Gestalten. Es war auch gar nicht nötig, erst ein passendes Lied aus dem großen Liederbuch zu wählen. Der alte Kantor und seine Sänger wußten, daß nur *ein* Lied in Betracht kommen konnte.

Johann Sebastian erhob die Rechte, zählte: »Eins – zwei – drei«, und der volle Chor setzte ein: »Schreib meinen Nam' aufs beste ins Buch des Lebens ein!« –

Nicht lange darauf konnte man auf dem Indianerfriedhof zu Buffalo Heights ein neues Grab sehen und auf dem Grab ein einfaches Kreuz mit der von dem stillen Schläfer bestellten Inschrift: »Dieser war auch mit dem Jesus von Nazareth!«

Und in Springdale stand die alte Mutter Busacker mit gefalteten Händen in ihrem Altenteilstübchen und sagte leise und innig: »Auf Wiedersehen, Pastor Markow, auf Wiedersehen!« –

>»Und ihre Seele spannte
>Weit ihre Flügel aus,
>Flog durch die stillen Lande,
>Als flöge sie nach Haus.«

INHALT